D1269795

OBRAS

HERNANDO DOMINGUEZ CAMARGO

OBRAS

Prólogo
GIOVANNI MEO ZILIO

Cronología y bibliografía
HORACIO JORGE BECCO

BIBLIOTECA  **AYACUCHO**

Apartado Postal 14413
Caracas - Venezuela - 1010

ISBN 980-276-006-4 (tela)
ISBN 980-276-003-X (rústica)

Impreso en Venezuela
Diseño / Juan Fresán
Printed in Venezuela

PROLOGO

PERFIL DEL POETA Y DE LA OBRA

1. Premisa. 2. Vida, obra y fortuna. 3. Estructura ideológica y comentario estilístico del poema. 4. El gongorismo de Domínguez Camargo.

1. *PREMISA*

HACE CASI CUATRO LUSTROS, el autor de estas páginas publicó su *Estudio sobre Hernando Domínguez Camargo y su San Ignacio de Loyola, Poema Heroyco* (Firenze, D'Anna, 1967, 360 pp.) que ha representado "la primera monografía de conjunto que intentase una reconstrucción orgánica de la vida, la espiritualidad y la poesía del gran colombiano situándola histórica y categorialmente dentro de la amplia y compleja tradición de la épica hispánica (textos y teorías)" (*o.c.*, p. 7). De aquel trabajo, *mutatis mutandis,* procede hoy esta introducción cuyos materiales han sido seleccionados, reelaborados e integrados, sobre todo en la parte correspondiente a *El gongorismo de Domínguez Camargo* que había quedado apenas esbozada en el libro de entonces ("[. . .] reservándonos continuar el tema en el futuro. Nos limitamos a unas muestras indicativas [. . .]", *ib.,* p. 309). Para esto hemos utilizado también materiales recogidos por la Sra. Anna L. Giordano en su tesis doctoral *El gongorismo en Hernando Domínguez Camargo,* Firenze, Facoltà di Magisterio, 1970/71, a la que le corresponde el mérito de haber detectado y documentado varias huellas gongorinas en el poema del colombiano.

2. *VIDA, OBRA Y FORTUNA*

Bastante poco sabemos, hasta hoy, de la vida de Domínguez Camargo, salvo algunos datos fehacientemente documentados, reunidos orgánicamente e ilustrados por Guillermo Hernández de Alba [1].

Los únicos datos de alguna utilidad biográfica, *internos* a su obra, son, en la poesía, una alusión cronológica al papado de Urbano VIII (1623-

[1] "Hernando Domínguez Camargo. Su vida y su obra (1606-1659)", en Hernando Domínguez Camargo, *Obras,* Edición a cargo de Rafael Torres Quintero, Bogotá, Instituto Caro y Cuervo, 1960, pp. XXV-CXXII (es la que utilizamos fundamentalmente para nuestro itinerario biográfico del poeta santafereño: la citamos aquí de una vez por todas).

1644)[2] y, en la prosa, el año de composición (1652). Datos *externos,* históricos, tenemos, por suerte, algunos más: la fecha y el lugar de nacimiento, la edad y la fecha en que ingresó a la Compañía de Jesús, la fecha en que pronunció los votos en Tunja después de dos años de noviciado, la noticia de que estuvo radicado por dos años en Quito y luego en Cartagena de Indias, la fecha de su dimisión de la Compañía, la aceptación de la misma por parte del P. General, algunas escasas noticias sobre su nombramiento como cura de Gachetá y Turmequé, la fecha de su testamento y (aproximadamente) la de su muerte. Es casi todo lo que conocemos además del testamento mismo que representa un documento iluminante sobre el *modus vivendi* del poeta e, indirectamente, sobre su persona práctica.

Acerca de la historia externa de su obra, tampoco poseemos datos suficientemente seguros, a tal punto que no han faltado, entre los historiógrafos recientes, dudas acerca de la paternidad de lo que tradicionalmente se atribuye al neogranadino[3]. Lo único que conocemos es la fecha y el lugar de edición de sus obras (póstumas), el nombre de los respectivos prologuistas (o de quienes figuran como tales) y su juicio sobre el autor, el nombre de los varios signatarios de las licencias y aprobaciones eclesiásticas y civiles a los efectos de la impresión de las obras, el nombre real o ficticio de las personas a quienes las mismas estaban dedicadas y, lo que más interés ha despertado entre los críticos recientes, dos cartas del primer editor dirigidas al Procurador General de Indias ante la Corte de Madrid las que tratan, de una manera algo sibilina, varios detalles relativos a la publicación.

Como se ve, el panorama de los datos biográficos, externos e internos, es bastante desolador a los efectos de una cabal reconstrucción de la vida del poeta.

Nace Hernando Domínguez Camargo, de descendencia española y de familia acomodada e hidalga, en Santa Fe de Bogotá a fines de 1606. Sus padres fueron Hernando Domínguez y Catalina de Camargo, ya vecinos de la ciudad de Tunja antes de su traslado a Santafé. El poeta fue el mayor de los hijos, cuatro varones y una mujer: todos se hicieron, al parecer, religiosos.

Tenía Hernando 15 años en la época de la muerte de doña Catalina y su ingreso en el seminario de los jesuitas en Tunja (1621) y 17 cuando hizo los votos (1623).

De 1623 hasta julio de 1631 (fecha en que sabemos positivamente que se preparaba a dejar Quito camino de Cartagena de Indias) hay una extensa laguna en la historia de nuestro Autor. Tan sólo sabemos que fue de Tunja a Quito con un grupo de 30 jesuitas trasladados por el P. Provincial de Nueva Granada y Quito, debido a dificultades econó-

[2] Cf. "Poema Heroico" en *Obras,* libro 3, cii.
[3] Aurelio Espinosa Pólit, "Una cuestión de historia literaria colombiana", en *Revista Javeriana,* LI, Bogotá, 1959, n. 253, pp. 120-143.

micas de la Compañía. No conocemos, a ciencia cierta, la fecha de ese traslado y, por lo tanto, ignoramos cuánto tiempo residió en Quito y si su residencia fue continua o bien interrumpida por estancias en Santafé u otras partes. Nos preguntamos, por ejemplo, dónde o cuándo el Dr. Domínguez consiguió su grado académico: si en Quito o en Santafé o, a lo mejor, en Lima [4].

Es curioso que no haga alusión alguna, en su obra, al colegio jesuita de Cartagena donde vivió 4 años, codo con codo, con San Pedro Claver, el famosísimo Padre de los negros, conocido por sus clamorosas conversiones de esclavos (más de 300.000)[5]. Ni siquiera en un poemita que dedica a aquella ciudad [6] dice nada de eso: no dice nada de los negros que llegaban a aquel emporio en cantidad y condiciones impresionantes [7], mientras habla de los españoles que también llegaban numerosos y en otras condiciones... Se diría que nuestro exquisito poeta aborrecía, por lo menos a nivel literario, de cualquier observación y reflexión menos que aséptica sobre el estado social del ambiente en que vivía. También evitó, en general, tocar el tema de los indios y del implacable régimen de encomiendas, a pesar de haber convivido con ellos gran parte de su vida en los distintos curatos donde actuó de doctrinero. Claro está que, a lo largo del *Poema Heroico,* entre tantas y tantas referencias eruditas y mitológicas, también hay alguna alusión al indio americano o a sus trabajos, pero se trata siempre de alusiones de soslayo, más bien ornamentales, dentro de contextos suntuosos y preciosos y, de todas maneras, incorporadas a nivel de pura *literariedad* exterior. No nos extrañaría esto, dada la época y el ambiente, si Camargo no hubiese sido sacerdote y, además, seguramente educado por los jesuitas en la defensa y ayuda de los indios contra las arbitrariedades de encomenderos, comerciantes y militares.

De todas maneras, la llegada a Cartagena debe de haber producido en él alguna emoción, puesto que le dedicó el poemita mencionado; así como lo debe de haber emocionado el paisaje de Chillo (a su llegada al Colegio-Seminario de Quito), ya que también le dedica un pequeño poema [8]. Emoción, sin embargo, filtrada en lo intelectual, depurada de pathos, casi deshumanizada: más en la descripción del campestre arroyo de Chillo, por supuesto, que en la de la efervescente, babilónica, Carta-

[4] No se olvide que Lima era el centro cultural del virreynato con el cual Camargo tuvo frecuentes contactos. De todos modos, en aquella época se otorgaban grados también en Quito, a partir de 1623, y en la flamante Academia Javeriana de Santafé de Bogotá que acababa de quedar reconocida, a consecuencia de la famosa querella de los dominicos, en aquel mismo año.

[5] P. Antonio Astrain, *Historia de la Compañía de Jesús en la Asistencia de España,* Madrid, Razón y Fe, 1916.

[6] *Al agasajo con que Cartagena recibe a los que vienen de España.*

[7] Recuérdese que Cartagena era en aquel entonces el principal mercado de esclavos del Nuevo Reino de Granada.

[8] *A un salto por donde se despeña el arroyo de Chillo.*

gena. Pero se asoma, en ambas, algo de la fría, cristalina, ahistórica y asocial cosmovisión culterana.

Hernández de Alba adelanta la hipótesis de que Camargo haya escrito durante su estadía en Cartagena el romance *A la muerte de Adonis* [9]. Aunque dicho biógrafo trata este asunto muy de soslayo, parece insinuar, cautamente, que el tema erótico, que hace eclosión en el mencionado romance, debe de tener alguna relación con la crisis que se produce en el poeta en Cartagena y que determina su alejamiento de la Compañía. Más aún, parece inferir de tal crisis sentimental la tesis de que escribiría el romance en la misma Cartagena. Cabe agregar que lo único que conocemos, a ciencia cierta, es que el P. Vitelleschi, General de la Compañía, aceptó, con carta al P. Sarmiento (Rector del Colegio de Cartagena), de fecha 1º de noviembre de 1636, "la dimisión del P. Hernando Domínguez" y que, en carta al P. Baltasar Mas (Provincial del Nuevo Reino de Granada), de la misma fecha, pretendió que se procediese a infligir al sacerdote "el castigo, que merecían sus graves faltas" [10]. No sabemos ni cuáles fueron estas "graves faltas" ni cuál sería el "merecido castigo". En la obra del poeta, por supuesto, no hallamos alusión a esto. En la carta del P. General tampoco podía haber más que la lacónica frase cit., dado el habitual estilo de la Curia General sobre tan delicados temas y la gran cantidad de asuntos de toda índole que las cartas tenían que tratar a la vez. Si se pudiera hallar la propuesta de expulsión, que seguramente los superiores directos de Camargo enviaron al P. General, y la carta de dimisión formal del interesado, tal vez encontraríamos algún elemento más iluminante para escudriñar los motivos (formales y reales) que determinaron el alojamiento del poeta. Por ahora, toda hipótesis es teóricamente posible, dentro de los motivos corrientes en tales asuntos: violación continuada (y con escándalo) del voto de castidad, compromiso grave en escándalos de negocios, rebeldía ideológica contra métodos externos o contra la disciplina interna de la Compañía, crisis religiosa. . .

Conociendo, aunque imperfectamente, los rasgos generales de la vida práctica y la personalidad espiritual del poeta, se puede descartar *a priori* el último motivo (crisis religiosa), puesto que nuestro autor ha continuado actuando como sacerdote seglar después de abandonada la Compañía. También parece poco probable el motivo de la rebeldía contra la disciplina interna de la Compañía, puesto que ésta no debía de ser muy severa en aquella época y ambiente colonial donde faltaban los sacerdotes y las órdenes religiosas trataban, con todos los medios, de fomentar las vocaciones y alentar su expansión [11].

[9] *Ob. cit.*, pp. XXXVIII-XXXIX.
[10] Cf. *ibid.*
[11] Astrain, *ob. cit.*, p. 476, relata, a este respecto, que, "en aquella provincia, se habían admitido muchos sujetos poco hábiles para la vida religiosa. Desde principio de siglo se había observado que, por la escasez de población española, no podían ser muchas las vocaciones a la Compañía que brotasen en aquel país".

Quedan, pues, dentro de un razonable orden de probabilidades, los primeros motivos (culpas sexuales, embrollos económicos o rebeldía ideológico-metódica). En nuestra opinión, no hay razones seguras que puedan legitimar más un motivo que otro. Cualquiera de ellos puede ser posible, puesto que si, por un lado, Camargo demuestra en su obra (no sólo en el romance cit. *A la muerte de Adonis,* sino también en varias partes del *Poema Heroico*), directa o indirectamente, una despierta sensualidad, por otro lado, conocemos por el testamento, su entrañable afición a los negocios comerciales, ligada a su amor por las cosas lujosas y preciosas; por otra parte, si pensamos en su espíritu liberal y libertario, podemos aceptar fácilmente la hipótesis de una rebeldía ideológica contra la *política* de la Compañía. También puede haber sucedido que varios motivos juntos hayan determinado, sumándose, la expulsión del poeta.

El que haya habido cierto escándalo en dicha falta, está probado por la carta de nombramiento del Arzobispo de Santafé, Fr. Cristóbal de Torres [12], donde se habla de *costumbres de vida* y de *ejemplo público* y, sin embargo, se afirma que no todas las personas consultadas estaban de acuerdo sobre su culpabilidad. Por otra parte, es seguro que la falta que se le imputaba, cualquiera que fuese, era una falta considerada "grave", puesto que lo dice el mismo P. General en la mencionada carta al P. Mas. De otra manera, esto es, si no hubiese sido acompañada de escándalo (presunto o real), no hubiera determinado su expulsión en un ambiente y en una época en que, como lo hemos dicho, la Compañía luchaba cotidianamente contra la escasez de sacerdotes.

Cabe preguntarse, ahora, cómo pudo suceder que el P. Hernando, expulsado de la Compañía y por lo tanto "inhabilitado a cualquier doctrina, conforme a los Sinodales" (cf. la Carta de nombramiento, cit.), no sólo obtuvo la dispensa sinodal del Arzobispo "por causas justas" sino que fue declarado ganador del concurso para la parroquia de Gachetá, y hasta fue alabado por el mismo ante el Presidente-Gobernador-Capitán General del Nuevo Reino de Granada don Sancho Girón, Marqués de Sofraga.

Existe la posibilidad que Camargo fuese inocente, como lo deja entrever Fr. Cristóbal de Torres (que era un dominico), pero, conociendo la cautela de la Compañía para con sus *hijos,* es más dable suponer que alguna *culpa* grave hubiese sido probada. ¿Cómo explicar, entonces, la actitud benevolente del Arzobispo quien acoge en seguida al *culpable,* investiga por su cuenta los cargos de que lo acusa la Compañía, llega a la conclusión de que los mismos son por lo menos dudosos, nombra al

La fragilidad de la vocación religiosa entre los mismos padres de la Compañía era tal que el P. Rodrigo de Figueroa, Visitador del Nuevo Reino y Quito, hizo un expurgo general en 1637 despidiendo a 64 miembros de la Compañía, esto es, la cuarta parte de los individuos que componían la provincia. No es improbable que la dimisión de Camargo esté relacionada con dicho expurgo que el P. Figueroa inició efectivamente en 1635. Cf. *ibid.*, p. 477.

[12] Reproducida por Hernández de Alba, *ob. cit.*, pp. C-CI.

ex jesuita párroco de Gachetá y hasta lo alaba por sus "letras" en un documento oficial dirigido a la máxima autoridad del Nuevo Reino? Podríamos pensar en pura y meritoria caridad cristiana, si no colocáramos el episodio dentro de su contexto histórico-social. Por aquellos años, olvidada ya la memoria del santo arzobispo don Bartolomé Guerrero, quien protegió a los jesuitas y hasta les confió el Colegio-Seminario más importante de la Capital, había llegado a su *acmé* una lucha encarnizada, a veces sorda, a veces pública, entre los jesuitas y los dominicos por la famosa querella de la universidad (que duró 86 años), y entre la Curia y la Compañía por razones, en parte de prestigio, en parte de competencia material puesto que los hijos de S. Ignacio trataban de difundir, paralelamente a su autoridad moral, su extensión territorial y sus *beneficios* (rentas de las parroquias) lo cual determinó, a su vez, la envidiosa reacción del clero seglar, de los encomenderos y los comerciantes [13]. No es extraño, pues, que el episodio que nos ocupa se ubique y explique, en parte, dentro de este marco de *guerra de los nervios.* Con todo, nuestro poeta fue correcto, a lo que sabemos; si bien puede haberse beneficiado de aquella rivalidad entre bandos opuestos, nunca renegó de su *madre* y *maestra* por la que guardó entrañable cariño hasta la muerte. Si así no fuera, no hubiera dejado parte de sus bienes y toda su biblioteca a la Compañía, no hubiera nombrado como ejecutor testamentario al entonces Rector del Colegio de Tunja y, sobre todo, no hubiera continuado escribiendo por largos años aquella poderosa hagiografía ignaciana que su *Poema Heroico,* a pesar de todo, representa.

Se instala nuestro poeta en su primera parroquia de Gachetá poblada de indios, alejada de la capital y, por supuesto, desierta desde el punto de vista cultural. Por un lado, debe de haber representado para él la aspirada evasión de cierta *dictadura* espiritual jesuítica (y de la pobreza reglamentaria); por otro, una nueva prisión para su espíritu deseoso de comunicar a nivel intelectual, así como lo había acostumbrado, desde el comienzo de sus estudios, el culto ambiente del Colegio-Casa de probación de la ciudad de Tunja (en la que todavía debía de perdurar la tradición literaria iniciada, décadas antes, por Juan de Castellanos), y luego el fervoroso Colegio-Seminario de Quito, donde se había formado en su época un grupo selecto de estudiantes y religiosos intelectuales y

[13] Don Bartolomé Guerrero dejó Santafé de B. en 1619 por haber sido nombrado Arzobispo de Lima. Le sucedió (hasta 1625) Arias de Ugarte que fue también defensor de los jesuitas. La persecución a los jesuitas empezó con el Arzobispo don Julián Cortázar que los despojó de las misiones (1627-1630) y continuó con su sucesor don Bernardino de Almansa († 1633) quien peleó encarnizadamente con el presidente don Sancho Girón (los jesuitas en aquella oportunidad tomaron partido en favor de Girón). El 8 de setiembre de 1635 toma su cargo de Arzobispo de Santafé Fr. Cristóbal de Torres, dominico, que, naturalmente, es contrario a los jesuitas los que, en aquella época, estaban en discordia precisamente con el orden de los dominicos. Encomenderos y comerciantes eran enemigos naturales de los jesuitas puesto que éstos protegían a los indios contra su explotación.

poetas (Evia, Camargo, Bastidas...). Empieza, pues, al lado de la libertad, la *soledad* a la que él mismo alude en su *Invectiva apologética*[14] y que arrastrará consigo, angustiosamente, de parroquia en parroquia, hasta llegar, poco antes de la muerte, a la meta de Tunja de donde había emprendido su *viaje* en el lejano 1621.

Se consuela como puede: por un lado, vertiendo en un refinado *modus vivendi,* y hasta en cierto lujo exterior, su sed de hermosura y regalo; por otro, liberando en el plano de la fantasía poética su ansia de comunicación literaria. Ambas tendencias, a su vez, se entrecruzan y funcionan en el estilo (y en la materia descriptiva) lujoso, precioso y fantástico de sus versos. No le faltaban medios culturales ni antecedentes literarios y estilísticos, pues ya era ducho, seguramente, en el conocimiento de la épica hispánica, por un lado, y de Góngora y su escuela, por otro lado, que debía de haber asimilado desde sus años mozos de estudiante en Santafé, Tunja, Quito, paralelamente a los clásicos griegos, latinos, italianos... La erudición (especialmente la mitológica y la retórica, según los cánones de la época) era en él poderosa según se desprende de la simple lectura de cualquier pasaje del *Poema Heroico.*

No conocemos, a ciencia cierta, cuántos años vivió en Gachetá. Llegado en 1636, ya no vivía allí en 1642, puesto que por esa fecha lo encontramos como cura y vicario del pueblo de Tocanchipá. Ninguna alusión a aquel pueblo hemos hallado en su obra, como tampoco a los demás que irá escalando en los años sucesivos. Tal silencio no debe ser casual. Tiene que estar relacionado con el deseo de olvidarlos, con el desprecio hacia lo rústico y lo plebeyo, con su fuga hacia lo irreal y lo fantástico.

En Tacanchipá mejoró algo su posición y su renta anual. Este pueblo se hallaba más cerca de Santafé, camino de Tunja, entre dos ciudades metas de sus sueños. Pero para él sigue siendo un desierto cultural.

Entre 1642 y 1650 cambia curato y pasa al de Paipa (que era un pueblo el doble de grande respecto al anterior) en donde le sucederá el famoso historiador Lucas Fernández de Piedrahíta quien se le adelantaría en la carrera eclesiástica llegando a ser, en vida de Camargo, arzobispo de Santafé. Seguramente tuvo trato con él puesto que lo nombra, como deudor suyo, en el propio testamento. Suponemos que los contactos entre los dos eminentes intelectuales neogranadinos no se limitaría a meras cuestienes pecuniarias.

Paipa representaba un paso más hacia la ansiada Tunja y se hallaba bastante cerca de ella. Pero antes debía pasar por otro curato intermedio, más importante que el anterior, ganándoselo, como de costumbre, por oposición. Se trata de Turmequé, uno de los más ambicionados (por su pingüe renta), ubicado en la misma provincia de Tunja; en él reside durante 7 años.

[14] Cf. *Obras,* p. 423.

Constituye Turmequé una etapa importante para la reconstrucción de su historia porque en este pueblo consta la única fecha cierta acerca de la composición de sus obras. En efecto, firma allí con fecha 2 de mayo de 1652, a dos años de su llegada y a los 46 años de edad, la dedicatoria a su *Invectiva apologética,* tan mentada como oscura y de difícil lectura, que se publicó póstuma en 1676, diez años después del *Poema Heroico.*

En Turmequé conocemos también uno de los pocos datos seguros de la vida familiar del poeta: la presencia de su hermano Juan Camargo (franciscano) en aquel pueblo en los días en que el P. Hernando tomaba posesión del curato. No sabemos si Fray Juan vivió algún tiempo con el hermano o si se limitó a celebrar con él su llegada a Turmequé. De todos modos, el poeta nunca habla de él, como tampoco de ninguno de sus familiares, en ningún punto de sus obras salvo una rápida alusión en el testamento. En esta época también está documentada la existencia real de aquel alférez Alonso de Palma Nieto a quien el poeta dedica su *Invectiva apologética* llamándolo "amigo y protector" de sus versos y despotricando contra un *Romance a la muerte de Cristo* (cuyo autor desconocemos) que aquél le ha mandado. Esta dedicatoria nos ofrece un par de inferencias de especial interés. La primera se halla implícita en la siguiente frase dirigida al alférez:

> "Siempre V.Md. amparó mis versos, no quisiera que ahora se enfadara de que gasto tanta prosa".

De esto parece razonable derivar que Camargo, hasta la fecha, no debía haber escrito prosa alguna, contrariamente a lo que sucedió con los versos: en efecto, la única prosa que se le conoce es la misma *Invectiva apologética.* La segunda se halla explícita en el final de la dedicatoria:

> "Déle Dios a V.Md. vida y a mí salud, para que me envíe muchos romances en que yo divierta la soledad de estos desiertos" (p. 423).

Aparte del tono irónico, de una autoironía amarga que volveremos a encontrar en el texto de la *Invectiva,* tenemos, esta vez, la constancia directa de que para Camargo la "soledad de aquellos desiertos" (social y cultural) era para él insoportable. Ello explica su continua ansia de cambiar curato y, al mismo tiempo, ayuda a comprender la base humana de aquella fuga en lo irreal, refugio en lo fantástico, que el *Poema* representa. A su vez, dicha fuga nos aclara, más allá y más acá de la imitación gongorina, un problema al que la crítica hasta hoy no ha prestado atención: el salto brusco y aparentemente inexplicable entre el estilo de su prosa —realístico, mordaz, a menudo vulgar y hasta plebeyo dentro de su contextura retórica y gramaseológica— y el estilo de su poesía, finísimo, elegante y hasta precioso, dentro de su contextura épico-religiosa y mitológica. En la prosa ha descargado en forma inmediata, bruta (y brutal), su cotidiana angustia existencial, su furor, inconoclasta y tóxico, contra el ambiente miserable que lo abrumaba y defraudaba [15]; la poesía ha representado, en cambio, un refugio ideal, idealizado e idealizante, depurado y depurador, contra todo aquello... La tradición gongorina, en la que se va colocando diacrónicamente esta fuga de lo real, actúa como continente que recibe y modela según cánones estéticos y estilísticos anteriores al poeta pero ya consustanciales con él por su formación y gusto.

La dedicatoria al alférez de Palma Nieto (como toda la *Invectiva*) nos aclara también la persona práctica de Camargo que se nos aparece, de repente, bajo una faceta que desconocíamos quienes habíamos leído primero las pulcras y cristalinas obras en verso: un Camargo pasional, envenenado y violento, agresivo e implacable, con un vocabulario plebeyo: *meadas de perros, orina, vejiga, jeta* (y en el texto de la *Invectiva: juanetes, arqueadas, nalgas, lardeados, teta, barriga, flato, pedorreras, ventosear*...). Al mismo tiempo, cierta sensualidad a la que hemos aludido, se hace aquí más descubierta y carnal, casi desbocada:

> "V.Md. [...] me convidó con la carne de doncella monja, y me escondió en ella el anzuelo de fraile" (pp. 421-422).

Ello ilumina, a la vez, todo un corte de la vida sociocultural de la época en la colonia: el plano de cierto estilo de comunicación a nivel intelectual, dentro del género polémico. Contrariamente a lo que el lector moderno se esperaría de aquel ambiente piadoso y aquellas estructuras culturales y sociales teocráticas de la colonia del Seiscientos, el lenguaje polémico de la gente selecta como Camargo, a nivel público, no debía de ser nada castigado (imaginémonos cómo sería el lenguaje práctico y el de la plebe...). Nuestro asombro aumenta si pensamos que quien así escribía era nada menos que el párroco del pueblo, siendo el destinatario una autoridal oficial como el Alférez, y la persona objeto del escrito polémico otro religioso, como parece desprenderse de una alusión contenida en el prólogo de la misma *Invectiva* ("tordo viejo de la iglesia que se anidaba en los campanarios")[16]. Aunque descontemos la especial intención satírica y *panfletística* de la misiva, definida por el mismo autor como "Ocios [...] de una pluma mal halagada de la soledad" [17], queda igualmente margen para nuestro asombro, sobre todo si tenemos en cuenta que no se trata de simple chanza de intelectual aburrido dirigida a otro par suyo, sino de una formal polémica literaria (dentro de su género) que se extiende por unas 100 páginas apretadas (edic. de 1666) y

[15] Es ésta también una actitud espiritual gongorina que se puede hallar documentada en las cartas del cordobés.

[16] *Obras*, p. 427.

[17] *Ibid.*, p. 430.

que aspira (por lo menos teóricamente) a un público de lectores, como lo demuestra el prólogo *"al lector"* que la precede y el tono erudito y *engagé* con que está elaborada.

Evidentemente, la opinión tradicional de una colonia eminentemente beata e hipócrita, encapuchada en el respeto farisaico de las formas moral-sociales dentro del esquema importado de España por hidalgos y clérigos, debe tomarse con cautela, por lo menos en lo que a lenguaje se refiere. Debemos reconocer que también en la colonia, y también a nivel elevado, actuaba, paralelamente a la tradición religiosa oficial (puritana y sexófoba) o por debajo de ella, la tradición picaresca y plebeya [18].

En mayo de 1657, después de siete años transcurridos en la soledad de Turmequé, Camargo logra por fin, ya cerca de su muerte, la meta ansiada: el beneficio de la Iglesia Mayor de Santiago de la ciudad de Tunja. El paso, en lo social y cultural, es grande con respecto a Turmequé, aunque el nombre de *ciudad* atribuido a Tunja no debe despistarnos. Se trata, en realidad, de lo que hoy consideraríamos un pueblo, puesto que, como lo narra Lucas Fernández Piedrahíta en su *Historia General de Las Conquistas del Nuevo Reino de Granada,* en aquella época contaba tan sólo con 500 vecinos. Con todo, era un centro comercial relativamente importante, con casas "costosas y bien labradas" [19], poblado no sólo por indios sino también por hidalgas familias de cepa española que debían de llevar una vida social de cierto nivel. En el aspecto cultural, es evidente que las posibilidades de comunicación para Camargo eran mayores que en Gachetá, Tocanchipá, Paipa o Turmequé, no fuera más que por la presencia de gran número de curas y religiosos, de la Compañía, de Santo Domingo, de San Francisco, de S. Agustín, con sus respectivas parroquias, conventos, templos y capillas (recuérdese que entonces, en la colonia, los depositarios y portadores de la cultura eran casi exclusivamente los clérigos).

Junto con las satisfacciones económicas, sociales y culturales, el poeta halló en Tunja desahogo a su sed de cariño, frecuentando el hogar de sus parientes: Jerónimo Alonso de Otálora, su mujer Francisca de Camargo y especialmente Josefa, la sobrina preferida, a la que nombrará en su testamento como heredera universal.

[18] A este respecto baste recordar el festivo y mordaz Juan del Valle Caviedes, llamado el *Quevedo colonial,* florido en Lima en la segunda mitad del siglo XVII. Otra prueba de cierto estilo licencioso, a nivel literario, puede hallarse en aquel famoso y requerido libro de Juan Rodríguez Freyle, contemporáneo y compatriota de Camargo, que se conoce con el título de *El Carnero* (su título real es *Conquista y descubrimiento del Nuevo Reino de Granada*), escrito entre 1636 y 1638, el cual representa una crónica picaresca de amoríos y delitos de la sociedad de entonces (nobles y plebeyos).

[19] Apud Hernández de Alba, *ob. cit.,* p. C.V.

Como ya lo hemos aludido, en el ambiente cultural tunjano debe de haber hallado nuestro autor trazas todavía vitales de aquella tradición literaria iniciada y cultivada allí por aquel vate y primer poeta del Nuevo Reino que fue D. Juan de Castellanos, de quien se sabe que reunió a su alrededor la primera tertulia literaria de la época. Era pues Tunja, objetiva y efectivamente, una sede privilegiada para nuestro autor. No sabemos si en los dos años escasos que vivió en ella siguió trabajando en su *Poema Heroico.* Suponemos que poco tiempo debía de quedarle en su jornada, si calculamos la múltiple actividad: de párroco de la Catedral, de hombre de negocios, amén de los ansiados contactos sociales y familiares. Pues sí, también hombre de negocios... Lo documenta inequívocamente su testamento: compró casas, las adornó con cuadros, muebles preciosos, vajillas de valor; se puso en sociedad comercial con el mencionado Alonso de Otálora que traía mercancía de Cartagena, prestó dinero con intereses aceptando garantías sólidas de muebles y ornamentos que se llevó a su casa... En suma, capitalizó cuanto pudo y guardó, por si no bastase, buena cantidad de patacones de oro.

De todo eso, parece razonable inferir que debe de haber interrumpido su actividad poética, o por lo menos debe de haberla pasado a segundo plano, desde que dejó las soledades de Turmequé. Soledades beneficiosas, al fin, para las letras colombianas.

Al leer su testamento nos hallamos ante un panorama insospechado en relación con las costumbres de la época y del ambiente: frente a la relativa sobriedad de cómo estaba puesta la casa, la vestimenta externa de nuestro cura era de un lujo, una riqueza y una copiosidad tal, como si no hubiera sido un párroco de pueblo sino un alto prelado en la corte virreinal; sea por la cantidad de las prendas (10 sotanas, 6 manteos y 4 capas, 5 sombreros...), sea, sobre todo, por su calidad y adornos (terciopelos, damascos, paño de Londres, raso, seda, holanda, ganchos de oro para las ligas...). Agréguese a esto, 16 sortijas con piedras preciosas. El hecho se nos hace más curioso si comparamos estos atuendos *externos* con la *ropa interior:* 3 pares de medias, 2 pañuelos, 1 camisa... ¿Cómo se explica todo eso? Es difícil de encontrar una explicación externa. En nuestra opinión, obra más que nada un factor interno al que ya hemos aludido: la huida consciente (y predeterminada) de lo vulgar del ambiente que lo rodea —la cual, como toda huida, es extremista—, y al mismo tiempo la adopción en su persona de un modelo ideal, de tipo estético, intelectual y literario, casi quijotesco. Este padrón ideal de un personaje real (envuelto en damascos y terciopelos, sombreros de castor y pañuelos de holanda, ligas con ganchos de oro y sortijas de esmeladas y rubíes...), le permite colocar su vida práctica —aunque limitadamente a su persona física —a tono con su poética y su poesía donde todo es pulcro y cristalino, elegante y precioso, lujo y cornucopia. La prueba externa de esta *aequatio vitae* a su mundo fantástico, puede hallarse en la identidad de ciertos contenidos: en ambas se asoman, copiosamente, damascos y sedas, holandas y terciopelo, oro y piedras preciosas.

La equivalencia, en los dos planos, puede extenderse puesto que ambos representan la misma fuga de lo real. Cuando Maquiavelo se retira para comunicar con los poetas, viste paños curiales y reales. Camargo poeta, viste siempre paños curiales y reales. Su persona es un personaje de su misma poesía.

Si lo vemos desde este ángulo, se nos puede aclarar en algo el misterio de aquella figura, aristocrática y solitaria, que pasa de puntillas entre rústicos y negros (y hasta santos), sin siquiera nombrarlos a lo largo de casi nueve mil versos.

Claro está, que el modelo al que nos hemos referido, en el plano fantástico y en el práctico, no surge del vacío. Desde lejos está siempre presente, operante ya a nivel de mito, la figura bifronte del gran don Luis. Y al igual que éste, también nuestro poeta, como ya lo hemos visto, continúa conservando como una doble personalilad humana y literaria: la picaresca y plebeya, al lado de aquélla pulquérrima y diáfana que acabamos de comentar. Sólo que mientras que en Góngora la veta vulgar y ponzoñosa serpentea y se asoma también en el verso, en Camargo, en cambio, queda relegada a la prosa polémica, por tantos aspectos cervantina y quevedesca sin resquebrajar en absoluto lo cristalino de la poesía.

Al final del testamento, encontramos un párrafo, agregado a guisa de codicilo (*Obras,* p. CXVI)), que tiene, en nuestro concepto, importancia fundamental, aunque en él casi no se han fijado los biógrafos y críticos. Dice el codicilo:

> "Y por cuanto soy Comisario del Santo Oficio y tengo Archivo de los papeles consernientes a él, dicho reverendo Padre Rector Gaspar Vivas, como Calificador actual de dicho Santo Oficio, luego que yo muera, atento a no haber otro ministro más inmediato del Santo Oficio, tome las llaves y ponga con todo recado los papeles, antes que la justicia se quiera embarasar en ello. Fecho ut supra. Testigos, los dichos".

Esto se relaciona con una alusión en las primeras líneas del documento:

> "En el nombre de Dios Nuestro Señor, amén. Yo, el doctor don Fernando Domínguez Camargo, Familiar del Santo Oficio y Comisario dél en esta ciudad de Tunja, del Nuevo Reino [. . .]" (ibid., p. CIX).

Entonces, nuestro aristocrático y despreocupado y rebelde poeta era (al igual que Lope) nada menos que *Familiar y Comisario del Santo Oficio;* esto es, ministro de la Inquisición, en la jurisdicción de Tunja. Era, por lo tanto, el rígido censor de la moralidad pública (y hasta privada); el fiscal de aquel severo tribunal que condicionaba la vida de la teocrática comunidad colonial en todos sus aspectos funcionales (social, cultural, y hasta penal...); el depositario de un *Archivo* secreto que *no debía de caer en manos de la justicia real* y que, por lo tanto, tenía que contener documentos delicadísimos y comprometedores para quién sabe cuántas personas e instituciones...

¿Se nos trueca y disuelve, entonces, entre las manos aquella figura de hombre (que ya se nos iba perfilando) quien, ante la realidad ético-social de su época y ambiente, *vive en la luna...*, aristocrático y solitario, anticonvencional y rebelde (y por esto expulsado de la Compañía), ya sea en sus costumbres de vida práctica ya sea en su poesía sensitiva y *pagana*?

Y ¿cómo se explica, ahora, aquella actitud iconoclasta y desbocada de la *Invectiva apologética* que pudo publicarse póstuma sólo en forma subrepticia en apéndice al *Ramillete,* eludiendo, no se sabe cómo, la misma censura inquisitorial? ¿Sería realmente la misma persona la que pudo escribir *Poema* e *Invectiva,* por un lado, y actuar, por el otro, como representante oficial y riguroso del S. Oficio? ¿O habría que tomar en consideración, en cambio, la hipótesis que insinuó el Padre Espinosa Pólit acerca de la paternidad de la obra? [20].

Para responder a estas inquietantes preguntas, repasemos un poco la cronología de los hechos que conocemos.

La *Invectiva* fue escrita en 1652 y el traslado de Camargo a la ciudad de Tunja es de 1657. En lo que al *Poema* se refiere, ya hemos adelantado la hipótesis de que en Tunja nuestro autor tiene que haber interrumpido su composición, debido a las múltiples actividades que lo absorberían del todo. Ahora, se nos insinúa la sospecha de que, después de escrita la *Invectiva* y en vista de su nombramiento como beneficiado en la pingüe ciudad de sus padres, meta ansiada de toda su carrera, Camargo pudo haberse impuesto una rectificación de su vida (por lo menos en lo formal); pudo haberse alineado (¿a regañadientes?) a las directrices y preceptos de la sociedad teocrática en que vivía, aceptando los cánones (o al menos las convenciones) del Santo Oficio, para poder merecer así su tardía confianza. Téngase en cuenta que, posiblemente, al cargo de beneficiado de la parroquial de Santiago en Tunja sería tradicionalmente acoplado el de Comisario del Santo Oficio en esta ciudad y que, por lo tanto, no sería pensable acceder a él sin el beneplácito preventivo de las autoridades inquisitoriales. Ya habían pasado muchos años desde su expulsión de la Compañía y desde que el Arzobispo de Santafé, que se había tomado a pecho su defensa, lo descargó, de hecho, de las acu-

[20] Cf. *Obras,* p. 423.

saciones que se le hacían, colocándolo como párroco en curatos cada vez más importantes. Pocos debían de haber leído las cuartillas manuscritas de su poema: el alférez de Palma y Nieto, protector de poetas y mecenas, quien, por confesión del mismo Camargo, *conocía los versos*; probablemente su amigo, el jesuita P. Vivas, al que luego dejaría sus *papeles*; algo leería entonces también el P. Bastidas que *estaba enterado* del poema mismo y que, después, lo publicó. Lo que se conocería públicamente, en cambio, sería alguno que otro soneto y romance; seguramente el *Soneto a Don Martín de Saavedra y Guzmán* [. . .] *Presidente que fue en la Real Audiencia del Nuevo Reino de Granada* (que es posterior a 1645 puesto que dicho caballero gobernó entre 1637 y 1645); probablemente el romance al *Arroyo de Chillo* que, dado el tema, puede haber sido escrito en la época quiteña; y el romance a *Cartagena* que debe de remontarse a los años que el poeta transcurrió en esta ciudad antes de su alejamiento de la Compañía. De todas maneras, ninguna de las composiciones poéticas cortas (salvo, tal vez, el sensitivo y pagano romance *A la muerte de Adonis*) contenía elementos susceptibles de ser reprobados formalmente por nadie. En cuanto a la *Invectiva,* ésta sí que hubiera sido suficiente, por su contenido y tono mucho menos que cristiano, para atraer sobre el poeta la reprobación de las autoridades eclesiásticas. Pero ella es cinco años anterior al nombramiento de Camargo en Tunja y, muy probablemente, nunca llegó a ser conocida a nivel inquisitorial puesto que fue enviada a un amigo y confidente del poeta, el mencionado alférez de Palma y Nieto, poeta él también y persona de toda confianza, que se limitaría a leerla y comentarla sabrosamente en algún círculo de letrados íntimos. En suma, la reputación formal de Camargo no debía de estar muy comprometida por aquellos años (en los que, por otra parte, bastaría no escribir nada reprobando y no vivir en público concubinato, para ser considerado moralmente intachable); lo cual le permitiría prácticamente el ansiado nombramiento en Tunja.

Si pasamos, ahora, del plano de la legitimidad formal al de su historia interna (espiritual), no podemos dejar de asombrarnos ante la aparente contradicción resultante de dos órdenes de factores encontrados en la curiosa personalidad de nuestro poeta. Por un lado, escapismo de una realidad rechazada, en la vida práctica y en lo poético (lujo y sensualidad, regalo y sibaritismo, en ambos planos), acompañado por una evasión fantástica de los esquemas pietísticos y apologéticos de la contrarreforma; emancipación vital y recreadora ante el programismo aristotélico de los jesuitas; reacción libertaria frente a la seductora y condicionadora tradición de la épica religiosa a lo Escobar o a lo (segundo) Oña (alineada al preconstituido modelo tridentino y jesuítico); soberano atrevimiento de humanización y carnalización de altísimos personajes asépticos e inmaculados de la iconografía ritual; desconcertante infiltración de elementos paganos (banquetes, cetrerías, fruicion de los sentidos en contacto con la naturaleza, sensuales figuras mitológicas, danzas perturbadoras de pastores y serranas. . .) dentro de escenas ascéticas y místicas (disciplinas, ayunos, raptos, visiones divinas, exhortaciones edificantes); mescolanza de estos opuestos elementos en únicas escenas: éxtasis que el santo interrumpe por un banquete y luego reanuda. . ., calavera al pie del Crucifijo tomada como soporte narrativo para una rememoración sensual y risueña de una mujer inolvidable, el mismo crucifijo ensangrentado adoptado como pretexto poético para un cordial desfile de animalitos polícromos en los que late, junto con el color, la vida. . . A un nivel más bajo, dentro de la polémica literaria de la *Invectiva,* la fuga de las convenciones moral-lingüísticas, el recurso libertador a una terminología de burdel, amén de las imagénes impertinentes, el veneno largado catárticamente contra los *tordos de campanario,* la diversión de toda norma social como compensación a la *soledad de aquellos desiertos*. . .

Por otro lado, al final de su vida nada menos que las insignias del Santo Oficio con todo lo que ello supone dentro de la mentalidad, la estructura social y la jerarquía jurídico-eclesiástica de la época y del medio ambiente. Función de censura moral, fiscalización de las costumbres sociales (y hasta familiares y, por supuesto, clericales), magistratura de las conciencias tan potente como para competir e interferir con la justicia ordinaria en lo civil y lo penal. Instrumento y metro calibrado del poder temporal de aquella Iglesia que representaba a Dios en la Tierra y que había legitimado doctrinaria y políticamente la entera conquista española y la sucesiva colonización del nuevo mundo: custodio, en fin, de la dogmática tridentina y paladín implacable de la contraprotesta.

Hay bastante como para integrar a quien intente una reconstrucción estructural de aquella desbordante personalidad.

Ahora bien, dentro de lo razonable se nos presentan dos hipótesis: o nuestro personaje revisó realmente, en una crisis espiritual de los últimos años (entre 1652 y 1657), su cosmovisión (en lo real y en lo poético) y, por lo tanto, rectificó su actitud ante la vida y la poesía (que para él, como lo vimos, debían de coincidir), y renegó de sus presuntas conquistas libertarias a todo nivel, aceptando constituirse en defensor *manu militari* (si se nos pasa la metáfora) de la verdad teológica finalmente alcanzada; o bien nuestro don Hernando jugó su papel utilitarísticamente, como buen hombre de negocios que era, aceptando el vidrioso cargo del Santo Oficio sólo porque el mismo sería necesario o útil para alcanzar la meta de Tunja donde lo esperaban amigos y familiares, y comodidad y posibilidad de comunicación cultural.

Ante estas dos alternativas, ambas posibles y ambas sugestivas, examinemos más detenidamente las correspondientes motivaciones que puedan presentarse para cada una de ellas.

En favor de la primera (retorno al redil y liquidación de su mundo espiritul autónomo y rebelde), se hallan varios elementos externos que nos ofrece sobre todo el testamento: preocupación devota por el más allá y por todas las mediaciones rituales *post-mortem* que faciliten su salvación eterna; inesperada magnanimidad (de un hombre aferrado al dinero) en donar parte conspicua de sus bienes para obras piadosas o caritativas y para celebrar dignamente la fiesta anual de S. Ignacio; *mea culpa* final en relación con posibles descuidos de su oficio pastoral. Como consecuencia de todo esto, el abandono de la prosecución del *Poema Heroico* que sería considerado por él mismo como poco ortodoxo.

En favor de la segunda, podría militar, en cambio, una motivación intrínseca de carácter global y deductivo, basada en un presupuesto de coherencia interna a la espiritualidad del poeta: cuesta creer en la abdicación de un hombre quien, luego de rebelarse a la Compañía y pasar al bando seglar antes de haber recibido la indispensable autorización del Padre General, se ha libertado hasta de la tradición literaria, hagiográfica y seductiva del jesuitismo, cantando a lo profano (casi ariostescamente) un canto ignaciano que tenía que ser edificante y ejemplarizador. De un hombre, además, que parece no guardar complejos ni residuos conflictivos de clase alguna; quien despliega su rebosante poesía bajo el signo inmediato de las musas paganas; quien cantando una historia sagrada mezcla (y matiza) a los Cristos y Vicecristos, Pedros y Vicepedros, con arrullos de mujeres de carne y hueso (cuello de cisne y boca voluptuosa) y emociones sensuales al levantar el viento las faldas a las bailarinas o al transparentarse malicioso de la túnica augusta de la Virgen; y quién sabe cuántas otras imágenes soberanas y libertarias de esta clase que, tal vez, expurgarían aquel provindencial del padre Bastidas o aquel bueno del padre Cortés. Un hombre, en fin, que estaba rehaciendo la épica religiosa hispánica de los Virués, Lope, Belmonte, Hojeda, Escobar, Oña. . ., reinterpretando el amortajado barroco tridentino y oreándolo (aire y luz) a su manera. Un poeta que había empezado su aventura paralelamente al piadoso grupo limeño (Hojeda, Oña, Carbajal. . .), y de pronto quebraba el molde en sus puntos esenciales y saltaba por encima de fronteras infranqueables. Si en lo formal seguía a Góngora (y hasta lo dejaba atrás, ensanchando los límites estructurales de lo poetizable en lo sintáctico, léxico, sonoro y en la recuperación de los materiales mitológicos), en lo representativo y alusivo, en cambio, forzaba por sus propias manos y ensanchaba los límites naturales (ya no sólo barrocos) de lo cantable a nivel apologético. Esto representaba para él una conquista en el plano literario y fantástico, amén de una operación libertadora en el plano histórico y sicológico.

¿Renegaría efectivamente de todo esto? ¿O bien trataría de conciliar empírica y mercantilísticamente sus conquistas espirituales con las ventajas materiales (el pingüe beneficio de Tunja, la cercanía de Josefa, el prestigio del mandato inquisitorial. . .)?

No podemos ofrecer una respuesta documentada. Nos hemos limitado a plantear este apasionante problema acerca de aquel enigmático personaje, todavía bifronte, que cuanto más lo acorralamos tanto más se nos escurre.

Después de la muerte (1659), cayó sobre su memoria el olvido más completo (la misma Capilla, que efectivamente se construyó por su legado y hoy se denomina erróneamente del Fundador: el fundador de la ciudad de Tunja, Capitán Gonzalo Suárez Rendón). Hasta calla su nombre la lista de los beneficiarios de Tunja confeccionada sobre documentos del Archivo General de Indias por Ulises Rojas [21]. Pero Camargo fue olvidado también, durante mucho tiempo, como poeta. Su *Poema Heroico* llegó a imprimirse en Madrid en 1666, siete años después de su muerte; los demás poemas, junto con su obra en prosa (la *Invectiva apologética*) tan sólo en 1676 dentro de un volumen antológico que incluye también escritos del ecuatoriano don Jacinto de Evia y de su compatriota el P. Antonio Bastidas (que fue el verdadero editor)[22]. El soneto *A Guatavita* fue publicado, en el mismo año, por Juan Flórez de Ocáriz en el *Libro segundo de las Genealogías del Nuevo Reino de Granada.* Desde la fecha de publicación de los dos libros, hasta 1792 —época en que don Manuel del Socorro Rodríguez, el famoso bibliotecario de Bogotá, publica en su *Papel Periódico de Santafé de Bogotá* algunos artículos apologéticos en defensa de nuestro Autor—, no nos ha llegado noticia histórica o crítica alguna sobre él: lo cual supone un vacío inexplicable de más de cien años. El mismo periodista comentaba amargamente que "tan ilustre ingenio yacía olvidado en el mismo seno de su patria" (*Obras,* p. CXXX) y que en Santafé "no había sino cuatro ejemplares del *Poema Heroico*" [23]; explicando, a su vez, el desconocimiento del poeta "por el asunto sagrado del poema, por la dificultad del comercio de libros en la Santafé de entonces, por sus excesivos costos [. . .]" [24]. Los motivos alegados no nos acaban de convecer. En primer lugar, el asunto sagrado del *Poema* no sólo no podía ser óbice para su difusión, sino que, al contrario, tenía que ser motivo eventualmente que facilitase su difusión, dado que la cultura de la colonia en aquella época se identificaba casi del todo con los religiosos y con los jesuitas más que nada. En segundo lugar, las dificultades del comercio de libros se superaban en buena parte (al menos en lo que a obras edificantes se refiere) por la importación directa en los cajones de los procuradores viajantes de las órdenes religiosas. Por otra parte, sabemos que por lo menos siete cajones de volúmenes del *Poema Heroico* fueron remitidos al P. Bastidas en 1670 desde Madrid (sin contar los ejemplares que deben de haber quedado en España para su difusión en la península).

[21] *Juan de Castellanos, biografía,* Tunja, 1958, pp. 199-210.
[22] *Ramillete de varias flores poéticas recogidas y cultivadas en los primeros abriles de sus años, por el maestro Xacinto de Evia. . .,* Madrid, 1976, 408 p.
[23] Cf. Joaquín Antonio Peñalosa, "Estudio preliminar", en *Obras,* p. CXXX.
[24] *Ibid.*

La Compañía de Jesús era demasiado organizada y estaba demasiado interesada programáticamente en toda hagiografía y exaltación de su fundador (véanse las innumerables vidas del santo escritas por jesuitas y las litografías biográficas difundidas entonces en todo el mundo), como para no aprovechar la oportunidad de consolidarla a nivel literario con una obra como la de Camargo, de matriz jesuítica él también, así como lo había hecho con los poemas análogos de Belmonte Bermúdez, de Escobar y Mendoza, de Oña. Tampoco creemos que el hecho de haberse Camargo secularizado pueda haber determinado la hostilidad y el consiguiente eventual boicoteo de su obra, puesto que el poeta continuó siéndole amigo y la obra fue publicada en Madrid precisamente por intervención directa de los jesuitas quienes, además, fueron depositarios de los manuscritos por legado testamentario del autor.

Con todo, si existe una explicación razonable del silencio total en que cayó el poema, ella tiene que buscarse, en nuestra opinión, dentro de la órbita de la Compañía misma y de su previsora política religiosa y cultural (que, por supuesto, en aquella época coincidían).

Hemos llegado aquí a un punto nodal ante el que la crítica y la historiografía contemporáneas callan del todo dejándonos un hueco. Suponemos que debe de haberse producido un hecho drástico y nada casual, dentro de las esferas competentes de la Compañía (seguramente en el vértice, dada la fuerte centralización constitutiva de la misma), el que debe de haber determinado el bloqueo y hasta el boicot de la difusión de la obra. Decíamos más arriba, al comentar ciertos versos profanos (y hasta podríamos decir *sacrílegos,* si los miramos desde el ángulo de la tradición piadosa), que debe de habérseles escapado a los censores eclesiásticos su efectivo significado y su real constelación alusiva. Ahora bien, se nos insinúa la sospecha de que esta inadvertencia tiene que haber durado poco entre los avisados padres de la culta y severa religión. Posiblemente el primer descuido (si es que lo hubo) deba atribuirse al P. Juan Cortés Ossorio, de la misma Compañía, quien por comisión del Arzobispo de Madrid, expidió parecer favorable para la licencia en consideración de que el libro, que ha "visto", "no contiene cosa opuesta a nuestra fe católica, ni a las buenas costumbres" (*Obras,* p. 41). A los críticos —inclusive al docto padre ecuatoriano Espinosa Pólit quien descubrió y desmenuzó las dos cartas del padre Bastidas al P. Bermudo, las que tanto revuelo han suscitado por otros aspectos— se les debe de haber pasado por alto que este P. Cortés Ossorio es el mismo que aportó sus "doctas enmiendas" al poema (*ibid.,* p. CXIX), seguramente por encargo del P. Bastidas el cual le quedó "sumamente agradecido" (*ibid.*) y, por eso, le obsequió más de una vez con regalos desde Quito. Si nos ciñéramos tan sólo a las fechas, podríamos afirmar que el P. Cortés no leyó realmente el poema que el Arzobispo le envió el 28 de mayo y que él devolvió el 31 del mismo mes, puesto que en tres días no se leen una decena de miles de versos. Sin embargo, dicho padre tiene que haber manejado el manuscrito antes que se lo pidiera el Vicario, ya que le agregó "doctas enmiendas". ¿Cómo pudieron entonces escapársele alusiones como las que hemos comentado y que seguramente serían consideradas a nivel hagiográfico no sólo irreverentes sino hasta sacrílegas? En nuestra opinión, la única explicación posible es que aquel piadoso padre no se leyó todo el poema, sino que se limitó a un examen antológico, aportando enmiendas "doctas" pero parciales. Por cuanto se refiere al otro censor, Fr. Pedro Palomino, quien firmó su aprobación con posterioridad al P. Cortés Ossorio (*Obras,* pp. 40-41), tenemos la convicción moral de que ni siquiera leyó la obra y se basó posiblemente en la opinión de éste. De lo contrario, no diría, salvo que no hablase en broma, que notó "de *pequeño cuerpo para tanta alma*" (ibid.; el cursivo es nuestro) un poema de casi nueve mil versos y que el autor del libro siguió el estilo de explicar mejor la grandeza del patriarca *hablando menos* (ibid.). Por otra parte, no debía de ser cosa rara, en aquella época, que un censor expresara un juicio basándose en el de otro.

Es razonable, finalmente, dar por descontado que el Vicario otorgó la licencia, con toda buena fe, sin leer personalmente el libro.

Si nuestras hipótesis no andan desacertadas, es dable suponer que, en cuanto algún padre de la Compañía, leyendo atentamente el poema o, a lo mejor, desmenuzándolo en alguna lección de seminario o colegio, llegó a percibir claramente (por debajo de la formal oscuridad) su espíritu casi pagano, sensual y sibarítico, y a comprender realmente en lo semántico ciertos pasajes difícilmente defendibles para un lector piadoso, en seguida tiene que haberse producido la reacción, tanto más rígida cuanto más tardía. A partir de aquel momento, Camargo y su obra deben de haberse vuelto *tabú* para la Compañía, para las demás órdenes religiosas de la colonia, para la colonia misma. El silencio bajó sobre él, por más de cien años, hasta Manuel del Socorro Rodríguez (y después, por tres cuartos de siglo más, hasta José María Vergara y Vergara). Esto, tal vez, tenga también alguna relación con aquellas injusticias prácticas que Hernández de Alba (*O.C.,* p. LVIII) comenta como hechos casi fatales: que el nombre de Camargo "tampoco aparece en la muy completa nómina de los Beneficiados de Tunja hasta 1772 compuesta [. . .] sobre documentos del Archivo General de Indias": y que "la indiscutible capilla de Domínguez Camargo, se denomina hoy erróneamente del Fundador".

Fue borrado, a la vez, todo rasgo del poeta y toda traza del hombre. . .

Es curioso que también la *Invectiva apologética,* nutrida como está de un lenguaje chocarrero inadmisible en boca de un sacerdote y embebida de un espíritu destructivo mucho menos que cristiano, debe de haberse escapado igualmente a la censura eclesiástica. De otra manera, difícilmente hubiera podido ser aprobada. Lo admite el mismo biógrafo colombiano (*Obras,* pp. LXXXIX-CXC):

> "Esta aparece subrepticiamente publicada como inesperado apéndice del *Ramillete* de Evia. De ella nada hablan las licencias reales ni las censuras eclesiásticas recaídas solamente en el *Ramillete.* De otra manera acaso, no disfrutaríamos hoy de tan ingeniosa pieza [. . .]".

Ello, a su vez, demostrando lo fácil que sería en aquella época eludir una efectiva censura, confirmaría nuestra hipótesis acerca del poema.

Pero queda otro punto oscuro en toda esta historia, si es que ella puede reconstruirse según las líneas que hemos ido esbozando: El P. Bastidas, hijo de la Compañía él también, quien tanto bregó para que se llevara a cabo la publicación de las obras, y que seguramente leyó el poema (y la *Invectiva*) de punta a punta y hasta intervino en enmendarlo e integrarlo en varias partes ¿no se dio cuenta cabalmente de aquel tono pagano y de los pasajes escabrosos? La respuesta no puede ser unívoca ni categórica puesto que no disponemos de elementos seguros. Con todo, suponemos que el jesuita guayaquileño debía de andar algo encandilado, por su mismo entusiasmo literario hacia la obra y por el afán de realizar la difícil tarea de publicarla. No olvidemos que Bastidas era un humanista (maestro de retórica en la Audiencia de Quito y en Popayán) y un poeta (autor de varias *flores* del *Ramillete*) y que su juicio sobre la obra no podía ser más que un juicio de poeta a poeta. . . En suma, era parte interesada, simpatéticamente, y no se podía esperar de él una censura *ante litteram.* De todas maneras, en la base de su entusiasmo y empeño, se hallaba seguramente la convicción de la importancia de la hazaña para las letras americanas.

En este punto, se nos suelta también otro nudo ante el cual la crítica hasta hoy se ha detenido perpleja. Se trata de explicar el misterio por el cual Bastidas renunció a su nombre en calidad de editor de la obra, por la que tanto había bregado, y recurrió a seudónimos (al de M.D. Antonio Navarro Navarrete para el *poema* y al de D. Atanasio Amescua y Navarrete para la *Invectiva*). Como es notorio, el mérito de haber intuido que los *editores* no eran tales y que el editor verdadero era Bastidas, le corresponde al ecuatoriano Espinosa Pólit que descubrió y estudió primero las dos cartas ya mencionadas [25]. Pero, ni este autorizado crítico ni Hernández de Alba, quien profundizó sucesivamente el tema (cf. *Obras,* p. LX y sigs.), nos supieron dar ninguna "explicación satisfactoria" de tal asunto. Lo reconoce el biógrafo colombiano al declarar que:

[25] Cf. *ob. cit.* Cf. también J.M. Pacheco S.I. en su reseña a la II edición de las obras de Camargo de 1956: "el verdadero editor del poema, *San Ignacio de Loyola,* no es Antonio Navarro Navarrete, sino el P. Bastides, a quien aquél, por razones que no conocemos prestó su nombre" (*Revista Javeriana,* XLVI, 230, nov. 1956, p. 287).

> "sólo podrá admirarles, *sin explicación satisfactoria* [el subrayado es nuestro] que quien todo lo hizo en materia editorial como el Padre Bastidas, ceda tanta gloria, *con generosidad inusitada,* sólo explicable por la esperanza cierta de *futuros beneficios* que por ello pudieron recaer en la Compañía de Jesús" (*ibid.,* p. LXXVII).

No creemos que se trate de "generosidad" ni de "futuros beneficios para la Compañía". Al contrario, si queremos sacar las consecuencias naturales de nuestro anterior planteamiento, tenemos que concluir que el P. Bastidas consideró prudente no figurar personalmente como editor de las obras de Camargo puesto que bien conocía el riesgo al que se exponía siendo él mismo jesuita, y el riesgo a que expondría su *religión.* Además, no sólo recurrió a dos nombres prestados, sino que los acompañó con el genérico título de *Don* (reservado tradicionalmente a los curas seglares) para alejar de la Compañía cualquier sospecha. Claro está, que para realizar esta su misión poética (que lo hizo perenne acreedor de las letras americanas) contó, de hecho, con la ayuda de al menos dos jesuitas: el mencionado P. Cortés que candorosamente dio la aprobación luego de aportar enmiendas al poema, y el P. Bermudo el cual tomó a su cargo (como consta en las cits. cartas) la realización práctica de la publicación. Del primero ya hemos hablado. Del segundo sólo podemos suponer que (ocupado como estaría por su alto cargo), tampoco tuvo tiempo de leer detenidamente el poema. Por otra parte, Bastidas debe de haberle dado una explicación satisfactoria acerca del motivo formal que lo inducía a publicar las obras bajo el nombre de otros. Se desprende de la segunda de las famosas cartas:

> "En nombre del impresor se pueden pedir las licencias [del *Ramillete* de Evia y de la *Invectiva* de Camargo] como se hizo con el tomo del *Poema,* porque, como salen en nombre de seculares y es a gusto e instancia suya, y ellos hacen el gasto, vaya en nombre de secular la agencia de la impresión" (*Obras,* p. CXXI).

El Procurador General de Indias sabía, pues, que el editor real era el jesuita Bastidas (por ello se ocupó activamente para complacerlo), mientras que la edición debía de hacerse en nombre de "seculares" puesto que ellos eran los que la pagaban y querían figurar de alguna manera.

Algo más se desprende, finalmente, de la frase citada: para evitar cualquier riesgo de implicar formalmente a los jesuitas, Bastidas hasta cuidó que las licencias fueran pedidas por persona ajena (el impresor). Ha quedado, pues, explicado también el motivo de este último hecho de las licencias que antes nos había dejado perplejos.

Todo lo dicho hasta aquí contribuye a aclarar, en nuestra opinión, un último punto que llegó a suscitar revuelo entre los críticos recientes. El de las dudas despertadas por el padre ecuatoriano Espinosa Pólit acerca de la posibilidad de que Bastidas fuera no sólo el editor de las obras de Camargo sino *autor* de las mismas. Esta hipótesis fue ya confutada desde varios aspectos por Hernández de Alba (*Obras*, pp. LXXIII y sigs.). Para nosotros, no cabe duda alguna, visto el diferente estilo de Bastidas frente al de Camargo, acerca de la exactitud de la tesis del biógrafo colombiano, y queremos agregar un elemento más en su favor. Una de las perplejidades que surgen, en quien lea las dos cartas discutidas, radica en el tono general con el que el P. Bastidas, hablando de los manuscritos enviados a Madrid para ser publicados, da la impresión de que se trate de *cosas suyas* (y hasta usa la expresión "mis cosas", p. CXXI). Ahora bien, después de lo discurrido, puede explicarse mejor ese tono de casi paternidad. Bastidas se sentía implicado directa y simpatéticamente en la publicación de lo que llama cariñosamente "las obritas" (p. CXIX), refiriéndose al *Ramillete* y a la *Invectiva:* directamente, como autor de una parte del *Ramillete*; afectivamente (como lo fue, antes, en la publicación del *Poema Heroico*), en la *Invectiva*, perteneciente al mismo poeta a quien admiraba. Agréguese que el hecho de haber optado por el anonimato, cediendo a otro nombre el figurar como editor, debe de haber agudizado en él (en virtud de lo que los sicólogos llaman proceso de compensación) un lenguaje afectivo en el que se insinúa inconscientemente, en primera persona, su real e importante papel de editor.

3. *ESTRUCTURA IDEOLOGICA Y COMENTARIO ESTILISTICO DEL POEMA*

Hasta hoy no se dispone de un resumen orgánico del contenido del poema, salvo la prosificación de las primeras 22 estrofas realizada por Méndez Plancarte [26] y las pocas líneas, a guisa de índice, que encabezan cada canto y que ya figuraban en la edición de 1666 (debidas, casi seguramente, al mismo autor)[27].

Lo ideal sería poder contar, ante todo, con una prosificación puntual y completa del entero poema, análogamente a la de las *Soledades* de Góngora tan magistralmente realizada por Dámaso Alonso [28]. Una empresa de esta índole representaría un trabajo sumamente largo y difícil puesto que presupondría la exégesis de miles y miles de versos a menudo impenetrables. Nos ceñiremos pues a una reseña, lo más fiel posible, del contenido de la obra, canto por canto, con la finalidad de ofrecer al lector una reconstrucción ideológica del hilo conductor del intrincado poema. Trataremos, a la vez, de relacionar, en lo posible, los datos exter-

[26] Publicada en *Obras*, pp. 495-500.

[27] También ha publicado un breve índice analítico F. Arbeláez en el prólogo a la II ed. de las obras de Camargo de 1956.

[28] *Luis de Góngora, Las Soledades*, Madrid, 1956, III ed., pp. 47-84.

nos, históricos o formales, con el contexto representativo y espiritual (en los dos primeros libros nos detendremos también, como muestra metodológica, en los momentos-cumbre de poesía). De esta manera, tendremos ya el esquema para una posible antología selecta.

El poema representa una real dificultad de interpretación semántica y, por lo tanto, de percepción estética, para nosotros los contemporáneos, del mismo modo que las composiciones largas de Góngora, *Soledades, Panegírico al duque de Lerma, Polifemo* (y substancialmente, por los mismos motivos)[29].

El relato externo de los hechos nos servirá, de todos modos, como soporte para explorar y reconstruir el mundo ideológico del poema (y del poeta).

LIBRO I

Canto I

Inicia el poema, a la manera clásica, con una invocación a la musa. Se presenta inmediatamente el personaje, Ignacio, llamado con terminología bélica "Vizcaíno Marte [. . .] tan guerrero". Camargo no se aleja de la ya casi centenaria tradición ignaciana que desde las primeras biografías e iconografías presenta el doble aspecto (hispánico) del Santo: el militar y el místico; el militar con sus primarias tendencias místicas, el místico que organizará y bautizará casi militarmente a su *Compañía.*

Se insinúan en seguida dos elementos sintomáticos y preciosos a los efectos de la reconstrucción interna (a falta de datos externos suficientes) de la personalidad y la técnica poética del autor: a saber, la conciencia de que su poema (o el Ignacio cantado por su poema: lo cual da lo mismo) quedará ("constante") a través de los siglos; conciencia (herreriana y gongorina) de su potencial poético; y la anticipación de cómo sería su manera de poetizar; trabajando, cincelando el verso, pacientе y pausadamente.

Antes de concluir su invocación a Euterpe, confirma lo que ya era de suponer en un jesuita-poeta que emprende tamaña empresa de destinar al fundador de la Compañía un poema que se perfila, perspectivamente, como absorbiéndole la vida entera: "Tu fuego, Ignacio, concibió mi pecho (1, VII, 1)"; "El fuego oirá tu voz Euterpe amena (1, VIII, 7)": el fogoso Camargo tiene el pecho encendido con el fuego del santo. Su formación ignaciana (cultural y moral), su condición de miembro de la Compañía, la enorme fama del fundador, que se multiplicó después de la canonización, su misma condición juvenil, han prendido el ánimo

[29] Para los que remitimos, de una vez por todas, a los trabajos de Dámaso Alonso *La lengua poética de Góngora,* Madrid, 1950; *Poesía española,* Madrid, Gredos, 1952, *Estudios y ensayos gongorinos,* Madrid, 1955. Cf. también R.F.E., tomo XIV (1927), C.4º, pp. 329, sigs. y tomo XIX (1932), C.4º, pp. 349-387.

del poeta volviéndolo como consustancial con aquel *monstrum* del ardiente Ignacio.

Siempre a la manera de los poemas épicos tradicionales acompaña, a la invocación a la musa, el anuncio del objeto de su canto; y el verso es fulminante, a lo Góngora, en la imagen y en el ritmo: "Al rayo hispano de la guerra canto" (1, IX, 2).

Relatando, rápidamente, el origen topopatronímico de Ignacio y utilizando poéticamente una leyenda trasmitida por ciertas biografías, hace nacer al santo en un establo, como un segundo Cristo anunciado por las profecías; y lo compara en seguida, infante aún, con Hércules ("nuevo Alcides"), el que mató, siendo aún niño, a una serpiente; así como antes lo comparó con Marte: Marte y Hércules... dos símbolos de la personalidad primaria de Ignacio que anticipan alegóricamente sus cualidades y deben de tomarse, perspectivamente, más bien por su connotación espiritual, dada la conocida fragilidad física que caracterizará sucesivamente al santo ya adulto.

Al pasar por la octava XIV, preciosa y exquisita, el lector se encuentra, de lleno, ante los rasgos constitutivos de la poesía (y la poética) de Camargo: el lujo icónico y sonoro, sensorial y sensual a la vez, que engarza, por un lado, con la tradición gongorina y barroca, y por otro, con la *forma mentis* y el mismo regalado *modus vivendi* del autor. El poeta rodea al niño Ignacio, recién salido del mencionado establo, de cándidos lienzos de Holanda, purpúreas lanas de Tyro, telas bordadas de hilo de Flandes, blandas plumas de cisne, aljófar de abeja libado de ligustres y lirios... El refinamiento descriptivo, se extiende de las cosas a la persona humana, al cuerpo femenino de la "Madre amorosa, tanto como bella", al "blanco alterno pecho", "Ebúrnea blanda aljaba de blanco néctar" que "Su labio el pezón solicitaba" a "Aquel Potosí de la hermosura", a sus "venas color de la plata y llenas de miel"... Debajo del casto disfraz de la esplendorosa maternidad no deja de percibir el lector avisado (por el tipo de imágenes, por la complacida insistencia en las mismas y por el contexto todo) una sensualidad inmanente que va más allá del simple halago sonoro y visual de los sentidos para injertarse de lleno en la savia misma del ser biológico y del existir vital del hombre quien no puede dejar de palpitar bajo la sotana. Entendámonos: queremos simplemente registrar aquí el impacto sensual ineludible que aquellas hermosas imágenes producen, a nivel literario, en el lector y que, por lo tanto, deben de haber producido antes en el autor en que han surgido. Volveremos a encontrar tal tipo de imágenes sensuales (*sensu lato* o *sensu stricto:* tanto da para nuestra tesis) a lo largo del poema, comenzando por los primeros versos de la estrofa que sigue: "[...] el susurrante arrullo. / De siempre tierna lisonjera dama" (1, XVII, 1-2), donde la ternura maternal de la dama se convierte en el arrullo susurrante de la sensual paloma (Cfr. también p. XL).

Ya aparece aquí un verso sacado de Góngora según lo aclara una apostilla del autor: "Cuando (timón de tu sagrada nave) / Conduzcas una ilustre Compañía, / *A inculcar nuevos términos al día*" (1, XXIV, 6-8); y se van asomando nombres de dioses, semidioses, héroes, ninfas y personajes varios de la mitología clásica, los que pulularán por todo el poema: Aracne, Juno, Alcides, Marte; las Parcas: Láquesis, Cloto, Atropos; Fénix, Minerva, según la costumbre de la tradición épica pero con ya insólita frecuencia [30].

Las octavas XXVI-L describen la pompa del bautizo de Ignacio. Aquí también hay otro verso sacado de Góngora acompañado de la correspondiente apostilla: "Sin alas y con ojos un Cupido" (I, XLII, 8).

Merece señalarse una de las alusiones del americano Camargo a América y al Inca: "El que América en una y otra mina, / Hijo engrendra del sol, oro luciente [...] / Mercurio de los huertos, que elocuente [...] / Del Inca embajador voló a la Europa" (1, XXXIX, 1-2 y 6-8).

De la LI al final del canto (LXVIII) se desarrolla el primero de los famosos banquetes (también de larga tradición, a partir de Homero) sobre los que llamaron la atención ya los críticos, desde Gerardo Diego hasta Carilla, y que de por sí solos podrían representar una satisfactoria muestra antológica de la gran poesía camargueña. Es el banquete en casa de Loyola con el que se festeja el bautizo y en el que desfilan, sobre adornos preciosos, manjares exquisitos ofrecidos a los huéspedes de consideración: mantelería de damasco y flamenca, cándidos encajes, cristalería *fulminante* (imagen esta que serpentea en toda la épica hispánica y que cunde en Góngora) y platos sabrosos presentados con connotaciones exquisitas o atrevidas y según la técnica de la enumeración. Carnes de ternera: "De la que el Tauro codició ternera" (1, LV, 3); de gallo: "Gran turco de las aves arrogante" (1, LVI, 4); de conejo: "Alma de las arterias de la sierra" (1, LVII, 1); de ciervo: "Su muerte en el del can dentado Scyla / El siervo halló infeliz [...]" (1, LIX, 5-6); de sábalo: "(garzón del mar) el sábalo presuma" (1, LX, 6); de atún: "Toro el atún marino, ..." (1, LXI, 3); y otros pescados de toda especie: "Y ciudadanos mil del agua prende" (1, LXII, 4); leche: "Porque es la leche Adán de los manjares" (1, LXIII, 8); miel: "Este, que medio leche, medio ave, / Centauro es de la gula en el combate" (1, LXIV, 6-7); fruta en almíbar: "El cadáver augusto de la fruta / Que en bálsamo de almíbar se preserva" (1, LXV, 1-2); aceitunas: "Retaguardia a las mesas la aceituna" (ibid. 8); granadas: "Pelícano de frutas las granadas" (1, LXVI, 1-4); vino añejo: "Dora el antiguo Baco, aún más pre-

[30] Téngase en cuenta, de todas maneras, que la cultura literaria de la época estaba embebida, en mayor o en menor grado, de terminología e historias mitológicas. Lo que caracteriza, pues, la lengua poética de Camargo es la peculiar intensidad del fenómeno. En esto se halla presente, una vez más, la influencia de Góngora.

cioso / Que el cristal puro y oro luminoso" (1, LXVII, 7-8); servido en: "Hijas del soplo, nietas de la yerba / Las tazas débilmente cristalinas" (1, LXVII, 1-2); estupenda imagen esta de gran poeta.

Huelgan los comentarios a tanto lujo y refinamiento del gusto (y de la gula) en el que se transparenta también la acostumbrada sensualidad: "Su leche les propina colorada, / En muchos que rubí rompió pezones" (I, LXVI, 3-4).

Canto II

El canto segundo comienza con una descripción, bastante convencional, de la infancia de Ignacio, en la que los hechos de algún interés nos parecen ser los siguientes: una ulterior alusión a las citadas profecías que al santo se refieren (LXIX, 4), la leyenda de que el niño "Aprende mal a andar, y así cogea" (1, LXXIII, 6) (evidentemente reconstruida *a posteriori* por la tradición hagiográfica sobre la base de la herida de Pamplona)[31], la belleza y fuerza del joven descrito con sintagma de tipo gongorino "Suavemente membrudo" (LXXX, 1) y presentado con algunos versos de envergadura donde ya se refleja el aspecto del santo maduro, equilibrado, serio, que la tradición nos ha legado a partir de Ribadeneyra.

En la LXXXIII se cuenta que Ignacio fue enviado a la corte de Madrid: hecho también legado por la tradición pero inexacto históricamente. De la LXXXIV a la XCII se halla una viva descripción de los defectos y los vicios de la vida cortesana, donde se explaya el moralista fustigador de las costumbres reales, el observador agudo y esencialmente amargado (como él mismo lo reconoce en la *Invectiva apologética,* jugando sobre la posible motivación de su nombre: *Camargo-amargo*) quien libera su desengaño mediante la invectiva contra la adulación (LXXXIV), la envidia (LXXXVI), la vanidad *postmortem* (LXXXVII), la riqueza (LXXXVI), la codicia (LXXXIX), la lascivia (XC), la ambición (crítica contra la corte): "O ambición que oprimida de grandezas / Vistes la Corte de purpúreas ropas" (1, XCII, 1-2).

De la XCIV a la CVIII se retratan escenas de caza en las que Ignacio se adiestra para la guerra, según el tópico tradicional de toda la épica.

Las últimas (CVIII-CXXII) describen al santo que, ya amaestrado por el arte de la caza, se pasa al de la guerra, superando en ella al mismo Marte. He aquí el verso fulmíneo: "Y jubilóse con Ignacio Marte" (1, CVIII, 8).

Alterna "Tan fuerte pluma, como docta espada" (1, CXII, 4), conservando siempre su dignidad moral como lo confirma el hecho de no participar nunca de los botines de guerra. Se concluye el canto con la

[31] No la hemos hallado en ninguna de las biografías examinadas.

descripción de su atuendo guerrero [32] (aquí también la técnica enumerativa) y de la jineta coqueteando con sus propios adornos en la plaza de Pamplona: "Su jineta en la plaza de Pamplona / Cetro de un campo se erigió de estrellas" (1, CXXII, 1-2).

Canto III

El canto III es uno de los más hermosos del poema. Comienza con la descripción de la ciudad de Pamplona ceñida de almenas y defendida por el tradicional y emblemático león español; cubierta de un "enjambre de techos numerosos" (1, CXXV, 1) rodeada por el acostumbrado río, armada de cañones presentados (tópicamente) como perros de acero. Las CXXVII-CXXX contienen una de las invectivas contra la pólvora más impresionantes entre todas las que conocemos dentro de la tradición épica, a partir de Ercilla, donde descuellan estos versos: "¡Oh pólvora, invención de áspid humano!" (1, CXXVII, 1); "Infierno breve en rápidas arenas / Y un rayo, el más fatal, desmigajado / En tan menudos polvos encadenas" (1, CXXVIII, 4-6); "Reducida la cólera a minutos, / Y a granos la impaciencia de la llama, [. . .] / [. . .] entre los brutos / Riscos con tales hambres se derrama, / Que un breve instante como apresurado, / Lo que no pudo un siglo desganado" (1, CXXIX, 1-2 y 5-8).

Después de la descripción del ataque de los franceses contra los españoles sitiados (tomada de la simbología animal alusiva): "Que mal el gallo contra el león se arroja" (1, CXXXII, 1), donde se alternan versos intachables con versos afectados de tipo mariniano, nos hallamos, en la CXXXIX, ante la admirable figura de Loyola, con su sangre española, orgullosa y tradicionalmente subrayada: "Que en él no bastardeó sangre española" (1, CXXXIX, 5). Se hace paladín Ignacio de la defensa de los muros y pronuncia, para reanimar a los "Pelícanos de España", un discurso avasallador (CXLI-CLII) que representa uno de los momentos más logrados de todo el poema, como lo advirtió la crítica ya desde sus primeros tanteos. Hay que remontarse a *La Araucana* de Ercilla, en la que posiblemente Camargo se inspiraría, para hallar una exhortación militar tan impresionante. A este respecto, hay que subrayar una constante que atraviesa a cada paso todo el discurso: el pulular de máximas militares, típicamente españolas, tradicionales o inventadas, esculturales, holofrásticas, fulminantes, que suelen estar contenidas epigráficamente en un solo verso: "El mayor enemigo es vuestro miedo" (1, CXLII, 8); "También ciñe al vencido ilustre rama; / Pelear sin esperanzas es victoria: / Sin gloria muere el que murió en la cama; / Trompas son las heridas de la gloria" (1, CXLIV, 3-6): en cuatro versos corridos ¡cuatro máximas!

[32] En la que descuella la soberbia imagen del penacho: "un penacho le trepa vagoroso" (1, CXIV, 7-8).

Y continúa: "Pelear para vencer es granjería; / Pelear para morir es rico empleo; / Victimarse al cuchillo es valentía; / Socorrerse del riesgo, es gran trofeo; / Un airoso morir colma en un día / La honrosa hidropesía del deseo: Siempre el de la ocasión fue presto vuelo" (1, CXLV, 1-7); "Quien desprecia el morir tan sólo es fuerte" (1, CXLVI, 6); "Que es Epitafio eterno gota breve / A quien el tiempo, no su diente atreve" (1, CXLVII, 7-8); "Dorado es nicho el que la miel estrena" (1, CLI, 5): ¡14 máximas en 12 octavas!

No es objeto de esta introducción buscar la motivación espiritual de tal hecho, pero, evidentemente, su frecuencia es tan elevada que no puede considerarse casual aun teniendo en cuenta que el mismo es tradicional en la epopeya dentro del estilo de las exhortaciones militares. Lo dejamos apuntado para posibles análisis estilísticos.

Las sucesivas (CLIII-CLV) describen la lucha encarnizada entre españoles y franceses y las proezas de Ignacio en la batalla. La imagen más lograda es la del humo de la pólvora representado como una vid con pámpanos de fuego: "Tendida vid de humo el aire trepa / Eslabonada en pámpanos de fuego [. . .]" (1, CLXI, 1-2).

Al final del canto se describe a Ignacio herido por una bala de bombarda; episodio clave recogido copiosamente por toda la tradición biográfica escrita y oral justamente porque representó la ocasión determinante del radical cambio de vida del santo.

Aquí también se alternan, como de costumbre, versos exquisitos con otros incomprensibles o de mal gusto. Transcribimos algunos de los más notables.

El cañón de bronce, como serpiente cargada de veneno, escupe contra el muro su tosigosa bala de muerte: "Guiñó al fogón el fuego, y a la bala, / Patrona a Ignacio la encontró una almena; / (Esta deshecha) los sillares cala / Y al muro de sus piedras desmelena" (1, CLXXVII, 1-4); el poeta, olvidándose por un momento de los fragores de la batalla, trata, festivamente, con cierto dejo de cariño, diríase con alusión cordial, el fuego mortífero que le hace una guiñada al fogón donde prende la pólvora y, al mismo tiempo, nos presenta onomatopéyica y dramáticamente, los sillares del muro que se desmoronan. El golpe hace impacto en la carne de Ignacio y se desmaya el héroe, tirado en el foso como flor segada: "Y en él desvanecido va Loyola, / Troncada es sobre el foso una amapola" (1, CLXXXI, 7-8).

Representa, este último verso, una imagen lograda y tocante (pero no nueva en la tradición narrativa), la que hace juego con aquella otra, igualmente discreta y ternísima, en la que Ignacio, como de puntillas, se aparta y se coloca casi del lado de la muerte: "Hicístete de parte de la muerte" (1, CLXXXII, 2).

Pocas octavas más (CLXXXIII-CXC), en las que el poeta comenta en primera persona lo sucedido, dirigiéndose directamente al protagonista según una costumbre antigua de la épica: "Peleaste hasta caer, no hay más trofeo" (1, CLXXXIV, 1); y presenta escénicamente el *cambio de la guardia* en la muralla entre franceses y españoles: "Sube alado el de Francia y baja herido / el de España [...]" (1, CLXXXV, 5-6).

Canto IV

El canto IV empieza, después de algunas consideraciones del poeta sobre la suerte de la batalla (CXCI-CXCV), con un diálogo dramático entre el vencido Ignacio, gigante derribado, y el vencedor Fogio, activo capitán de los franceses. Tampoco este recurso es nuevo en la épica, pero aquí la tensión poética alcanza su nivel más alto. El poeta opone al blanco lirio francés la roja amapola española (es la tradicional cólera hispánica) con un verso memorable: "Cólera, al blanco Lilio, haga amapola" (1, CXCII, 8); la trompeta militar que resuena por la victoria de los franceses es presentada, melancólica y amargamente, como un sonoro camaleón, aludiéndose a la actitud mimética de este animal cambiante: "Sonoro camaleón la hueca trompa [...] / Su arteria de metal a soplos rompa" (1, CXCIII, 1 y 5), donde, debajo de la rabia del poeta ("a soplos rompa"), se insinúa una imagen vital, biológica, por la que el caño de la trompeta se convierte en arteria ("arteria de metal") que propina "al francés *néctar* canoro" (*ibid.* 8). Es la reanimación del artificio barroco, el metabolismo orgánico de las ciencias dentro de las cavidades de la vieja retórica. Ignacio, "cada oído una imán", bebe "almas de fuego" y, si bien herido, afrenta a Fogio: "Hollaba Fogio el muro, y en su afrenta / La voz Ignacio y el acero atreve" (1, CXCV, 5-6).

De su discurso baste entresacar algunos versos (discursos..., tema muy explotado por la épica clásica pero seguramente reforzado en Camargo por la tradición oratoria eclesiástica). Detiene Ignacio la jactancia del vencedor señalándole el panorama de muerte que los rodea, como suele suceder en toda batalla encarnizada: "Que más que la victoria hay ruinas altas" (1, CXCVI, 8); y se define a sí mismo, sangriento y solemne: "Osa sangrienta soy, trágica estrella" (1, CXCVIII, 3): impotencia de la carne lacerada, potencia trágica del espíritu; se adelanta aquí, por boca del mismo protagonista, la dual figura del futuro santo, así como la relata la tradición y la confirman sus escritos: frágil, perennemente macerado el cuerpo, el espíritu potente y luminoso.

El francés es invitado a arrojar la espada y respetar su vida indefensa: "No infames con mi vida tu estandarte" (1, CXCIX, 3). Fogio responde con palabras de fuego: "Aspid, dice, Español, que te ocultaste. De tu sangre en la mórbida amapola" (1, CCIV, 1-2), pero luego cambia el tono y le habla a Ignacio ya con cierto respeto por su valentía: "Vive el que instante el cielo te concede / Síncopa de altos siglos de valiente" (1, CCV, 1-2); hasta serenarse del todo, al final del discurso, con palabras de amor que parecen dictadas por su interlocutor herido:

"La sedición del ímpetu reprime, / Y el motín de tus cóleras atienda / Al amor, que en mi pecho es tan sublime / Que a tus heridas dedicó su venda: / Rendimiento tan noble legitime / En tus altares mi admitida ofrenda; / Venza amor a quien no la hueste armada; / Pues tu valor me vence y no tu espada" (1, CCVI, 1-8).

En la octava siguiente aparecen dos versos: "Hágase ya de parte de tu vida / [. . .] Átropos fiera" (1, CCVII, 1-2), haciendo *pendant* con el recíproco ya visto en CLXXXII, 2: "Hicístete de parte de la muerte".

En las CCX-CCXXIX se relata cómo los franceses enviaron al herido Ignacio a su patria, a casa del hermano, quien viéndolo moribundo, prepara el entierro. Hay algunos versos dignos de mención. Los palanquines que transportan al herido en la litera: "El hombro fatigó con peso augusto / Un palanquín membrudo, otro arrogante" (1, CCXI, 1-2); la comparación entre la entrada de Ignacio en el blando lecho de la casa familiar y la del esquife en la espuma del mar: "Menos se engolfa en la mórbida espuma / De las iras del mar esquife vago / Que en el mullido lecho, en blanda pluma / La reliquia vital del duro estrago" (1, CCXIII, 1-4); la descripción del estado físico del moribundo, pincelada maestra en consonancia con cierta pintura tétrica del barroco: "Relajada la mano, el pulso yerto" (1, CCXV, 1); el llanto del hermano: "Cuando a acordarle amor rompe sus venas, / Dos niñas de dos ojos Madalenas" (1, CCXIX, 7-8); el lloro del alba ante los preparativos de la pompa fúnebre: "Fúnebre a Ignacio se previene pompa, / en las que perlas la mañana llora" (1, CCXXI, 1-2); la abejuela que continúa impertérrita su trabajo matutino: "Y la abejuela con quejosa trompa / En esponjosos corchos atesora [. . .] / Lágrimas de agua en lágrimas de cera" (*ibid.*, 5-6 y 8).

Continúan los preparativos para el entierro, destacándose, por su preciosa descripción, el llanto de las velas, cuya luz, como abeja, liba inquieta lágrimas de cera: "Donde la muerte en campos de bayeta, / En cirio y cirio, lilio y lilio ordena; / Y en uno y otro que encendió Cometa / Rubio enjambre de fuego desenfrena, / Do abeja cada luz le liba inquieta / Lágrimas que dedica a la colmena / del sepulcro [. . .]" (1, CCXXIV, 1-7); la misma luz muerde la cera como si fuera algodón (por lo blanco) o hiedra (por lo recortado): "O cuando muerde el algodón severa / Diente de luz, que yedras roe la cera" (*ibid.*, 7-8). La casa entera transformóse para el luto y, como ser viviente, "Mudó de piel" (CCXXVI, 5) al desgajarse el brocado de las paredes y al bajarse las pinturas de los frisos. El tópico no es nuevo pero insólita es la hermosa imagen del "apear" las pinturas: "De las paredes desgajó el brocado, / Apeó de los frisos las pinturas" (*ibid.*, 1-2).

Se prepara, para el cadáver privilegiado, el bálsamo traído de América: "Privilegio al cadáver le prepara / El bálsamo en mi América sudado" (1, CCXXVII, 1-2); nótese, por segunda vez, la alusión a *mi* América, a la que sigue un lamento por la fragilidad de la vida corpórea y la amarga constatación de que "es grave culpa la de haber nacido" (*ibid.*, 8). No tiene nada de original tratándose de un tópico que se remonta por lo menos a la lírica griega (Teognis); aquí nos interesa subrayarla puesto que representa uno de los momentos de verdadero intimismo, de legítima reflexión filosófica del hombre Camargo.

Se cierra, en la octava CCXXIX, la descripción de los preparativos fúnebres, en la que aparecen dos versos sugestivos. Es Ignacio flotando, como barca naufragada, entre la vida y la muerte: "Del cuerpo augusto el breve esquife roto, / Naufragante vacila en un mar muerto" (1, CCXXIX, 1-2).

Llegamos, así, al episodio final del libro I, con la aparición de S. Pedro *deus ex machina,* que salva *in extremis,* a Ignacio. El apóstol (que era del oficio. . .) busca, para reanimarla, al alma del enfermo tendiéndole la red como al pez el pescador: "Tendió al alma la red su voz suave" (1, CCXXXI, 1). Al hallarla, la saca "A la purpúrea orilla de los labios" (*ibid.*, 8) y solicita a Ignacio para que le dedique un voto; le convida a ser nuevo ángel de la Iglesia y le intima que exalte el nombre de Jesús. Ignacio, tocado por la gracia improvisa, levanta su rodilla enferma (ya se mueve milagrosamente) ante Pedro que, a su vez, se arrodilla (teatral inversión de movimientos recíprocos): "Y al nombre erige Ignacio la rodilla. / A quien alto el querub la suya humilla" (1, CCXXXV, 7-8). Ya está curado y puede, por fin, sumergirse en un sueño profundo, reparador, mientras palpita todavía en el aire la luz de Pedro: "Cuando aún palpitan luces en la cama" (CCXXXVIII, 8).

LIBRO SEGUNDO

Canto I

Ignacio, a pesar de los insistentes ruegos de "su dulce hermano tenaz hiedra" (2, III, 3), decide hacerse cortar por los médicos un hueso que sobresale de las rodillas y soporta dolores atroces como "sordo escollo" (*Ibid.*, 7), como corresponde a su educación militar. Merece transcribirse la estrofa que narra, con realismo escalofriante (ciencia y poesía. . .), la operación del cirujano: "Dentado acero se caló inhumano, / Y roe el relevado hueso inculto, / Y en las médulas se afectó gusano, / Mucho violento ejecutando insulto; / No ya el verdor le marchitó lozano; / Hiedra al color rosado de su vulto; / Antes rubís palpita roja hiedra, / Abrazando en su cuerpo alma de piedra" (2, VI, 1-8).

Para entretenerse, el enfermo pide "Un libro vano de caballerías" (2, IX, 8); se inflama, como pólvora, en la lectura del libro sacro y su imaginación vuelve hacia el cielo librándose de las cosas terrenales: "Pólvora bebe en la sagrada letra [. . .] / Ya el alma desmantela nube y nube" (2, XII, 1 y 7).

Llora de conmoción, en las páginas del libro, y así comienza, desde entonces, aquella virtud mística de las lágrimas fáciles que caracterizará al santo durante el resto de su vida, como resulta de su *Diario Espiritual* (1544-1545).

Canto II

Se describe cómo Ignacio hace voto a la Virgen de visitarla en su casa de Monserrate: "La mano pues, que obró tales portentos (2, XXXI, 1) / [. . .] Tocó de Ignacio el corazón dormido (2, XXXII, 1) / [. . .] Verla en su casa [a María] le votó, y ya vuela / En alas del amor que le ha movido" (2, XXXIII, 5-6) (175). María agradecida por sus intenciones, se le aparece en todo su esplendor.

La descripción de la Virgen constituye uno de los pasajes más hermosos donde se transparenta, una vez más, a través del lujo y la preciosidad de las imágenes plásticas y cromáticas y de la insólita atención a los detalles corpóreos, una sensualidad fantástica, con una connotación pagana, directa, de las bellezas físicas de la espléndida virgen las que se adivinan a través de la "túnica augusta": "Acuerda bien, quando mejor defiende / Túnica augusta claramente oscura / Los pechos, donde lince amor atiende / Dos cúpulas del templo de Hermosura; / Dos pomos, por quien Ida el suyo enmiende / Dos Potosís de la beldad más pura / Donde en sus venas un licor desata, / De quien es la piedra el sol, y él es la plata" (2, XLV, 1-8).

En este punto hay que aclarar que la sensualidad de nuestro poeta no tiene nada de mórbido ni de realmente irreverente puesto que se halla filtrada, purificada y cristalizada, en una completa objetivación, sin residuo alguno más allá de su misma verbalización. Se agota en la dinámica de su propia retórica sin constituirse como síntoma sicológico, sin ofrecer posibilidad de reversión (la sicología se ha quemado, el barroco ha estallado, el dato biográfico es aquí incomparable o críticamente improductivo). No hay hipocresía ni doble moralidad, sino completa liberación de la fantasía poética, despreocupada y pura a la vez (como en ciertos pasajes de Ariosto), rescatada desde adentro del condicionador esquema programático. Este cuadro, poéticamente notable, se corresponde exactamente (hasta por algunas imágenes) con aquel otro de la madre de Ignacio, esplendorosa y *sensual,* que hemos comentado en el comienzo del poema [33]. Se asoma aquí el hilo subterráneo, a distancia, pero directo, entre aquellas dos madres de Ignacio, ambas Marías, la terrenal y la divina, las dos presentadas renacentísticamente por sus rasgos más profanos.

[33] Cfr. p. XXXII.

Sigue la descripción del temblor de la tierra (XLVII y sigs.) ante el portento de la aparición.

Ignacio promete a María castidad perpetua: "Ni el alma alargará torpe gemido, / Ni al cuerpo manchará impúdico lecho" (2, L, 5-6). Aquí también, justo en el momento en que pone en boca del santo pudorosas palabras programáticas, el poeta vuelve a insinuar, una vez más, su regalada sensualidad, su atención al detalle hermoso en el cuerpo femenino. Esta vez, se trata del pecho "ya desnudo" de la doncella *ilibada* que, sin embargo, no huye ("la planta inmoble")...: "Depondrá la violencia más sañuda, / Quando ilibada una Donzella vea, / La planta inmoble, el pecho ya desnuda, / Nuevo jayán de nueva Galatea" (2, LIII, 1-4).

Aún, dentro del marco negativo (negación del erotismo en el casto programa de Ignacio), el poeta incluye la continuación del elemento sensual positivo al presentar la doncella *disponible* (aunque ilibada...), con efectos de exaltación y claroscuro. Es la técnica de la *inclusión en la exclusión:* una especie de lítote insinuada pictóricamente y tomada, tal vez, de la misma pintura renacentista.

Termina el canto (LIV-LX) con una especie de letanía poética anafórica (*enumeración estrófica*) de alabanza a la Virgen, donde cada estrofa comienza, de la misma manera, con la locución pronominal (deíctica y apelativa a la vez) *Aquella que* (o su equivalente *la que...*): "Aquella que infundió virtud, aquella... Aquella, a cuya voz el sentimiento... Aquella que le envió filo al acero... Aquella que a José cauta le avisa... La que, en Inés armada de diamante... La que asentó su propia monarquía... Aquella que nació en el Padre Eterno...".

Canto III

Comienza con una invectiva contra la patria a la que corresponde alguna resonancia autobiográfica por la vehemencia que la inspira y la amargura que trasunta: "¡Oh Patria! que te intimas a la vida, / Del pimpollo mejor sordo gusano; / Y te divorcias siempre matricida / Del hijo que en tu seno vivió ufano, / Y adversa colocándole Fortuna, / Urna sin gloria eriges a su cuna" (2, LXI, 1-8).

No es la única vez que Camargo lanza palabras de fuego contra la patria "matricida". Posiblemente la referencia autobiográfica deba hallarse en la hiel acumulada contra su ambiente y contra sus compatriotas que lo despreciarían o lo atacarían (véase la *Invectiva apologética,* sobre todo en el tono). Hay algo dantesco en este sentimiento de *atracción-repulsión* por la patria, y hasta cierto presentimiento del silencio secular que bajaría sobre él después de muerto: "Urna sin gloria eriges a su cuna". Más que al protagonista, este verso le calza al mismo poeta...

Llega Ignacio al abrupto Monserrat. La montaña es comparada a Polifemo, a cuyo pie rodean las nubes "donde calza la nube el pie eminente" (2, LXIV, 2), y el templo al ojo incrustado en la "alta frente" del gigante "escoltando el firmamento", "ya atalaya", e investigando "si más allá del cielo mundos haya" (*ibid.*, 8).

En la "falda verde" del monte corre un río: "Un serpiente de espumas escamado / En roscas de cristal sus giros pierde / Flexuoso entre peñas desatado, / Y al risco que lo pisa altivo muerde [. . .] / Matricida cristal de dos montañas / Que, al parirlo, rompieron sus entrañas" (2, LXV, 2-8).

Es ésta la segunda descripción de un río en el poema (la primera, apenas esbozada, se halla en I, CXXV, en torno de Pamplona) típicamente gongorina y barroca ("serpiente de espumas"; "roscas de cristal"; "al risco muerde"; "matricida cristal") que empalma claramente con aquel otro poemita suyo sobre el arroyo de Chillo y que se volverá a repetir a lo largo del poema. Digna de mención, en este escenario montaña-río, es la muerte del cordero "[. . .] que balando le dio aviso / En la espesura al lobo, que amanece / A purpurar sus aguas improviso" (2, LXVI, 4-6); con la cual empieza una de las tantas descripciones de animales, en el teatro de la naturaleza que, junto con las de los banquetes, constituyen los momentos orgánicos más relevantes en Camargo (2, LXVII y sigs.): la maternal cigüeña; el águila obstinada; la culebra que trincha al lagarto; las hormigas que devoran sus sobras; la tórtola que alimenta a sus pequeñuelos; la cigarra que muerde el oído; el conejo que se retira temeroso al sentir el caballo.

Baja Ignacio del caballo al llegar al templo, presentado por uno de aquellos versos arrolladores (rápidos, levísimos, materia espiritualizada) que, de cuando en cuando, atraviesan como rayos el poema: "Y débil se apeó de nube y nube" (2, LXXI, 8).

La descripción del interior del templo, con sus adornos preciosos, es todo un halago de los sentidos, de tipo casi pagano, que llega a trasmitirnos escalofríos de sensualidad verbalizada, como cuando se llaman a las esmeraldas: "carnes de cristales, / venas de verde luz" (2, LXXVI, 2-3).

Emprende Ignacio, por invitación de María, una confesión general, que en aquel tiempo solía durar días enteros, ante un "religioso grave" que lo atendió en el templo. Despejado ya de sus culpas, queda estático, una noche entera, velando sus armas luego de haberlas dedicado a la Virgen y colgado de las paredes del templo según una antigua costumbre caballeresca medieval. El apóstrofe a las armas, una por una, aun dentro del estilo convencional de la tradición caballeresca, no deja de tener momentos de tensión poética.

El monólogo de Luzbel, que se ubica dignamente dentro de la tradición de la épica itálica e hispánica y que ocupa las estrofas XCII-XCVIII, va dirigido, con palabras de torva solemnidad, contra el santo y la Compañía que él mismo fundaría: "Y pues contra mi imperio rebelado / Guerra me intima; mi furor ardiente / El yugo le impondrá que relevado / Vencer procura su cerviz valiente" (2, XCVI, 1-4).

La amenaza mortífera se extiende a su honra y a su vida, al alzar Lucifer contra él Salamanca, Barcelona, Alcalá, París (lugares todos donde vivió históricamente y donde tuvo reales percances); lo alcanzará hasta en el más allá y pesará sobre la entera compañía.

Ignacio deja el templo luego de una noche de vela ante el altar, el día mismo de la Concepción en que "Dios se viste de hombre" (2, C, 8).

Las octavas CI-CIV describen minuciosa y lujosamente la riqueza y el primor de la vestimenta de la que el santo se despoja para ofrecérsela a un mendigo: "Cardada la esmeralda en el vestido, / Piélago verde el chamelote undoso / Formava, de riberas mil ceñido, / En éste y en aquél galón precioso / [. . .] / Y los botones que caló ingenioso / Filigranista en cada ojal decoro, / Torcidos eran caracoles de oro" (2, CII, 1-4, 6-8).

Este detenerse en tantos detalles preciosos del vestido es gusto poético, gusto de la época (lujo del barroco) y corresponde, para quien conozca la vida práctica del autor, al gusto de su propia vestimenta, como ya lo vimos, curiosamente refinada.

Al concluirse el canto, Ignacio (por aquel procedimiento de la *inclusión en la exclusión* ya visto) queda como el rudo olmo al que el viento ha desnudado "De lasciva hiedra" (CV, 7): tópico, éste, antiguo y último toque de aquella sensualidad fantástica que hemos dejado apuntada.

Canto IV

Comienza con la descripción de la cueva de Manresa donde Ignacio se retira desde Monserrat. Continúa con otra soberbia descripción de un arroyuelo (CIX-CXII); ya es la tercera, más cercana aún a la del *arroyo de Chillo* por cuanto lo configura como un potro que se despeña ("Sus crinitos raudales precipita", CIX, 1); a la que sigue otra plástica galería de animales varios que pueblan la cueva, presentados todos por su connotación peculiar (poéticamente reconstruida y esencializada) (CXIII-CXVI): la *espiritosa* lagartija; la sierpe *zahareña;* el caracol *pegado* a la piedra; las hormigas en fila *trazando venas* en la roca; la araña *tramposa* que atrapa en sus redes a la *simple* mosca; la *querellosa* rana que despierta en el agua del arroyo fugitivo, presa de la serpiente *venenosa;* las hormigas que, a su vez, *muerden en tropel* y matan a la serpiente *adormecida.*

El poeta coloca a Ignacio viviendo en esta cueva en compañía de un crucifijo que había traído consigo como escudo. La descripción del crucifijo, que se extiende a lo largo de diez octavas (CXVIII-CXXVIII), es otro de los pasajes notables del poema, provisto de un estilo, aquí, más barroco que nunca (por lo realístico, lo atormentado, lo cromático, lo contrastado), donde los cánones son los mismos de la pintura y escultura del Seiscientos [34]; donde al contraste intrínseco de la escena se agrega el juego de la antinomia conceptual y verbal: "En la rama que cruza atravesada / De un rudo tronco, aun para tronco rudo; / Y erigida la cruz ensangrentada / [. . .] / Se dobla el peso del cadáver yerto, / Que eleva a Cristo, vivamente muerto" (2, CXIX, 3-5 y 7-8).

Anótese el vivo contraste cromático y la escultura barroca; el contraste entre lo bello y lo sangriento (en realidad, la belleza de lo sangriento); las contorsiones serpentinas; el histórico (y teatral) tumulto de la muchedumbre sedienta de agravios; el destrozo cabal, realístico, del rostro de Cristo; la sangre brotando del "roto" pecho y engarzadas, aquí y allí, dentro de esta tela barroca, algunas que otras pinceladas maestras donde contrastan, una vez más (antinomia antigua en la poesía hispánica), la vida con la muerte (las frutas vivas con el cadáver): "Abierta en dos mitades la granada / Del pecho, desunido grano a grano / [. . .] / En todo aquel cadáver soberano" (2, CXXVI, 1-2 y 6); "Sangrienta vid al cuerpo le desatan / [. . .] / Cuando en pámpanos rojos se dilatan / [. . .] / Negros brotan racimos [. . .]" (2, CXXVII, 1, 3, 7).

Las octavas CXXIX-CXLI describen la vida ascética de Ignacio en la cueva: las cotidianas, severas disciplinas (autoflagelación); el peñasco duro en que dormía; el horror de que se estremecía la cueva cuando él se castigaba con cadenas de hierro; el llanto del cielo (a lo Hojeda) acompañando al llanto de aquél; el ayuno a pan y agua para domar su cuerpo; el asomarse discreto del cilicio entre su ruda vestimenta; el más severo desaseo que le martiriza el cuerpo; su flacura y palidez escencial; de nuevo el llanto a raudales y, al final, sintéticamente, su figura macerada: "las rodillas clavado a un risco rudo" (2, CXLI, 1).

De la CXLII a la CXLV, se extiende una tocante invocación del poeta al hombre que vive rodeado de comodidades y lujo para que tome como ejemplo la vida castigada de Ignacio dentro de la cueva: casi un monólogo autopunitivo del refinado cura. . ., pero aquí todo se agota en el plano de la poesía (única realidad, realidad total).

En las CXLVI-CLII desfila otra galería de animales rastreros o voladores que se escurren sobre el crucifijo o se apoyan en él, como vivos adornos barrocos (pero de cuño personal, por las originales connotaciones, dentro de la tradición ornamentaria) al Cristo clavado en el madero: la "verde" culebra; la araña "pénsil"; la luciérnaga "de la Luna destilada

[34] Sobre la legitimidad de la confrontación de la literatura con las artes figurativas en el barroco, cf. Oreste Macrí, *La storiografia sul barocco letterario spagnolo* en *Manierismo, Barocco, Rococó: Concetti e termini,* en las actas del "Convegno Internazionale" correspondiente realizado en Roma el 21-24 de abril de 1960, Roma, Accademia Nazionale dei Lincei, 1962: "Restano [. . . legittimi i confronti con le arti figurative sulla stessa base della *sinestesia barocca,* in quanto si tratta di un principio radicale della sintesi artistica barocca, e quindi verificabile nella ricognizione crítica" (p. 197).

gota"; el caracol "tortuoso"; la "purpúrea" lagartija; la mariposa "azul"; la hormiga de "caricias halagüeñas"; la abejuela de "lengua cariñosa".

En este ambiente ejemplarizante, primario y comunitario a la vez, en que hasta la serpiente convive en paz con los varios animalitos, Ignacio, inspirado, escribe sus *Ejercicios espirituales* que serán "laureados" por bula papal: "Cuando el Tercero Paulo a luz los saca" (2, CLV, 7); libro que convierte lo disonante en consonante, texto que "En cada letra tanto fuego embebe" (2, CLVIII, 6); magna carta del espíritu que señalará rumbos a la cristiandad entera.

Canto V

Se alternan, más de lo habitual, el elemento místico y el profano: serranos, pastores y bodegones de alcurnia gongorina; raptos, éxtasis, goces espirituales de mística raigambre. Vemos, más que en otras partes, el entrelazarse atrevido de los componentes constitutivos del barroco en general y de su modalidad hispánica en especial: antropología y teología, ontología y deontología, pathos y ethos... Antes que nada, los escrúpulos morales de Ignacio; el recuerdo enconoso de su vida disipada que cala hondo en su historia; su conciencia atormentada. Luego, como arremetido contra la pasión, el ayuno que mortifica a la carne y se prolonga por siete días, hasta que el confesor lo induce a alimentarse y se calma, en fin, el tormento del espíritu.

Mientras hieráticamente Ignacio, "Cargada la mejilla de la mano, / Y el pecho sobre el risco a Dios implora" (2, CLXV, 1-2), desde lejos va acercándose, con cambio de escena repentino, un tropel festivo de serranos y pastorcillas (es la técnica del corte escenográfico): cuadro tan hermoso e imprevisto (inspirado en la *Soledad I* de Góngora) aunque heterogéneo con respecto al contexto ascético. Proceden danzando y cantando las doncellas, y sus cabellos de oro se entrelazan en el aire sereno: "Tejidas caminaban en un coro / En el cabello del abril florido, / Una Libia de víboras de oro" (2, CLXVI, 3-5). Al compás ritmado por una de ellas, las demás se mueven ágiles controlándose recíprocamente con la mirada (es ésta una pincelada maestra de *regisseur*), mientras, al meterse del céfiro entre sus faldas, se entrevén como relámpagos de nieve, reflejos de marfil entre la grana roja (atrevida y, a la vez, deliciosa imagen que hallamos repetida, en forma aún menos discreta, en el romance *A la muerte de Adonis, Obras,* p. 387): "De las pizarras que agitaba una / Al dictamen tan ágiles se mueven / Las otras, en sazón tan oportuna, / Que los ojos al giro mucho deben; / Relámpagos de nieve en la columna / De aquella a quien los zéfiros se atreven, / Cuando migajas de marfil arroja / La menos ágil entre grana roja" (2, CLXVII, 1-8) [35].

[35] He aquí el pasaje correspondiente en el romance cit.: "Juega la túnica el viento / Y entre nube holanda expone / Relámpago de marfil / Migajas de perfecciones".

Los brazos desnudos, como dibujando en el aire, se entretejen: "De rosado cristal brazo desnudo, / Tejiendo el aire al otro se eslabona" (2, CLXVIII, 1-2); las castañuelas de marfil acompañan la danza y el pie marca tan levemente el ritmo que la hierba, sin inclinarse casi, lo siente como si fuese el escarpín del viento (CLXIX).

Viene luego el turno de los certámenes entre los mancebos (CLXX-CLXXIII) en los que descuella la lucha de los membrudos mozos y, finalmente, la soberbia muerte del gallo por mano de los serranos y la de su esposa codiciada, la gallina ("Esposa del que aun muerto la lamenta" 2, CLXXV, 4), los que introducen otro de los luculianos banquetes del poema con su elenco de *personajes* vegetales, presentados también por connotaciones exquisitas: el ajo *mordedor;* el puerro *colérico;* el mastuerzo *lascivo;* el rábano *ensangrentado;* el pimiento *impaciente;* la escarola de *frente arrugada;* la lechuga *desenvainando sus hojas;* el pepino *que cae despedazado;* la berenjena *triste;* la cebolla *vestida de escudos;* la alcachofa *protegida de mallas*; la castaña de *erizo rudo y audaz*; el melón *calado de una herida;* la granada *inerme con su pecho abierto;* el *frío* cohombro; la guinda *sangrienta;* el aceite *ojoso;* el vinagre *bastardo;* y, por último, como en una síntesis evangélica de *última cena,* el pausado verso cristalino de: "El blanco Pan, que blanca mano parte" (2, CLXXXIII, 1).

Ignacio no participa directamente de este lujoso banquete, mirándolo desde lejos, hasta que el más anciano de los pastores le envía un joven llevándole su parte. El santo, "del éxtasis cobrado", acepta agradecido "cuanto el zagal le ofrece" (2, CLXXXV, 1-2) (parecen cruzarse aquí el éxtasis místico y el *éxtasis* profano de la contemplación del bodegón).

A este punto, concluido ese regalado desfile de manjares, se salta de nuevo, bruscamente, al plano místico, según aquella técnica a la que ya hemos aludido. Ignacio vuelve a la oración y al éxtasis (el rapto dura ocho días), y ve la "esencia" de Dios; escribe sobre esta experiencia mística un libro de 80 folios; comprende el misterio eucarístico y se le concede entrar en lo más íntimo de los misterios donde la fe se desprende de la razón.

Corrida toda nube por el sol, los ojos encandilados, Dios le revela la creación del mundo y le inspira la idea de fundar la Compañía de Jesús. Continúa la descripción del éxtasis con una tensión poética constante a lo largo de dieciséis octavas (CXCIV-CCIX). Siguen algunos pasajes donde puede apreciarse la grandiosa visión barroca, gracianesca, del teatro del universo, viviente o animado. Dios le muestra cómo nació la luz y el cosmos, la mecánica celeste impulsada por el ángel auriga, la luz que se desgrana de su mano en el campo del cielo; ve la suprema concordia de los discordes elementos, el mar bravío hallar su límite y rodearse de inviolable arena, los peces todos del océano obedecer a su misma mano, los pájaros surgir del mar, los ríos surcar la tierra como arados de cristal y volverla fecunda de mieses, flores y frutas; los animales domésticos "tratables al cariño de la mano" (2, CCV, 2) y los que viven en igualdad y paz. Finalmente, la estupenda creación de Adán y Eva, plástico boceto digno de los pintores del Renacimiento: "Vio, que vaheada del divino anhelo / Aquella argila se informaba, aquella / Unica criatura a quien el cielo / El pie llegó a besar estrella a estrella, / El hombre, emperador de cuanto al suelo, / De cuanto el aire y cuanto el agua sella; / A quien de su costilla Dios le esmera / En letargioso sueño compañera" (2, CCVI-1-8).

Este *ordo rerum,* salido (a lo Fray Luis) como "fábrica" del Arquitecto soberano, será el modelo para Ignacio al fundar la Compañía de Jesús, miniatura de la Iglesia, sociedad perfecta, la que será escalera entre la tierra y el cielo, puente que lleva a las estrellas.

Durante siete días, Dios le dicta "dogmas graves" y él, en su rapto, parece ya cadáver.

Los versos siguientes son incomprensibles para quien no tenga en cuenta el dato biográfico, legado por la tradición, relativo a la muerte aparente de Ignacio durante el éxtasis: los asistentes lo creyeron muerto y lo hubieran enterrado si no se hubiesen percatado, a último momento, de que su corazón seguía latiendo débilmente: "Ignacio, a quien latiendo mal despierto / El corazón, que le pulsó dormido, / Las urnas le negó [. . .] / Que siete noches le pararon bellas / Túmulo que ardió antorchas las estrellas" (*ibid.,* 3-5 y 7-8); apúntese la armonía imatativa ("Túmulo"), lúgubre y solemne a un tiempo, de la vela cósmica en el último endecasílabo.

En CCXI-CCXVI se despliega un *treno* memorable de los astros y las divinidades del Olimpo sobre el presunto cadáver: "El sol la muerte, que el cadáver miente, / Lacrimosa lamenta, el zafir nota, / De una lágrima y otra [. . .] / Urna la luna en su primer creciente, / A sus cenizas dedicó devota / Su corbo seno [. . .]" (2, CCXI, 1-3 y 5-7). Marte mismo, sintiendo la muerte de aquel otro Marte, su émulo, quiebra la bélica trompeta y prepara fúnebre pompa a Ignacio.

Mercurio, entristecido por la presunta muerte, quiebra, a su vez, llorando, el caduceo y lo consagra al túmulo junto con los trémulos talares; Júpiter mismo llora, despedazando, por el dolor, las nubes y gimiendo de trueno en trueno. Hasta Venus llora, aunque enemiga de Ignacio "que le venció guerrero". Ultimo, Saturno "esquivo", percatándose, por fin, de que Ignacio vive.

Así vivió éste un año en la cueva de Manresa, teatro de sus hazañas espirituales contra Lucifer.

Se concluye el libro II con la alusión al doctor Juan Cardona quien le erigió un monumento, donde el cincel labró la memoria del santo, cuyas letras hermosas son más brillantes que las estrellas.

LIBRO III

Canto I

Deja Ignacio la cueva de Manresa y emprende viaje para Jerusalén (I). Después de una hermosa apóstrofe de saludo a la cueva hospital (II-VI) y una invocación augural del poeta en favor de la misma para que, tras el contacto santo con Ignacio, quede exenta de todo contagio de los vicios (adulación, mentira, avaricia, lujuria) (VII-X) y sea refugio tan sólo de animales inocuos o perseguidos (XI-XIII), se describe su partida, su llegada a Barcelona, su actuación entre los niños, su estadía en casa de Isabel Rosella (XIV-XXVI) y, finalmente, su embarque rumbo a Italia (digno de mención aquí el apóstrofe al mar: XXVIII-XXXI), las peripecias de la travesía (notable la descripción de la tempestad: XLII-L), y la llegada a Gaeta (LI-LIII).

Canto II

Al tocar la orilla italiana se presenta, ante sus ojos llenos de lágrimas, una cabaña de pescadores (LV). Transcribimos en nota la estupenda escena [36]. Los que en ella viven, padre e hijo, lo reciben hospitalarios y lo convidan a su mesa ofreciéndole una comida rústica que Camargo convierte en uno de aquellos banquetes memorables que de por sí solos ha hecho famoso el poema.

Es un rico y estimulante desfile de ostiones, caracoles (LXV), tortugas (LXVI), langostas (LXVII), nasas, cangrejos (LXVIII), pulpos (LXIX), camarones, sardinas (LXX): todo rociado de buen vino al que el poeta dedica una de sus octavas más chispeantes (LXXI). Sigue la descripción de la pesca y la narración de su propia historia por el viejo pescador al que todavía emociona el recuerdo de su dulce esposa anegada en aquel mismo mar (LXXXCII): es uno de los pocos episodios afectivos que se hallan en nuestro intelectualizado poeta quien, sin embargo, no parece participar directamente sino asistir desde afuera, como espectador, filtrándolo todo en un plano de literariedad objetiva. Tal vez don Hernando sería, en el fondo, en su vida práctica, un sentimental, como lo indicaría su cariño por la sobrina Josefa y su hastío por la soledad, cual se percibe claramente aquí y allá en la *Invectiva apologética,* pero, a nivel literario [37], todo se depura a través del crisol de la

[36] "Arbitro sobre el más rizo copete / Del grifo escollo la circunvecina / Región ilustra, de quien es ribete / Argentada de conchas la marina; / Construido bucólico retrete / Entre una se oculta y otra encina, / De leves algas y espadañas, donde / El uno y otro pescador se esconde" (LV).

[37] Por nivel literario debe entenderse aquí el nivel poético puesto que la *Invectiva* pertenece a un padrón literario *sui generis* (panfleto).

fantasía, y se vuelve, a su vez, fantástico, lumínico, casi cristalino (luz y frialdad), aunque el lector avisado no deje de percibir igualmente un tenue velo de humanidad.

La escena del viejo pescador llorando a su esposa, se interrumpe bruscamente, como por un improviso recato del poeta, y el peregrino Ignacio continúa su viaje a través de la campaña italiana infestada por la peste. La descripción de esta epidemia (con algún eco de Tucídides), notable como suelen serlo todos los pasajes descriptivos del poema, se extiende de la LXXXVIII a la XCVI, entreteniéndose en mostrar la escualidez o la muerte de plantas, animales, hombres. Descripción realística y detallada pero llevada delicadamente con la acostumbrada altura y elegancia. La mano maestra de Camargo, si a veces neutraliza los sentimientos por exceso de cincel, aquí cincela tan oportunamente que transfigura y hasta hace hermosa una realidad pestilente (naturalidad del universo estéticamente recuperada y redimida). Es la conquista del barroco en su tensión *realidad / irrealidad; búsqueda del detalle realístico / fuga global hacia lo fantástico.* Camargo también es hijo de su tiempo.

El trasnochado y atrevido viaje a través del campo infecto y los pueblos asustados, se concentra en cuatro apretadas estrofas cargadas de luces y sombras (XCVII-C), hasta que el protagonista llega a la ciudad de los papas. Su esplendor está representado por nueve *esplendorosas octavas* (CI-CIX) en que descuella la que describe la cúpula de S. Pedro, temerario globo que encierra en su piedra al espacio imaginario.

Termina el canto al echarse Ignacio a los pies del Sumo Pastor.

Canto III

Continúa su viaje, en pleno verano, ansioso de llegar a Jerusalén, casi volando, entre fatigas y hambres que lo postran y enferman en una casa abandonada. Sus privaciones se presentan mediante un procedimiento *a la inversa* (alusivo e indirecto) de tipo gongorino; no se dice directamente que pasa hambre y sed y calor y sueño, sino que ningún hogar le proporciona comida, ni fresca lechuga contra el calor; ni pecho de perdiz contra el hambre, ni agua fresca, ni blanda cama. En esto puede hallarse, más allá del simple recurso estilístico a lo Góngora, aquella sensualidad del poeta, aquel refinamiento ideal por los manjares y el *confort,* introducidos como reales aun cuando se trata de sus contrarios (*inclusión en la exclusión,* una vez más), como en el delirio del sediento. Dicho sensualismo del gusto se prueba por el *tipo* de cosas que le hace faltar al pobre Ignacio; no el simple pan para quitarse el hambre, ni un simple jergón para descansar sino la "fresca lechuga", la "pechuga de perdiz", "la *blanda* cama con *lienzo de holanda*".

Está muriéndose Ignacio en la casa abandonada e invoca a Cristo que acude para sanarlo, *encarnándose* por segunda vez. La muerte, por fin, le vuelve la espalda.

Ya respuesto, emprende el viaje, ligero como una pluma, y llega a Venecia. La descripción de la ciudad de ensueño (CXXVIII-CXXXII) tiene momentos de indudable emoción estética [38].

Sigue el episodio del cónsul veneciano que se despierta una noche, en su lujoso y muelle lecho, como por una voz que le señala la presencia de Ignacio durmiendo en el suelo de la Plaza de S. Marcos. Acude, empujado por la voz interior, a buscar al santo y lo lleva a su palacio ofreciéndole purpúrea cama y comida exquisita. Otra vez, descripciones lujosas, voluptuosas: la noche del cónsul en su pomposo lecho, definido gongorina y eróticamente "Campo de Venus, de Cupido cuna" (CXXXVI, 5); el refinado banquete ahora concentrado en una sola octava (CXLV), mas por ello no menos regalado. Se le hace insoportable al santo la opulencia del palacio y, por intervención del Dux, logra embarcarse para Chipre. Un par de estrofas (CXLVIII-CXLIX) acertadas para describir el lujo y el primor de la nave ducal. Un par de octavas más (CLII-CLIII), aparatosas y enfáticas esta vez, para reproducir la (poco convincente) invectiva del santo contra la vida blasfema y pecaminosa de los tripulantes que, molestos, deciden arrojarlo a una isla desierta, para llegar finalmente a la estupenda descripción de la nave que vuela veloz hacia el islote. Repentino el viento cambia de dirección y la empuja hacia Chipre salvando a Ignacio que estaba a punto de perderse.

Canto IV

Desde Chipre, cambiando de nave, llega a la sagrada orilla de Palestina donde besa, llorando, la ansiada arena. Venera los lugares sagrados, aún palpitantes por la presencia de Cristo, y sube al Monte Oliveto donde besa la piedra en la que han quedado impresas las huellas del Hombre-Dios. Mientras está bajando, un deseo irrefrenable lo hace volver atrás, sin escolta, para contemplar de nuevo la piedra mencionada. Lo alcanza un hermano del convento de S. Francisco, enviado por los padres, furioso contra quien se ha metido en tanto peligro, y lo apalea hasta hacerlo sangrar. Se deja llevar mansamente Ignacio; y aquí la descripción se hace por similitud con el tierno corderillo y el árbol lujurioso y tierno, mediante unas pinceladas magistrales (CLXXV). Se le aparece, consolador, Cristo, quien le induce a retornar a España, con su pobre sayo y el rústico bastón.

Vuelve a Chipre, isla todavía impregnada de la lujuria de Cupido y Venus, dibujada magistralmente (CLXXIX) según la ya comentada pre-

[38] Cf., más adelante, *El gongorismo de Domínguez Camargo.*

ferencia del poeta por las descripciones que implican lujo o sensualidad. Halla tres naves listas para zarpar: una turca, una poderosa veneciana y una pequeña y miserable. La descripción de los tres barcos, el rechazo por el capitán veneciano y el embarque de Ignacio en el más pequeño y pobre, el desastre de la borrasca, el naufragio del turco y el veneciano, la salvación del santo, la calma del mar después de la tempestad y la llegada a Venecia, representan uno de los pasajes memorables del poema (CLXXX-CXCVI)[39].

De Venecia, parte camino de Ferrara donde en un templo entrega todo su dinero a los mendigos que le llaman Santo, y de allí para Génova (cuya riqueza y esplendor se exaltan en la octava CC), pasando por la campaña lombarda en que pelean españoles y franceses y donde debe soportar que aquéllos, creyéndolo un espía, lo revisen, insulten y golpeen. También lo detienen los franceses pero lo tratan con cortesía e indulgencia. En este punto, al comparar el diferente trato de las dos partes, el poeta estalla, una vez más, contra la "madre España" que maltrata a sus hijos (CCX). Llega a Génova, exaltada de nuevo por su riqueza, y se embarca para Barcelona.

LIBRO IV

Canto I

En Barcelona se dedica a los estudios gramaticales mientras sus compañeros se entregan a una vida licenciosa y lasciva; toca una vez más el tema de la lascivia nuestro Camargo, si bien con intenciones moralizadoras (IX-XI). Ignacio interviene con una atrevida alocución (XIII-XVI) contra los compañeros disipados, provocando una reacción violenta que se manifiesta con un asalto a brazo partido en el que cae apaleado y sangriento y se le da por muerto. Cuando, por el cuidado de gente piadosa, se repone, Dios sella sus heridas y él sella sus labios sin denunciar a sus atacantes.

En este punto hay un salto improviso en el relato del poeta (técnica ésta acostumbrada en Camargo, de tipo dramático, teatral), pasándose, repentinamente y sin mediación alguna, al impresionante episodio de un joven que se ahorca y a quien Ignacio resucita para darle el tiempo de confesarse y volver a morir (XXVII-XXXVIII).

[39] Léase la última octava de la llegada a Venecia (CXCV-VI): "Rïóse el Cielo ya, acostóse el viento, / Peináronse las olas desgreñadas, / Echóse a descansar el mar violento, / Las espumas durmieron argentadas; / Y lisonjas hollando la mar ciento / En las cerúleas ondas desatadas, / El áncora en Venecia dio a la arena, / Por combestir el templo de su entena".

Se termina el canto con dos estrofas de loa al santo. Reproducimos en nota la última por su excepcional belleza [40].

Canto II

De Barcelona pasa a Alcalá donde emprende los estudios filosóficos. Es de especial interés la XLII por hallarse un dato folklórico que todavía perdura idéntico en las universidades hispánicas, a saber, los distintos colores de los bonetes estudiantiles de las diferentes disciplinas: blanco el de teología, amarillo el de medicina, azul el de física (hoy ciencias), rojo el de abogacía; exactamente como hoy. Es una de las pocas referencias precisas a costumbres reales de la época en la obra eminentemente fantástica de Camargo. Sigue la descripción de la importancia cultural de Alcalá y del tipo de estudios que allí se cursaban.

En XLIX-L, se cuenta cómo Ignacio y sus tres seguidores sufrieron persecuciones y mofas por el sayo que llevaban. En LI-LXVI, siempre por la técnica del salto repentino, se pasa al relato del encarcelamiento de Ignacio acusado de haber aconsejado a dos mujeres solas un peligroso viaje de peregrinación [41]. En la cárcel, encadenado el pie, convierte su cepo en púlpito y conduce a Cristo los delincuentes presos. A los cuarenta días se le libera con la condición de que él y sus compañeros cambien su traje [42].

En LVIII-LXII se describe el juego de pelota en la plaza pública. Ignacio pide la limosna al corifeo de los jugadores y es rechazado con ofensivas palabras. El cielo castiga (*deus ex máquina*) al joven blafemo quien muere en un incendio repentino. El santo llora, con todo, su cruel muerte y la ciudad entera le rinde honores que él modestamente rechaza.

Canto III

De Alcalá, pasa a Salamanca. Las LXXXV-LXXXVIII describen el ambiente culto y literario de la ciudad, y la LXXXIX la tormenta eléctrica que se desata en la torva noche anunciando la prisión del santo. Otra vez queda encarcelado Ignacio en virtud de su actividad apostólica mal interpretada por las autoridades eclesiásticas.

[40] "O ya tu grito usurpe soberano / Sobre el cachorro la leöna muerto: / De tu lengua el halago infunda humano / La osa al embrión que informa incierto; / Tu boca calce al pico el pelicano / Sobre el polluelo que ensangrienta yerto, / Y en ceniza en que renace nueva, / Un huelgo de tu voz al fénix beba".

[41] Téngase en cuenta que en aquel entonces las mujeres que viajasen solas eran consideradas poco menos que prostitutas.

[42] Aquí hay que tener en cuenta el relato de las biografías del cual resulta que el juez que lo absolvió le ordenó que llevase capa y bonete como los demás estudiantes, para no llamar la atención de la gente con su rústico sayo.

En XC-XCV se relata su vida en la prisión, junto con un compañero, y la actividad pastoral que, a pesar de todo, continúa desarrollando entre la gente que acude. Veinte y dos días dura su prisión hasta que una noche (estupendamente representada en la octava XCVI que transcribimos)[43], se produce una fuga general ante los guardias dormidos y el *estupor* de grillos, esposas, maderos, cadenas. Sólo Ignacio y su compañero han rehusado la fuga y por ello, al día siguiente, obtienen como premio la libertad. Parten camino de París. En CIV-CVI, una notable descripción del invierno y las fatigas del viaje.

A partir de CVII, hasta el final del canto, Camargo introduce un episodio novedoso respecto a las biografías, salido exclusivamente (no es la primera vez) de su fantasía. Es uno de aquellos episodios, al estilo de las *Soledades* gongorinas, que apenas se apoyan ligeramente en lo real, desenvolviéndose esencialmente en el filo de la imaginación; una joya preciosamente engastada en la historia del poema: la llegada de Ignacio a un rudo albergue, recibido por el vigilante perro (notable pincelada, como lo acostumbra el poeta toda vez que de este animal se trata)[44], donde el anciano labrador le ofrece grata hospitalidad (CIX). Presentando el hogar, donde quema húmeda y chisporroteando la gruesa rama de olivo, comienza en CXI la preparación de otra memorable comida rústica: la primorosa muerte del cabritillo y los pichones por mano de la hija del labriego (CXI-CXII); el suculento asado (CXIII) (jabalí, cabritillo, palomas) descrito con el gusto y el refinamiento del entendido, el ajo mordaz que condimenta la carne, la leche de alabastro que se convierte en queso (CXIV)[45], el cándido mantel de lino que sabe a pino agreste (CXV), tejido por la pudorosa y esplendorosa doncella (CXVI), el agua fresca del vecino arroyuelo, potro de vidrio que nos recuerda, una vez más, el *Arroyo de Chillo* (CXVII). Luego, el desfile carnoso y voluptuoso de las variadas frutas: la cerrada avellana, la arrugada nuez, el atezado higo, el pesado melón, la complicada pasa, la entreabierta granada; los versos correspondientes, como siempre inmejorables cuando de bodegones se trata, merecen ser transcritos puesto que se colocan dentro de aquel cuadro de sibaritismo ideológico que hemos dejado apuntado [46].

43 "Cerró a noche el párpado lucido / Del claro cielo con obscuro ceño, / Y pupila luciente el sol dormido / En las sombras mulló lecho halagüeño: / Y en veinte y dos desvelos sacudidos, / Depone el cielo el pegajoso sueño, / Y al lado de su injuria la inocencia / La duerme y la recuerda la paciencia".

44 "Fatigado llegó y el vigilante / Can, copioso de lanas, dulcemente / Rémora al peregrino fue latrante, / Audaz las voces, recatado el diente".

45 El verso correspondiente ("Dulcemente alabastro figitivo") ha sido comentado magistralmente por Gerardo Diego en su *Antología poética en honor e Góngora*... (1927).

46 "En su cárcel cerrada el avellana, / Sordo ya cascabel, rodó en la mesa, / Arrugada la nuez antes que cana / En laberintos dio su carne presa: / El atezado higo, a quien lozana / Su Etiopía ya fue la higuera gruesa, / Corrugado el mantel tiznaba bello, / Formando de las pasas su cabello" (CXVIII); "El pesado

Está por concluirse el canto con la mención que el viejo labrador hace de su vida en la que perdió su anterior fortuna y se dedicó, con los dos hijos, al trabajo de la tierra y de la caza. Una vez más, la lograda descripción de una escena venatoria: la muerte del jabalí (CXXII), la muerte del corzo (CXXIII).

Finaliza el viejo su relato mostrando, en cuatro versos memorables, cómo espera serenamente a la muerte [47] en el rústico albergue que suplantó al antiguo palacio.

Se acuesta Ignacio y, al despertarse, reanuda su camino.

Canto IV

Se abre con una descripción de los estudios que Ignacio cursó en París para alcanzar el grado de Maestro en Artes (se hace alusión también a la borla azul que ornaba el bonete de los estudiantes de filosofía). Un salto más en el hilo del relato poético, y se cuenta del robo de sus ahorros por parte de un compañero suyo español, de su viaje a Londres y a Flandes para proveerse, mendigando, del dinero necesario a sus estudios y de sus victorias contra las tentaciones de Cupido. Particular mención merecen, por su extensión y hermosura, el episodio del sacerdote adormecido en la lascivia a quien Ignacio reconduce a la castidad (CXLI-CLI) y el del joven académico laureado en teología, también caído en la dulcísima galera de Eros y salvado asimismo por el santo. Este, hallándose un día mientras jugaba al truco, le aceptó la invitación con tal que quien perdiera se sometiese por treinta días a la voluntad del ganador. Gana Ignacio; le impone al joven doctor, por treinta días, los *Ejercicios* y aquél se convierte al bien. Hay que apuntar aquí, de paso, la propiedad y precisión, hasta en ciertos detalles, con la que Camargo relata el partido de billar. El episodio, a pesar del detalle realístico, se coloca en un plano fantástico, onírico y mitológico que lo convierte en poesía [48].

melón, a quien enjuga / Sangre de néctar, ya paja dorada; / La pasa complicada con mucha ruga, / Cadáver de la uva preservada; / Y abierta la real dulce pechuga, / Pelícano de frutas la granada, / Que de mudas abejas carmesíes / Colmena fue suave de rubíes" (CXIX).

[47] "En estos pues halagos divertido / Sordo dejo roer al fatal diente / Del tiempo en estas canas embebido / Un surco y otro en mi caduca frente" (CXXV, 1-4).

[48] Basten estas dos estrofas para percibirlo: "En truco ocupan pues, pavón que hinchado / De muchos claros ojos se perfila; / Y Argos festivo el párpado calado / Para ver sus batallas despabila: / Lentos los dos al paño han desatado / Del globoso marfil rauda pupila / y la de Ignacio, herida, feliz deja / Calado el aro sin tocar la ceja" (CLVII); "Tercera vez del truco el atrio siente / Chocarse los marfiles voladores, / Menos aquella con esotra frente, / Petulcos cabritillos entre flores / Se alternan choque lujuriosamente, / O celosos o ya retozadores; / Que opuestas se acometen bola y bola, / Hiriendo más feliz la de Loyola" (CLXI).

Un último salto, y he aquí la escena final del joven que intenta ahorcarse y al que llama ficticiamente *Licio*. Era un joven parisiense, de familia augusta, abandonado de la suerte [49]. El episodio es extenso y complicado, con algunos versos de gran hermosura [50].

Se concluye el canto con la redención del joven, convencido de su error, ante Ignacio y ante la vida.

Canto V

Lo abre el episodio del mancebo que, rencoroso por algún presunto agravio, quiere asesinar a Ignacio. Está por realizar su intento cuando oye una voz tenebrosa, procedente del cielo, que lo disuade; confiesa todo al santo quien indulgente le perdona y abraza. En este punto se injerta una acongojada invectiva del poeta contra el rencor que roe a los hombres vengativos hasta en la vejez (CC). Para quien tenga presente la *Invectiva apologética,* cargada de venenoso rencor contra el interlocutor y contra todo, y el carácter práctico del poeta, así como él mismo lo reconoce en varias alusiones, esta invectiva no debe de ser indiferente a nivel autobiográfico: ¿algo de autoconfesión (y autopunición), con finalidad moralística que, en este tema, debía de dejar poco convencido al mismo autor. . .? Con todo, la interferencia autobiográfica (si es que la hay) no modifica en nada, en el plano del arte, el impacto inmediato de belleza (y de belleza moral) que emana de aquellos versos.

En CCI-CCV se describe cómo aquel compañero que le había robado sus ahorros se enferma de cuidado y le escribe desde Ruan pidiéndole ayuda. Corre el santo desde París, más veloz que el viento, olvidándose de todo, y logra su curación y paz.

Vuelve a París y allí transmite su virtud a varios compañeros, lo cual desata la envidia y la calumnia. Prestando oído a dichas calumnias, el Rector del Colegio le impone el suplicio público del látigo (CCX). Un amigo lo instiga para que se oculte, pero él no elude la prueba. Ya va a empezar el suplicio ante la mirada codiciosa del estudiantado espectador, cuando Ignacio, inspirado, dirige al Rector, don Diego de Govea, un memorable discurso (CCXV-CCXXII) en el que asoman versos impresionantes: "[. . .] al breve impulso de mi estoque crudo" (CCXV, 6); "La bala, de que aún hoy siento la ira" (CCXV, 6); "Bosques de lanzas, a mis verdes mayos, / Los desgarros flecharon de fortuna:" (CCXVII,

[49] Atiéndase tan sólo a estos dos versos, tan modernos como impresionantes, que parecen salidos de la pluma de un Huidobro o un Vallejo: "[La fortuna] Lo despeñó del cuerno de la luna / Faltóle el clavo a su voltaria rueda" (CLXVII, 4-5).

[50] Basten dos parejas de fulminantes endecasílabos en la boca de Ignacio que aparece repentinamente ("Al fracaso naciendo repentino", CLXXX, 6) ante el joven que se apresta al suicidio: "¡Ay mil veces de ti, si en esta encina / El teatro infamases puro al viento! / [. . .] / Que amotinó contra tu misma vida / Trágico tronco, cáñamo homicida" (CLXXXIII, 1-2; 7-8).

3-4); "[. . .] la del mimbre tímida gazota," (CCXVIII, 3); "Estas nacientes plantas [. . .] / Al siglo le darán verde tributo" (CCXX, 1 y 4); "Christo en las mimbres se desacredita" (CCXXII, 8). Govea, conmovido por la heroica inocencia de Ignacio, manda que se le interrumpa el suplicio.

Canto VI

Está enteramente dedicado al episodio del erótico mancebo al que Ignacio reconduce a una vida casta; caso, éste, excepcional en el poema donde suelen juntarse en un canto, por la aludida técnica del *staccato,* varios episodios. La CCXXVI presenta al joven Julio "Garzón florido en años, florecientes" (*ibid.,* 1) con caracteres parecidos a los de Ignacio cuando mozo (se repite el mismo patrón ideal aun dentro de lo profano).

Las CCXXVII-CCXXXII describen, largo y tendido, la belleza de la doncella de la que Julio andaba enamorado: "el oro [. . .] en su cabello", "el nácar [. . .] en su frente", "su labio bello", "el blanco cuello", "su breve boca", "su fragancia articulada" (CCXXXI).

En aquella hermosa, cristalina y preciosa descripción del cuerpo femenino, el elemento erótico que nos hubiéramos esperado más intenso por tratarse de una mujer realmente y funcionalmente seductora, resulta, en cambio, casi ausente, leve, esfumado, filtrado. Sólo se insinúa delicadamente en un verso: "[Un arco] en sus pechos de plata dividido" (CCXXX, 3).

Por lo demás ¡el cuadro podría representar perfectamente a una *Madona*! Curiosa poesía la de Camargo, que representa a la Virgen con marcadas connotaciones profanas y nos ofrece a una mujer profana con connotaciones casi de *Madona*. . . De todas maneras, las impresiones visuales y táctiles, exquisitas, del cuadro, nos confirman que la delectación pictórica, la fruición sensorial, el regalo, en suma, de la belleza, se extiende más allá del erotismo inmediato, y es la *forma interna* de su poesía, el núcleo de su constelación icóntica y perceptiva.

A continuación, el poeta alude a los amores nocturnos del joven ofreciéndonos de nuevo, después de la casta descripción de aquella *Madona-pecadora,* un cuadro bastante despreocupado del *pecado* mismo. El joven es una planta que se enreda silenciosa en aquella "Metrópoli real de la hermosura [. . .] / Donde, en cadena dulcemente dura, / Su planta se implicaba licenciosa" (CCXXXII, 2 y 4-5), mientras Cupido fomenta y protege los amores bajo sus alas, en el ebúrneo lecho.

Se opone el santo al joven, pero aquél resiste. He aquí la estación inclemente, el lago helado al que se tirará Ignacio para conmover al pecador: es el paisaje; lunar, abstracto, vítreo, el autor no participa de él sino a nivel intelectual. Es un paisaje inventado, construido con piezas meramente eruditas, minésticas, dirigido más al pensamiento que al sentimiento. Está descrito *in punta di penna*; es un cristalino encaje boreal: nada más. Es el paisaje gongorino en sus momentos más asépticos.

En este marco, se encuadra el discurso de Ignacio al joven para disuadirlo del pecado, discurso que en algo anima (en la última octava: CCLI) la frialdad de la escena. Se arroja al lago helado el santo (la escena continúa con los caracteres que acabamos de precisar) y, por fin, logra conmover al joven pecador quien se le tira al cuello arrepentido y llorando. El epílogo tiene un dejo casi tragicómico: uno tiembla de frío, otro de pena (CCLVIII, 8)[51].

Julio, se echa a sus pies pegándose a ellos como la hiedra mientras pronuncia palabras de arrepentimiento y promesas.

Concluye el canto un último discurso de Ignacio que hace juego, a la inversa, con la ya comentada nómina de las bellezas de la mujer pecadora. En efecto, los varios elementos del cuerpo de ésta, que más arriba fueron alabados por sí mismos, aquí se repiten, pero en función de la muerte destructora: los cabellos de oro serán serpientes en su pecho: la frente cándida, al golpe de la muerte, será informe trozo de corcho; el arco de las cejas será un yugo partido; una y otra mejilla rosada será troncada por la muerte; la boca de rubí viviente será cortada por su guadaña; el hoyuelo de la barba será deshecho por su arpón (CCLXVIII-CCLXXII). Con todo, a pesar de que esta vez la enumeración de las bellezas se hace en función destructora, en aras de la muerte, el lector se lleva la impresión de que, en el fondo, la parte macabra es como placa negativa que sólo sirve para el contraste del positivo; todo se apoya en la luz (antiquevedescamente), aparte del obvio residuo retórico de obsequio inerte. Es el desengaño barroco que nuestro poeta trata renacentísticamente (lo que priva sigue siendo la belleza, más aún, las cosas bellas, concretas, reales, vitales); es la concepción del Renacimiento pagano, que continúa actuando (la tradición no se corta nunca bruscamente) en el mundo barroco del inquieto Camargo. Concluye Ignacio con una exhortación a Julio para que medite en la muerte (CCLXXIII), y se cierra el libro IV con dos octavas (CCLXXIV-CCLXXV) que rehabilitan el canto y que por eso trascribimos [52].

[51] No hay, sin embargo, ironía alguna en el ánimo, tan *serioso* del poeta.

[52] "Menos los que una edad templó sonora / Cisnes de suave pino al dulce viento, / Concordes liras en su voz canora, / Gemelo desataron el concento: / Menos, al compulsarlas el aurora, / Liras de plumas el armonioso acento, / Se brindan en las copas de las flores / En un mismo tenor los ruiseñores. / Süave suena aquél, suave responde / Es otro llano, mientras Julio pío / En sus martas a Ignacio helado esconde, / Y lo conduce al techo, donde al frío / El fomento suave corresponde: / El freno allí le entrega a su albedrío; / Porque pueda regirlo, soberano, / El maestro dictamen de su mano".

LIBRO V

CANTO I

Las primeras octavas describen con palabras de fuego a Lutero, criatura del diablo, serpiente venenosa, inmundo lupanar, cátedra de Venus... El tono general y el vocabulario empleado en este prólogo son de una acritud y un odio implacable contra el reformador alemán; vocabulario y estilo insólito en el poema (aunque constante en la *Invectiva apologética*). Ello se relaciona, en general, con la actitud intransigente de la Iglesia Católica en aquella época de cruzada contrarreformista; en particular, con la modalidad encarnizada del espíritu de contraprotesta hispánico y con el hecho de proceder de un ex miembro de la Compañía de Jesús, educado especialmente, como todo jesuita de entonces, a la lucha cerrada contra reformistas y herejes (agréguese el mencionado carácter personal del poeta, agrio, cáustico, mordaz). Con todo, alguna atracción latente, aunque rechazada como diabólica, debía de inspirar Lutero en la fantasía poética de Camargo (y de la época) puesto que al final de la descripción, al nombrarlo por fin por su apellido, lo presenta como una figura poderosa y fiera dentro de su modalidad corruptora y homicida.

Dios confía a Ignacio el designio esforzado de fundar su ilustre Compañía y el Santo reúne a su alrededor a los primeros discípulos y compañeros en número de diez, todos ya doctos y reconocibles como graduados todos en lo que hoy llamamos Filosofía y Letras, por las azules borlas del bonete. El desfile de aquellos diez primeros apóstoles de la Compañía, constituye una galería de figuras inolvidables (XIV-XIX).

Ignacio lanza a estos doctos compañeros contra la herejía de Lutero, a quien, como cuervo implume, precipita en el mar (XXIII).

CANTO II

Después de concordado con sus compañeros el viaje a Jerusalén, si dentro del año hubiesen encontrado pasaje desde Venecia, Ignacio regresa temporáneamente a España, a su pueblo, pero rehúsa la hospitalidad del hermano y se alberga en el hospital de los incurables. Este protesta en un discurso notable (XXVII-XXXII) en el que matiza las duras palabras de reproche con los halagos del cariño y el ofrecimiento de una vida cómoda y grata, amenizada por los placeres de una buena mesa. Como siempre, la descripción de la inmejorable comida, representa un acierto dentro de la escena (XXXII).

La dulce y firme resistencia de Ignacio se describe por algunos versos ternísimos [53], así como también su cariño para con los enfermos del hospital (XXXIV)[54].

Actúa el santo, a la vez, entre los niños, a los que les enseña a cantar en coro, y entre los adultos que acuden numerosos y a quienes explica lo doctrina cristiana. Aquí nos topamos con una de las tantas hipérboles que pululan en el poema. Al describir la gran concurrencia del pueblo, así se expresa:

> "Dilubios lo anegavan desatados / De pueblos a su labio consagrados" (XXXVIII, 7-8).

Nos sonreímos los lectores modernos ante eso, como lo hacemos, por ejemplo, ante imágenes análogas de un Marino. Sin embargo, debemos tener en cuenta aquí, una vez por todas, que aquellas expresiones debían de producir un efecto diferente en los lectores de la época. Tipos como *diluvios de... anegaban...* eran, en realidad, fórmulas fijas (como lo era, verbigracia, *Venus la de los blancos brazos* en la antigüedad clásica) que ya se habían neutralizado semántica y estilísticamente, perdiendo gran parte de su valor originario. De esta manera, el lector ya no pensaba literalmente en el *diluvio* sino simplemente en *gran cantidad de,* así como nosotros hoy, ante la locución *la mar de problemas,* no pensamos más en la mar sino en la *gran cantidad,* tomada abstractamente. Esta consideración vale para todos los casos análogos. Si así no se pudieran explicar y juzgar pasajes de esta índole, quedaría incomprensible cómo poetas de nivel tan soberano pudiesen escribir tamañas (supuestas) majaderías. Téngase en cuenta, además, que la hipérbole literaria no se había desarrollado como fenómeno aislado sino que se ubicaba naturalmente en una tradición contextual con las otras artes del barroco (pintura, escultura, arquitectura, artesanía, vestimenta...) igualmente exacerbadas en lo ornamental, lo desmedido, lo descomunal.

Huelga decir que también dentro del estilo hiperbólico en Camargo hay momentos de logro y otros de depresión poética, de no-poesía (residuos impoéticos); pero ello no depende tanto de la fijeza de la fórmula léxica o fraseológica empleada, cuanto de un conjunto de factores (además de léxicos) sonoros, icónticos, conceptuales, rítmicos, sintácticos, melódicos...

Véase como muestra de conjunto logrado, dentro de ese estilo, la octava XL en donde, a pesar del "mar de llanto, melenas que se anegan en

[53] "Indulgente Loyola le resiste / Y así a su hermano humilde desengaña / [...] / Y halagando sus iras fácil caña" (XXXIII, 1-2 y 6).

[54] "El hospital vivió y, en cada lecho, / A cuanto enfermo lo animaba era / Dulce reclinatorio el blando pecho, / Vestido de almas de piadosa cera: / El pelicano menos se ha deshecho / Sobre su implume pájaro que espera / De esta granada ilustre de las aves / En su sangre beber almas süaves" (XXXIV).

ondas, mares que inundan los ojos", el equilibrio de todos los factores mencionados es cabal y el resultado estético innegable [55].

Insiste el poeta en la gran concurrencia del público para escuchar a Ignacio, en una octava casi de música pura en la que se engastan imágenes espaciales de inmensidad (piélagos de espigas, campos de jazmines, crespas ondas en la frente del Océano) y donde la hipérbole, si bien presente, ni siquiera se advierte [56].

Se interrumpe, como de costumbre, el hilo de la narración y se incrustan dos episodios milagrosos. En XLIII-XLVI se relata el episodio del joven poseído por el demonio (por las convulsiones y la baba en la boca parecería epiléptico) y curado por Ignacio mediante exorcismo (véase en nota la octava XLIV donde se describe, con precisión casi científica y, a la vez, con alta poesía, los síntomas externos de la perturbación motora)[57].

En XLVII-L, el episodio de la lavandera que ha perdido el uso de un brazo: Ignacio le hace recobrar el movimiento. La cara ajada de esta vieja mujer está representada por un toque magistral a lo Velázquez [58]; asimismo, el brazo inerte que se reanima, como por encanto, al contacto de una prenda del santo. Toda Guipúzcoa aclama a Ignacio *profeta en su Patria,* desmintiendo el antiguo adagio (LI). Aquí otra alusión, aunque al través de la placa negativa, a la patria "matricida" de las obras de sus hijos: otra vez el dejo autobiográfico, casi vengativo, donde se echa de menos la universalización...

El santo emprende viaje a Venecia, pasando por Sigüenza y Almazán y, por fin, se embarca en una nave que queda atrapada en la borrasca. Concluye el canto con una notable descripción de la tempestad y del desastre de la nao que naufraga precisamente (*deus ex máchina*) en la costa veneciana.

[55] "O cuanta convertida Magdalena, / Ahogando a sus pies dulces enojos, / En el mar que su llanto desenfrena / Zozobra de Cupido los despojos: / En ondas anegando la melena / En mares inundando sus dos ojos, / La planta que pisaba en tanto lloro / Sierpes de aljófar y áspides de oro".

[56] "Menos en la Sicilia el viento vano / Peinó suave piélagos de espigas: / Menos al campo de jazmines cano, / El Céfiro con alas meció amigas: / Y menos el Favonio al Oceano / (Deponiendo en sus senos sus fatigas) / Ondas le enrizó crespas en la frente, / Que piélagos Ignacio vio de gente" (XLII).

[57] "Los vitales alientos zozobrados, / De los pulsos delirios los pilotos, / Los miembros forcejaban anegados / En los del cuerpos términos remotos, / Los iguales impulsos desatados / En las arterias naufragaban rotos, / Hallando dubios en la boca apenas / Entre espumosas ondas las arenas" (XLIV).

[58] "Una anciana mujer, en cuya frente / Su mapa el tiempo le rayaba mudo / [...]" (XLVII, 5-6); "Divorciado del cuerpo el diestro brazo, / [...] Caduco tronco, inútil embarazo" (XLVIII, 3 y 5).

Canto III

En Venecia, le procesan por sospecharlo un fugitivo. Era una calumnia, y el juez lo absolvió. Llegan sus compañeros desde París y se van todos para Roma a venerar al Santo Padre y ofrecerle su cuarto voto (el de las misiones). Aquél, indulgente, los autoriza a ir a Tierra Santa siempre que lo permitan los piratas y las condiciones del mar. Regresa a Venecia el grupo de apóstoles, mientras aquella república acaba de coaligarse con el Papa y con Carlos V contra los turcos, y el mar Adriático pulula de barcos de guerra. Estos acontecimientos les impiden salir para Tierra Santa. Deciden entonces dedicarse a la predicación repartiéndose en algunas ciudades y pueblos del Veneto. A Ignacio le toca Vicenza. Se aloja, con dos compañeros, en una casa semiderrocada: la descripción es insuperable, como de costumbre en el poema cuando se trata de chozas, cabañas y rústicas moradas. Camargo describe la ruda ermita con terminología vital, anatómica, tratándola a lo humano: el tiempo, como sorda batería, le removió los *huesos,* los areniscos *miembros* están anudados por blanco *nervio* de cal (LXXIII). Es una vivencia nueva en el poema y, por eso, también más sugestiva [59].

La segunda mitad de la LXXIV sería casi ininteligible si no se conociera el detalle del asunto en la biografía de Ribadeneyra:

> "Quedávase el uno de los compañeros en la ermitilla para mojar los mendrugos de pan duro y mohoso que se traían y para cocerlos en un poco de agua, de manera que se pudiesen comer" (*o.c.,* p. 259).

Así podemos entender cabalmente los versos mencionados: "Adonde a la dureza mendigada / Miembros el agua le vestía de cera. / Domando de un arroyo los cristales / En los mendrugos tercos pedernales" (LXXIV, 5-8)[60]. Es éste un ejemplo de cómo ciertos pasajes del poema, que parecen impenetrables, se iluminan de inmediato para quien conozca los detalles de la historia de S. Ignacio relatada por la tradición biográfica. Ello nos permite dos inferencias: primero, que el poema iba dirigido fundamentalmente a religiosos y devotos (es decir, ¡a las personas cultas de entonces!) los que podían conocer ciertos detalles; en

[59] "Breve el cadáver de una hermita ruda, / A quien el tiempo el flúvido progreso / Con batería sordamente cruda / El uno le movió y el otro hueso, / Entre areniscos miembros, que le anuda / Blanco nervio de cal, que el leve peso / Del techo apenas sustentaba, a Ignacio / Bien que pajizo, augusto fue palacio" (LXXIII).

[60] Semánticamente: 'en donde el agua ablandaba ("le vestía de cera") el duro pan mendigado; el agua de un arroyo ("cristales") domando las piedras ("tercos pedernales") de los mendrugos endurecidos'.

segundo lugar, que el mismo presupone hoy, para el lector profano, una lectura *colacionada,* contextual con sus fuentes.

Se enferma Ignacio en aquella casucha, por mal abrigado y mal alimentado, cuando un mensajero le avisa que su compañero Simón Rodríguez se halla grave en Bassano. Parte inmediatamente, enfermo todavía y ligero como el viento, para socorrer a Simón, y al llegar lo sana.

Canto IV

Se describe el pueblo de Bassano, cruzado por el río Brenta, al pie de un monte eminente (el Monte Grappa). Sobre una yerta peña se halla una secreta choza, descrita también mediante aquellos caracteres humanos (huesos, nervios), que ya hemos encontrado en el episodio anterior a propósito de la choza donde moraba Ignacio en Vicenza. En ella vive solitario un anacoreta cuya realística descripción ocupa las octavas LXXXIII-XCVI y es una de las más notables del poema (dentro de la categoría de las figuras y de la modalidad descriptiva de Camargo) a pesar de cierto excesivo detallismo a expensas de la personalidad global del personaje. En líneas generales, todos los personajes del poema (salvo, en parte, el protagonista Ignacio) aparecen más bien como ocasiones descriptivas, como elementos ornamentales, como tejido conectivo dentro de la desrealizada historia que se relata. Carecen de personalidad interior y autónoma, están presentados, más que nada, por sus caracteres externos (aunque, esto sí, logrados a la perfección). *Aparecen* (casi sin respaldo contextual) *pero no actúan:* diríase que se limitan a figurar como comparsas (algo parecido, aunque más atenuado, se produce en Góngora: diríamos que Camargo, en éste como en otros rasgos, extrema la tendencia gongorina). La figura de Ignacio, en cambio, a pesar de estar dibujada según un patrón ideal de perfección moral, intachable, fría y deshumanizada (así como lo presentaba la tradición hagiográfica de la época), se yergue sobre las otras; por lo que se puede afirmar que, en realidad, representa el único personaje. Su fuerza se manifiesta, no tanto por la descripción puntual que de ella hace el poeta (descripción que, repetimos, suele ser más que nada exterior y convencional, tan sólo catalizadora, a pesar del esfuerzo del autor) cuanto, en general, por su actuación en el contexto histórico del relato y, en particular, por sus vehementes y, a menudo, insuperables discursos. En suma, la figura de Santo se impone más bien, indirecta y mediatamente, por el impacto que en el lector produce su actitud práctica y su palabra arrolladora. Efectivamente, Camargo no ha sabido ofrecernos un personaje real, vivo en la escena, palpitante de humanidad (como seguramente lo era el Ignacio verdadero), sino tan sólo un conjunto de virtudes ideales y un haz de actitudes prácticas, que se hallan más acá y, a la vez, más allá de la personalidad efectiva del santo. En esto quedó condicionado por la tradición biográfica y por la épico-hagiográfica de un Escobar y un Oña que le habían precedido.

En la choza, un rústico Crucifijo (lo mismo que el de la cueva de Manresa...) y el casco roto de una calavera que perteneció antaño a la mujer amada (el mismo recuerdo de la esposa muerta que ya encontramos en el relato del viejo pescador y que no era nuevo en la época barroca). La imagen de la calavera amada (*vida/muerte*) se da aquí en uno de los versos más tocantes del poema: "Alma de hueso de beldad parlera" (XCVIII, 4).

Continúa la descripción de la calavera en la que se asoma, una vez más, con contraste valleinclanesco y macabro, el elemento *sensuoso* y vital: el recuerdo de los labios encarnados, cuajados de carmín, que entreabiertos dejaban ver los cisnes de los dientes: "En la boca, que ahora es indecente / Urna de sus despojos destrozados" (XCIX, 4-5).

En CII-CXXVI, a lo largo de 24 octavas, se desarrolla uno de los episodios más extensos y hermosos del libro: la tentación, que sufre un compañero de Ignacio, de abandonar al maestro y quedarse en el encantador ambiente del viejo ermitaño.

No podía faltar la descripción de las flores y plantas, adornos de la cabaña, con sus encantadoras connotaciones: "la rosa descollada", presentada con el acostumbrado dejo de sensualismo (CIV); "el lirio en copa de olorosa plata", la "eslabonada vid" (CV); las mosquetas que flechan sus saetas "en el arco diáfano del viento" (CVI, 4); los jazmines fragantes (*ibid.*); el laberíntico clavel (CVII); la dulce fruta (CVIII); la hiedra tenaz que aprieta en sus lazos al absorto mancebo (CIX). En XCX-CXI la descripción del halo de simpatía que manaba del viejo y de su ambiente naturalista (notable la alusión a la hora del crepúsculo). En CXII [61] CXIV el conflicto espiritual que se produce en el joven el cual acaba por tomar el camino de la cabaña. Se le pone delante para disuadirlo, un ángel en forma de gigante, de aspecto monstruoso parecido al Etna envuelto en la nube, la lanza convertida en serpiente, la boca espumosa de sangre y soplando fuego, el empuje desenfrenado de un caballo bravío. El joven cae a los pies del gigante, como cae la fiera bajo la escopeta, y casi pierde los sentidos al sentir acercársele la muerte. Le habla fiero el jayán instándole para que regrese al redil; obedece, por fin, y vuelve a Ignacio quien lo acoge con los brazos abiertos.

Canto V

Como continuaba siendo imposible el viaje a Tierra Santa, por causa de los corsarios y otros peligros del mar, Ignacio se considera libre del

[61] "Precipitado el sol al occidente, / Las sombras duplicaba al monte umbrío [el monte Grappa]" (CXI, 1-2).

voto efectuado en París y emprende, junto con dos compañeros, el camino a Roma. No lejos de las murallas de la ciudad, hallan una capilla aislada y semidestruida. También en este caso, como en las anteriores descripciones de cuevas, chozas y cabañas, Camargo recurre a imágenes tomadas del cuerpo humano: "cadáver" (CXXIX y CXXXI), "hueso" (CXXIX), "miembros" (CXXX), "esqueleto" (CLI), "arterioso" (*ibid.*), "carnes de luz" (*ibid.*). Tampoco falta el acostumbrado arroyuelo que lo rodea y muerde (y que también suele presentarse en pareja con las ermitas, las cabañas, las ciudades, etc.) (CXXXI). Ignacio, apartándose de sus compañeros, se entra en la ermita para recogerse en la oración y, al pisar el umbral, se encuentra con el acostumbrado crucifijo (otro elemento fijo, casi automático, dentro de este tipo de escenas, como los anteriores) (CXXXII-CXXXIII). En un rapto extático ve, en el cielo, una carroza esplendorosa, rodeada de querubines cantores que brillan más que las estrellas. Entre los ángeles (majestuoso, a lo Hojeda) resplandece Cristo, coronado de espinas, destilando sangre de la nevada frente y con su cruz a cuestas. Las manos bellas y los pies divinos ostentan las cuatro llagas purpúreas (CXXXIX) y su costado herido tiñe de carmín la sinuosa clámide (CXL) (ambas octavas están atravesadas, por todas partes, por imágenes del rojo en sus distintos matices: "purpúreas", "rosas", "rubí", "rojas centellas", "rosicler", "rubíes", "carmesíes", "carmines", "rubor", "púrpura", "rojo", "corales"). El cabello de oro cubre la blanca frente y el "ebúrneo cuello"; sus ojos son espléndidos ("En una y otra niña zozobrada", CXLI, 6); su belleza ("parleramente muda"), a lo Góngora, refleja la hermosura de los cielos y de la aurora. A esta imagen de Cristo, que se encuadra dentro de la tradición pero con cromatismo excepcional, le sigue la del Padre Eterno, dibujado miguelangelescamente con "Suspenso el mundo de su diestra mano" (CXLIII, 1), quien le encomienda al hijo la suerte de Ignacio (CXLIII, 11, 5-6).

Queda como encandilado el santo y trastornados (y trastocados sinestésicamente) sus sentidos: "Que los oídos ven, y oyen los ojos" (CXLIV, 8); hasta el naufragio del éxtasis (CXLV). El alma "Se salió de sus ojos, conducida / De sus aladas ansias en el viento" (CXLVI, 3-4), y se arrojó al cielo transparente. El Eterno Padre "Templó la luz [. . .] a tanto día / Midió la voz al viento [. . .]" (CXLVII, 1-2) y encomendó al Hijo la constituenda Compañía. Cristo obedece indulgente al imperio del Padre y le asegura su ayuda. Ha terminado la visión; la luz y el trueno se retiran; queda en el mármol del templo un latido de "resplandor arterioso". Queda también llorando Ignacio lágrimas ardientes. Sale de la capilla llevando en el alma el presagio divino y la promesa del triunfo de la Compañía y se agrega a sus dos compañeros que lo están esperando tendidos bajo una encina umbrosa.

La descripción de esta escena campestre representa un paréntesis arcádico, un oasis de la naturaleza real engarzado voluptuosamente en aquel místico relato. Es una de las pocas ocasiones del poema en que el paisaje pierde su carácter inventado, abstracto, para convertirse en fresca y palpable realidad, en íntima relación funcional (recíproca) con el hombre que lo habita o lo aprovecha. El mismo Ignacio, por lo general tan controlado, tan hierático, adquiere por un momento un carácter más humano, más expresivo y cordial: "muy suavemente se agregó risueño" (CXV, 8). Es un solo momento. El santo readquiere "su rostro grave" (CLVI), iluminado e iluminante y en el rostro las huellas del portento: "sucintamente vergonzoso" narra entonces su visión y la profecía de Cristo (CLX).

El relato a los compañeros comienza, sin embargo, con tono más humano, menos absorto que de costumbre: "Polluelos tiernos, dijo, que habéis sido / implumes prendas hoy del Pelicano [. . .]" (CLXI, 1-2); pero, enseguida, pierde aquella intimidad y se torna exaltado, hierático, implacablemente místico. Les anuncia la garantía de Cristo, el nombre que tomará la Compañía, su difusión en todo el mundo.

Llegan así, ante los muros de Roma y en vista de S. Pedro: "El Templo del Clavero soberano" (CLXVII, 6).

Mientras se halla el santo en el "Casino collado", muere Hozes, fiel compañero (al que había destinado para que actuara en Padua); le cortó el hilo de la vida la Parca, devastadora de esperanzas ("El hilo cortó a Hoces de la vida / Atropos de esperanzas carnicera", CLXX, 1-2)[62].

Ignacio, en la cumbre del monte, es embestido por una luz refulgente: es el alma gloriosa del discípulo rodeada de una muchedumbre celeste y presentada grandiosamente, coralmente, dentro de una tradición barroca que alcanza aquí su total plenitud: "Coronaba Loyola la alta cumbre / Del Casino collado; y en él siente / Embestidos sus ojos de una lumbre, / En que el alma de Hoces refulgente, / Asistida de empírea muchedumbre / Y ceñidas victorias la alma frente / Entre la de querubes alas bellas / Hollaba cielos y calaba estrellas" (CLXXI).

Su vista, como soltándose de los ojos, sigue aquella luz en la esfera celeste, hasta quedar "dulcemente fulminada" (CLXXII). Como Icaro con sus alas derretidas, baja a la tierra y prorrumpe en llanto. . .

4. *EL CONGORISMO DE DOMINGUEZ CAMARGO*

Mucho se ha hablado del gongorismo de nuestro poeta, casi siempre achacándoselo como un defecto. Esto corresponde al antigongorismo tradicional de la crítica hispanoamericana, el cual ha llegado hasta nuestros días a pesar de las aportaciones antitradicionalistas de un Gerardo Diego, un Dámaso Alonso, un Emilio Carilla, quienes han evidenciado la ori-

[62] Obsérvese el realismo impresionante del último verso citado que, un poco más abajo, se completa con este otro no menos impresionante: "Intempestiva trágica tijera" (CLXX, 6).

ginalidad del neogranadino dentro de su *imitación del cordobés.* Don Gerardo hasta llegó a hipotizar cierta superioridad de Camargo frente a su maestro en lo que a bodegones se refiere. Carilla a su vez, como lo veremos, fue el primero en cotejar algunos paisajes de ambos poetas para ofrecer al lector una base efectiva de comparación. Con todo, hasta hoy nadie ha intentado documentar, puntual y contextualmente, en qué consiste, cómo se articula y en qué se diferencia tal imitación [63]. Es lo que intentamos aquí, aunque sea tan sólo a grandes rasgos, recordando que el vocabulario y los procedimientos estilísticos que hoy consideramos peculiares del cordobés (como especial condensación del clasicismo) ya se hallaban *in nuce* en el clima de la época (en América, así como también en España) aún antes de la explosión del gongorismo. Por otra parte, no hay que olvidar que Camargo no se alimentó sólo en su maestro, sino que, desde antes de empezar el *Poema Heroico,* estaba embebido de la épica (y de la lírica) hispánica que, a su vez, ya iba asimilando a Góngora. El gongorismo del santafereño tiene, por lo tanto, fuentes directas e indirectas al mismo tiempo. Unas y otras se han influido y favorecido recíprocamente dentro de su obra. Siendo, pues, varios de los materiales que examinaremos, comunes con otros autores de la épica hispánica anteriores al *Poema,* no es posible desentreñar netamente el aporte de las fuentes indirectas frente al aporte directo. De todas maneras, hay que tener siempre en cuenta esta duplicidad y simultaneidad del fenómeno. Es sólo por razones prácticas y metódicas que limitamos nuestro cotejo del *Poema* con las *Soledades,* el *Polifemo* y el *Panegírico* de Góngora. Nos ocuparemos escencialmente del examen léxico-sintagmático-elemental, fundamental y previo al propiamente sintáctico, aunque será necesario algún día, profundizar *sistemáticamente* también las fuentes del elemento eidético-fantástico junto con sus principales instrumentos expresivos (sobre todo la metáfora).

Prescindimos del examen sistemático de las palabras aisladas (*palabras-imágenes* y *palabras de relación*) puesto que no pretendemos hacer aquí el vocabulario de Camargo para compararlo con el de Góngora (tarea, por otra parte, utilísima) sino buscar las *combinaciones de palabras* (estructuras eidéticas) en las qué documentar las identidades y semejanzas respecto al modelo gongorino. Para el estudio sistemático de los lexemas aislados habría que proceder con método estadístico en ambos poemas a los efectos de encontrar, por su frecuencia y posición, las palabras-clave y, luego, recabar (amén del grado y el modo de imitación) las constantes espirituales correspondientes. Pero esto podrá ser tarea del futuro.

[63] Aparte de los primeros cotejos de Carilla, cfr. nuestro anterior esbozo de análisis comparativo en el *Apéndice* al *Estudio sobre Hernando Domínguez Camargo,* cit., pp. 310 y sigs., del cual este capítulo representa la continuación y la ampliación. Cfr. también la tesis de la Dra. Ana L. Giordano cit. en la *Premisa.*

Clasificaremos los grupos de palabras (sintagmas orgánicos o también secuencias de elementos léxicos dentro de diferentes sintagmas) según se presenten con *identidad total* (salvo las variantes homosemantemáticas) o con *identidad parcial,* señalando también pasajes en los que se mezclan elementos léxicos, rítmicos, prosódicos, eidéticos, etc. De todas maneras, téngase en cuenta, desde ahora, que la imitación directa de lexemas o sintagmas gongorinos por parte de Camargo resulta comprobada con seguridad tan sólo en los casos en que entre los dos autores haya efectivas afinidades o equivalencias de contexto o estén presentes simultáneamente otros materiales léxicos o eidéticos concomitantes. En los demás casos, puede tratarse de una memoria poética indirecta (ya asimilada por el santafereño) o de expresiones ya tópicas, en la época, a ese nivel literario.

Las siglas tienen los siguientes valores: S = *Soledades;* P = *Fábulas de Polifemo y Galatea;* L = *Panegírico al Duque de Lerma;* P H = *Poema Heroico.* Para las obras de Góngora, el primer número en cifras árabes representa el verso; el segundo representa la página de la ed. de B. Aires a cargo de Antonio Marasso (1955). Para el *Poema Heroico* de Camargo el primer número indica el libro del *Poema,* el segundo la estrofa, el tercero el verso (los subrayados son nuestros).

A) IDENTIDAD TOTAL

Observemos los versos siguientes:

GONGORA

El *can,* ya *vigilante,*
convoca, despidiendo al *caminante;*
y la que desviada
luz poca pareció, tanta es vecina,
que yace en ella la robusta encina,
mariposa en *cenizas desatada.*

(S1, 84-89, 524).

CAMARGO

Ceniza de cristal en la estrïada
concha [. . .]
líquida *mariposa desatada*

(PH, 3, LXXI, 1-3).

Fatigado llegó; y el *vigilante*
can, copioso de lanas dulcemente
rémora al *peregrino* fue latrante,
audaz las voces, recatado el diente.
Anciano labrador al *caminante* [. . .]

(PH, 4, CIX, 1-5).

Camargo, en este caso, disimila la estructura gongorina, desintegrando su unidad, al utilizar una parte de sus imágenes en la estrofa LXXI del libro 3 ("cenizas [. . .], mariposa desatada") y una parte en la CIX del libro 4 ("vigilante can [. . .], caminante [. . .]").

A la vez, recurre a la inversión sintáctica convirtiendo las secuencias gongorinas *can-vigilante* en *vigilante-can*; y *mariposas-cenizas-desatada* en *cenizas-mariposa-desatada*).

Viceversa, en los mismos versos citados, asimila en una única estructura eidética, totalizándolas, dos imágenes que figuran en sendos lugares de *Soledad primera* y *Soledad segunda* respectivamente. En efecto, los gongorinos "can ya vigilante" de S1, cit., y "can, de lanas prolijo" de S2, 799, 577, se fusionan aquí en el camargueño "vigilante/can copioso de lanas", cit. Otro ejemplo de este procedimiento de síntesis totalizadora hallamos en los gongorinos "*veneciana* estos días *arrogancia*" (L, 549, 725) y "doblaste alegre, y tu *obstinada entena*" (S1, 451, 535), pertenecientes a dos distintas obras del español, que se acercan dentro de dos estrofas consecutivas del santafereño; "las *venecianas* descubrió *arrogancias* [. . .] / [. . .] la que de jaspes *obstinada entena*" (PH, 3, CXXVII, 8-CXXVIII, 6) (téngase en cuenta, además, que, en ambos poetas, inmediatamente antes del sintagma idéntico común "obstinada entena", se halla otra imagen análoga común: "candados" y "encadena" respectivamente).

El caso de desintegración que hemos examinado representa una *disimilación a distancia,* en el sentido de que los miembros resultantes de la desintegración efectuada por Camargo van a dar a lugares distantes entre sí dentro de su obra.

Pero hay también casos de *disimilación por contigüidad inmediata* en el sentido de que los fragmentos resultantes de esa especie de explosión de la imagen, van a colocarse en lugares separados, pero próximos entre sí, dentro de la misma estrofa. Es el caso, por ejemplo, de la totalidad gongorina "que extraña el *cónsul* que la *gula ignora*" (L, 80, 712) que se convierte en "[. . .] *Cónsul,* que indulgente / sirve opulento cuanto alberga pío / al romero que admira reverente: / púrpura el lecho, el plato hizo suave / cuanto la *gula ignora,* cuanto sabe" (PH, 3, CXLIV, 4-8).

La contigüidad puede también no ser inmediata, en el sentido de que el fenómeno no se produce dentro de la misma estrofa sino en estrofas cercanas como en el caso de los versos siguientes de Góngora:

Menos dulce a la vista satisface
cristal, o de las rosas ocupado
o del *clavel* que *con la Aurora nace*
de *aljófares purpúreos coronado.*

(L, 210-212, 715).

en que los materiales léxicos subrayados, que aquí se hallan concentrados en tres versos consecutivos, se disimilan y se reparten para Camargo en dos estrofas separadas:

No en la *flor* juvenil Julio confía,
que efímera *nació con el aurora,*
(PH, CCLI, 1-2);

y en la orilla, de nieve *coronada,*
ondas bullen de fuego indiferente,
de *aljófar rojo* y de *cristal ardiente.*

(PH, CCLIII, 6-8).

Por fin, hay casos de totalización o de disimilación que se producen dentro de un único verso o en una única pareja de versos: "susurrante amazona Dido alada" (S2, 290, 569) > "De Amazonas aladas susurrante" (PH, 3, XII, 1) (con simultánea pluralización); "Sordo engendran *gusano* cuyo *diente*" (S1, 740, 543) > "Sordo royó *gusano* duras yedras, / Mudo *diente* royó rebeldes piedras" (PH, 4, XCVII, 7-8).

Para quien quiera una muestra inequivocable de cómo el colombiano llega a veces a superar al mismo maestro (y no sólo en ciertas descripciones de los bodegones como lo insinuó Gerardo Diego) utilizando materiales léxicos comunes, véanse a continuación los versos que siguen, respectivamente, al gongorino "veneciana estos días arrogancia" y al camargueño "las venecianas descubrió arrogancias", citados.

En ambos autores se trata de la descripción de Venecia.

CAMARGO

De casas admiró la inmóvil flota
que, embarcada en la mar, en la melena
del león evangélico, devota,
sus ducales timones encadena:
nunca las olas han besado rota
la que de jaspes obstinada entena
en sus torres se erige, cuando ufano
un pórfido es su lino más liviano.

No tan süave, cuando más canora,
la de cisnes república ha tejido
los senos de las aguas en quien mora,
vivificando su espumoso nido;
ni tan risueña sobre el campo Flora
ejércitos de lilios descogido,
como Venecia da, en techo y naves,
de jaspes, lilios, y de pinos, aves.

La de piedras tendida pavesada,
el lienzo admira, que la ciñe muro,
que una roca lo ata aquí obstinada,
si un mármol acullá lo teje duro:
éste, de ilustres casas el armada
encadena en el mar, que hace seguro,
con leones que alberga, de madera,
en la que armó en los piélagos leonera.

¡Oh república, tú, que siempre fuiste
vecina del cristal del oceano:
cuyo estudioso aliento al aire viste
miembros de vidrio, camaleón que ufano
el volumen dïáfano conviste
siempre luciente, pero siempre vano,
adonde cuanto rey copas te debe,
con tus vidrios también tu nombre bebe!

(PH, 3, CXXVIII-CXXXI).

GONGORA

Veneciana estos días arrogancia,
de vana procedida preeminencia,
al sacro, opuesta, celestial clavero
esgrimió casi el obstinado acero.

¡Oh de el mar reina tú, que eres esposa,
cuyos abetos el León seguros
conduce sacros, que te hace undosa
Cibeles, coronada de altos muros!
Alcïón de la paz ya religiosa,
los reinos serenaste mas impuros.
¡Oh Venecia, ay de ti! Sagrada hoy, mano
te niega el Cielo, que desquicia a Jano.

¡Ay mil veces de ti precipitada,
mas república al fin prudente! ¿Sabes
la que a Pedro le asiste cuanta espada
a sus dos remos es, a sus dos llaves?
De una y de otra lámina dorada
sus miembros aún no el Fuentes hizo graves
que señas de virtud dieron plebeya
las togadas reliquias de Aquileya.

Confuso hizo el Arsenal armado
reseña militar, naval registro
de sus fuerzas, en cuanto oyó el Senado
alto del Rey Católico ministro;
Néstor mancebo en sangre, y en estado
Castro excelso, dulzura de Caístro;
éste, pues, varïando estilo y vulto,
duro amenaza, persüade culto.

(L, 549-576, 725-726).

He aquí la equivalencia entre los materiales léxicos esenciales (por su orden de aparición en Góngora):

GONGORA	CAMARGO
obstinado	obstinada
mar	mar
abetos [naves]	pinos [naves]
seguros	seguro
león	león
Cibeles	Flora
undosa	espumoso
coronada de altos *muros*	que la *ciñe muro*
Acción de la *paz religiosa*	"león *evangélico*"
los reinos *serenaste*	el mar que *hace seguro*
¡Oh Venecia!	Venecia
república	¡Oh república!
el Arsenal armado [64]	el armada

Sin contar el apóstrofe a Venecia, más sintético y sobrio en Góngora:

¡Oh de el mar reina tú, que eres esposa [. . .];

[64] Téngase en cuenta que en Venecia el Arsenal era también la sede normal de la armada.

más analítico y esplendoroso en Camargo:

¡Oh república, tú, que siempre fuiste
vecina del cristal del oceano [. . .];

ambos también equivalentes en lo semántico.

Los versos del discípulo, mientras por un lado apenas se apoyan en el soporte léxico común para inventar originalmente un ensueño poético alrededor de la ciudad-ensueño, por otra parte tienen momentos de altísima tensión poética que se dejan atrás, con creces, los versos del maestro. Además de los dos últimos, espléndidos, versos citados, vuélvase a leer la segunda parte de la estrofa CXXIX:

ni tan risueña, sobre el campo Flora
ejércitos de lilios descogido,
como Venecia da, en techo y naves,
de jaspes, lilios, y de pinos aves.

con aquella escultórea oposición bimembre del último verso, bien gongorina (cfr. el v. de Góngora "te niega el cielo que desquicia a Jano"). Vuélvase a leer también entera la estrofa CXXXI:

¡Oh república, tú, que siempre fuiste
vecina del cristal del oceano,
cuyo estudioso aliento al aire viste
miembros de vidrio, camaleón ufano
el volumen dïáfano conviste
siempre luciente, pero siempre vano,
adonde cuanto rey copas te debe,
con tus vidrios también tu nombre bebe!

en la cual el poeta, partiendo de la bisemia de la palabra "cristal" (primero con sentido metafórico de "agua" y luego con sentido propio de "vidrio transparente"), va más allá de la descripción gongorina extendiéndola magistralmente a aquella connotación artesanal, de la artesanía del vidrio soplado, por la cual también Venecia se hizo famosa desde época antigua. Se desgranan así una serie de imágenes preciosas: el aliento [del artesano soplador] que viste el aire con miembros de vidrio; el *soberbio* camaleón [el color siempre cambiante] que da veste al volumen diáfano [da cuerpo al espacio transparente], al crear copas de vidrio en las que todo rey que beba beberá a la vez tu mismo nombre.

Y véase, en fin, los dos fulminantes versos iniciales de la estrofa CXXXII:

Esta medio ciudad y medio flota,
Centauro en tierra y en la mar Sirena [. . .]

en los que también se da, con una fuerza expresiva como miguelangelesca, la oposición bimembre que a la vez separa y junta entre ciudad y flota, entre tierra y mar, entre Centauro y Sirena. . .

He aquí, en cambio, sendos pasajes en los que también los principales materiales léxicos y eidéticos son comunes pero sin que el discípulo llegue a alcanzar la altura del maestro:

Midióse el viento al lino descogido,
lúbrica resbaló su *prora aguda,*
y más *arrolló aljófar,* que *ha llovido*
perlas en flor y flor la noche muda;
en el de *augusta Coya esclarecido*
cuello, no tantos descogió la ruda
gruta del sur en pámpanos opimos,
de nacaradas perlas los racimos.

(PH, 3, XLI, 1-8).

Aquél, las ondas escarchando vuela;
éste, con perezoso movimiento,
el mar encuentra, cuya espuma cana
su parda *aguda prora*
resplandeciente cuello
hace de *augusta Coya peruäna*
a quien hilos del Sur *tributó ciento*
de perlas cada hora.
Lágrimas no enjugó más de la Aurora
sobre violas negras la mañana,
que *arrolló* su espolón con pompa vana,
caduco *aljófar,* pero aljófar bello.

(S2, 61-72, 555-556).

Los elementos comunes (partiendo del texto gongorino) son: "aguda prora" que se convierte, con inversión sintáctica, en "prora aguda"; "resplandeciente cuello" que pasa, con cierta depresión poética, a "esclarecido cuello"; "augusta Coya" [princesa de los Incas]; "tributó ciento de perlas" que pasa a "ha llovido perlas"; para terminar con el esplendoroso verso final "caduco aljófar, pero aljófar bello" que pasa, más humildemente, a "[arrolló] aljófar", perdiéndose así aquella poderosa oposición bimembre que, en otras oportunidades, el mismo Camargo ha utilizado y reinventado magistralmente.

Veamos ahora los demás procedimientos estilísticos empleados por Camargo en su imitación-reinvención con respecto a los correspondientes sintagmas gongorinos.

1) *Inversión sintáctica*

Ya hemos visto más arriba, al citar el *can vigilante* que se convierte en *vigilante can,* como C., dentro de los varios procedimientos de imitación-recreación, recurrió a la técnica de la inversión sintáctica del sintagma gongorino. He aquí algunos otros ejemplos: "cristalina mariposa" (S2, 6, 554) > "mariposa cristalina" (PH, 1, XLIX, 3); "rudos troncos" (S2, 597, 571) > *"rudo tronco* aún para *tronco rudo"* (PH, 2, CXIX, 4), con simultánea reiteración del sintagma y cambio de número [65]; *"la arena ardiente"* (S1, 597, 539) > *"las ardientes* que ha surcado *arenas"* (PH, 3, LXVI, 4) con cambio de número e introducción del hipérbaton [66]; *"lasciva abeja"* (S1, 803, 545) > *"Abeja* así solicitó *lasciva"* (PH, 4, XIII, 2), con hipérbaton; *"nocivo diente"* (S2, 312, 563) > "el *diente* dispertó *nocivo"* (PH, 2, CXV, 4), con hipérbaton; *"graves/piedras"* (S1, 991, 551) > *"piedras graves"* (PH, 1, CLIII, 6) con resolución del encabalgamiento [67]; *"de las* mudas *estrellas la saliva"* (S2, 297, 562) > *"saliva de la estrella"* (PH, 2, CXLVIII, 1) con simultáneo cambio de número y resolución del hipérbaton gongorino [68]; "la *fama* no, su *trompa"* (P, 37, 521) > "la *trompa* de la *fama"* (PH, 1, CXCII, 7)[69]; *"sonante era tïorba"* (S1, 350, 564) > *"fue tïorba so-*

[65] La reiteración del sintagma, como toda reiteración estilística, refuerza aquí la imagen gongorina y, a su vez, ésta es reforzada ulteriormente por la inversión sintáctica, produciéndose así una totalidad eidético-rítmica de gran envergadura expresiva.

[66] En casos como este, al gongorismo eidético-léxico (identidad de la imagen e identidad del material verbal) se agrega el gongorismo estilístico-sintáctico del hipérbaton.

[67] Si observamos estos sintagmas en su contexto ("[. . .] Quién de *graves / piedras* las *duras manos* impedido"; "Más leones que él tiene *piedras graves; /* pues pulsada su lengua de *alta mano* [. . .]" vemos que ellos están ligados respectiva e inmediatamente a otros dos sintagmas equivalentes: "las duras manos" de G. que se convierten soberbiamente en la "alta mano" de C.

[68] Acá también miremos los contextos en que se colocan los dos sintagmas: "reina la abeja, oro brillando vago, / o el jugo beba de los aires puros, / o el sudor de los cielos, cuando liba / de las mudas estrellas la saliva"; "El que el prado (o saliva de la estrella) / O carbunclo menor de luces nota / si del sol molida no es centella, / Es de la luna destilada gota / [. . .] / Y en pupila y pupila donde habita, / Fulgores late cuando luz palpita". Vemos fácilmente cómo C. recrea originalmente las imágenes gongorinas: el "oro brillando vago" de G. corresponde aquí, intensificado orquestal y triunfalmente, al camargueño "fulgores late cuando luz palpita". El *jugo de los aires* y el *sudor de los cielos* corresponden, sintetizados magistralmente, a *la destilada gota de la luna.*

[69] He aquí los contextos: "[. . .] Euterpe agradecida, / su *canoro* dará, *dulce instrumento, /* cuando la *fama* no, su *trompa* al *viento"*; "Pues ya su *pluma* por latón se *entona /* la *trompa* de la *fama,* y española / Cólera el blanco lilio haga amapola! / *Sonoro camaleón,* la hueca *trompa /* La sed que al viento la bebió

nante" (PH, 2, CLXXIV, 1), con simultáneo cambio temporal [70]; "con la *Aurora nace*" (L, 211, 715) "*nació* con el *aurora*" (PH, 4, CCLI, 2) con simultáneo cambio temporal [71]. "*Espongioso* [. . .] *bebió*" (S2, 179, 559) > "*bebe* [. . .] *esponja*" (PH, 3, XLIX, 7), con cambio temporal; "*variado jaspe*" (L, 214-215, 716) > "*jaspe vario*" (PH, 3, XVI, 3), con simultánea regresión al semantema; "*plumaje piedras*" (L, 500, 724) > "*piedra* su *pluma*" (PH, 1, CXC, 7) con regresión al semantema. En los casos citados, al procedimiento de la inversión, disimilativo con respecto a los sintagmas gongorinos, se agregan, a menudo, otros procedimientos estilísticos disimilatorios que ahora veremos.

2) *Anteposición sintáctico-rítmica de determinados elementos del sintagma gongorino o del entero sintagma*

"qué mucho si *avarienta* ha sido *esponja*" (S2, 627, 572) > "*Avarienta* su oído un rato *esponja*" (PH, 3, XVII, 8) [72]; "infame turba de *nocturnas aves*" (P, 39, 507) > "Ni de *nocturnas aves* torpe suma" (PH, 3, X, 6), con simultánea substitución sinonímica de "infame turba" con "torpe suma" [73]; "voces de sangre y *sangre son del alma*" (S2, 119, 557) > "*sangre del alma* en mudos sentimientos" (PH, 4, XCIII, 8), con simultánea resolución del hipérbaton gongorino y reducción de

esponjosa"; de donde se puede apreciar, además, por el simple examen de las palabras equivalentes subrayadas, cómo en C. se producen variaciones e intensificaciones de los materiales eidéticos y sonoros: en efecto, al lado de los elementos idénticos comunes (*fama, trompa, viento*) y de los elementos semánticamente equivalentes (*canoro; instrumento = sonoro camaleón; Euterpe = pluma*) hallamos la reiteración de "trompa" y la intensificación de la imagen sonora básica mediante el sintagma "se entona".

[70] De la diátesis verbal durativa del pretérito imperfecto gongorino, C. pasa a la puntual, fulminante, del pretérito indefinido.

[71] En el contexto ("o del *clavel* que con la Aurora nace"; "[. . .] la *flor juvenil* [. . .] / Que efímera nació con el aurora") se puede observar, además, la metaforización de la flor gongorina ("clavel") que se convierte en "flor juvenil" (la flor de la juventud).

[72] Contextos: "Oh, cuanta al *peregrino* el amebeo / alterno canto *dulce fue lisonja!* / Qué mucho, si *avarienta* ha sido *esponja* / del *néctar numeroso* / el *escollo* más duro?"; "La peregrina planta el templo toca / [. . .] *Duro* arguyendo, persuadiendo humano / Entre los niños ocupó una *roca,* / Y el alma de aquel *néctar soberano,* / De cuya *articulada fue lisonja,* / *Avarienta* su oído un rato esponja". Aparte de los elementos idénticos comunes (*peregrino-a; lisonja; avarienta; esponja; duro*) y de los equivalentes *escollo-roca,* obsérvese cómo la "dulce lisonja" del "alterno canto" de G. se convierte, para C., en *articulada lisonja* (del *canto* a la *palabra*) y el "néctar numeroso" se transforma (soberbiamente) en "néctar soberano".

[73] Se trata de una mera substitución de los términos de G. con otros equivalentes. Parece simple deseo de diferenciación, lo cual lleva a C., en este caso, a debilitar poéticamente la imagen del maestro pasando del contundente sintagma "infame turba" (de nocturnas aves) al más genérico y culto "torpe suma".

la reiteración [74]; “que extraña el cónsul que la *gula ignora*” (L, 80, 712) “Cuanto la *gula ignora*, cuanto sabe” (PH, 3, CXLIV, 8) [75]; mucho teatro hizo *poca arena*” (S2, 771, 576) > “y a *poca arena* estrecha la engreída pompa” (PH, CCXXIII, 5-6) [76].

3) *Posposición sintáctico-rítmica del sintagma gongorino*

“que has roído con *diente oculto*, Guardïana, sales” (L, 196, 715) > “los carnes les royó con *diente oculto*” (PH, 2, CXXXIX, 5) con simultáneo cambio temporal.

4) *Introducción del hipérbaton*

“hace de augusta Coya peruana” (S2, 66, 556) > “en *el* de augusta Coya *esclarecido*” (PH, 3, XLI, 5) [77] “la *arena ardiente*” (cit.) > “las *ardientes* que ha *surcado arenas*” (cit.); “*lasciva abeja*” (cit.) > “*Abeja* así solicitó *lasciva*” (cit.); “su *nocivo diente*” (cit.) > “el *diente* dispertó *nocivo*” (cit.).

5) *Resolución del hipérbaton*

“que sus márgenes *bosques son de piedra*” (L, 368, 720) > “que encadena tenaz *bosques de piedra*” (PH, 3, XV, 8); “*mariposa* en cenizas *desatada*” (cit.) > “líquida *mariposa desatada*” (cit.); “*cristal* pisando *azul* con pies veloces” (S2, 46, 555) > “Y entre el *cristal azul* que las embiste” (PH, 3, XXXVI, 4); “de las mudas *estrellas* la *saliva*” (cit.) > “*saliva* de la *estrella*” (cit.), con inversión sintáctica; “*sangre* son del *alma*” (cit.) > “*sangre* del *alma*” (cit.); “de la *púrpura* viendo de sus *venas*” (S2, 429, 566) > “*Purpureó* de sus *venas* sus cristales” (PH, 2, CXXIX, 6): cfr. párr. 8 más adelante.

6) *Cambio de género*

“púrpura *tiria*” (S1, 166, 526) > “La púrpura del *tirio* humor” (PH, 4, CCXLVII, 3); “la ambición mora *hidrópica* de viento” (S1, 109, 525) “*Hidrópico* de viento un estandarte” (PH, 1, CXCI, 1) [78].

[74] Aquí nos presenta, pues, C. una imagen menos contundente al no hacer propia la enérgica reiteración (reiteración de reanudación) del sintagma gongorino: “[...] de sangre, y sangre [...]”. Por otra parte, acude a la connotación del silencio (“mudos”) frente a las “voces” del texto de G.

[75] También el contexto camargueño hace referencia al “Cónsul”: “Al palacio del *Cónsul*, que indulgente / [...] / Púrpura en el lecho, el plato hizo suave / Cuanto la gula *ignora* [...]”.

[76] Téngase en cuenta, además, la copresencia de analogía entre los sintagmas “mucho teatro” y “engreída pompa”.

[77] Acerca del sintagma “augusta Coya”, en el contexto, cfr. más adelante.

[78] En el contexto de G., casi en seguida después de este verso, se halla el sintagma “el áspid es gitano” que, a su vez, corresponde a “los áspides gitanos” de C. en PH, 1, LXXXVI, 4 (cfr. el numeral siguiente).

7) *Cambio de número*

"*Muros* desmantelando, pues, *de arena*" (S2, 9, 554) > "*el muro* que de *arenas* agregado" (PH, 5, XI, 4), en donde se produce un cambio de género doble y cruzado puesto que *muros* se singulariza en *muro* y *arena* se pluraliza en *arenas* [79]; "mudas *lenguas* en *fuego* llovió tanto" (L, 492, 724) > "Para la *lengua* del dosel del *fuego*" (PH, 5, CLVIII, 8), en donde el cambio de número se produce sólo en uno de los dos elementos comunes [80]; "y *las perlas* exceda del rocío" (S1, 915, 548) > "*la perla* exceda su candor luciente" (PH, 3, LXXXII, 6); "el *áspid* es *gitano*" (S1, 111, 525) > "los *áspides gitanos*" (PH, 1, LXXXVI, 4); plumaje *piedras*" (L, 500, 724) > "*piedra* su pluma" (PH, 1, CXC, 7) [81]; "*la arena ardiente*" (cit.) > "*las ardientes* que ha surcado *arenas*" (cit.), con simultánea inversión e introducción del hipérbaton.

8) *Cambio de categoría gramatical*

"de *Aracnes* otras la *arrogancia* vana" (S1, 838, 546) > "Flamenca *Aracnes* descogió *arrogante*" (PH, 1, LII, 2) [82]; "de la *púrpura* viendo *de sus venas*" (cit.) > "*Purpureó de sus venas* sus cristales" (cit., 6), con simultánea resolución del hipérbaton gongorino [83]; "la *sangre* que exprimió, *cristal* fue puro" (P, 496, 520) > "En sus lágrimas *sangre cristalina*" (PH, 5, LXXXV, 8); "tu *dictamen, Euterpe*" (L, 2, 709) > "a lo que *dicta Euterpe*" (PH, 1, CXIII, 6) [84]. "*Espongioso* pues, se *bebió*

[79] Agréguese, en los respectivos contextos, la simultánea presencia del elemento común "oceano": "Muros desmantelando, pues, de arena / centauro ya espumoso el *Oceano*" (G); "El muro que de arenas agregado /[. . .]/ Ciñendo cada arena un *oceano*" (C).

[80] En el contexto inmediato aparecen estos otros elementos análogos comunes: "luminosos milagros" (G) = "luz brillante" (C); "purpúreos ojos" (G) = "los ojos" (C); "joyas" (G) = "diamante" (C); "manto" (G) = "viste" (C).

[81] Cfr. más abajo, el numeral 12.

[82] En el contexto se hallan, además, las siguientes equivalencias: "lilios" (G) = "jazmines y azahares" (C); "blancas telas" (G) = "blanco lienzo" (C); "undosa lana" (G) = "crespas garzas" (C); "blanco cisne" (G) = "entallada de nieve cetrería" (C).

[83] El verso gongorino se refiere al *mar coloreado por la sangre* de la foca herida por el arpón del pescador, mientras el camargueño se refiere al *río coloreado por la sangre* de las heridas de Ignacio.

[84] En ambos contextos se trata de la misma imagen básica: la de dejar la espada para coger la lira (Góngora) o la pluma (Camargo). Además, podemos hallar concentrados en un par de estrofas del santafereño algunos elementos léxicos substancialmente equivalentes que C. ha rastreado acá y allá en 4 estrofas gongorinas

y mudo" (cit.) "en la porosa *bebe* hambrienta *esponja*" (cit.) con cambio temporal e inversión sintáctica.

9) *Cambio temporal*

"con la Aurora *nace*" (cit.) > "*nació* con el aurora" (cit.); "sonante *era* tiorba" (cit.) > "*fue* tiorba sonante" (cit.) con inversión sintáctica; "*espongioso* [. . .] *bebió*" (cit.) > "*bebe* hambrienta *esponja*" (cit.), con inversión sintáctica y regresión al semantema [85] "que has *roído* con diente oculto" (L, 196, 715) > "las carnes le *royó* con diente oculto" (PH, CXXXIX, 5) [86].

10) *Resolución del encabalgamiento*

"[. . .] de *graves/piedras* las duras manos [. . .]" (cit.) > "[. . .] él tiene *piedras graves*" (cit.); "en líbica no arena, en *variado/jaspe* luciente sí [. . .]" (cit.) > "que un *jaspe vario* en cada pluma gira" (cit.), con inversión sintáctica [87].

(VV. 1-32) y que, a primera vista, podrían pasar desapercibidos justamente por encontrarse dispersos y aparentemente heterogéneos respecto al texto camargueño.

CAMARGO	GONGORA
laureles [. . .] grama mural [. . .] Palas	ramas de Minerva
fuerte pluma [. . .] pluma airada	venenosa pluma
docta espada [. . .] descansar de la [espada	por su espada
alto poema	mis números
para la lira	sonante lira
a lo que dicta Euterpe	tu dictamen, Euterpe
sucesor [. . .] del Marte	o Marte espuma
a dos manos	tu divina mano
has cogido la memoria	anime la memoria
armado Marte	armada [. . .] su diestra
noble león	la fiera

[85] La presencia gongorina no se limita tan sólo al sintagma cit. sino que se extiende a todo el contexto:

GONGORA	CAMARGO
No es sordo el mar	No es sordo, no, Neptuno
Bien que tal vez sonando / no oya al [piloto o le responda fiero	(Bien que tal vez se niega su ira [torva)
más orejas	una [. . .] y otra oreja
dulces quejas	llorosa queja
labrador	labra
el forastero en su undosa campana	naúticos votos
(S2, 172-179, 559)	(PH, 3, XLIX, 1-5).

[86] El pretérito perfecto gongorino se substituye por el más puntual y contundente pretérito indefinido y el verso camargueño adquiere, en su conjunto, una musicalidad lenta, sincopada y solemne, de tipo dantesco.

[87] En la misma estrofa gongorina se halla otra imagen (la del movimiento del sol) que C. utiliza y reconstruye a su manera: "o del clavel que con la Aurora nace / de aljófares purpúreos coronado" > "[. . .] del sol mira / Nacer y terminarse la carrera / [. . .] Crestada mármol [. . .]" (PH, 3, XVI, 5 sigs.).

11) *Introducción del encabalgamiento*

"El *can* ya *vigilante*" (cit.) > "[. . .] el *vigilante/can* [. . .]" (cit.).

12) *Regresión al semantema*

"*variado/jaspe*" (cit.) > "jaspe *vario*" (cit.), con resolución del encabalgamiento e inversión; "*plumaje* piedras" (cit.) > "piedra su *pluma*" (cit.), con cambio de número e inversión sintáctica.

13) *Reiteración del lexema o del sintagma*

"*rudos troncos*" (cit.) > "*rudo tronco,* aún para *tronco rudo*" (cit.), con simultánea inversión sintáctica; "*no* es sordo el mar" (cit.), "*no* es sordo, *no,* Neptuno" (cit.).

14) *Reducción de la reiteración del lexema o del sintagma*

"Voces de *sangre,* y *sangre* son del alma" (cit.) "*sangre* del alma en mudos sentimientos" (cit.).

B) IDENTIDAD PARCIAL

1) *Casos en que un elemento es idéntico al de Góngora y el otro se substituye por un sinónimo* [88]

"*rugoso* nácar" (S1, 312, 531) > "*estriado* nácar" (PH, 3, LXI, 6); "purpúreos no *cometas*" (S1, 651, 540) > "purpúreos no, sino *lucientes*" (PH, 4, LXVIII, 6) (con cambio de categoría gramatical);

"Los *fuegos* - cuyas lenguas" (S1, 680, 541) > "el *incendio* lenguas discrimina" (PH, 4 LXXXIV, 1) (con singularización);

"pompa *de las flores*" (S1, 759, 543) > "Pompa *olorosa*" (PH, 1, CXXXI, 5);

"que nadando en un piélago de *nudos*" (S2, 105, 557) > "Nadando el alma en piélagos de *abrojos*" (PH, 5, CXXII, 3) (con pluralización);

[88] Para este numeral y para el 2) que sigue, nos limitamos a una simple lista de equivalencias, sin clasificaciones internas, puesto que suponemos que el lector, una vez señalada la pauta, podrá percibir fácilmente la presencia de los distintos fenómenos estilísticos y de la recreación camargueña. También prescindimos, aquí, del examen analítico de los respectivos contextos que dejamos apuntados para ulteriores posibles investigaciones.

"tributos digo américos - se *bebe*" (S2, 405, 565) > "Que Orientes bebe, América se *sorbe*" (PH, 3, 203) (con cambio de categoría gramatical y de género);

"junco *frágil*" (S2, 590, 571) > "junco *de vidrio*" (PH, 4, XXIII, 3); "nácar [...] *torcido*" (S2, 882, 580) > "nácar *sinuoso*" (PH, 3, LXXXII, 1); "jaspe *guijas*" (S2, 890, 580) > "jaspe [...] *losa* fría" (PH, 2, C, 2) (con cambio de número);

"*bucólicos* albergues" (S2, 948, 582) > "*rústico* albergue" (PH, 3, IV, 1) (con cambio de número y de función sintáctica);

"el lobo de las sombras *nace*" (P, 172, 510) > "En la espesura al Lobo que *amanece*" (PH, 2, LXVI, 5) (obsérvese la equivalencia semántica entre "sombras" y "espesura");

"*sonante* lira" (L, 4, 709) > "*armoniosa* lira" (PH, 4, CCXVI, 4);

"aljófares *purpúreos*" (L, 212, 715) > "aljófar *rojo*" (PH, 4, CCLIII, 8) (con cambio de número);

"graves y [...] *leves*" (S2, 52-53, 555) > "gravemente [...] *suave, /* Suavemente grave" (PH, 2, LXXXI, 5-6) (con cambio categorial, inversión sintáctica y oposición conceptual);

"*dudosa* planta" (S1, 191, 527) > "planta *incierta*" (S2, 166, 559) (con inversión);

"pie *errante*" (S2, 166, 559 > "*dubio* pie" (PH, 4, LI, 7) (con inversión);

"*tejió* [...] nidos" (S2, 269, 561) > Nido [...] *enmaraña*" (PH, 1, X, 5) (con inversión y cambio temporal);

"de las escamas [...] vistió de *plata*" (S2, 327, 563) > "*argentó* escama" (PH, 4, CCLXVI, 4) (con inversión, cambió de número y de categoría gramatical);

"lince *sin vista*" (S2, 653, 573) > "*Ciego* lince" (PH, 5, CXLIV, 5) (con inversión);

"*muran* [...] Neptuno" (S2, 657, 573) > "Neptuno [...] *construye*" (PH, 3, XXXIV, 8) (con cambio de número).

2) *Casos en que un elemento es idéntico al de Góngora y el otro se substituye tomándolo del mismo campo semántico*

"*púrpura* tiria o milanés brocado" (S1, 166, 526) > "Donde Milán el *oro* en hebras doma" (PH, 1, XXXIII, 3) (con regresión homosemantemática y cambio de género);

"de *terso marfil* [...] miembros" (S1, 489, 536) > "Miembros de *nácar terso*" (PH, 4, CCXLVII, 5) (con resolución del hipérbaton e inversión sintáctica);

"*honesto* rosicler" (S1, 781, 544) > "*alegre* rosicler" (PH, 3, CXXII, 6);

"esfera *lapidosa*" (S2, 379, 565) > "Esfera de *zafir*" (PH, 5, XVII, 7);

"pompa *ligera*" (S2, 798, 577) > "pompa *flaca*" (PH, 1, CL, 2);

"*culebra* [. . .] tortuosa" (S2, 824, 578) > "tortuoso *caracol*" (PH, 1, LXXVI, 1) (con resolución del hipérbaton, inversión y cambio de género);

"del Ganges, cuya bárbara *ribera*" (L, 11, 710) > "A coronar del Ganges en la espuma" (PH, 5, XXXVI, 5) (con hipérbaton y desplazamiento métrico-rítmico);

"Marañón *valiente*" (L, 14, 710) > "*turbio* Marañón" (PH, 5 CXVI, 7) (con inversión sintáctica);

"mástil *derrotado*" (L, 332, 719) > "mástil *destrozado*" (PH, 4, CXLV, 1);

"tálamo de *Flora*" (L, 422, 722) > "tálamo [. . .] de [. . .] *flores*" (PH, 2, CVIII, 7) (con cambio de número).

"Era del año la estación *florida*" (S1, 1, 522) > "Era del tiempo la estación *ardiente*" (PH, 3, CX, 1);

"Le corre en lecho azul de aguas *marinas*" (S1, 517, 534) > "A la plumosa *playa* de su lecho" (PH, 3, CXXXV, 8) (con cambio de número);

"Tras la garza *argentada,* el pie de espuma" (S2, 749, 576) > "Garza *florida* fue, o lilio de pluma" (PH, 1, CXCI, 8).

La importancia de los materiales que acabamos de examinar radica en el hecho de indicarnos no sólo *lo que* Camargo imita de Góngora, sino también *cómo imita* (esto es, en qué consisten las variantes). El resultado más evidente que puede desprenderse de los mencionados procedimientos, es la libertad y la desenvoltura con que el discípulo utiliza el sintagmario del maestro. Podemos, pues, desmentir probatoriamente la tesis de quienes hablan todavía de lacayo.

C) IDENTIDAD DE LA URDIMBRE LEXICA [89]

Aparte de las identidades totales o parciales que hemos documentado a nivel singtamático o a nivel de secuencias de elementos léxicos próximos, su imitación-creación llega a extenderse a una o más estrofas, como ya lo hemos, visto, de paso, en las distintas notas dentro del párrafo *Identidad total* de este mismo capítulo. No se trata nunca de mera imitación textual inerte sino de utilización de varios (y numerosos) elementos eidéticos (léxicos y/o rítmicos) entresacados de Góngora, mezclados luego como naipes (desintegrándose la estructura sintáctica o fantástica originaria) y vueltos a ordenar de otra manera, personalísima (reintegrán-

[89] Prescindimos, aquí también de la clasificación de los procedimientos estilísticos con lo que C. modifica el texto gongorino puesto que, a esta altura, el lector podrá detectarlos fácilmente por su cuenta.

dose las estructuras según esquemas originales). Ya no se trata entonces de injertar (variándolas) parejas (o grupos) de palabras dentro de un diferente contexto (adopción de sintagmas o grupos léxicos orgánicos), sino de rehacer, recrear enteros y extensos pasajes y episodios, conservando tan sólo la trama léxica esencial (no la sintáctica ni la fantástica); más aún, jugando con ella, en un juego altísimo de malabarista inventivo que compite con su maestro. Ya nos hallamos fuera de la imitación practicada por tantos poetas (menores) de la época y teorizada por los preceptistas; nos encontramos aquí con una verdadera y poderosa creación.

Emilio Carilla, en su *Gongorismo en América,* cit. (pp. 115-116), al cotejar algunos versos de Camargo con los correspondientes de Góngora para demostrar su fuente, no se detuvo en el análisis de los elementos comunes ni en el conjunto del pasaje. Partiremos ahora de los mismos versos, ampliando las muestras y completándolas sintemática y emblemáticamente. Se trata del primer banquete del libro I (LIV-LVII), inspirado en la *Soledad I;* y de la escena de la pesca en el mismo libro (LX y sigs.), la comida marinera del libro III (LXV y sigs.) y el relato del viejo pescador en el mismo libro III (LXXX y sigs.), inspirados todos en la *Soledad II*. Transcribimos, estrofa por estrofa, los versos de Camargo seguidos, a continuación, por los correspondientes de Góngora, y subrayamos los elementos comunes:

Rojo *penda* terliz, *ya que no bello*
sobre el pico, ni adunco, ni torcido,
o fuelle de *zafir* sople en su *cuello*
a su canto, ni arrullo, ni gemido
el *ave,* que en el hombro, o el cabello,
ya del inca es diadema, ya vestido;
que hospedando en sus arcas al oriente,
voló a la *mesa* desde el *occidente.*

(PH, I, LIV).

Tú, *ave* peregrina
arrogante esplendor *—ya que no bello—*
del último *Occidente:*
penda el rugoso nácar de tu frente
sobre el crespo *zafiro* de tu *cuello,*
que Himeneo a sus *mesas* te destina.

(S1, 309-314, 531).

Los elementos idénticos comunes son los siguientes:

CAMARGO	GONGORA
penda	penda
ya que no bello	ya que no bello
zafir	zafiro
cuello	cuello
ave	ave
mesa	mesas
occidente	Occidente.

Los elementos semánticamente equivalentes son:

fuelle [de zafir]	crespo [zafiro]
del inca [. . .] diadema	arrogante esplendor.

Mentida Isis en la piel, pudiera
acicalar en *Argos el desvelo*
de la que el *Tauro* codició ternera,
por darle *ilustre sucesión al cielo;*
lasciva *Parca de las flores era,*
la que (*la luna el cuerno, el sol el pelo*)
víctima cayó idónea, y dio la vida,
por que pródiga fuese la comida.

(PH, 1, LV).

Era del año la estación florida
en que el *mentido robador de Europa*
—media *luna* las *armas de su frente*
y el *Sol* todos los rayos de su *pelo*—
luciente honor del cielo
en campos de zafiro pasce estrellas.

(S1, 1-6, 522).

Los elementos idénticos son:

CAMARGO	GONGORA
mentida	mentido
cielo	cielo
luna	luna
sol	Sol
pelo	pelo

Los elementos semánticamente equivalentes son:

Isis	Europa
Tauro	robador [de Europa]
ilustre sucesión al cielo	luciente honor del cielo
Parca de las flores era	en campo de zafiro pasce estrellas
cuerno	armas de su frente

El ejemplo más notable de desintegración del modelo y reintegración original, está representado por "la luna el cuerno, el sol el pelo", que resume, en una síntesis superior, los versos gongorinos "media luna las armas de su frente / y el Sol todos los rayos de su pelo". Más aún, la expresión sintética y poderosa de Camargo hasta resulta difícil de representarse mentalmente ("su cuerno es como la hoz de la luna; su pelo es luminoso como el sol") *si no nos apoyáramos semánticamente en los versos de Góngora.* Ello significa que el colombiano poetizaba partiendo no sólo de la realidad fenoménica o histórica o fantástica, *sino también de la realidad poética ya consagrada por su maestro:* realizaba la síntesis de una síntesis anterior ya hecha (Góngora es la memoria interna del lector, casi como una segunda naturaleza perfectamente estilizada).

La que, *coral* la cresta, *rubí* el pelo
el gallo fue del prado y los olores.

(PH, 1, XXXVI, 1-2);

Cuantas copias el gallo perezosas
(*ceñido* de rubí *crespo turbante*)
si bellas no, *crestadas celó esposas,*
Gran Turco de las *aves* arrogante,

(ibid. I, LVI, 1-4).

Cuál de ellos las pendientes sumas graves
de negras baja, de *crestadas aves,*
cuyo *lascivo esposo vigilante*
doméstico es el Sol nuncio canoro,
y —de *coral barbado*— no de oro
ciñe, sino de *púrpura turbante.*

(S1, 91-96, 530).

Los elementos idénticos son:

CAMARGO	GONGORA
coral	coral
ceñido	ciñe
turbante	turbante
crestadas	crestadas
aves	aves

Los elementos semánticamente equivalentes son:

rubí	púrpura
crespo	barbado
celó	vigilante
Gran Turco	lascivo
esposas	esposo.

Alma de las arterias de la *sierra,*
en blandas pieles Dédalo mentido,
aquél que en laberintos mil se encierra
en un *taladro* y otros que ha *torcido*
conejo, aún desde el centro de la *tierra.*
(PH, 1, LVII, 1-5).

No el sitio, no, fragoso,
no el *torcido taladro* de la *tierra,*
privilegió en la *sierra*
la paz del *conejuelo* temeroso.
(S1, 303-530).

Los elementos idénticos son:

CAMARGO	GONGORA
sierra	sierra
taladro	taladro
torcido	torcido
conejo	conejuelo
tierra	tierra.

Aquí también el texto de Camargo se hace más comprensible partiendo del texto de Góngora. Es una reelaboración poética que halla su legitimidad semántica más en el modelo que en la realidad fenoménicamente representable.

La continuación del canto se inspira, en cambio, en la *Soledad II*. Hay, pues, un salto en las fuentes. Pero hay también otro salto en el *Poema*

Heroico puesto que la continuación de la *Soledad II* transfiere repentinamente su influencia del libro I al libro III del *Poema* en virtud de aquel malabarismo poético al que ya hemos aludido. Sigamos los textos teniendo en cuenta que ahora la desintegración léxica y eidética, que el colombiano realiza frente al fantasma gongorino, es muy compleja y abarca una extensión muy amplia. En el panorama de naufragio resultante de la explosión pulverizadora, *rari nantes in gurgite vasto,* los fragmentos se recomponen poco a poco *sub specie* camargueña.

Al respecto veamos ante todo, cómo C. concentra en cinco estrofas un conjunto de lexemas y sintagmas gongorinos que en la *Soledad II* se hallan desparramados en un centenar de versos:

y mucha sal no sólo en poco *vaso*
mas su *ruina* bebe,
y su fin, *cristalina mariposa* [90]
—no *alada* sino undosa—
en el farol de Tetis solicita
muros desmantelando pues de arena,
centauro ya *espumoso el oceano* [91]
(S2, 6-10, 554);

[coronado] de *blancas ovas* y de *espuma verde*
resiste obedeciendo y tierra *pierde*
(*ib.*, 25-26);

los escollos el sol rayaba cuando
con *remos gemidores* [. . .]
dos pobres se aparecen pescadores
nudos al mar, de *cáñamo* fiando.
Ruiseñor en los bosques no más blando
(*ib.*, 33-37, 555);

cristal pisando *azul* con pies veloces
(*ib.*, 46);

la prora diligente
no sólo dirigió a la opuesta *orilla,*
mas redujo la música *barquilla*
que en dos cuernos del *mar caló* no breve
sus *plomos graves* y sus *corchos* leves.
Los senos ocupó del mayor leño
la *marítima tropa*
(*ib.*, 49-55);

[90] Para "vaso", "ruina" y "Cristalina mariposa" cfr., en cambio, en PH3, LXXI (véase más adelante p. XC).

[91] Para el sintagma "espumoso el oceano", cfr. también "piélago de espumas" en PH, 3, LXXI, 7.

Aquél, las ondas escarchando, *vuela;*
éste, con *perezoso movimiento*
el mar encuentra cuya *espuma cana*
su parda *aguda prora*
resplandeciente cuello
hace de augusta Coya perüana [92]
a quien *hilos* del Sur tributó ciento
de perlas cada hora.

(*ib.*, 62-68);

Laberinto undoso de marino
Dédalo [. . .]
fábrica escrupulosa [. . .]
siempre murada [. . .]

(*ib.*, 77-80);

sin valelle al *lascivo ostión* el justo
arnés de hueso, donde
lisonja breve al gusto
—más incentiva— esconde:
contagio original quizá de aquella
que, siempre, *hija* bella
de los *cristales, una*
venera fue su cuna
Mallas viste de cáñamo al lenguado,
mientras, en su *piel lúbrica* fïado

(*ib.*, 83-92);

Las *redes* califica menos gruesa
sin romper hilo alguno,
pompa el salmón de las rëales *mesas*
cuando no de los campos de Neptuno,
el travieso róbalo,
guloso, de los Cónsules, regalo.
Estos y muchos más, unos desnudos, [93]
otros *de escamas* fáciles *armados*
dio la ría pescados,
que, nadando en un *piélago de nudos*
no agravan poco el negligente *robre,*
espaciosamente *dirigido*

(*ib.*, 96-107).

[92] Para *Coya peruana,* cfr., más arriba, el párrafo *Introducción del hipérbaton.*
[93] A su vez, el sintagma gongorino "Estos y muchos más" se halla en PH, 3, LXX, 1. (Cfr. más arriba).

He aquí los versos reinventados de Camargo (por los subrayados se puede ver fácilmente las correspondencias):

Alada de dos *remos,* la *barquilla,*
halcón a quien dio el remo *leve pluma,*
de la alcándora absuelta de la *orilla,*
rompe en *región azul* nubes de espuma;
no las *caladas* de su *aguda quilla*
(garzón del mar) el sábalo presuma
falsear veloz o desmentirlas mudo,
que es su garra el arpón que sintió agudo.

Del coso sale, que muró una roca,
a la plaza del *piélago espumoso,*
toro el atún marino, que convoca
al uno y otro *remo perezoso:*
cálase al mar el *fresno* que lo toca,
de un joven *impelido* así nervioso,
que, borrándole al mar limpios cristales,
es ya, varado, *escollo* de corales.

Cimiento el plomo, si la *corcha* almena
nudoso muro al mar la red se tiende
provincias mil de escollos encadena
y *ciudadanos mil del agua prende:*
ni al de *lúbrica piel* vale la arena,
ni el *de escamas armado* se defiende;
que *es la mesa teatro,* en tanta suma,
del secreto ignorado aun de la *espuma.*

El que el *arroyo cristalino* muerde
bruñido junco, ya oficioso cubre
panal de leche, en su *colmena verde,*
de la oveja labrado en ubre y ubre,
con quien, helada, por morena *pierde*
la que ordeñó a las nubes nieve octubre;
canas ésta peinó siempre vulgares,
porque es la leche Adán de los manjares.

Peinóse hebras de nieve la pechuga
sobre la leche, que templó süave
electro, que la abeja que madruga
a libarlo a la flor, cuajarlo sabe;
o se densa en las llamas, o se enjuga
éste, que, medio leche, medio ave,
Centauro es de la *gula,* en el convite,
del griego el metamórfosis repite. (PH, 1, LX-LXIV).

Los elementos equivalentes comunes son los siguientes:

GONGORA	CAMARGO
alada	Alada
muros	muró
espumoso el oceano	piélago de espumas
blancas ovas	panal de leche
espuma verde	colmena verde
pierde	pierde
escollos	escollo
remos gemidores	remo perezoso
nudos del mar	nudoso [. . .] al mar
cristal	cristalino
azul	azul
La prora	halcón
orilla	orilla
barquilla	barquilla
mar caló	cálase al mar
plomos graves	cimiento el plomo
corchos	corcha
la marítima tropa	ciudadanos mil del agua
vuela	leve pluma
perezoso movimiento	remo perezoso
espuma	espuma
cana	canas
aguda prora	aguda quilla
hilos [. . .] de perlas	hebras de nieve
Laberinto [. . .] fábrica [. . .] [siempre murada	Del coso sale que [muró una roca
mallas viste de cáñamo	prende
piel lúbrica	lúbrica piel
las redes	la red
pompa [. . .] de las [. . .] [mesas	es la mesa teatro
guloso	gula
escamas [. . .] armados	escamas armado
piélago de nudos	nudoso muro al mar
robre [94]	fresno
dirigido	impelido

Agréguese que algunos de los lexemas y sintagmas que se hallan en el pasaje de la *Soledad Segunda* cit. no han sido utilizados, como ya lo he-

[94] Pero en el v. 283 de Góngora se halla "cóncavo frexno" con el mismo valor de "barca".

mos visto, por Camargo en las estrofas que acabamos de transcribir sino en el libro III del *Poema*. Recuérdese que los gongorinos "vaso", "ruina", "cristalina mariposa" cits. (además del ya cit. "espumoso el oceano") hallan sus correspondencias en PH, 3, LXXI en un contexto unitario:

> *Cenizas* de cristal en la estrïada
> concha, que es *taza* al huésped, y a ella pira,
> líquida *mariposa* desatada
> en una y otra *cristalina* espira,
> fuentecilla propina; así arrojada,
> que alas de vidrio en un escollo gira
> y en la hoguera de un *piélago de espumas*
> undosa da *rüinas,* si no plumas.

Asimismo, los gongorinos "lascivo ostión", "arnés de hueso", "lisonja breve", "esconde" de los vv. 83-86 cits. hallan sus correspondencias en PH, 3, LXV:

> Nudo de nácar, cuando no *cerrado*
> *botón de hueso,* desató *nocivo*
> *el ostión,* cuyo seno regalado
> *breve* de Venus fue *lecho lascivo;*
> *sinüoso capullo, el enterrado*
> *en la que pira es muerto, y casa vivo*
> *caracol descogió, en cuyos internos*
> *laberintos, son hilos sus dos cuernos.*

Finalmente el gongorino "Estos y muchos más, unos desnudos" del v. 102 encuentra correspondencia en PH, 3, LXX: "Estas y muchas más turbas villanas" (a su vez, en esta imagen de las "turbas *villanas",* debe de estar presente "el villanaje ultramarino" del v. 30 de Góngora).

En el mismo libro 3 de Camargo continúa, por saltos, la imitación de la *Soledad Segunda* de Góngora. Veamos emblemáticamente el relato del pescador ("anciano", como ambos lo llaman):

> *"Días ha muchos, oh, mancebo*
> —dijo el *pescador anciano*—,
> que en el uno *cedí* y el otro hermano
> *el duro remo,* el *cáñamo prolijo;*
> muchos ha *dulces días*
> que cisnes me recuerdan a la hora
> que huyendo la Aurora
> *las canas de Titón, halla las mías,*
> *a pesar de mi edad,* no en la alta cumbre
> de aquel morro difícil, cuyas rocas

tarde o nunca pisaron cabras pocas,
y milano venció con pesadumbre,
sino desotro escollo al mar pendiente;
de donde ese teatro de *Fortuna*
descubro, ese voraz, ese *profundo*
campo ya de sepulcros, que sediento,
cuanto en *vasos de abeto,* nuevo mundo
—tributos digo américos— se bebe
en *túmulos de espuma* paga breve.
Bárbaro *observador,* mas diligente,
de las inciertas formas de la luna,
a cada conjunción su *pesquería,*
y a cada pesquería su instrumento
—más o menos *nudoso*— atribüído,
mis hijos dos en un *batel despido,*
que *el mar,* cribando en *redes* no comunes,
vieras intempestivos algún día
—entre un *vulgo nadante,* digno apenas
de escama, cuanto más de nombre— atunes
vomitar ondas y *azotar arenas.*

(S2, 388-417, 565).

He aquí ahora los versos correspondientes de Camargo:

Años ha muchos, peregrino, dijo,
que la que *lana* ves, fue culta seda,
impelióme *la mar* a que al *prolijo*
cáñamo vil la púrpura suceda
cuando una tabla y *este dulce hijo*
(que ya opulencias, *hoy la barca hereda*)
es mi caudal, que redimió esta arena,
más de piedades que de conchas llena.

No, *observador de la inconstante cara*
del tiempo, escondo el perezoso arado
en la que mal responde tierra avara
el grano, de su crédito fïado;
undoso campo mi barquilla ara,
de su quilla y mis remos inculcado,
y mi *nudosa* hoz, mi *red,* lo obliga
a que en el *pez* me dé escamada espiga.

No poco agrava el alholí marino
de *mi barquilla,* su confusa suma,
que al lugar conducida convecino,
menos pesada la volvió la *espuma*
cuando de plata más cargada vino,
pues plomo *la despido* y vuelve pluma,
siendo en tan corto mar mi *barca rota*
de mi *fortuna perüana flota.*

(PH, 3, LXXXIII-LXXXV).

Los elementos equivalentes son los siguientes:

GONGORA	CAMARGO
Días ha muchos oh mancebo —dijo	Años ha muchos, peregrino —dijo
cedí [. . .] el duro remo	"este [. . .] hoy la barca hereda"
cáñamo prolijo	prolijo cáñamo
dulces días	dulce hijo
profundo campo	undoso campo
vasos de abeto [95]	barquilla
espuma	espuma
observador [. . .] de las inciertas [formas de la luna	observador de la inconstante cara [del tiempo [96]
pesquería	pez
[instrumento] nudoso	nudosa [hoz]
mis hijos	este [. . .] hijo
en un batel despido	[mi barquilla] la despido
el mar	la mar
redes	red

Agréguese que en los últimos versos de Góngora cits., "vulgo nadante", "vomitar ondas" y "azotar arenas" hallan sus correspondientes en Camargo no dentro de la historia del anciano pescador sino antes que empiece la misma:

Las *aguas hiere* con partidas colas
la *arena azota* con mortal rüido
en la oficina undosa de las *olas*
el *vulgo de los peces* oprimidos

(PH, 3, LXXX, 3-6).

[95] Cfr. nota 94.
[96] Camargo realiza, frente al modelo gongorino, un procedimiento de abstracción hiperbarroca substituyendo la *incierta cara de la luna* con la *inconstante cara del tiempo.* Aquí tampoco nos hallamos, pues, ante una imitación inerte.

Para finalizar este cotejo veamos cómo el colombiano transfigura magistralmente la austera persona del anciano pescador recreando originalmente el modelo:

¡Oh, *canas* —dijo el huésped— no *peinadas*
con boj dentado o con rayada espina,
sino con verdaderos *desengaños!*
Pisad dichoso esta esmeralda bruta,
en *mármol* engastada siempre *undoso,*
jubilando la red en *los que os restan*
felices años [. . .]

(S2, 364-370, 564).

Aquesta me *peinaron desengaños,*
prolija *barba, que me nieva el pecho,*[97]
y a éste, cediendo a la fortuna engaños,[98]
lo frágil albergó de aqueste techo:[99]
los tardos me hallarán postreros años,
los *juncos albergando de mi lecho,*
y cisne dulce en mi *nevada pluma*
erigiré mi pira en esta *espuma*[100].

(PH, 3, LXXXVI).

Los elementos equivalentes son:

GONGORA	CAMARGO
Canas [. . .] peinadas con [. . .] [desengaños	Aquesta me peinaron desengaños [. . .] barba que me nieva [el pecho
mármol undoso	espuma
en los que os restan felices años	los tardos me hallarán postreros [años

Ante todo, Camargo transfiere este hermoso pasaje desde la boca del huésped a la del viejo pescador que lo hospeda tiñéndolo, a la vez, de una

[97] Cfr. también más arriba "las canas de Titón, halla las mías" en S2, 395, 565.

[98] A su vez, "cediendo a la fortuna engaños" puede corresponder al gongorino "ese teatro de Fortuna / descubro, ese voraz [. . .]" que se halla, más adelante, en los versos 401-402.

[99] La imagen camargueña de "lo frágil albergó de aqueste techo / [. . .] los juncos albergando de mi lecho" halla su correspondencia en la gongorina "albergue pobre / que, de carrizos frágiles tejido, / si fabricado no de gruesas cañas" que se halla, más atrás, en los vv. 108-110.

[100] Cfr. también el último verso con el gongorino "túmulos de espuma" en el v. 406 cit. de S2.

suave tristeza y serena resignación, que el texto gongorino, en cambio, no contiene: "jubilando la red en los que os restan / felices años" se convierte en "los tardos me hallarán postreros años / los juncos albergando de mi lecho" (vale decir, 'terminaré quedándome inválido en mi lecho de juncos') y el auspicio de felicidad cede el paso al presentimiento de la muerte: "erigiré mi pira en esta espuma" (es decir, 'elegiré la espuma del mar como mi tumba'). La gran fuerza fonomelódica del último verso (también por la prevalencia de *i* y *e*, las más agudas de las vocales) se intensifica posteriormente por la copresencia antitética (metafórica) del fuego ("pira") que quema el cadáver y del mar ("espuma") que lo recibe. También éste es uno de los momentos en que, para nuestro gusto, el discípulo ha superado al maestro.

D) CONCLUSIONES

Hemos visto que la imitación-recreación del colombiano, aparte de la identidad de los principales procedimientos técnico-estilísticos que pertenecen ya al estilo de la época (aunque él los condensa y extrema, tal vez, más que el mismo Góngora), consiste:

a) En la adopción de sintagmas gongorinos (sobre todo bimembres) o de parejas (o grupos) de elementos léxicos homogéneos pertenecientes a sintagmas diversos, que nuestro poeta varía y matiza, ya sea incrustándolos en contextos diferentes dentro del verso, ya sea modificando el orden sintáctico-rítmico, el tiempo verbal, la categoría, la función, el género, el número, el orden sintáctico u otros elementos, ya sea resolviendo el hipérbaton o el encabalgamiento o, al contrario, creándolos, ya sea recurriendo a derivaciones o a regresiones homosemantemáticas, etc. Por supuesto que en estas modificaciones no actúa tanto la intención de diferenciarse de su modelo (puesto que las poéticas y la preceptística de la época eran en esto muy tolerantes) cuanto la de adaptar y, sobre todo, perfeccionar la imagen en un altísimo juego de malabarismo poético en relación con el nuevo contexto. Claro está, que la gran cantidad de elementos asimilados presupone en el neogranadino un conocimiento cabal del cordobés y una memoria poética prodigiosa.

b) En la adopción de una entera constelación de elementos léxico-icónicos gongorinos dentro de extensos pasajes orgánicos. En estos casos, nuestro autor desintegra los complejos fantasmas del modelo para reintegrarlos inmediatamente en forma personalísima (que a veces supera la del maestro) conservando tan sólo ciertos fragmentos compositivos en su nueva estructura caleidoscópica.

En suma, el colombiano, por un lado quiere competir a cada paso con su formidable modelo y, por el otro, el mundo icónico y los correspondientes materiales verbales de éste, se hallan tan compenetrados en el discípulo que ya no se puede hablar más de imitación sino de verdadera simbiosis y sincretismo poético. Se puede decir que Góngora es como una segunda naturaleza para Camargo cuyo cosmos se ha trasladado enteramente a la fábula poética gongorina y, sin embargo, coincide con los movimientos anímicos naturales y sentimentales de lo elemental humano según el conocido espíritu de la épica *ariostesca.* Su libertad expresiva radica en el trasvolar inventivo entre estos dos polos del único universo clásico-barroco.

De todas maneras, el santafereño representa la explosión del gongorismo en América, que se ha producido con atraso respecto a la península pero que ha alcanzado, tal vez, su cumbre más alta.

Claro está que, por un lado, la eclosión del fenómeno ya había sido preparada en el nuevo mundo por autores anteriores, y que, por otro lado, se trata esencialmente de un fenómeno formal, de un patrón icónico-estilístico, de lo que podríamos llamar, en suma, un haz de *isoglosas* de estilo; un molde dentro del cual Domínguez Camargo va hilando su patrimonio ideológico, surtiéndose ampliamente en la tradición épica ítalo-hispánica, que conocía perfectamente, y en la sub-tradición épico-religiosa (especialmente ignaciana) en la que ha llegado a ser, ya sin lugar a dudas, la máxima cumbre.

GIOVANNI MEO ZILIO.

CRITERIO DE ESTA EDICION

El texto de la poesía y prosa recogidas en este volumen sigue el publicado en las OBRAS de Hernando Domínguez Camargo del Instituto Caro y Cuervo (Bogotá, 1960), cuya edición estuvo a cargo de Rafael Torres Quintero. Las erratas advertidas han sido, obviamente, corregidas.

I

SAN IGNACIO DE LOYOLA
POEMA HEROICO

SAN IGNACIO DE LOYOLA

FUNDADOR DE LA COMPAÑIA DE JESUS

POEMA HEROICO

Escribíalo el doctor don Hernando Domínguez Camargo, natural de Santafé de Bogotá del Nuevo Reino de Granada en las Indias Occidentales. Obra póstuma. Dala a la estampa y al culto teatro de los doctos el maestro don Antonio Navarro Navarrete. Acredítala con la ilustre protección de Reverendísimo P. M. Fr. Basilio de Ribera, dignísimo Provincial de la esclarecida familia del serafín y querubín en el entender y amar, el grande Agustino, en esta provincia de Quito. Año 1666.

Con licencia. En Madrid, por Ioseph Fernández de Buendía.

[DEDICATORIA AL P.M. FRAY BASILIO DE RIBERA]

Reverendísimo Padre:

Deseaba que me ofreciese el cielo ocasión en que pudiese manifestar a todos, publicar al mundo, las relevantes prendas que a manos tan llenas le ha franqueado el Omnipotente: los honores, lustres y aumentos que le debe esta floridísima Provincia; y en particular, lo suntuoso en todo de este famoso templo y convento de Quito.

Esto solicitaba mi amistad, cuando me deparó mi dicha el grande poema del mayor capitán, del más esforzado General de la Compañía de Jesús; el mejor héroe que tuvo y aclamó su siglo, san Ignacio de Loyola, que en nombrarlo se ha dicho su mayor encomio, compuesto por el doctor don Hernando Domínguez Camargo: el más culto e ingenioso poeta, no sólo del Nuevo Reino de Granada, su patria; pero, a mi entender, el refulgente Apolo de las más floridas Musas de todo este Nuevo Orbe.

Llegó a mis manos, como obra en quien su autor aún no había echado las últimas líneas de la elegancia y primor, por haberle atajado la muerte cuando con más calor trataba de ajustarla, sucediéndole lo que lamentaba de sus escritos el grande Ovidio:

Defuit et scriptis ultima linea meis [1].

Dolor no pequeño para el corto caudal de mi vena, sobre los muchos años de ociosa; pues cualquiera cosa que añada, no será escribir, sino borrar, y que a lo claro de sus luces sobresalga mejor lo obscuro de mis sombras, pues sólo el ingenio de tal Apolo, los rayos de tan refulgente sol, pudieran limar e ilustrar sus mismos versos; verdad que aseguró el mismo Nasón de los suyos:

[1] Ovid., *lib.* 1 *Trist., eleg.* 6, v. 30.

Quidquid in his igitur vitii rude carmen habebit,
emmendaturus, si licuisset, eram[2].

Por toda censura atropella mi insuficiencia, sólo por lograr una tan bien nacida ansia. Y aunque siempre haya de quedar atrasado en la alabanza, no paso por el sentir de Favorino, cuando defendía que era mejor la injuria que el elogio si éste se quedaba entre la tibieza de un desmayado decir, entre los encogimientos de un corto pensar: *Turpius esse dicebat Favorinus Philosophus, exigue atque frigide laudari, quam insectanter et graviter vituperari.* Menos me convence la razón de su paradoja: *Qui infoecunde atque ieiune laudat, destitui a causa videtur; et amicus quidem creditur eius, qui laudare vult, sed nihil posse reperire, quod iure laudet*[3]. Pues no alcanzaba que hay héroes de tan altas prendas, que por más que se esfuerce la elocuencia, siempre queda corta y fría en sus elogios; y que sus muchos méritos pudieron entibiar la lengua y desmayar la pluma. ¿Quién defenderá por menos activas las luces del sol, porque la más aguda vista palpite a sus rayos y cese a sus resplandores?

Y por no deslumbrarme entre los muchos con que V.P.M.R. ilustra, no sólo esta esfera religiosa, pero toda esta ciudad y provincia, y aun el Perú todo, habré de carearme con los que, por más usuales, a cada paso tropieza nuestra vista: que haberlos hecho tan tratables su afabilidad y modestia, me excusará de conocidos riesgos. Mas ¿qué mucho, pues desde la juventud rayaron como pudieran en la edad más adulta? He sido testigo de aquel cariño y aplicación a las cosas de Dios, al aumento de su religión, al culto sagrado; de aquella gran capacidad de que le dotó el cielo; de aquella natural elocuencia, que sin estudio pudiera emular la más afectada; de aquella comprehensión universal en todas letras, divinas y humanas; de aquella urbanidad y cortesía, que ha sido el imán con que ha robado los corazones de todos, en cuya escuela podían doctorarse los más presumidos políticos; de aquella fidelidad y generosidad para con los amigos, adquiriendo un valimento estrecho con los mayores señores de esta República, una competencia modesta con los más superiores de ella, una aclamación general entre los nobles y plebeyos.

Porque próvida la naturaleza y la gracia disponen, que aun en aquellas primeras fajas de la religión se brujulee, de algunas luces de juveniles hechos y virtudes, lo grande de un talento, formándole y aun destinándole desde entonces para los supremos puestos: *Habent suam virtutes infantiam* (dijo un ingenioso panegirista de estos tiempos), *quae tamen non obscure dignitatem indicet, quousque in immensum coalescentes pro corporis capacitate latius earum difundatur splendor: arborum quidem tenerum instar, quae a primis foliis specimen naturae ubertatis ostendunt, ingentes animi, pueritiae angustiis coarctati, suam vaticinantur magnitu-*

[2] Idem, *ubi sup.*, distic. ultim.
[3] Aul. Gel., *Noct. Atticar.* lib. 19, c. 30.

dinem [4]. Con tan gloriosos principios, ya desde entonces le anunciaban, los que le atendían cuidadosos, el supremo grado que hoy ocupa eminente: *Soli omnium contigit tibi, ut Pater Patriae esses, antequam fieres; eras enin in animis, et iudiciis nostris* [5], dijo Plinio de su Trajano, y yo con menos afectación de V.P.M.R.

En su propio nombre trae el oráculo de su gobierno, porque *Basilius nomen regium plane est, ac idem quod Rex.* Así un ingenio moderno, deduciéndolo de la palabra griega; y antes nos lo tenía advertido el Metafraste, hablando del Gran Basilio [6]. Y si el dulce y florido Ambrosio halló que el nombre de *Inés,* que significa lo mismo que *Cordera,* no tanto había sido nombre de mujer, cuanto oráculo de mártir y profecía de su sacrificio: *Sed oraculum Martyris, quod indicavit quid esse futura;* habiendo visto a V.R. desde su juventud, por el discurso de casi veinte años, siempre ocupado en Prelacías, ¿por qué no diré que lo mismo fue ponerle el nombre que señalarle súbditos; darle la investidura de superior, abrigando en las mantillas y fajas, como la rosa en botón, la púrpura y corona de que después la ciñe reina, y luce su grandeza?

Estos anuncios dichosos, estas heroicas prendas y virtudes, hicieron que tan temprano madrugase a los puestos, pues aún no contaba los treinta y tres años de su edad, cuando se vio V.P.M.R. laureado con el supremo grado de Maestro, Prior de este Convento y Visitador de toda su Provincia, cediendo muchas beneméritas canas el puesto a su capacidad: *Magnum profecto fidelitatis genus, obtinere sine contentionibus Principatum, et illa Republica adolescentem Dominum fieri, ubi multos constant maturis moribus inveniri* [7]. Y en hombros de sus méritos hubiera subido luego a la eminencia del Provincialato, si la malignidad de los tiempos no le hubiera obligado a peregrinar a Roma. Alta providencia del cielo, para que no sólo este clima, sino el otro, se ilustrase con los crecidos rayos de su saber y prudencia.

Pero cuando, dejado aquel mundo, volvió V.P.M.R. (como sol que otra vez nace) a hacer su oriente en este nuestro ocaso: *Orientem in occasu solem patefecisti* [8], ¿quién podrá explicar los júbilos y alegres ansias con que le recibió toda esta ciudad y provincia, los gozosos parabienes que se dio de su llegada, el cariñoso afecto de sus mayores amigos, el gozo universal aun en los menos conocidos? Todos, con la dilatada noche de su ausencia, deseaban festivos que alegrasen sus corazones los rayos de su amable presencia. Pero ¿qué mucho, pues la equidad de V.P.M.R., su constancia y piedad fueron las luces que con crecidos logros

[4] Nájera, in *Panegyr. ad Ludovicum Méndez de Haro.*
[5] Plin., in *Panegyr. ad Traj.*
[6] P. Didac. de Avend., in suo *Epital. iud. ad Conc. in fest. S. Basilii.* Nunc autem, is quoque qui nomen aut cognomen habet Regni, post magnum illum Baptistam, hodierna die, qui est dies suae resolutionis, omnes populos ad Baptismum adhortatur. Simeon. Metafr., *de Circ. Domini.*
[7] Cassiod., *lib* 8, *Epist.* 2.
[8] Poza, in *Panegyr sui Eluci. ad Ioann. de Villela.*

aumentaron sus dichas, publicaron su gloria; *Quae tui avida [turba] occurrit intranti? Quae colloquia? Quis amor? Quae universorum laetitia? Omnes sibi tam augustum, tam salutare sidus votis omnibus iam pridem exoptabant. Sic tua aequitas, pietas et constantia, Nobilissimae Provintiae, Civitatisque nostrae gloriam qua oportuno benignitatis imbre, qua ubere et foecunda luce largitatis extulit* [9]. Y cuando ansioso deseaba V.P.M.R. ser el menor de sus hermanos, ellos, estimulados de una gloriosa ambición de sus felicidades, le ofrecieron concordes el puesto, le rogaron con el honor supremo de su Provincia. Agravio hiciera a unas palabras de Nacianceno, hablando de su amigo el gran Basilio, si no las acomodara a otro Basilio: *Nec per vim potestatem potitus, nec honorem persecutus, sed ab honore quaesitus; nec humano favore, sed divinitus, Dei gratia consecutus* [10].

Mas ¿qué mucho que la elección al gobierno de V.P.M.R. no apellidase a la neutralidad del escrutinio? Porque hablaron alto sus méritos, ellos le eligieron primero; porque si buscaban un varón a todas luces sublime, con todas las calidades de una grande cabeza, para aumento de la disciplina religiosa, para créditos de la agustiniana familia, ¿cuál más a propósito que V.P.M.R., ilustrándola ya con su sabiduría, estableciéndola ya con su equidad, ya con su prudencia? Y enseñados de la experiencia y atónitos con su dicha, veneran la Eterna Providencia pues sobrepujó con los aciertos las flacas esperanzas de los hombres: *Optabant omnes virum, qui summa prudentia Rempublicam gubernaret, qui suavi alloquio obduratos calamitatibus animos mulceret* (dijo el otro panegirista de su Mecenas [11], y yo con mayor verdad del mío); *qui sapienti consilio perditis in rebus spem erigeret; qui corruptam disciplinam ad pristinum tenorem severitate restitueret; et demum qui labantis Reipublicae dignitatem stabiliret. Attamen, haec munia cum a te exacte impleri experti sunt, tu unum illis expetivisse vocibus deprehenderunt; imo, votorum compotes admirantur, quanto melius facta praestiterint, quam homines speraverint.*

Mucho debe toda esta Provincia al R.P.M.F. Francisco de la Fuente y Chávez, mas sólo fue la fuente de sus medras; V.P.M.R. no sólo la Ribera, pero el caudaloso río de sus mayores crecimientos, ennobleciendo a aquella primera fuente con los mayores logros de sus fecundas corrientes: *Praeclari fontes fiunt ex fluminum celebritate manantium, ut mirandum non sit Parentes ex pignorum magnitudine beari* [12]. ¿Quién puede negarle la mayor antigüedad a la luz? Pero todos confiesan que, aunque postrero, el sol se aplaude por más noble, como monarca de todos los resplandores, aumentándola y enriqueciéndola con más crecidos rayos, como a su primer origen: *Lux tamen antiquior; iunior sol, sed splendidior, lucida pietate almam genitricem honorat; quae prorsus obscura maneret,*

[9] Poza, *ubi supra.*
[10] Greg. Nazia., *Orat. Panegy. in D. Bas. Mag.*
[11] Nájera, *ubi supra.*
[12] Nájera, *ubi supra.*

si tantus lucis faetus non subsisteret. No podemos negar que nuestro R.P.M.F. Francisco de la Fuente fue la primera luz, como la primera fuente de esta Provincia; pero V.P.M.R., el sol que la ilustra; y entre tinieblas quedaran sepultados sus gloriosos hechos, si como sol e hijo tan reconocido, no las hubiera renovado con nuevos rayos, fomentado con más crecidos resplandores. Ahora entiendo aquel enigma o jeroglífico que V.P.M.R. levantó ostentoso en medio de su claustro, en aquella pila o fuente coronada de un sol; y todo fue ingenioso comento, a mi entender, de aquella misteriosa fuente de Ester, que pasando a río, remataba en sol: *Parvus fons, qui crevit in fluvium, et in lucem solemque conversus est* [13], pues todos los logros de aquella primera fuente fueron los crecidos rayos de este sol. No necesita de aplicación, cuando está tan claro y ajustado el misterio.

Comenzaré a numerar algunos rayos de las virtudes y heroicos hechos de V.P.M.R., que por más templados, se dejan tratar de la vista. Bien sé que se ha de ofender su modestia, y que le ha de dar en rostro la llaneza con que le trata mi amor; pero si hubiere algún exceso, sólo está de parte de sus relevantes prendas, que motivaron los elogios. En ellos no puede errar mi amistad, porque, aunque me los dicta el afecto, como es su llama sin humo, no puede cegarle ni hacer que delire la pasión: *Ignitus voluntatis ardor, intellectus lumen augebit; amoris namque nobilis flamma, emicat sino fumo qui discursus caliginet oculos* [14].Y así, apelo de la modestia de V.P.M.R., a la verdad; ni recelo desagradar a aquélla, como satisfaga a ésta.

Preceda a las demás virtudes la prudencia como reina y maestra de todas. "Con sus tesoros no sólo enriquece en quien se halla, más le ennoblece (decía el Casiodoro), con mayores ventajas que a los poderosos del mundo las muchas riquezas heredadas" [15]. ¿Quién más noble se puede acreditar en esta virtud, que V.P.M.R., pues en lo crecido de su caudal a ninguno cede? "La carta del gobierno se delineó por la altura de su prudencia". ¿Quién no experimenta gustoso ésta, con tan firme base? Un disimular a lo cuerdo, un no reñirlo todo, un no darse por entendido en las ocasiones, ¿de qué achaques no ha convalecido a muchos? Llagas, que en manos de otro menos perito hubieran acabado con el doliente, a destrezas de la prudencia de V.P.M.R. han experimentado milagrosos efectos. Y por templar la compasión con el castigo, ni se olvida del todo de los achaques humanos, ni del todo se hace de parte de sus flaquezas. *Eo quidem viro Respublica indigebat, qui prudentia exulceratis vulneribus mederetur, et qui se nec nimis oblivisceretur hominem esse, nec ultra modum meminisset* [16].

[13] *Esther,* c. 10, v. 6.
[14] Nájera, *ubi supra.*
[15] Cassiod., *lib.* 8, *Epist.* 19.
[16] Nájera, *ubi supra.*

Muy como hermana de la prudencia, tuvo la clemencia en el pecho de V.P.M.R. su propio templo, sus más religiosas aras:

Haec dea pro templis, et thure calentibus aris,
te fruitur, posuitque suas hoc pectore sedes [17].

Mejor que a Estilicón le ajusta el elogio. ¿Qué súbdito no tiene experimentadas sus piadosas entrañas, reformando, a imitación divina, más con los amagos que con las ejecuciones?

Contentus solo terrore coercet,
aetherei Patris exemplo, qui cuncta sonoro
concutiens tonitru, Cyclopum spicula differt
in scopulos [18].

¿Qué victorias no cantó la obediencia, cuando la apadrinó la clemencia? Huella los montes más inaccesibles, como pudiera los llanos más tratables; a su mandar están las dichas; a su imperio sujeta la fortuna: *Is enim vincit assidue qui novit omnia temperare, dum iucunda prosperitas illis potius blanditur, qui austeritate nimia non vigescunt* [19].

Acompañó siempre V.P.M.R. el rostro con el corazón; ni el súbdito temió doblez en éste, ni engaños en el otro. Menos por el recibido agravio mintió serenidades a la vista, retiró rencores al alma, para ejecutar después más a su salvo la venganza; índice fiel fue el semblante, de la verdad del pecho.

Non virus in alto
Condere; non laetam speciem praetendere fraudi,
sed certum, mentique parem, componere vultum [20].

Aun allá Casiodoro, para que asistiesen al lado del príncipe y ayudasen a sustentar el peso de su corona, como colaterales de su gobierno, buscaba unos hombres a quienes en el rostro se les leyese el alma, y aun a los ojos de todos, sin sondarles el corazón, manifestasen sus costumbres, hiciesen alarde de sus virtudes: *Tales enim decet esse aulicos viros, ut naturae bona indicio frontis aperiant, et possit cognosci de moribus cum videntur* [21]. Muy bien sabe V.P.M.R., que al súbdito que conoce esta ingenuidad de los superiores, no sólo le concilia el amor, le arrebata a la veneración; pero hace que gustoso le entregue las llaves del más oculto retiro del alma.

[17] Claud., de *laud. Stelic.*, prope princ. lib. 2.
[18] Aquí el mismo Claud.
[19] Cassiod., *lib.* 2, *Epist.* 41.
[20] Aquí el mismo Claudio.
[21] Cassiod., *lib.* 8, *Epist.* 14.

Su piedad generosa no aguarda a verse solicitada del ruego del menesteroso; su miseria aboga en su tribunal, para que salga más breve el despacho: *Ipsa enim perfecta pietas, quae antequam flectatur precibus, novit considerare fatigatos*[22]. Es muy caro el beneficio que se compra a precio de vergüenza; tanto más crece en la estimación, cuanto el agrado y liberalidad se adelantaron al ruego, pues suceden los alegres arreboles de la gratitud, al confuso carmín de la vergüenza: *Haec sunt vera beneficia, quae non precibus efflagitata, sed ex voluntaria tua benignitate proveniunt; et citra ullam petendi molestiam, adipiscendi voluptatem dederunt*[23]. No sólo observa V.P.M.R. este estilo para con los de su familia, y para con los mendigos de afuera; pero, con mayores ventajas, para con los amigos: porque, como tan cuerdo, reconoce que no hay poder ni tesoros que así aseguren un gobierno, como los que lo son verdaderos, a quienes la lealtad y el beneficio aseguraron firmes: *Non exercitus, neque thesauri, praesidia regni sunt; verum amici, quos neque armis cogere, neque auro parare queas, officio et fide pariuntur*[24]. Y llega a ser V.P.M.R. tan inclinado a hacer bien a todos, que anda siempre a porfía su liberalidad con la necesidad ajena: *Tanta tibi benefaciendi vis, ut indulgentiam tuam necessitas emuletur*[25]. Y aunque nunca se deja vencer aquélla, siempre he reconocido que no anda muy sobrada: porque lo que otros muchos estudian en acaudalar, por guardar, V.P.M.R. por gastar a lo grande, por derramar a lo religioso.

Bien lo publica este suntuoso templo, hallándose más ventajoso con sus reparos, que si lo hubiera sacado de sus cimientos; pues enmendando sus defectos, ha hermoseado su arquitectura. Su adorno lo publica mejor: pues desde la capilla mayor al coro, todo es una ascua de oro en hermoso laberinto de lazos, admirando la vista, entre lo artificioso de su escultura, primores del pincel, esmeros del ingenio; y por ceñirnos todo un cielo al breve espacio del templo, brillantes estrellas de oro trasladan los astros del firmamento al campo azul de la media esfera que le corona. Si paso al coro, ¿quién no admira la sillería nueva con que le ha hermoseado? Y porque no se queje la vista cuando está tan bien regalado el oído, ha querido divertirla con la curiosidad y variedad de labores que le ciñen y adornan. Si vuelvo al altar mayor, ¿quién no admira aquella hermosa y espaciosa lámpara, que en el peso y grandeza substituye por muchas; tan costosa en todo, que no sólo se halla abrumada, pero tal vez ha flaqueado lo fuerte de la bóveda que la sustenta? Y si salimos fuera del templo, apenas habremos dejado sus umbrales cuando nos llamará la vista aquella hermosa portada, adonde no sólo el arte tiene que copiar primores, pero su grandeza, en que se diviertan y desahoguen los ojos. Y si nos entramos a la sacristía, hallaremos tributarias de su riqueza y adornos a Cambaya,

[22] Cassiod., *lib.* 4, *Epist.* 26.
[23] Eumeni, *Ad Constant.*
[24] Salust., *De bello Iugurt.*
[25] Plin. Iun.

al Potosí, al Sur, a Murcia y a Milán, en los cálices, blandones, casullas y frontales. Y todo este conjunto, por medio de los ojos y oídos, embarga la voz, llama la admiración y el pasmo.

Así introduce nuestro poeta al glorioso san Ignacio de Loyola, embestido de la grandeza del templo de Monserrate, la primera vez que, huyendo del siglo, veneró sus aras; que sin hipérbole ni violencia alguna, puedo aplicar al adorno de nuestro templo, traslado de la fecunda idea de V.P.M.R.:

Las almas que ha mentido la pintura,
el oro que ha prendido en el brocado,
la que la voz desperdició dulzura,
las perlas que anegaron lo bordado;
los que formó milagros la escultura,
la beldad que en los bultos ha voceado,
hoy son admiración, y tu alta idea
resalta en todo, en todo centellea. [II, 78] *

Es V.P.M.R. un David, un Salomón, un Zorobabel religioso, un Ciro cristiano, pues tan sagradamente arde en su corazón el edificarle, adornarle y adelantarle su templo y culto a Dios. Y si fuera verdadera la opinión de Pitágoras, juzgáramos que se había trasladado el espíritu de cualquiera de estos famosos héroes en V.P.M.R., o que todos juntos alentaban su generoso pecho, pues tan ardientemente vive en el celo del aumento, del honor y gloria de la casa de Dios. Pero quien más gloriosamente le retrata es el gran Simón, hijo de Onías, que con tan crecidos y debidos encomios le celebra el Eclesiástico; el cual, sobre los fundamentos y templo que construyó Zorobabel, hizo tantos reparos y adornos, y levantó a tan sublime perfección el edificio, que le alzó con la gloria de su mayor hermosura y grandeza: *Simon, Oniae filius, Sacerdos Magnus, qui in vita sua suffulsit Domum, et in diebus suis corroboravit Templum* [26].

Adelantó a los suyos (prosigue el texto) en virtud y observancia de la divina ley, y los apartó del camino de la perdición y último despeño de los vicios. El fue el que, con su urbanidad y discretas razones, arrebató los corazones y consiguió el aplauso de todos, siendo la corona y última gloria de su república: *Qui curavit gentem suam, et liberavit eam a perditione; qui adeptus est gloriam in conversatione gentis suae.* Fue el más resplandeciente lucero, a pesar de las nieblas de contrarias emulaciones; luna, en la plenitud de sus méritos; radiante sol, en la esfera del divino templo; vistoso iris, precursor de la deseada paz, y arco triunfal del poder

* Los dos últimos versos de esta octava han sido cambiados por el prologuista (N. del E.).

[26] *Ecclesiasti.*, cap. 50, v. 1.

y gloria divina: *Quasi stella matutina in medio nebulae; et quasi luna plena in diebus suis lucet: et quasi sol refulgens, sic ille effulsit in templo Dei; et quasi arcus refulgens inter nebulas gloriae.* Y entre sus hermanos y sacerdotes se levantó como el eminente cedro, que se descuella entre esotro vulgo de plantas, hallándose coronado, como de victoriosa palma, de sus propios hijos: *Circa illum corona fratrum, quasi plantatio cedri in Monte Libano; sic circa illum steterunt, quasi rami palmae; et omnes filii Aaron in gloria sua.* Reformó el coro y adelantó la música, con la destreza del arte, al último punto de su melodía: *Amplificaverunt psallentes in vocibus suis, et in magna domo auctus est sonus suavitatis plenus.*

¿Qué señas da el Eclesiástico, de este gran Pontífice; qué elogios publica suyos, que no le cuadren a V.P.M.R.? Y principalmente, si atiendo a que él fue el que primero abrió escuelas, puso cátedras, y adelantó los estudios de las Sagradas Letras que con la revolución de los tiempos estaban ya caídos: *In diebus suis manaverunt putei aquarum, et quasi mare adimpleti sunt supra modum* [27]. Así declara estas palabras la Glosa Ordinaria: *Putei aquarum, profunditates Scripturarum, quae in divinis libris sub fuguris latent.* Y la Interlineal había dicho antes: *Suffulsit domum id est, verbo doctrinae sinagogam, sicut doctores nostris temporibus Ecclesiam.* Doblemos aquí la hoja, que otra vez en su lugar nos llamarán las cátedras y letras; que esto ha sido ajustar el paralelo de V.P.M.R. con un varón tan grande.

¡Oh, qué glorioso elogio se pasaba por alto a lo humilde de mi pluma, que no menos le viene nacido a este Pontífice Sumo, que ajustado a V.P.M.R.! Que pues el Sagrado Texto le acuerda a las edades, por singular hecho de tan gran varón, justo es que yo deje material de agradecimiento a los que le sucedieren en tan eminente puesto, y que vaya pasando de unos labios en otros, porque viva reciente, no menos en la voluntad que en la memoria. *Qui praevaluit amplificare civitatem; et ingressum domus, et atrium amplificavit* [28]. No se contentó Simón con adornar e ilustrar con tanta magnificencia el divino templo; pero derribando las cercas que le estrechaban, desahogó el sitio, señoreóse más su capacidad, para que con mayor grandeza se levantasen los edificios en que viviesen los levitas y sacerdotes que continuos asistían a lugar tan santo, y se ajustasen a su tamaño las demás oficinas sagradas. Así entiende este lugar el doctísimo Saliano, honor grande de la sapientísima religión de la Compañía de Jesús, asegurando que no tanto pretendió adornar la ciudad con nuevos palacios, cuanto el templo con famosos edificios para sus ministros, porque eran tantos los que le ceñían por todas partes, que parecía una ciudad en limitado sitio: *Salianus* (alega otro ilustre hijo de tan sagrada familia) *per civitatem accipit templum. Simon amplificavit exedras, porticus caeterasque domos, et fabricas templo annexas: templum enim multa*

[27] Glos. Ordin.
[28] *Ecclesiasti.,* c. 50 v. 5.

continebat aedificia, eratque quasi parva civitas; unde civitas vocatur, Ezequiel 40 [29].

¿No es esto lo que sucede a V.P.R.? Nadie lo ignora. Hallábase la capacidad de su corazón ahogado con la estrechura de su convento (ventajoso sin duda al de los prelados que le precedieron, pues les venían anchos tan cortos límites, tan apretada cerca); echaba, digo menos, lugar no sólo para la vivienda de sus hijos, pero principalmente para las oficinas más necesarias de la casa: y porque fuese todo conforme a la majestad y grandeza del principal claustro, necesitaban de más capaz y desahogado sitio. Todo lo facilitó su mucha autoridad y grande eficacia de V.P.R., recaudando de la ciudad la Calle Real inmediata a la última cerca; y derribada ésta, le agregó las casas vecinas; y señoreada de otra cuadra, corre ya plaza de una breve ciudad.

¡Oh, qué vigilante vive V.P.R. a los aumentos de su religión y familia sagrada, pues quitadas las fajas de su encogimiento y pequeñez, extiende a fomento de tanto padre los brazos de su grandeza, ya con los edificios, que la elevan eminente, ya con la multitud de hijos y habitadores, que la ilustran nobles! Parece que delineaba el escritor sagrado a V.P.R., cuando pintaba con los primores de su elocuencia a Simón, Pontífice Sumo; pues siendo Jerusalén ciudad pequeña, ceñida al ámbito corto de sus muros, excedidos éstos (en sentencia de Cornelio), la engrandeció con nuevos palacios, plazas y habitadores ilustres: *Igitur Simon amplificavit Ierusalem et Sionem, tum plateis et domibus, tum civibus et incolis* [30], sacándole de las primeras fajas de su niñez a la edad adulta de su excelencia. Que si, antes, los que precedieran a V.P.R. podían lamentar la pequeñez de su familia y casas, la cortedad de sus estudios, y primeras mantillas de su educación, como en otro tiempo los allegados de la Esposa: *Soror nostra parva est, ubera non habet* [31]; pero ya, a fomentos de tan gran prelado y maestro, puede blasonar la grandeza de una populosa ciudad, ceñida de extendidas cercas o muros; sus clases y estudios, de eminentes torres: *Ego murus, et ubera mea sicut turris.*

Y volviendo a nuestro templo, hallo que el que erigió a Dios Salomón en Jerusalén fue el primer desvelo de su cuidado; después, el palacio de su habitación: quizá por no hallarse embarazado a un tiempo en la grandeza de tamaños edificios. Pero la capacidad del corazón de V.P.M.R. es tan grande, que atendiendo, con el desvelo que vemos, al adorno de la Iglesia, prosigue cada día con más calor, no sólo en la erección de la portada, en que ha tantos meses se esmera el primor y el cuidado, pero también en el edificio interior: pues acabado el *de profundis,* en breve veremos consumado el refectorio. Obras tan grandes, que ellas solas sirven de segundo claustro; tan fuertes y soberbias, que en su eminencia

[29] Cornel. a Lapid., in cap. 50 *Eclesiast.*

[30] Cornel., *ubi supra.*

[31] *Cant.*, cap. 8, v. 10.

se hallan divididas muchas celdas con la capacidad del claustro primero, que admiramos ya perfeccionado, no sólo con todo el primor de la arquitectura, pero con los esmeros y aliños que publica la fama de tantos retablos que acuerdan la vida de su gran padre, Agustino: ya con los atributos de esta mayor lumbrera de la Iglesia, adonde los pinceles más delicados pudieran estudiar perfecciones; ya con la pila, o fuente, coronada del sol (cuyos rayos antes se miraron a otra luz). Y al presente hallo un jeroglífico cabal de la sabiduría, que alumbra ya con sus rayos, que fecunda ya con sus corrientes, como quien tiene su origen y propio cielo en casa de Agustino, y porque en ningún tiempo anochezcan las tinieblas de la ignorancia tan lúcido hemisferio, han cogido entre puertas al sol, y trasladado su esfera a lo capaz de su claustro.

Y aunque Casiodoro halla por esmero de una capacidad prudente entregarse a las fábricas y suntuosos edificios, para revelar el ánimo de ocupaciones más serias y molestas: *Et ideo, magna voluptas est prudentíssimae mentis, pulcherrima iugiter habitatione gaudere, et inter publicas curas animum fessum reficere dulcedine frabricarum* [32]; pero tan entregado veo a V.P.R. al aumento de su religión, al interés y descanso de sus hermanos, y tan bien hallado con sus cuidados y afanes, que porque ellos logren el alivio y descanso que traen tan costosas fábricas, toma para sí el desvelo que ellas ocasionan.

Pero yo hallo por mi cuenta, que sin querer ha escogido V.P.M.R. el rumbo para el aplauso, el camino para la fama, y el medio único para la inmortalidad: porque no hay canto, no hay ladrillo, no hay sillar en este suntuoso edificio, que no se haga labios y lengua para divulgar por todo el mundo tan religiosos desvelos, en que V.P.M.R. gloriosamente se ocupa; y si es casi inmenso el número de piedras que eleva tanta fábrica, crecidos serán los gritos, muchos los ecos que multipliquen sus voces, porque ninguno ignore lo que le debe esta ilustre Provincia. Parece que habla sólo con V.P.M.R. aquel ingenioso panegirista, según me cortó ajustadas las palabras. *Est eadem natural laudis in alios effusae, quae vocis in cava saxa prolatae: pro singulis, resonante echo, multiplices referuntur; nec pro unius tantum singularitate proferentis, sed pro saxorum numero pluries verbi reflectuntur imagines* [33]. Pero lo que me admira, es que, siendo tan excesivo el gasto en lo suntuoso de tan grandes edificios, le falta a V.P.M.R. qué gastar, cuando el más opulento caudal de un príncipe se hubiera agotado. Pero ¿qué dudo, cuando hace las causas de Dios, que se pica de generoso, cuando V.P.M.R. le emula más liberal en su servicio? *Profusis, scilicet, opibus, provocas divitem numinis manum in aemulan profusionem* [34].

[32] Cassiod., *lib.* 7, *Epist.* 3.
[33] Nájera, *ubi supra.*
[34] Ant. Velásquez.

No sólo edificó V.P.M.R. casa a Dios y a sus hijos; pero también a la sabiduría: que tan ilustres generales son alcázares y palacios suyos. Y si en algún tiempo peregrinó, por no venerada, de sus propios lares; a instancias, vigilias y desvelos de V.P.M.R., vive en ellos como en su propio centro. Y si por sus muchas letras le ha escogido la sabiduría por substituto suyo, diré que este alcázar se ha levantado para V.P.M.R. y que le cuadra lo que ella dijo de sí misma por Salomón: *Sapientia aedificavit sibi domum* [35]. Así es verdad, todos lo sabemos; pues ni ese supremo gobierno, ni los muchos cuidados que le rodean, le embarazan ni divierten para que no asista, no sólo a los actos públicos, pero a las conferencias de todos los días, desde la cuestión más pueril de súmulas, hasta la más suprema de la sagrada teología. Y ¡qué bien se ha lucido sus estudiosos afanes, pues resuenan las voces de sus hijos en cátedras y púlpitos y en tantas conclusiones y justas literarias, y sus ecos por toda el América y Europa, alientos de su religioso espíritu y sabiduría grande!

¿Qué emulación no vive en los maestros y discípulos, aspirando unos a aventajarse a otros en el estudio y letras? ¿Qué agudeza en los argumentos, no queriendo cederse en el ingenio? ¡Qué fervorosa y caliente anda esa tarea estudiosa, por fabricar como solícitas abejas los suavísimos panales, las provechosas ceras, para el regalo del espíritu, para luz del entendimiento!

Qualis apes aestate nova per florea rura
exercet sub sole labor, cum gentis adultos
educunt foetus, aut cum liquentia mella
stipant, et dulci distendunt nectare cellas;
. . . .
fervet opus, redolentque thymo fragrantia mella [36].

Animados todo con el ejemplo de tan buen padre, de tan gran maestro: *Domestica nos exempla submonendo semper accedunt, quia magnus verecundiae stimulus est laus parentum, dum illis non patimur esse impares, quos gaudemus auctores* [37]; que esta estudiosa emulación de sus hijos, llega a ser el más glorioso crédito de su padre.

Ya no me admiro que V.P.M.R. haya crecido tanto, y se haya hecho tanto lugar en los corazones de todos, haya ganado la veneración y aplausos de los príncipes, nobles y plebeyos, y de los mayores letrados; pues el atajo para ascender a la cumbre del crédito y apoderarse de las plumas de la fama, es edificar casa a la sabiduría. Que a Josafat, a mi entender, lo que le sublimó y engrandeció fueron las Escuelas y Generales que levantó para albergarla: *Crevit ergo Iosaphat, et magnificatus est usque in sublime, atque aedificavit in Iuda domos ad instar turrium* [38], siendo los

[35] *Prov.* 9, v. 1.
[36] Virg., 1. *Aeneid.*, prope medium [vv. 430-3 y 436].
[37] Cassiodor.
[38] *Paralip.*, cap. 17, v. 12.

sacerdotes y levitas (como quieren los intérpretes sagrados) los maestros y doctores que enseñaban todas ciencias. Como torres en las fortalezas, eran los Generales para aquellas cátedras hebreas; porque corran parejas con los que V.P.M.R. ha levantado, pues en su firmeza y grandeza parece que se edificaron para la eternidad. Felice anuncio de la duración que han de tener las letras en esa casa de Agustino, pues se sustentan sobre tan profundos cimientos. Mas ¿cuándo sus obras de V.P.M.R. anhelaron a un siglo solo? Las edades se irán acordando una a otras, para que lean en cada piedra el nombre ilustre de tan gran maestro, sin que la lima sorda de los tiempos menoscabe la menor almena, la menor arena.

Y si atiendo a tantos hijos, a tantos maestros como ha educado su magisterio de V.P.M.R., todos son dignos de alabanza, pues en el peso del juicio, en la vivacidad del ingenio, en la uniformidad de las costumbres, salieron tan semejantes y en todo tan hermanos: *Educavit enim nulla discretione laudandos, pondere moderationis aequales, ingenii vivacitate consimiles et morum societate vere germanos* [39]. ¡Qué aplicados a las letras! ¡Qué codiciosos de los libros! ¡Qué asistentes a los actos literarios! En fin, todos hijos de su elección, como de su espíritu; bebiendo tan estudiosos anhelos, de la infatigable asistencia de V.P.R.; tan hidalgos alientos, de su aplicación: *Ignavi autem esse nesciunt, quos iudicia pepererunt* [40]. No sólo con las letras, que aprendieron de tan aventajada doctrina, los entresacó del vulgo de los ignorantes, agregó al gremio de los doctos; pero les dio cabida y estimación entre los sabios y nobles: *Doctrina siquidem, quos ab imperitis discernit, sapientibus amica societate coniungit: cui perfacile est ornare generosum, quae etiam ex obscuro nobilem facit* [41].

Y porque los méritos de las letras en los estratos de la generosidad de V.P.R. están como de justicia pidiendo sus premios, no sólo se los señala a los maestros en las rentas que les destina; pero levanta a los discípulos al honor de la lectura: para que estimulados con tan generosos acicates del honor y del premio, aquéllos no entibien en los fervores de su enseñanza, y éstos anhelen, estudiosos, a merecer lo que gozan sus maestros: *Remuneratio meritorum, iustum dominantis prodit imperium; apud quem perire nescit, quod quempiam laborare, contigerit* [42].

Por rara gloria de los Decios publicaba el mismo Casiodoro, que todos los héroes de su familia hubiesen sido aventajados, sin que se conociese la menor quiebra de su grandeza en la dilatada serie de sus descendientes: *Et quamvis rara sit gloria, non agnoscitur in tam longo stemmate variata* [43]. Esto mismo puedo admirar de los hijos que ha alimentado V.P.R. a los pechos de su magisterio; pues todos han salido aventajados; y tantos, que con no ser corto el número de los discípulos, siempre excede el de los

[39] Cassiod., *lib.* 9, *Epist.* 23.
[40] Cassiod., *lib.* 2, *Epist.* 2.
[41] Cassiod., *lib.* 11, *Epist.* 8.
[42] Cassiod., *lib.* 1, *Epist.* 42.
[43] Cassiod., *lib.* 3, *Epist.* 6, prope initium.

maestros, porque todos anhelan a ser los primeros, y logran de todos, gloriosamente, pundonor tan bien nacido. Porque de tan vigilante cuidado, de tan prodigiosa sabiduría, de tan larga vena, todo es grande, todo es heroico, todo es sublime, todo selecto; ninguno descaece por mediano: *Producit nobilis vena primarios, nescit inde aliquid nasci mediocre; tot probati, quot geniti: et quod difficile provenit, electa franquentia* [44].

Si las cátedras le deben tantos honores y créditos, no han sido menos ilustrados los púlpitos con tantos oradores como los ocupan, discípulos todos de su elocuencia, tan conocida en toda esta Provincia, que no sólo en lo secular, pero en particular en lo Eclesiástico, y en éste por los más rígidos censores del oficio, ha sido aclamado por un Demóstenes español, un Cicerón cristiano, un Séneca religioso; en la energía, un Crisóstomo; en la suavidad, Bernardo; un Crisólogo, en la agudeza; en la profundidad, Agustino; y un Basilio en todo. ¿Quién más florido en las oraciones panegíricas? Y en los sermones morales, ¿quién otro de más picante ingenio?

Parece que estaba oyendo Filostorgio a V.P.R., cuando del gran Basilio dijo este ilustre: *Et quidem Basilius, in panegyrico genere, multo caeteros optime anteibat, ut cui ad publicas conciones adesset elegans ingenium* [45]. Siempre erudito, aventajado y cabal siempre en todo; tan general en el conocimiento de las humanas y divinas letras; tan grande la eficacia y energía en proponerlas a sus oyentes, que aun le faltan hipérboles a la admiración, cuando ve que con tanta abundancia se derrama de sus labios ese río de oro de la elocuencia castellana: *Quandoquidem in* his (habla Agapito Vicentino de los sermones de Crisólogo, y yo, que he escuchado a V.P.R., de los suyos) *nihil non eruditum; nihil non excellens, non absolutum offendas. Tanta est enim huiusce viri divinarum omnium, humanarumque rerum cognitio, tanta incredibilis ac propemodum divina dicendi vis, tantaque copia, ut neminem satis admiraturum putem, cum eum viderit aureum eloquentiae flumen effundentem* [46].

¿Quién más sutil en explicar los retirados misterios de los divinos oráculos? ¿Quién más noticioso? ¿Quién más científico en proponer los celestiales documentos que conducen seguros las almas a la gloria? ¿Quién con mayor fervor exhorta a la virtud, con más ardiente celo aparta de los vicios? ¿Quién más sentencioso y grave celebra con ilustre panegíricos a los justos? ¿Quién con más calor y energía reprende a los malos? *Nam sive occulta atque abdita Divinorum Oraculorum sensa conetur explicare, quis hoc homine subtilior? sive caelestis ac salutaris disciplinae velit rationes reddere, quis illo scientior? aut ad virtutem cohortari cupiat, quis ardentior? aut a vitiis revocare studeat, quis acrior? Denique, vel claros viros contendat in caelum laudibus efferre, quis gravior? vel improbos invehi, quis vehementior?**.

[44] Cassiod., *ubi supra.*
[45] Philostorg., *Arry. propugnatur.*
[46] Agapit. Vicenti., Canon. Lateran., in *Epistol.* nuncup.
* Esta cita va sin referencia en el original (N. del E.).

Si el Nacianceno llama a su amigo Basilio, en todo grande, ingeniosa y solícita abeja que de las flores de las humanas y divinas letras supo sazonar los suavísimos panales de su doctrina [47]; y si Severo Sulpicio, al superior ingenio de Agustino, de quien V.P.R. es tan dichoso hijo, lo compara a la misma abeja [48], siendo ésta jeroglífico ingenioso de los oradores más elocuentes, en sentir de Séneca, viene ajustado que, pues V.P.R. es Basilio en el nombre, en la profesión Agustino, se compare a la abeja, que tan bien le imita en su ingeniosa fatiga y estudiosa tarea: *Apes imitari debemus, et quaecumque ex diversa lectione congessimus separare; deinde, adhibita ingenii nostri cura, in unum saporem varia libamenta confundere, ut etiam si apparuerit unde sumptum, sit, aliud tamen esse, quam unde sumptum sit, appareat* [49]. Y más abajo añade, con no poco crédito de su grande ingenio de V. P. R.: *Quaecumque hausimus, non patiamur integra esse, ne aliena sint, sed coquamus illa; alioquin, in memoriam ibunt, non in ingenium.* Tan docto maestro me quita el trabajo de traducir, que lo tuviera no pequeño en dar sombra con mi mal limado castellano a tan floridos lugares.

Y aunque todo convida, por ahora me arrebatan la atención aquellas sentencias de oro, que con tanta felicidad y facilidad, no sólo en los sermones sazonados con el calor del estudio, mas en las conversaciones ordinarias esparce V.P.R. tan preciosas. Pero ¿qué mucho, si abeja cuidadosa, en los jardines de los Padres y fuentes de las sagradas letras, recoge las flores de agudezas para enriquecernos por metamorfosis tan raro con esas sentencias de oro? Y así, podrá V.P.R. decir, mejor que el poeta Lucrecio:

> *Floriferis ut apes in saltibus omnia libant,*
> *omnia nos itidem desposcimur aurea dicta* [50].

¡Oh, cómo pudiera exclamar de V.P.R. lo que el sapientísimo Juliano del gran Basilio: *O nuncium aureorum verborum!* ¡Oh, embajador de la divina palabra! ¡Oh, paraninfo sagrado del Eterno Verbo, que mejor que el facundo Mercurio y el tabano elocuente, rindes las almas, aprisionas los corazones con las cadenas de oro de tus labios!

Con tal maestro, con tal doctor, con tal padre, ¡oh, qué plácemes se pueden dar de su fortuna sus hijos, pues renace en su gobierno el siglo dorado de las felicidades todas!:

[47] *Cum satis uberem doctrinam collegisset, nec rei cuiusquam honestae ignarum et expertem eum esse oporteret, nec ab apicula, quae ex quibuslibet floribus utilissima quaeque decerpit, labore ac diligentia superari,* &c. (D. Greg. Nazi.).

[48] *O vere artificiosa Apis Dei, construens favos Divini nectaris plenos, manantes misericordiam et veritatem, per quos discurrens delitiatur anima mea.* (Sever. Sulp., *Epist. ad August., Quaest.* 37, inter Epist. eiusdem Sancti Doct.).

[49] Senec., *Epist.* 84.

[50] Lucret., lib. 4.

Iam redit et Virgo, redeunt Saturnia Regna [51].

Pues si en Saturno está figurada la edad de oro, en esa Virgen, como quiere Farnabio, se halla expresada la recta Astrea: *Astrea quae prius terras reliquerat, scilicet Iustitia;* digo, la pacífica justicia, pues ésta y la paz no sólo se dan en su gobierno de V.P.M.R. los ósculos de verdadera amistad, pero las diestras de segura confederación. Esto a mi entender lo tenía anunciado el mismo Virgilio hablando con Polión:

Pacatumque reget patriis virtutibus orbem,
. . . nec magnos metuent armenta leones.

Mas ¿qué dichas, qué felicidades no ha acumulado en todo a su familia, con la paz en que V.P.R. se esmera tanto? Parece que las estaba mirando el elocuente Casiodoro, cuando nos las pintó en estas elegantes palabras; que es un resumen breve de lo que por mayor tiene propuesto mi afecto: *Omni quippe regno desiderabilis debet esse tranquilitas: in qua, et populi proficiunt, et utilitas gentium custoditur. Haec est, enim, bonarum artium decora mater; facultates protendit, mores excolit; et tantarum rerum ignarus agnoscitur, qui eam minime quaesisse sentiur* [52]. Tan desinteresado gobierna V.P.M.R., como si no le tocaran tan heroicas acciones ni cedieran tan en honor suyo; con tanto cuidado y diligencia, como si sólo fuesen de su interés y dependiesen de su cuidado; tan religiosamente, como si le atendiesen con tantos ojos como astros tiene el firmamento, y tuviese a todo el mundo por teatro de sus obras. ¡Oh qué ajustadamente le cuadran las palabras de Séneca a su Paulino: *Tu quidem orbis terrarum rationes administras, tam obstinenter quam alienas; tam diligenter, quam tuas; tam religiose, quam publicas.*

Ser otra vez llamado V.P.R. al supremo gobierno de su religión, ser aclamado segunda vez por padre de todos, fue, a mi entender, premio de lo acertado del primero. Y con qué esmero y virtud lo hiciese entonces, lo declara la universal aclamación del segundo; y parece que se halla como fuera de su centro esa primera prelacía, si no la asiste su gran capacidad. Vara fue no estéril, pues ha brotado otra con los mismos aciertos, con el mismo vigor y lozanía que la primera: *Sume igitur infulas dignitatis* (dijo el rey Teodorico a un benemérito), *qui pro labore honoris tui, honorem alterum accipere meruisti. Quid enim de priore censerimus praemio, secundae dignitatis declaramus augmento. Nati sunt fasces ex fascibus, et naturam retinentes foetus arborei, pullularunt iterum decenter obscissi* [53]. Quiera el Cielo que retoñezca la tercera, coronado con la mitra; que no se extrañaría en su noble y dichosa casa, pues el ilus-

[51] Virg., *Egloga* 4.
[52] Cassiod., *lib.* 1, *Epist.* 1, prope initium.
[53] Cassiod., *lib.* 1, *Epist.* 12, ad medium.

trísimo señor don fray Juan de Ribera, dignísimo prelado de Santa Cruz de la Sierra, fue hermano de V.P.R. y de la misma familia agustiniana; y aunque se cortó tan al principio este ramo precioso, volverá a brotar otro en V.P.R., todo de oro:

Primo avulso, non deficit alter
aureus, et simili frondescit virga metallo [54].

Y sus méritos no han de permitir tantos rayos ociosos; y pues una y otra vez le subieron a la cumbre de esa primera dignidad religiosa, y dejados los retiros de su encogimiento y humildad, le aclamaron todos sus hijos lucidos sol en esa esfera agustiniana, repetirá tercera vez la carrera a más dilatado hemisferio. ¡Oh, si fuese con la mitra de aquella Provincia, o con la suprema de Lima, su dichosa patria! Que no es nuevo en el ir en crecimiento de sus luces, y al remudar días, alumbrar nuevos mundos y más dilatados hemisferios. ¡Qué bien nos enseñó el mismo rey Teodorico, escribiendo al Senado Romano, en la recomendación de un sujeto grande! *Habetis evidens nostrum in hac parte iudicium, ut post illius apicis culmen, ad alteram conscenderit dignitatem: nec passi sumus otiosum, quem merita non sinebant esse privatum; sereni solis consuetudinis aestimandus, qui licet susceptum diem peragat, alterum tamen eadem gratia claritatis illuminant* [55].

Nadie me podrá notar en lo que hasta aquí he dicho, de apasionado, pues me rijo por la razón, no por el afecto; menos de lisonjero, pues no pretendo nada. Y tan satisfecho hablo, que aun V.P.M.R., si niega un rato los oídos a las voces que le da su modestia y humildad, y se hace parte de sus méritos, es fuerza que confiese lo mismo. No me valgo de testigos muertos; pues los que le han comunicado y conocen sus relevantes prendas, me censurarán de corto en sus elogios. Sus mismos hechos, que aún recientes centellean a los ojos de todos, son los que mejor me desempeñan de esta verdad; y no me atreviera tan confiado a sacarlos al teatro del mundo, si no fueran tan patentes a los ojos de tantos: *Testes calentium citabo negotiorum, et trophaea adhuc fumentia. Nemo enim sub notis, praesentia pene nimium nota, commemorat, ni si qui de veritate confidit* [56].

Algunos para dejar memoria suya, se valen de estatuas, mármoles y arcos triunfales. Otros, que anhelan más a la eternidad, graban sus nombres mejor que en bronces, en sus escritos. Pero V.P.R. lo ha conseguido todo: pues si lo miro por el lado de las letras, las cátedras que ha erigido para trono de la sabiduría acordarán su nombre a los siglos; si atiendo a las estatuas y mármoles, el templo y edificios tan suntuosos lo parlarán a las edades: cada piedra, cada almena, cada lienzo será un mármol, una

[54] *Aeneid.* 6.
[55] Cassiod., *lib.* 1, *Epist.* 13, prope finem.
[56] S. Enod., in *Vita S. Epiphan.*

estatua, un arco triunfal, unos eternos anales, que lo divulguen de unos en otros vivientes. Sólo V.P.M.R. ha sabido a dos manos sobornar a la memoria, eternizar su fama, como con harto ingenio nos lo dijo nuestro poeta:

¡Oh feliz, que a dos manos en tu gloria
has cogido entre puertas la memoria! [57]

Arrebatado de mi inclinación, o llevado de la verdad, no me acordaba del poema que traía a ofrecer al buen gusto de V.P.R. (cuando él por sí solo bastara a embargar la atención más despierta); pero el divertimiento ha sido el total acierto. Porque (si pudiera significar su elección el poeta), menos que a un varón tan noble. tan grande, tan piadoso, tan sabido, y adornado de tan relevantes prendas, no escogiera por patrón suyo. Todo cuanto podía desear ha hallado en V.P.M.R. *Sane si nobilem, si pium, si litteratum, si omnifariam sapientem expetit, in te patronum inveniet, nec alibimaiorem earum rerum copiam, quae animos accedentibus faciunt* [58].

Murió el autor, muchas leguas de esta ciudad, cuya vena veneré siempre por de otro en lo sabido de su pensar y sus versos por de superior coturno; llegó este poema suyo a mis manos; y deseando que gozase el aplauso de los doctos, bien entendidos y mejor intencionados, no se me ofreció otro dueño a quién ofrecerle que a V.P.M.R. Si los conceptos del alma, los partos del ingenio, son con propiedad hijos, y más calificados y nobles que los que arroja a la común usura de la luz la carne, éste, por su padre calificado, por su muerte huérfano y desamparado, ¿qué padre puede adoptarle más ilustre, ni de más piadosas entrañas que V.P.R.? El ser necesitado es el mejor sobreescrito que puede llevar para que no se le niegue la entrada, y con cariño se ha acogido debajo de su amparo: que el socorrer a desvalidos ¿cuándo no ha sido la mayor recomendación de su liberalidad? *Egestum profecto commendatione, maiori in pretio tibi futurum non ambigo, imo sub hac specie audebo, ut gratissimum munus, venditare* [59].

Si lleva ganada la gracia del patrón el irse con su inclinación, el ofrecerle fruta de su gusto, muy sazonada será la de este poema para el paladar de V.P.M.R., pues es nacida y criada en nuestras Indias, parto de un ingenio criollo, de quienes V.P.M.R. es tan lustroso crédito, tan grande corona. Mucho sintiera el poeta (que aún vive en su poema), si careciera del patrocinio de V.P.R. y tuviera por infelicidad que se le negase su asilo y sombra, cuando tantos han hallado abrigo en su generosidad, pues ésta al más cobarde le convida, le defiende animosa. Llevado, pues, no sólo de su misma inclinación y buen gusto, pero también de su

[57] Dr. D. Hern. Domínguez Camargo [I, 113].
[58] P. Ioann. de Vilches, *Panegyr. ad D. D. Balt. de Moscoso.*
[59] Ioan. Vilches, *ubi supra.*

interés, le ha buscado por padre y dueño suyo: *Ut ego non tibi putem hoc genium dare, sed ipsi operi concedere*[60]. Y porque me deban tanto honor las doctas cenizas de aquel difunto ingenio, en la protección de quien nació para honrar a todos, dispuse que este poema se fuese, como a su centro, a V.P.R.

Tres cosas grandes tiene la obra (hable por mí el poeta): el asunto, en San Ignacio; el autor que la compuso, y el amparo, en el ingenio de V.P.M.R. Lo pequeño será lo que tuviere mío; empezará a ser grande sólo con llegar a sus manos. Deidad se califica, si con frente jovial le admite; la esperanza [de] que le recibirá, es muy hija de su agrado: y a éste me anima cariñoso, si no se le ha despojado V.P.R. de sí mismo. Sean sus méritos su agasajo, pues empieza a acertar cuando se va a su sombra. Por su escudo le escoge el poema: muchas saetas tendrá que rebatir, de críticos que están mal hallados con el supremo numen de Góngora, cuyo espíritu parece que le heredó o bebió en sus versos. Contagio es de otros siglos, como vicio del nuestro, mirar con semblante desganado estilo tan supremo, numen tan alto.

Y si, por difunto nuestro poeta, se mira su laurel marchito y aun cortado, plantado a la fecunda Ribera de V.P.R. volverá a revivir con nueva lozanía, y se verá no sólo honor del bosque, pero corona de Apolo, gloria del Parnaso. Así lo pensaba yo, ayudado de un elegante epigrama de Jacobo Sanazaro:

Illa poetarum laetis gestata triumphis,
claraque Phoebeae laurus honore comae,
iampridem male culta, novos emittere ramos,
iampridem baccas edere desierat,
nunc ripis adiuta tuis reviresci t, et omne
frondiferum spirans implet odore nemus[61].

Si por dos títulos le es debido el laurel al glorioso patriarca San Ignacio de Loyola; por capitán famoso, y por poeta heroico en el ilustre poema que consagró a san Pedro Apóstol, patrón grande suyo, como lo cantó nuestro poeta:

A sus laureles hojas escudriñe,
y su grama mural deje talada
Palas, para su frente en quien ya ciñe
tan fuerte pluma, como docta espada:
la sangre aquésta, el néctar la otra tiñe,
acero sea suave, o pluma airada;
pues (parnaso la tienda), Ignacio extrema
al Vice-Cristo Pedro, alto poema[62],

[60] Nájera, *ubi supra*.
[61] Iacob. Sannaz., *de Lauro, ad Netiner. Ducem*, lib. 2 *Epigram.*
[62] Nuestro Poeta [I, 112].

mucha gloria será de tan gran varón, que se halle coronada la Ribera de V.P.R. de tan sagrado laurel. Y con mayor razón se debe decir de tan famoso caudillo lo que, no sin nota de adulación, dijo Papinio Estacio de su Domiciano:

Cui geminae florent vatumque ducumque
certatim laurus. (Olim dolet altera vinci) [63].

Aunque tantos motivos como tengo apuntados me impelen a no dar otro dueño a este poema que V.P.R., no ha sido el menos urgente la amistad tan antigua que hemos profesado, a cuyo sagrado merecí ser introducido por la dignación de V.P.R.; y por ofrecer grata ofrenda a tan gran deidad, sacrifico a sus aras este heroico asunto, para que quede por memoria a los siglos, que en toda fortuna le supo ser fiel amigo: *Cuius sacrario ultro induxisti, volui in publico litare magnae illi Divae; atque ad ipsius aras appenso anathemate palam ostendere, quanta me faelicitate beaverit tecum inita familiaritas* [64]. Y hoy, de esa suprema dignidad que V.P.R. tan benemérito ocupa, no desconoce a quien la distancia apartó tanto; que tiene longemiras el amor, que no sólo acerca, mas hace siempre bien vistos los objetos.

Y sea última clave de este elogio, el confesar mi buena suerte, el publicar mi dicha, pues me excusa con la verdad de sus hechos de la nota de adulador o mentiroso: *Verum mihi gratulandum est, quod is patronus obtigerit, cuius mendacium oratori non exprobrent, cum egregie factis sapienter obtinueris, ne tui commendatores unquam mentiantur* [65]. Y siempre he de quedar corto, por mucho que diga; y el acabar no es poner término a sus alabanzas, sino señalar la raya de adonde otros deban comenzar la carrera: *Dixi enim prope plura quam potui, sed pauciora quam debui: ut iustissima mihi causa sit, propitio munere tuo, nunc desinendi, et saepe dicendi* [66]. El cielo guarde y prospere a V.P.M.R. con uno y otro ascenso, como desean sus amigos, y esta su Provincia y religión toda ha menester, etc.

D.V.P.M.R.S.M.A. Y M. C., *

M. D. Antonio Navarro Navarrete

[63] Papin. Stat., intio. *Achil.* [*Lib. I,* vv. 15-16].
[64] Ant. Velásquez.
[65] Nájera, *ubi supra.*
[66] Mamerc.
* De letra antigua manuscrita están resueltas estas abreviaturas en el original así: De *Vuestra Paternidad Muy Reverenda Su Mayor Amigo y Menor Capellán.* (N. del E.).

CURIOSO LECTOR

A impulsos de su devoción y a instancias de su reconocimiento, dedicó nuestro poeta su ingenio, consagró su pluma, a celebrar a la Compañía de Jesús en san Ignacio su padre, pues a preceptos de tan grande madre y maestra consiguió la doctrina que le acreditó sabio, que le laureó entendido; y como agradecida tierra, retorna el grano de su enseñanza con colmo de usuras y crecidos logros: *Terra autem spontaneos fructus germinat, ac creditos uberiori cumulo refundit ac reddit; utrumque debes, quodam haereditario usu parentis*[1]. Unos frutos, dice Ambrosio, lleva la tierra de suyo; otros, que le fiaron, los restituye y vuelve con mayor usura. Ambas cosas imitó nuestro poeta, pues no sólo ofreció generoso los que espontáneos producía la feracidad de su ingenio, pero retornó con mayores emolumentos los que le fió liberal y benigna tan sabia madre.

No fue este ingenio como otros, que beneficiados y regalados tanto con las lluvias y corrientes de su sagrada doctrina, la defraudan en el mismo principal que recibieron, burlando y escarneciendo de quien tan liberal y grata les enriqueció con tan preciosos tesoros: *Foeneratum terra restituit, quod accepit; et usurarium, cumulo multiplicatum. Homines saepe decipiunt, et ipsa foeneratorem suum sorte defraundant*[2]. ¡Oh, qué dilatado campo se descubría para una justificada queja, que tiene la ilustre religión de la Compañía de Jesús contra los hijos que amorosa cría; que en lances de mayor honor, los experimenta no sólo émulos, mas mortales enemigos! Pero no es sazón ni éste es lugar; que sólo se ha tocado por ajustar el ingenioso reparo de Ambrosio. Fue de la calidad de los ríos nuestro poeta, que se cobran con su caudal al mar, donde tuvieron su origen: *Ad locum unde exeunt flumina, revertuntur*[3]; y por pagar liberales la

[1] D. Ambros., *lib.* 3, *Hexam.*

[2] Ambros., *ubi supra.*

[3] *Ecclesiast.,* 1, v. 7.

pensión con que recibieron el beneficio, no dudan apresurarse a su fin, y morir entre sus ondas, sólo por acabar en los brazos de la gratitud.

Extrañará el curioso cómo nuestro poeta, a la vida que escribe del glorioso patriarca san Ignacio de Loyola, la intitula poema, cuando éste sólo consiste en una ingeniosa ficción; que como pondera encarecidamente Plutarco, menos falta hace al altar la música, que en la poesía la fábula; y que mejor y más religiosamente se podrán celebrar los sacrificios sin coros de cantores, que un poema heroico sin la imitación fabulosa: *Sacrificia sine tibiis et choris scimus; non scimus autem pöesim sine fabulis* [4]. Y Petronio Arbitro, por faltarle aquésta, le niega el nombre de poeta a Lucano; porque en la *Farsalia* que compuso, refiere los sucesos verdaderos que pasaron entre César y Pompeyo, tocando esto solamente al historiador, como al poeta las cosas verosímiles, pero no verdaderas.

Mas Escalígero le defiende de este apasionado censor, y saca en limpio de tan maliciosa calumnia. No niega que la fábula sea parte esencial en el poeta; antes, prueba que la *Farsalia* de Lucano tiene muchas ficciones, con que está ilustrado su poema. Porque aunque [la Historia] sirva de argumento a los poetas épicos, de tal suerte ha de estar envuelta en las fábulas, que parezca, a la primera vista, otra de lo que es en la substancia: *Nugantur enim, more suo, grammatici, cum obiiciunt illum Historiam scripsisse. Nam quis nescit omnibus epicis poetis Historiam esse pro argumento? Quam illi, aut adumbratam aut illustratam, certe alia facie quam ostendunt, ex Historia conficiunt Poema. Nam quid aliud Homerus? Quid tragicis ipsis faciemus? Sic multa Lucano ficta. Patriae imago, quae se offert Caesari; excitae ab inferis animae; atque alia talia* [5].

Por esta parte, no se puede negar cuán ajustado anduvo el poeta en el título que puso de poema a la vida de este gran patriarca. Pues, al principio introduce a Marte, profetizando los varios sucesos y dichas de su vida; a los siete planetas, que festejan su bautismo, y después, que lamentan su muerte; a los monstruos infernales, que suspendieron sus penas a la voz de Ignacio; a Neptuno, que puso entredicho a los vientos, sosegó las aguas.

Y que a tan ingeniosa fatiga de este ilustre ingenio le venga nacido el título de poema, se colige también de unas palabras de Aristóteles en que expresa la diferencia que hay entre un historiador y un poeta; que no le faltó al nuestro para ajustarse en todo: *Manifestum ergo est, ex iis quae hactenus a nobis sunt dicta, poetae proprium non esse narrare res quemadmodum sunt gestae, verum quales esse oportet aut fieri possunt, pro aut verisimile est fieri, aut necesse* [6]. Aunque no hayan acontecido los sucesos, basta que se propongan con la verosimilitud que piden la ocasión y el tiempo. Esto es lo que sigue nuestro poeta en los saraos, jue-

[4] Plutarc., *Opusc. de audie. Poetar.*
[5] [Escalígero].
[6] [Aristóteles].

gos y luchas de los serranos y pastoras; en el hospedaje que hicieron unos pescadores a nuestro peregrino, y el agasajo con que le recibió caritativo otro labrador. Otra calidad de la poesía es alterar las cosas, no siguiendo el hilo de la historia, sino adonde más ceñido le viene al poeta: como se ve en la *Ilíada* y *Odisea* de Homero, y en la *Eneida* de Virgilio. No le faltó esta imitación a nuestro poeta: pues el éxtasis o rapto de los siete días, lo pone en el retiro de la cueva, habiendo sucedido en la publicidad del hospital de Manresa.

Fui siempre estimador de su ingenio, apreciador de sus versos; y aunque deseé comunicarle en vida, nunca pude, por la distancia de muchas leguas que nos apartaban, hasta que supe de su muerte, con harto dolor mío, viendo que carecía del aplauso de los cultos el *Poema heroico* del grande Ignacio de Loyola, de que ya tenía noticia. Algo se me templó, cuando por medio bien extraordinario llegó a mis manos; pero reconociendo que no estaba acabado, ni con el aseo y perfección debida, se me dobló el sentimiento. Y porque no careciesen los aficionados a las Musas de tan sublime espíritu, me dediqué al estudioso desvelo, que ponderó en parte por mío el otro ingenio (hablando de un grande escritor a quien la muerte suspendió intempestiva el erudito vuelo de su pluma, y cuyos escritos en la sazón agenciaba su cuidado), y fuera en todo, si hubiera hallado tan defectuosos los ejemplares, como los encontró y ponderó su cuidado, aunque sí iguales en los embarazos, que por ajenos de este florido estudio aun más me divertían: *Ideo animum induxi, ut opus hoc sane permolestum susciperem; erant enim exemplaria, amanuensis incuria, erroribus plena: multa inveni parum fideliter scripta, quae ad libram exigerem; plura lacunosa quae implerem; plurima lacera, quae sarcirem; sed licet tot mei muneris occupationibus districtus* [7], *meam operam subtrahere nolui, ut saltem amica obstetricante manu, in lucem foetus prodiret* [8].

Extrañará el poeta algunas octavas y versos míos, que ha sido forzoso injerir, porque no saliesen algunos cantos defectuosos. No fuera de este mi sentir el pomposo Virgilio:

> *Exit ad caelum ramis faelicibus arbos,*
> *miraturque novas frondes, et non sua poma* [9].

Lo que puedo asegurar, es que no los admirará por iguales; que los desconocerá, sí, por humildes: pues el injerto llega a ser de un bastardo acebuche en un estudioso olivo; de una humilde planta en un laurel ingenioso. Y así, temo que con la muerte de tan gran padre, de tan eminente Apolo, no descaezcan en mi pluma tan elegantes versos, desazonados ya

[7] *Carmina secessum scribentis, et otia quaerunt.* Ovid.
[8] Ioannes Vilch., *ad lect.*, tom. 2, sing. Quint. Dueñ.
[9] Virgil., 2 *Georg.*, v. 18.

por faltarles el picante de tan relevante ingenio: *Ne parentis iactura, mihi quidem gravissima, infaetu luceat, et natale filii libum de parentis funere acescat* [10].

No le acabó, devotamente confiado que el santo con su intercesión le había de dilatar la vida hasta que, marcado con el sello del último primor y elegancia, le sacrificase a sus aras; y lo mismo fuera consagrarle reverente, que destinase a la hoguera, o llamarada última de la vida, y a las funestas cenizas de un sepulcro, para renacer flamante Fénix en sus propios escritos: *Sepulchrum nidus est; illi, favillae nutrices; cinis, propagandi corporis semen; mors, natalis dies* [11]. Pero en tan honrosa confianza, le cogió la muerte: o fuese por excusársele esta vanidad a su ingenio, o por dejar más impresa en los corazones, con el dolor, esa mayor memoria suya, viendo que al mediodía del sol de su lúcido ingenio, se había anticipado el funesto ocaso de su muerte; con que no sólo en lo claro de sus rayos, pero en lo negro e intempestivo de sus sombras, sigue a muchos soles que le precedieron.

Razón es que los mayores poetas sientan su falta: *Digna sane, cuius amissio litterarum, vatum omnium lachrymis defleatur.* Todas las Musas lloren su acabamiento, pues con él les faltó su aplauso, y cesó el dulce concepto de sus liras. Laméntenle tiernas, pues cuando tejía esta guirnalda de tan ingeniosas flores para mayor adorno de sus sienes, le cortó la muerte cruel el hilo de la vida. Acusara compadecido, si me fuera lícito, las severas leyes y el rigor inexorable de los hados: *Incusarem (si fas fuerat) severas eorum leges, quae in hoc saltem ut opus absolveret, virum illum diutius non indulserint.*

De justicia pide tan florido ingenio, que no selle la losa del olvido sus doctas cenizas; e incurriera en el crimen de irreligioso, si le negara tan justificados honores: *Semper se reum indicat, qui cineribus iusta non praestat* [12]. Y defraudara avariento a la posteridad, de tan rico tesoro de conceptos y tan excesiva copia de erudición, si no procurara eternizarlos con los inmortales caracteres de la estampa: *Ne posteritas, tanta strenue elaboratarum elucubrationum faelicitate fraudaretur* [13]. Y si no perece con el tiempo lo que se obró con acierto, lo que se consiguió con gloria: *Bona durare norunt post hominem, et quod gloriose geritur, fine temporis non tenetur* [14]; si los famosos hechos de un grande héroe, de un sublime ingenio, se las apuestan en duración al alma: *Ingenii egregia facinora, sicuti anima immortalia sunt* [15], ¿quién no aplaudirá mi cuidado, fomentará mi desvelo, viendo que ayudo a su inmortalidad con dedicarlos a la imprenta?

[10] Ioann. Vilch., *ubi supra.*
[11] Esta cita y las dos siguientes aparecen sin referencia de autor al margen. (N. del E.).
[12] Cassiod., *lib.* 2, *Epist.* 22.
[13] Anton. Velazq., *ubi supra.*
[14] Cassiod., *lib.* 2, *Epist.* 3.
[15] Salust., *De bello Iugurt.*

Muy limitada fama le buscara al poema, si me contentara sólo que le gozasen estos bárbaros aunque capaces límites de la América, y no aspirase a que navegase a las cultas riberas de la Europa. Confiado le aseguro la buena acogida de sus habitadores: porque si éstos codiciosos aguardan, en la armada, ya la acendrada plata de Mariquita, el aquilatado oro de Pamplona; ya las esmeraldas de Muzo, las matizadas y vistosas piedras de Susa, las perlas de la Margarita; con mayores ventajas y quilates más puros lo lleva todo este gran poema, y por complemento último de su riquezas, los rubíes hermosos y vistosa corona de la Granada de su Patría, pues no es este suelo menos fecundo de minerales ricos y preciosas piedras, que de aquilatados y sublimes ingenios.

Pero responderame el que esto leyere, que de ese oro, perlas y preciosas piedras hay abundancia en la Europa, y por comunes perderán la estima que adquieran en otras regiones por raras, como con harto ingenio nos lo advirtió Tertuliano: *Gemmae et margaritae, de raritate et peregrinitate gratiam possident; denique, intra terminos suos patrios, non tanti habentur semper: abundantia contumeliosa in semetipsa est* [16]. Así es verdad, si se le mira por mayor; pero cuando es una esmeralda exquisita, una perla peregrina, un diamante fino, una joya preciosa, aun entre sus naturales tiene su valor y estima. Y así, este poema, por raro, por exquisito y peregrino, será apreciado de todos; y mejor, de lo más cultos ingenios.

Por de otro clima y mundo, quizá se llevará la atención, se arrebatará el afecto, de que, mal satisfecho aun de los caudales ricos de opulentas venas, las moteja de pobres, adquiriendo por extranjero la estima y precio que la emulación no le deja gozar entre los mismos de su patria. ¡Qué sentencioso y al intento discurrió el poeta, hablando de nuestros españoles y del mal agasajo que hicieron a san Ignacio, y el buen pasaje que le dieron los franceses!

Aun airado el francés templó su saña,
y acariciado lo trató indulgente.
¡Oh Libia de tus hijos, madre España,
engendradora de natal serpiente:
el aire pueblas de una y otra hazaña,
el suelo espinas de uno y otro diente;
néctar de aplausos das a otras naciones,
y a tus hijos les flechas escorpiones! [III, 210] *.

Bien había expresado, antes de nuestro poeta, san Senón, obispo de Verona, hablando de su tiempo: *Non enim Aegiptio invidet Scytha, aut Britanno Indus aemulatur, sed unusquis que gentis suae hominibus et*

[16] Tertul., *lib. de hab. mulieb.*, cap. 7.
* En el tercer verso el texto del poema dice: 'Oh Libia *con* tus hijos" (N. del E.).

contribulibus invidet: et non ignotis quibusque, sed vicinis et proximis ac familiaribus suis, imo vero, his qui vel artificii eiusdem, vel officii, vel operis, existunt [17].

Y si la vena de nuestro poeta es arroyo cristalino, derivado de Helicona, participado de Hipocrene; si ésta tiene su origen del Parnaso español, de la cultura castellana; si allí tiene su océano la sabiduría, justo es que pague tributo al mar, que reconozca su fuente. Y aunque ha de correr hasta las gaditanas playas por un piélago salobre, no teme mezclar su dulzura en sus amargas ondas; mereciendo lo dulce y suave de su vena, mejor el privilegio de las dos fuentes Alfeo y Aretusa, que atravesando mares sin mezclar sus aguas con ellos, llegan otra vez a nacer en la isla de Sicilia, como lo dicen Séneca y san Isidoro, y lo cantó Virgilio:

> *Sic tibi, cum fluctus subterlabere sicanos,*
> *Doris amaram suam non intermisceat undam* [18].

Raros dice Marcial que son los que, después de su muerte, consiguen los apalusos que logran en la vida:

> *Cui, lector studiose, quod dedisti*
> *viventi decus atque sentienti,*
> *rari post cineres habent poetae* [19].

Mas su grande numen le negociará a nuestro poeta el aplauso de los raros, entre los que aprecian los versos y saben honrar los famosos ingenios, adquiriendo cabal la gloria entre propios y extraños, que no consiguió del todo en vida entre los mismos de su patria; que la emulación mayor, y más si cae en entendidos a quien cegó la competencia, no pasa de la muerte, venerando en adelante las cenizas doctas y polvos eruditos de nuestro poeta:

> *At mihi, quod vivo detraxerat invida turba,*
> *post obitum duplici foenore reddit honos* [20];

que el hado es el que le adquiere más segura y permanente la fama.

De algunos versos enteros se valió de Góngora (como primogénito de su espíritu), y de algún otro poeta, para ilustrar su poema; pero con ingenuidad los confiesa a la margen, como yo se lo he reparado en el borrador, que he visto. Porque es más que infelice ingenio, como advierte Plinio, el que quiere antes ser cogido con vergüenza en el hurto, que

[17] Senon Ver., *Serm. de liv.*
[18] Virgil., *Egloga* 10, vv. 4-5.
[19] Marcial [*Epigr.* I, 1].
[20] Proper., *lib.* 3, *eleg.* 1.

con claridad confesarle: *Nam obnoxii est animi et infelicis ingenii, deprehendi in furto malle quam mutuum redinere* [21]. Algunos te señalaré, para que conozcas la verdad de su pluma y nobleza de su ingenio.

Propio es de los hijos desear publicadas las proezas de sus padres. Habiéndose empleado nuestro poeta en ponernos a los ojos con tan galante estilo, con tan lucido ingenio y tan ajustados hipérboles, la conversión, estudios, peregrinaciones, excelentes virtudes y hechos famosos de tan glorioso Patriarca, yo no cumpliera con la condición de hijo de la Compañía, por criado a sus pechos, si no solicitara que saliese a luz y se diese a la estampa, para honra de las Musas, para enseñanza de sus alumnos, para crédito de tan ilustre familia, para gloria de tan gran santo y blasón ilustre de nuestro poeta, eximiéndole de las sombras del olvido, en que esa fuerza quedase sepultado, como hijo sin padre y tesoro sin dueño, pasando de los retiros del silencio a la publicidad de la fama.

¿Y por qué no he de instar a su publicación, pues todo lo que se dice en este poema tiene más seguro su crédito, y san Ignacio más crecido su aplauso, cuanto se roza menos con la nota del encarecimiento o de la afectación, en que es fuerza peligre el estudio de un hijo propio? Tan cierto es esto, que aun en los Apóstoles, para con su Maestro y Padre, lo ponderó Cirilo, advirtiendo que por esto fueron más las epístolas de san Pablo, en más copia sus testimonios, porque algún tiempo no había sido de su escuela, y por este viso más segura la fe de lo que dijese: *Magna quidem Petri et Ioannis testimonia; sed suspiciosus aliquis diceret quod erant domestici* [22].

Gloria es grande de los hijos traerles a los ojos las virtudes de sus padres. ¿Qué felicidades no les asegura en ellas la palabra de un rey? *Beatus vir qui timet Dominum: potens in terra erit semen eius; generatio rectorum benedicetur* [23]. Estas les anuncia, éstas les repite a tan ilustre prole en sus bien limadas rimas el poeta, interesando con mayores medras, en sus elogios, impulsos no pequeños a la devoción, estímulos no pocos activos a cualquiera empresa heroica: *Magnus verecundiae stimulus* (dijo Casiodoro) *est laus parentum, dum illis non patimur esse impares, quos gaudemus auctores* [24]; que es carmín con que se arrebola lo ingenuo de un ánimo, cuando se mira remiso, la sangre que aún reciente vierten los hechos nobles de un padre. Y ponderando en particular nuestro poeta lo sufrido de su ánimo [de san Ignacio], lo incontrastable de su pecho a tanto tropel de penas, de infamias y cárceles, como le acosaron en sus peregrinaciones y estudios, les pone en las manos a sus hijos, a fuerza de su elocuencia e ingenio, el premio de sus afanes, y éstos a valentías suyas le ciñeron la corona de su mayor honor: *Praemium de poena patris;*

[21] Plin., in *Epist. ad Vespas.*

[22] Esta cita no trae referencia al margen. (N. del E.).

[23] *Psalm.* 111.

[24] Cassiod., *lib.* 9, *Epist.* 22.

de patris conflictu rapit coronam [25], que ponderó de otro afligido padre, a dichas de un hijo, la profundidad de Crisólogo.

Haber empleado la pluma el poeta en loores de San Ignacio, fue solicitar el cariño de tan gran madre como la Compañía de Jesús, negociando su mayor crédito este laurel del parnaso de su florido poema, al abrigo de tan eminente lauro como tan sagrada religión; que es fuerza fomente los aplausos y adelante el honor, a quien tan ingeniosamente atiende a las glorias de su padre, laureándole en sus letras y tomando a cargo su fama, pues con tan lindo estilo supo negociar su sombra. ¡Qué ceñido le viene al poeta el laurel de Virgilio!

Sicut parnasia laurus,
parva sub ingenti matris se subiicit umbra.

Y Farnabio, en lugar de *subiicit, explicó succrescit:* lo mismo fue acogerse a su sombra, que adquirir crecimientos.

Y si por alto no se libró nuestro poeta en vida de los tiros de la envidia, como él mismo lo confiesa, dedicándole a don Martín de Saavedra, presidente entonces del Nuevo Reino de Granada, las primeras octavas de este poema: "No fíes de otros ojos (dice) ese papel, sin que tu censura lo mejore; que es cueva de basiliscos nuestro siglo, y es achaque de mi pluma pisar con cada letra un áspid"; no sólo le ha de valer a nuestro poeta, para con sus émulos, el asilo de la muerte, como aseguraba antes; pero, mejor, el sagrado laurel de la Compañía de Jesús le ampara de los ardientes rayos de las lenguas de los apasionados críticos, y de la envidia toda. Que no le ha de faltar a tan alta religión y tan sagrado laurel, el privilegio que goza ese victorioso honor de la montaña, como afirma Pierio: *Accedit et illud, ad sospitamentum, quod eius arboris folia, fulmen non icit: eaque de causa Tiberius, cum fulmina coruscationesque supra modum expavesceret, caelo turbido lauream sibi solitus est imponere* [26].

Y pues, ceñida con el glorioso laurel del nombre de Jesús, asegura (mejor que el Emperador gentil) tan sagrada familia la inmunidad de los rayos de sus émulos, ésta comunicará generosa a los que se acogen a su sombra: siendo ella la mejor y más noble corona que acredite el heroico numen, que ilustre las eruditas sienes de nuestro indiano Apolo.

A esta gloria de la Compañía y de nuestro poeta, parece que miraba Isaías cuando con espíritu profético nos propone a los ojos el mejor timbre de su mayor nobleza: *Vocabitur tibi nomen novum, quod os Domini nominabit; et eris corona gloriae in manu Domini* [27]. Lo mismo fue verse coronada esta religión grande, este escuadrón esclarecido, con

[25] Chrisol., *Serm.* 10.
[26] Pier., *de Lauro,* fol. 372, L. D.
[27] *Isai.,* 62. v. 2.

el nombre de Jesús (así explican el *nomen novum* Santo Tomás y San Cirilo, y no disiente Cornelio)[28], que trasladarse a las manos de Dios como victoriosa corona, para que con ella ennobleciese al que se acogiese a su ilustre sombra: *Et eris corona gloriae in manu Domini*; queriendo tan generoso dueño remunerar de su mano, al que se desvela estudioso por el honor de la que liberal sacrifica el suyo a su glorioso nombre.

Lege et vale.

[28] D. Thomas; Cirill., *lib. de Fide ad Theodosium*; Cornel a Lapide *in Isaiam*.

APROBACION del R.P.M. Fr. Pedro Palomino, de la Orden de san Benito, Predicador de su Majestad y Abad que ha sido del Monasterio de San Isidro de Dueñas, etc.

M.P.S.

Mándame V.A. censurar este libro, intitulado *San Ignacio de Loyola, Fundador de la Compañía de Jesús, Poema Heroico,* compuesto por el doctor Hernando Domínguez Camargo, natural de Santa Fe de Bogotá, del Nuevo Reino de Granada, en las Indias Occidentales; y son tan propias de la religión de San Benito mi padre la grandeza del patriarca san Ignacio, que por apasionado no puede mi parecer tener nombre de censura.

Nació santo este célebre varón en el real convento de Monserrate, de Cataluña; en aquel insigne santuario dio los primeros pasos en la vida espiritual y religiosa, trocando la campaña por el desierto, por la soledad las compañías, y por el religioso el hábito militar. En esta montaña hizo suyo propio el libro de los *Ejercicios espirituales,* suyo no sólo porque lo escribió con su mano, sino también porque lo ejercitó con las obras, como otro Moisés en el monte, de quien son las segundas tablas de la ley semejantes a las primeras. Tablas de Moisés las llaman, no solamente porque las escribió con sus dedos, sino también porque observó sus leyes y ejecutó sus mandatos.

Cumpliendo yo con el de V.A., he leído este libro; y para quitar el escrúpulo de apasionado, lo he notado de pequeño cuerpo para tanta alma. ¿Cómo puede escribirse, en tan pocas hojas, vida, grandezas, prerrogativas y milagros de tan prodigioso santo, si no es que sus alabanzas se remitan al silencio? En la creación del firmamento, dice san Gregorio mi padre, calló Dios sus perfecciones para alabar su grandeza:

Ut ipso vociferante silentio, magnum aliquid conciperatur. Grandeza del patriarca san Ignacio, se explican mejor hablando menos. Este estilo siguió el autor del libro. Mucho dice en lo que de industria calla; y en lo que con tanto acierto escribe, muestra bien su mucho afecto, su devoción grande, la riqueza de su vena, la abundancia de sus noticias y la valentía de su ingenio.

No contiene cosa que contradiga nuestra católica fe y buenas costumbres; y así juzgo merece la licencia que pide, para que se dé a la estampa.

En este convento y parroquia de san Martín de Madrid, a 20 de julio, año 1666.

Fr. Pedro Palomino.

REMISION DEL ORDINARIO

Remítese al padre Juan Cortés Ossorio, de la Compañía de Jesús, para que vea el libro intitulado *San Ignacio de Loyola, Fundador de la Compañía de Jesús,* compuesto por el doctor don Hernando Domínguez Camargo, natural de Santa Fe de Bogotá, en el Nuevo Reino de Granada, en las Indias Occidentales; y con su parecer, nos los remita. Dado en Madrid, a 28 de mayo de 1666 años.

Doctor Alaiza.

Por su mandato,
Pedro Palacios, Notario.

APROBACION

del Padre Juan Cortés Ossorio, de la Compañía de Jesús

Por comisión del señor doctor don Diego de Alaiza, Canónigo de la Santa Iglesia de Toledo, Vicario de esta Villa de Madrid, he visto este *Poema heroico,* cuyo título es: *San Ignacio de Loyola fundador de la Compañía de Jesús,* escrito por el doctor don Hernando Domínguez Camargo, natural de Santa Fe de Bogotá (de que antes tuve otra comisión de dicho señor Vicario, la cual se perdió). Y no contiene cosa opuesta a nuestra santa fe católica, ni a las buenas costumbres; y es digno de que se le dé la licencia que pide para imprimirle.

En este colegio imperial de Madrid, hoy 31 de mayo de 1666.

Juan Cortés Ossorio.

LICENCIA DEL ORDINARIO

Nos, el doctor D. Diego Sáez de Alaiza, canónigo doctoral de la Santa Iglesia de Toledo, vicario de esa Villa de Madrid y su partido, etc. Por el presente, y por lo que a Nos toca, damos licencia para que se pueda imprimir e imprima el libro intitulado *San Ignacio de Loyola, Fundador de la Compañía de Jesús,* compuesto por el doctor don Hernando Domínguez Camargo, atento en él no hay cosas contra nuestra santa fe y buenas costumbres. Dada en Madrid, al 1º de junio de 1666 años.

Doctor Alaiza.

Por su mandato,
Pedro Palacios, Notario.

LICENCIA DEL CONSEJO

Tiene licencia de los señores del Consejo Real Joseph Fernández de Buendía, impresor de libros, para poder imprimir un libro cuyo título es *San Ignacio de Loyola, Fundador de la Compañía de Jesús,* que escribió en verso heroico el doctor don Hernando Domínguez Camargo, como consta de su original.

SUMA DE LA TASA

Tasaron los señores del Consejo este libro intitulado *San Ignacio de Loyola, Fundador de la Compañía de Jesús,* a cuatro maravedís cada pliego; y a este precio, y no más, mandaron se venda, como consta de su original, a que me remito.

FE DEL CORRECTOR

Este libro intitulado *San Ignacio de Loyola, Fundador de la Compañía de Jesús,* que compuso el doctor don Hernando Domínguez Camargo, natural de Santa Fe de Bogotá, corresponde y está impreso conforme su original.

Madrid, y diciembre 20 de 1666 años.

Lic. Don Carlos Murcia de la Llana.

LIBRO PRIMERO

Su nacimiento, bautismo, infancia y juventud;
capitán en Pamplona, la defiende del francés;
y gravemente herido, le visita san Pedro y sana de su herida

CANTO PRIMERO

Preludio a la vida de san Ignacio de Loyola; sus padres, su nacimiento en un establo; su bautismo, en que se puso a sí mismo el nombre; aparatos de la pila y solemnidades del convite.

I

Si al de tu lira néctar armonioso
dulces metros le debo, heroica ahora,
en número me inspira más nervoso,
los que, Euterpe, le bebes a la aurora;
al clarín ya, de acero numeroso,
plumas le den del cisne, voz sonora:
que el vizcaíno Marte es tan guerrero,
que aun melodías las querrá de acero.

II

Para el dictamen tuyo soberano,
bronces enrubie el sol con rayo oculto;
un mármol pario, y otro, bruña ufano,
en que rinda el cincel, el ritmo culto;
sus diamantes la India dé a mi mano,
con qué escribir el título a su vulto [1];
y porque a siglo y siglo esté constante,
en cada letra gastaré un diamante.

III

Nuevo aliento articule heroica fama,
con que, o fatigue, o rompa el cuerno de oro,
que en cuanto espacio el sol su luz derrama,
eco a su voz responderá canoro;
una al laurel le apure y otra rama,
de una y otra virtud el coro,
mientras mi humilde Euterpe muestra a España
que aun no le cabe a hoja por hazaña.

IV

Plumas vistió de amor, audaz mi suerte,
que o pira o gloria solicitan luego,
o con quebradas alas en la muerte,
o con aladas ansias en el fuego.
¡Semi-Icaro amor: tu riesgo advierte;
que mal alado, sobre también ciego,
la mar y el fuego ofrecen a tu pluma
pira, ya de ceniza, ya de espuma!

V

Mas obstinado ya mi pensamiento,
tirado del imán de altos ardores,
uno repite y otro atrevimiento;
mariposa sedienta de esplendores,
morirá en su mejor arrojamiento:
que es la luz cocodrilo de fulgores,
pues derramando lágrimas de cera,
crüel lo atrae a que temprano muera [2].

VI

Porfiará tu dolor inaccesible
y será su rüina su victoria:
que a las manos morir de un imposible,
aún corre más allá de la memoria;
flaca mi pluma abrigará flexible,
ardiente carro de su ilustre historia,
y en las que piras arderá de montes,
ceniza mía enfrenará Faetontes.

VII

Tu fuego, Ignacio, concibió mi pecho,
que, semi-Gedeón de frágil muro
(párpado a sus fulgores, bien que estrecho,
pues gran carbunclo en breve niña apuro),
divulgará tu luz, aunque, deshecho,
le cueste cada rayo un golpe duro,
porque pueda afectarse cada llama
lengua al clarín sonoro de la fama.

VII, 4: *Iudic.*, c. 7, v. 20.

VIII

Un mar de fuego ya atendió canciones
de los que el horno jóvenes admira
ondas nadar de llamas, tres Ariones;
y al sagrado concento de su lira,
escamados delfines los carbones
se vinculan bajel, en pira y pira.
¡El fuego oirá tu voz, Euterpe amena:
en piélagos de luz serás Sirena!

IX

Al David de la casa de Loyola [3],
al rayo hispano de la guerra canto,
al que imperiales águilas tremola,
y es, aun vencido, del francés espanto;
al que sufrió de la celeste bola
sin fatigas el peso, Alcides santo;
al que el empíreo hollando triunfante,
habitador es ya del que fue Atlante.

X

Este, pues, pollo heroico, que en la España
dos lo engendraron águilas reales,
sin palpitarle al sol ni una pestaña,
ojos legitimó a su estirpe iguales;
nido de nobles plumas le enmaraña
Guipúzcoa, que con lazos conyugales
una sangre mezcló y otra española:
noble la Balda y noble la Loyola.

XI

Su tálamo ilustró la copia hermosa
de estrellas doce, en que lució la tea
última a Ignacio, mas tan luminosa,
que de su carro el sol su luz apea:
porque a su luz, su luz aún no es lustrosa,
y en su hermosura, su hermosura es fea,
con que Ignacio por sol, por astro Febo,
zodíaco en el orbe ilustra nuevo.

VIII, 2: *Dan.*, c. 3, v. 24 et 49. — IX, 2: I *Regum,* c. 17, v. 18.

XII

Precursora a los siglos profecía
(si la piedad es título bastante),
a otro Cristo, presente otra María [4],
y un establo ya escucha lacrimante
en el pesebre a Ignacio; y pende el día
perplejo en discernir de Infante a infante,
pues se embaraza en sí, o en sí se alcanza [5]
el concurso de aquesta semejanza.

XIII

Mudo aplaude animal la voz primera,
preludio del volumen de la vida,
do anuncia el llanto, a aquella edad de cera,
la tragedia a los años prevenida:
teatro mudo, así, el establo era
de esta primera escena; que aplaudida,
hecho el papel de Cristo, al niño Ignacio
el regalo lo alberga de palacio.

XIV

Cuanta Aracnes hiló nieve en Holanda,
cuanta lana embriagó en púrpura el tirio [6];
cuanto, de hilo en la prolija randa,
a los ojos labró Flandes, martirio;
cuanta se peina el cisne, pluma blanda;
cuanto al negro ligustro, a blanco lirio
libó aljófar la abeja, sirve al niño,
una vez de regalo, otra de aliño.

XV

El brazo breve, que ligó, en la cuna,
nevada en perlas una y otra zona,
al áspid implicado a su fortuna
no teme tierna [7], inerme no perdona;
del pecho en néctar, Juno no importuna,
al nuevo Alcides labios le corona,
y su lengua, oficina de centellas,
cuanta leche vertió, cuajó en estrellas.

XVI

Con blanco alterno pecho le flechaba
Madre amorosa, tanto como bella,
de la una y otra ebúrnea blanda aljaba
de blanco néctar una y otra estrella;
y su labio el pezón solicitaba,
si en blanca nube no, dulce centella,
en aquel Potosí de la hermosura,
venas, de plata no, de ambrosía pura.

XVII

No enfrena el llanto el susurrante arrullo
de siempre tierna, lisonjera dama;
de clarín sí marcial, bélico orgullo
que al labio se dedica de la fama:
oficioso de Ninfas el murmullo,
no en cuna breve le compuso cama;
que le previno ya Marte sañudo
en sus mallas cambray, cuna en su escudo.

XVIII

"Vive, le dijo, oh bien nacido Marte,
pues repetido en ti mi nombre leo,
y otro abreviado yo en tu menor parte
almas de mi alma muchas en ti veo:
respeto en tu mantilla un estandarte,
carro agonal tu breve cuna creo;
y en tus gorjeos bebo tanta pompa,
que mal cabrá en el seno de mi trompa.

XIX

"Obstine, en perlas no, tu llanto tierno,
en balas graves sí, concha tu cuna,
y en mármol las reserve sempiterno
para el tiro mejor de tu fortuna:
el diamante ya peine [8] más eterno
Láquesis, que hilará Cloto oportuna
de tu vida feliz tan duro el hilo,
que melle o canse de Átropos el filo.

XX

"Alquilate en sus venas el acero
para armarte tu patria; sea una malla
de tus armas, al bárbaro guerrero,
lo que al mayor ejército muralla;
a elevar de tu yelmo el peso fiero,
tanta vincule pluma en su medalla
África, que le preste tu memoria
vuelo a la fama, plumas a la historia.

XXI

"Estrecho sea a tus plantas hemisferio,
cuanto fecundo alumbra, activo mira
del Fénix sol el dilatado imperio,
desde su cuna azul hasta su pira:
que si el que asombras Galo, niño serio,
tu piel reserva en su primera ira,
coloso España y Francia ya te canta,
en reino y reino puesta planta y planta.

XXII

"Nuevas armas le gaste [9], en cada luna
a Vizcaya tu aliento, sea tu espada
terror, no emulación de espada alguna:
sol de acero la penda ensangrentada
del tahalí del cielo tu fortuna;
y cuando en paz, la vaina jubilada,
durmiere la que así cervices doma,
una le rompas y otra toga a Roma.

XXIII

"Tantas tu acero te vincule glorias,
felicidades tantas dé a tu suerte,
que agoten los laureles tus victorias,
y dude en ti jurisdicción la muerte:
un siglo y otro ocupen tus memorias,
escrito un mármol y otro la despierte;
y cuando, en bronce, no diamante agudo
sea cincel el sol, el cielo escudo.

XXIV

"Tu espada trepe el ramo de Minerva;
descanse el pulso del acero grave
sagrada pluma, en que tu Dios reserva
yugo a una religión, bien que süave;
temerála el hereje flecha acerba
cuando (timón de tu sagrada nave),
conduzcas una ilustre compañía
a inculcar nuevos términos al día [10]".

XXV

Aún no nacidos siglos fiel presiente,
penetra lince el precursor profeta;
y al que nieto es de aqueste siglo ausente,
en fiel compendio el vaticinio aprieta:
edades anticipa diligente,
y tardos mofa en la prescrita meta
lustros de Ignacio; porque sin trabajo,
en el presagio Marte halló el atajo.

XXVI

La opulencia excedió, para el bautismo,
límites a la pompa: cuya fuente
mucha cátedra es en poco abismo,
donde la gracia corrigió elocuente
del mal latín de Adán el barbarismo,
que en la escuela aprendió de la serpiente;
el agua, pues, que al hombre Dios sublima,
es en la fe la cátedra de prima.

XXVII

Jordán que al renacer se afectó nido
de aquellos, que de Adán nacen mortales,
Fénices, no de aromas construido,
de vivíficos sí, sacros cristales:
a cuyo aljófar altamente unido,
elevados, desciende, los raudales,
el Paracleto Sacro, a cuyo riego,
Fénices nacen de su undoso fuego.

XXIV, 8: Es de D. Luis este verso entero. Tomólo el poeta para honrar los suyos, pues él los toma de los latinos, de Horacio y Virgilio, en infinitos lugares. Su cotejo no es para la brevedad de una margen.

XXVIII

Agua, que quebrantándole eslabones
y anulando a la muerte el estatuto,
espejo es fiel de sacras perfecciones,
del que en Narciso renació de bruto:
tiernos arrulla su raudal botones
(compendios breves de sagrado fruto),
componiendo la pila a sus arrullos
en capillos sagrados los capullos.

XXIX

Escollo es de rubí, sangriento Escila [11],
piadosa, Cristo, roca de corales,
en una fuente y otra que destila
sobre los sacros, que elevó, cristales;
donde en el golfo quiebra de la pila
sus tablas, el contagio, originales,
y hollando pasa el alma primaveras,
a cantar la victoria en las riberas.

XXX

Nubes su pelo, rayos sus resuellos
(bien espumado, si mejor mordido,
oro en los frenos), cuatro pirois bellos
en regio carro al niño han conducido,
a que el nativo sol de sus cabellos
bañe en las ondas de este mar florido,
y en los que lamen líquidos raudales,
sierpes ahoga el agua originales.

XXXI

Opresa la cerviz, joven membrudo,
Atlante es fatigoso de una fuente
que, viceluz del sol, suplirle pudo,
por grande tanto como por luciente:
dulcemente zozobra en su ancho escudo,
esquife un bernegal, donde en valiente
rugosa emulación de su venera,
sus palomas uncir Venus pudiera.

XXIX, 8: *Sapient.*, c. 19, v. 7. — *Exod.*, c. 14, v. 16.

XXXII

En seguimiento del mayor lucero,
robusto hermosamente un joven era
Tifeo de un castillo en un salero,
donde el cincel aumentos desespera;
arduo Babel luciente, en que el platero
escollo de oro a escollo así pondera,
que en las almenas, que le ciñe bellas,
su sal pudiera ser polvo de estrellas.

XXXIII

Toga infantil, aún ignorada a Roma,
Minerva le ha tejido en el capillo,
donde Milán el oro en hebras doma
y blando Murcia le descoge ovillo;
bebido en poca tela mucho aroma,
la sien corona de oro a un canastillo,
cuyos enredó senos mal distintos
arquitecto gentil de laberintos.

XXXIV

Despobló los jardines culta Flora,
de cuanta emulación de las estrellas
el cielo verde de Pomona mora,
astrónoma gentil de flores bellas:
obediencias fragantes que, a la aurora,
al contacto dio campo de sus huellas;
en quien (por no dejar su esfera propia)
los astros todos le remiten copia.

XXXV

Corvo poco esplendor de cuerno leve,
lilio en menguante, en su botón cerrado,
en rayos crece de olorosa nieve,
a mucha hojosa esfera dilatado;
Cintia es de flores, que en su copa breve,
si fragante no es ya carcaj plateado,
muchas incluye, con primor decoro,
flechas de ámbar con arpones de oro.

XXXVI

La que, coral la cresta, rubí el pelo,
el gallo fue del prado y los olores,
rosa que a ser lucero elevó el vuelo,
si no abatió el lucero sus fulgores,
o rosa es ya de luces en el cielo
o lucero de púrpura entre flores,
pues una Venus le ministra bella
luz para flor y sangre para estrella.

XXXVII

Mal sufrido al botón, nace sangriento,
de oloroso rubí mallas armado,
a las flores retando ciento a ciento,
colérico el clavel, Marte del prado.
Ámbar le vibra la mosqueta al viento,
Júpiter de los huertos venerado;
que en lo que viste nube incluye el rayo
que en puro almizcle le fulmina al mayo.

XXXVIII

Alada mayor y plumada abriles,
águila de las flores (bien que breve),
por coronarse sol de los pensiles,
muchas luces al sol Clicie le bebe [12];
y en puntas dividida mil sutiles,
hojosa imán de Febo, así se mueve,
que a la selva que al sol le ignora rayos,
aguja es de marear golfos de mayos.

XXXIX

El que América en una y otra mina
hijo engendra del sol, oro luciente,
indiana se vistió la clavellina,
y al pie torcido su natal serpiente
(talar su mejor hoja) se destina:
Mercurio de los huertos que, elocuente
(si el caduceo el pie le dio y la copa),
del Inca embajador voló a la Europa.

XL

La copa es de aquel lirio que colora
cárdeno el ceño de la noche esquiva,
Saturno de los huertos, donde llora
de Narciso la muerte intempestiva
el alba, y donde deposita Flora
de su cadáver la fragancia viva;
que pues nació la flor mortal estrella,
nazca su pira adonde nace ella.

XLI

Del firmamento verde el numeroso
vulgo plebeyo es astro, aunque lucido,
que el Zodíaco pueblan espumoso
del arroyo que, en flores escondido,
en el jazmín que inunda populoso
Vía Láctea al abril le ha florecido.
Éstos las fuentes y la pila arrean,
o luz de flores, o astros de ámbar sean.

XLII

Dosel majestüoso de brocado,
albergue propio de real corona,
desnudar al infante vio sagrado
cuantas perlas el mar cuaja salado;
cuanta púrpura al tirio ufano entona,
y cuanta el cielo se ha ceñido zona
vio volar al Jordán, recién nacido,
sin alas y con ojos un Cupido [13].

XLIII

Al margen de la pila se suspende
dubia neutralidad que el nombre duda,
y al más ladino, que indeciso pende,
al paladar la lengua se le añuda;
en vano ser el Pugilar pretende,
lengua segunda de la lengua muda:
que dice el pasmo, sin hablar, que sabe
que ni en la lengua ni en estilo cabe.

XLII, 8: Es verso de D. Luis todo este último. — XLIII, 4: *Luc.*, c. 1 v. 63.

XLIV

Al margen de la pila, viste muda
la lengua más veloz, pasmos de roca,
sin que en vocales fuegos se sacuda
al golpe del prodigio que la toca;
risco así, pertinaz [14], su fuego anuda
con mordazas de hielo tanta boca.
¡Oh pueblo! ¡Oh piedra! El nombre repitieras,
si una centella para el nombre dieras.

XLV

Cantarlo quiere [15], porque el nombre sabe,
cisne de cera, aquella antorcha ardiente
que o más arde veloz, o más süave,
cuando la muerte de su luz presiente;
mas ni en la lengua de su llama cabe
ni en el fuego cabrá más elocuente,
si en nuevas lenguas su divina llama
aquel Tulio de fuego no derrama.

XLVI

Aqueste al niño le embistió la boca [16]:
Ignacio pronunció su lengua bella,
y el que al pasmo vistió miembros de roca,
al golpe de su luz dio una centella;
cada lengua a su habla se revoca,
y en cada voz un sacramento sella,
y en la cabeza a Ignacio el agua agota
el nombre, letra a letra, gota a gota.

XLVII

Menos regocijó llama improvisa
en turbulenta noche, en mar sonante,
cuando en voces de luz la orilla avisa
huya de incierto mar, al naufragante,
que suspensión determinó indecisa
el nombre ardiente que voceó el infante;
pues con su eco el nácar encedido,
si la vista lo oyó, lo vio el oído [17].

XLVI, 2: P. Eusebio Nieremberg, *Vida de san Ignacio de Loyola,* cap. 1.

XLVII, 8: Es verso este último de Ribera en el *Triunfo de David*; trueca los epítetos de los ojos a los oídos para denotar la turbación en que los puso tan gran prodigio, como haberse puesto el nombre el niño.

XLVIII

Cejen aquí los siglos sus edades,
y el más que todos memorioso, cante
si en las que guarda el bronce eternidades,
prodigio ha reservado semejante;
denle al buril tan raras novedades,
lámina no de bronce, de diamante:
dos veces Fénix al portento alabe,
y pues nació en Ignacio, en él se acabe.

XLIX

Al agua el niño la cabeza inclina,
que en pocas sacras ondas desatada,
se temió mariposa cristalina
en piélagos de fuego despeñada:
en cada pelo un rayo le examina
a la melena que lamió dorada;
y a la cenizas en que ardió, de perlas,
urna la pila se afectó al cogerlas.

L

Al patrio umbral, del templo, lo redujo
la que carroza fue, ya carro ovante,
de quien en vano quiere ser dibujo
la que condujo Césares triunfante:
mucho a su casa pueblo le condujo
Mercurio de metal, clarín sonante,
cuando Empírio previene Capitolio
bronce a la estatua, si dosel al solio.

LI

Paradas mesas la opulencia tuvo
al número de huéspedes lustroso,
que en lo mucho exquisito se entretuvo
si mucho se admiró de lo precioso;
tela donde un estómago mantuvo
de los cuatro elementos victorioso,
pues ni la tierra piel, la mar escama,
ni el aire pluma le negó a la llama.

LII

Damascada pensión de los telares,
flamenca Aracnes descogió, arrogante,
entre hilados jazmines y azahares,
no menos blanco lienzo que fragante.
Muró la crespas garzas [18], no vulgares,
sus orillas la mesa, en que arrogante,
crestado un lienzo sobre el otro, hacía
entallada de nieve cetrería.

LIII

Sol un salero, confusión de estrellas,
desmembrado en sus piezas, derramaba;
y, rayo de oro la menor, centellas
en las nubes de lino fulminaba.
De opimos frutos y de flores bellas,
Amaltea sus cuernos trastornaba
sobre los cedros, que cansados gimen
de las grandezas con que los oprimen.

LIV

Rojo penda terliz [19], ya que no bello,
sobre el pico, ni adunco ni torcido,
o fuelle de zafir sople en su cuello
a su canto, ni arrullo ni gemido,
el ave que, en el hombro o el cabello,
ya del Inca es diadema, ya vestido;
que hospedando en sus arcas al oriente,
voló a la mesa desde el occidente.

LV

Mentida Isis en la piel, pudiera [20]
acicalar en Argos el desvelo
de la que el Tauro codició ternera,
por darle ilustre sucesión al cielo;
lasciva Parca de las flores era
la que (la luna el cuerno, el sol el pelo)
víctima cayó idónea, y dio la vida
por que pródiga fuese la comida.

LV, 7: *Luc.*, c. 15, v. 23.

LVI

Cuantas copias el gallo perezosas
(ceñido de rubí crespo turbante)
si bellas no, crestadas celó esposas,
Gran Turco de las aves arrogante,
tantas con quejas lamentó amorosas
(torcido el cuello, aun de la más amante)
cuando el estrago, que él lúgubre llora,
el fuego enrubia y el rescoldo dora.

LVII

Alma de las arterias de la sierra,
en blandas pieles Dédalo mentido,
aquel que en laberintos mil se encierra
en un taladro y otro que ha torcido
conejo, aun desde el centro de la tierra
espíritus le late al prevenido
can, que lo fía en el convite ileso,
en fe que es suyo el uno y otro hueso.

LVIII

Al que la leche le ministra pasto [21]
(devigorada la nerviosa pluma),
eunuco muere de las aves casto,
pájaro sea plebeyo, alado Numa;
el que el piélago al aire nada vasto,
en los platos es ya tan rara suma,
que al paladar su copia nunca vista
nuevas Indias de gula le conquista.

LIX

Aquel a cuya huella aun no vacila
el jazmín que del aura ha vacilado,
y al ardiente clavel le despabila
las cenizas, del alba no violado,
su muerte en el del can dentado Scila
el ciervo halló infeliz: pues, destrozado,
de aquello que le rompe el arrecife,
un plato y otro fue dorado esquife.

LX

Alada de dos remos, la barquilla,
halcón a quien dio el remo leve pluma,
de la alcándora absuelta de la orilla,
rompe en región azul nubes de espuma;
no las caladas de su aguda quilla
(garzón del mar) el sábalo presuma
falsear veloz o desmentirlas mudo,
que es su garra el arpón que sintió agudo.

LXI

Del coso sole, que muró una roca,
a la plaza del piélago espumoso,
toro el atún marino, que convoca
al uno y otro remo perezoso:
cálase al mar el fresno que lo toca,
de un joven impelido así nervioso,
que, borrándole al mar limpios cristales,
es ya, varado, escollo de corales.

LXII

Cimiento el plomo, si la corcha almena,
nudoso muro al mar, la red se tiende;
provincias mil de escollos encadena
y ciudadanos mil del agua prende:
ni al de lúbrica piel vale la arena,
ni el de escamas armado se defiende;
que es la mesa teatro, en tanta suma,
del secreto ignorado aun de la espuma.

LXIII

El que el arroyo cristalino muerde
bruñido junco, ya oficioso cubre
panal de leche, en su colmena verde,
de la oveja labrado en ubre y ubre,
con quien, helada, por morena pierde
la que ordenó a las nubes nieve octubre;
canas ésta peinó siempre vulgares,
porque es la leche Adán de los manjares.

LXIV

Peinóse hebras de nieve la pechuga
sobre la leche, que templó süave
electro, que la abeja que madruga
a libarlo a la flor, cuajarlo sabe;
o se densa en las llamas, o se enjuga
éste, que, medio leche, medio ave,
Centauro es de la gula, en el convite,
del griego el metamórfosis repite.

LXV

El cadáver augusto de la fruta
que en bálsamo de almíbar se preserva
en las mesas, al huésped se tributa
en la embebida en ámbares conserva.
Por imán de las tazas se diputa [22],
cuanto salada más, menos acerba,
en sazón a la sed siempre oportuna,
retaguardia a las mesas, la aceituna.

LXVI

Pelicano de frutas, la granada [23],
herida en sus purpúreos corazones,
su leche les propina colorada,
en muchos que el rubí rompió pezones.
Baco, que la admiró desabrochada,
apiñados le ofrece los botones
en el racimo que cató respeto
al vino de quien es diez veces nieto.

LXVII

Hijas del soplo, nietas de la hierba,
las tazas débilmente cristalinas,
y las que el chino fabricó y conserva
en las que pudre al sol conchas marinas,
con las que antigua sucesión reserva,
partos de Ofir [24] en sus primeras minas,
dora el antiguo Baco, aún más precioso
que el cristal puro y oro luminoso.

LXVIII

Fatigada la mesa largas horas,
los huéspedes la alivian, siempre urbanos,
y en sudor de azahar, seis ninfas Floras
derrotan ojos, cuando inundan manos:
asaltó luego tempestad de auroras
en tropas de instrumentos soberanos,
que al infante pidieron que urna elija,
en que note este día blanca guija.

CANTO SEGUNDO

Puerilidad de S. Ignacio hasta su juventud, en que sirvió en su Corte al Rey; en ella no manchó su castidad. Ocupaciones honestas que tuvo, hasta que inducido de su natural inclinación a la guerra, sirvió en ella a su Rey.

LXIX

Vivió a las fajas y a la cuna el niño,
estudió de Amaltea muchos días;
muchos arrullos le gorjeó el cariño,
muchas amor le dijo profecías:
murado al frío lo guardó el armiño,
tumbos las cunas repitieron pías,
y en sus labios bebió sed el deseo
en uno y otro que libó gorjeo.

LXX

Su hermosura a los rayos del aurora
y al mismo sol eclipsa por su exceso,
si bien la edad su pompa abrevia ahora,
como el botón compendia (bien que ileso)
su esplendor a la rosa, do el aurora [25]
cicatriz al carmín le rompió preso,
y pestañeando la pulila hojosa,
la que nudo durmió, despertó rosa.

LXXI

El terno de las Gracias le previno
(hechizo de sus padres) al infante,
electro al labio, que a su boca vino
a saber ser ambrosía en adelante;
al Aries despojó del vellocino
el terno de las Parcas vigilante:
cuidan las dos el hilo, y la tijera
un siglo se la hurte a la tercera.

LXXII

Lugarteniente del pezón materno,
ama se sustituye vigorosa;
ni Amaltea en el Júpiter moderno
influye, que no sea generosa.
No sordo cascabel, al niño tierno;
la sacudida, sí, malla conchosa
le adula el sueño: que nació esforzado,
como Minerva desde el vientre armado.

LXXIII

De carroza pueril luciente auriga,
las salas Faetón niño pasea,
y a confesar a su brocado obliga,
que siente fuego, sin que incendios vea.
Tierna planta el penino le fatiga;
aprende mal a andar, y así cojea,
que está su casa toda persuadida
que andará sobre un pie toda la vida.

LXXIV

Para darle el amor gala viriles,
en la inundada frente en crespos rayos
un año le tejió de doce abriles,
y otro le encadenó de doce mayos.
Para formar la edad del nuevo Aquiles,
Quirones muchos se acicalan ayos,
cuando, en la aurora que logró primera,
flor a flor se agotó la primavera.

LXXV

Arquitecto muró de fácil tierra
los que ya edificó frágiles techos;
que así su edad desayunó la guerra
en los que aquí le bosquejó pertrechos:
las mangas abre, si los cuernos cierra
de un escuadrón de niños, cuyos pechos
en Marte enciende así, que hacen sañudos
lanzas las plumas, el papel escudos.

LXXVI

Ya el tortüoso caracol imita
jineteando la caña; ya acelera
giros al trompo, que el cordel agita;
ya con el soplo anima en una esfera
a un Icaro que el viento precipita,
alado espumas en lugar de cera,
si un pavón no de vidrio, a quien dio pluma
un anhelo, que un soplo le consuma.

LXXVII

Ventajosa Vizcaya, a cuanta cera
aró de Roma el castigado estilo,
a cuanto, carta, o junco en la ribera
investigó solícita del Nilo,
a cuanta piel le desnudó a la fiera
del Pérgamo sangriento agudo el filo,
a cuanta en telas túnica le pudo
dar a la antigüedad tronco desnudo,

LXXVIII

de Ignacio doctrinó, en la pluma, arado
que surcase al papel campos de nieve,
donde sembró sus letras el cuidado
y como siempre le siguió no breve.
¡Oh, no de tardos bueyes arrastrado,
de águilas sí reales, yugo leve,
que tantas fecundaste en nuestro días
trojes de jesüitas librerías!

LXXIX

La que, mucha beldad, en breve nudo
oprimió la niñez, rompen los días,
y, joven rosa, desatarse pudo
en purpúreas de Ignacio lozanías.
Venus la más valiente, embrace escudo:
que en esta, amor enseña tiranías,
rosa, a cuyo esplendor, cuyos blasones,
trasladó para espinas sus arpones.

LXXX

Suavemente membrudo el joven era,
si armado Adonis, si vestido Marte;
sortijosa tejió su cabellera,
de la noche y el sol ambigua parte:
fragra luciente [26], ungida reverbera
al culto aliño en que, estudiosa, el arte
ámbares muchos le peinó dorados
o le adobó crepúsculos hilados.

LXXXI

Pella es su rostro de nevada roca
despedazada entre claveles rojos;
un lucero de púrpura en su boca,
si un pardo sol se dividió en sus ojos:
cuantos, rosada imán, aquella avoca,
opulentos de aquestos son despojos;
en su cejas un arco de Cupido,
y en sus niñas se ha Venus repetido.

LXXXII

Rostro real, merecedor de imperio
(sólo el sí le faltó de la fortuna);
grave sin arte, sin estudios serios;
alma, en lo arduo y en lo fácil, una [27].
Encogido, ocupara un hemisferio,
y al océano diera otra coluna,
cuando corto su brío. Esta persona
dice que hay César sin ceñir corona.

LXXXIII

Augusto así garzón, pisó los lares
de la corte de césares hispanos,
que de fotruna son en altos mares
coronados Caribdis soberanos:
donde en náufragos votos, los altares
de ídolos fatiga cortesanos
indiana nao, que en preciosa suma,
carga de oro por cargar de espuma.

LXXXIV

Donde la adulación, siempre sirena,
propinando está tósigo armonioso,
en el que dulcemente labio suena
donde el engaño lo agotó, esponjoso [28]:
donde, huesos nevada, es ya la arena
aun al risco espectáculo horroroso,
y sólo aquel se salva, en su carrera,
que antídoto al oído da de cera.

LXXXV

Donde la rueda agita de fortuna,
de la privanza licenciosa mano,
despeñando del cuerno de la luna
al que pavón sobre ella fue lozano;
ni en ocasión la clavará oportuna
el que fénix es hoy, si ayer gusano;
que a las espumas da alada fatiga
quien viste plumas de águila a la hormiga.

LXXXVI

Donde, sangriento buitre el bien ajeno,
sólo un pico en cien Ticios ensangrienta;
donde risueña flor mulle en su seno
los áspides gitanos que alimenta:
donde a estragos fatiga aun al veneno
la envidia del señor más opulenta:
y el can, que adulador, a Acteón le miente,
si mudado lo ve, le imprime el diente.

LXXXVII

Donde se finge a la ceniza leve
renacencia en el pórfido luciente,
que un siglo más allá, en la pira breve,
rempuje la memoria ilustremente:
ambición del cadáver, que se atreve
con poco mármol al secreto diente
del tiempo, que lo roe y más olvida,
muerta dos veces una misma vida.

LXXXVIII

Donde, o diamante bachiller alumbre,
o topacios se estorben mal distintos,
o proceda la perla en la alta cumbre,
o ya la pierda el oro en laberintos,
en las sienes es dulce pesadumbre,
escollo la diadema de jacintos,
de quien Sísifo el rey es fatigado,
que no alivia lo rico a lo pesado.

LXXXIX

Donde alista en un hilo en pocos granos
una escuadra el oriente de luceros,
a cuyos netos globos [29] soberanos
(balas de auroras) no hay dobles aceros:
opulenta aritmética de indianos,
que su riqueza suma en pocos ceros,
y el más profundo investigando abismo,
a la codicia halló nuevo guarismo.

XC

Donde Venus, con cetro más sublime,
mal conducida de lasciva pluma,
mares de perlas con su concha oprime,
quiebra diamantes en lugar de espuma,
y al remo llora, o dulcemente gime,
el purpurado más, el mayor Numa,
y, argonauta en la popa, un niño ciego
con un arpón gobierna un mar de fuego.

XCI

Donde, de jaspe y pórfidos armado
y en su misma beldad desvanecido
el palacio, a los siglos obstinado,
adalid de los otros, se ha engreído
hacerse del Consejo Real de Estado
de los rayos de Jove esclarecido:
¡teme, Luzbel de piedra, en tus rüinas
arrastrar esas máquinas vecinas!

XCI, 7: *Luc.*, c. 10, v. 18. — *Apocal.*, c. 12, v. 4.

XCII

¡Oh ambición, que oprimida de grandezas
vistes la corte de purpúreas ropas;
sierpe, que en tantas se partió cabezas
cuantas la pretensión adoró tropas:
que brindas con hidrópicas altezas
al camaleón, que te apuró las copas,
y en ellas bebe sed el mayor Numa,
pues seca al néctar ponzoñosa espuma!

XCIII

Este, pues, caos, en quien trocó la muerte
saetas con amor, joven gallardo
habita Ignacio, sin que amor acierte
(ciego al fin) a clavarle sólo un dardo.
Marte era el joven: Marte, mas tan fuerte.
que, afecto a Venus, no flaqueó bastardo;
ni como el otro Marte, en su batalla,
de conchas hizo de la mar su malla.

XCIV

Aquí se bosquejó para la guerra
en su imagen la caza: a sus pinceles
pluma ofreció el halcón; Ingalaterra
pelos le vinculó de sus lebreles;
tiento el venablo fue, lienzo la tierra;
y del bosque pintor, del monte Apeles,
tal color dio la sangre al aparato,
que a la verdad se le atrevió el retrato.

XCV

El venablo vibrando cansa el bosque,
y el jabalí, que el cuerno oyó sonante,
sale acosado de importuno gozque,
hirsuto el lomo, el diente ya espumante:
diestra mano, aun antes que se embosque,
lenguado fresno le embebió vibrante;
y él, excusando al hierro del estrago,
confesó que muriera aun del amago.

XCII, 5: *Apoc.*, c. 17, v. 3.

XCVI

Ensangrienta el ijar de un Euro overo
tras un pardo Aquilón de un corzo leve,
en la caza latiendo el can severo,
a cuyo insulto la acusó de aleve;
sagaz lo sigue, acánzalo ligero,
con diente duro pensamiento breve
el can, que en tiempo lo mordió fogoso,
que lo huella el caballo victorioso.

XCVII

El que entre flor y flor del huerto una
azucena la más cándida fuera,
a la margen, garzón, de la laguna,
muda atalaya de los peces era;
este lilo de plumas, cuya cuna
o el junco fue o la espuma más ligera,
insultado del can, los vientos huella
y tira, en plaza azul, sueldo de estrella.

XCVIII

De acero la uña, el pico de diamante,
en una y otra que mintió calada,
desenlazado el baharí del guante
(poco a poco la nieve examinada),
rayo de pluma, lo embistió sonante;
y del coral la pluma salpicada,
en la prescrita meta a su despeño,
en dos mitades lo ofreció a su dueño.

XCIX

Contra los dos carbunclos con que mira
—perezosa la pluma, grave el ala—
el ascálafo tardo [30], se conspira
turba de cuervas [31] que a la noche iguala;
o envidia mueve, o precipita ira,
a cuanto pico en ellos se acicala,
de aquestas, que en sus luces son hermosas,
mayores de la noche mariposas.

C

O el presagio, o la sombra, o el latido,
o todo junto, las derrama al viento,
y en pavoroso súbito gemido
en el aire se pierden ciento a ciento;
Euro de pluma, el sacre fementido
su turbia flota al líquido elemento
desata, y zozobrada en nube y nube,
con ser su viento, a ser su escollo sube.

CI

Contra una de éstas, un halcón ayuno
(auxilio al sacre) nubes ha escalado,
y a trópicos, y a polos; y así el uno
nadir, cenit el otro fue plumado;
Scila [32] en aqueste dio, cuando importuno
Caribdis en el otro escapó alado:
náufrago así el esquife se reparte,
y cada escollo vinculó su parte.

CII

A un rayo cordobés, miembros vestido,
solicita fatigas con la espuela,
que, hijo del Tridente esclarecido,
polvoroso es borrasca cuanto vuela [33];
en blancas nubes en su piel mentido,
almas de rayos en su aliento anhela,
y al caracol, girado pensamiento,
le ofende mucho quien lo aclama viento.

CIII

Escamado de láminas de acero,
en la pólvora estudia generoso:
potro fue el plomo a su pesar ligero,
al acicate que batió fogoso
el pedernal en el estadio fiero
del mosquete, que rige ponderoso,
en uno y otro lo ha industriado impulso,
de los frenos regido de su pulso.

CIV

Seguido en vano de precito tema,
en la lanza la argolla airoso aprieta;
siempre al anillo atravesó la yema,
a la sortija siempre la niñeta:
aplauso no vulgar le dio diadema,
la vez que fatigó la arena, atleta;
y a su tendido salto, sola la ala
con pesadumbre, aunque con dicha, iguala.

CV

Temido en el palenque polvoroso,
nunca lo holló sin fortunado empleo;
no escollo inmoble, sino impetüoso,
fue a cuentas ondas le arrojó el torneo;
y en la murada orilla, proceloso
polvo de astillas (astas del trofeo)
desata así, que llegan a aclamallo
Caribdis corredor, Scila a caballo.

CVI

El duro golpe de su docta pala,
breve globo de viento al viento entrega,
e impetüoso así nubes escala,
que con los astros juzgarán que juega:
neblí de piel, que sin valerse de ala,
a ser cenit del firmamento llega,
donde (a haber arte de cazar estrellas)
se recelaran, garzas, todas ellas.

CVII

Colón de Marte, investigó, en su acero
en carta de matar líneas mayores [34],
ángulo crudo, o paralelo fiero,
que a leyes le reduzcan sus ardores.
¡Oh del hombre occidente, y cuán severo
error te impele a doctrinar horrores,
pues a rendir tu flaco balüarte
naturaleza se conjura y arte!

CVIII

Doctrinado en los bélicos borrones
en quien Marte valor brujuleó ardiente,
lo condujo a vivir a los pendones
del César español; donde valiente,
de su rosada edad rompa botones,
cuando esplendores suyos ensangriente:
raso pendió el escudo al talabarte,
y jubilóse con Ignacio Marte.

CIX

Argos en la garita su desvelo,
impresa una pupila en cada malla,
Argos lo deja vigilante el cielo,
y, Polifemo el cielo, Argos lo halla:
viva estatua de Marte lo hizo el hielo;
dudó si era su almena la muralla,
donde calando cuerda en turno y turno,
carbunclo el campo lo aclamó nocturno.

CX

Agravado de conchas de diamante,
trocó las pieles en el duro invierno;
pez escamado pareció nadante,
surcando el hielo duramente tierno;
encalleció al trabajo tan constante,
que a la vida tiró gajes de eterno,
cuando el invierno le paró el trofeo
que pretendió la Estigia a Lariseo [35].

CXI

De penachos crestado el yelmo ardiente,
vestido en vez de pluma de armas graves,
gallo a las huestes se afectó valiente,
reloj de las vigilias no süaves:
y así, la vez que la celada siente,
torciéndole al cañón las raudas llaves,
despierta al campo, en pocos que comete
cantos a la garganta del mosquete.

CXII

A sus laureles hojas escrudiñe,
y su grama mural deje talada
Palas para su frente, en quien ya ciñe
tan fuerte pluma como docta espada;
la sangre aquésta, el néctar la otra tiñe,
acero sea süave, o pluma airada,
pues (Parnaso la tienda) Ignacio extrema
al Vice-Cristo Pedro, alto poema.

CXIII

Nuevo le aclama César, quien lo admira
descansar de la espada con la pluma,
y del morrión quitar para la lira
de uno y otro cañón no poca suma:
tintero un frasco se construye, y pira
a lo que dicta Euterpe, o Marte espuma:
¡Oh feliz, que a dos manos en tu gloria
has cogido entre puertas la memoria!

CXIV

Franco a su mano el licencioso saco
de opulencias de un Creso (en que el ovante,
que armado Marte fue, villano es Caco)
él con ánimo huella así constante,
que cual noble león perdona al flaco
cordero, aun de su hambre triunfante:
¡Oh feliz, que al trïunfo de tu gloria,
esta añades, de ti, rara victoria!

CXV

Estudiosos sudores de Vulcano
a Ignacio armaron; quilatado acero
engastó, no agravó al joven, que ufano
pavón de Juno fue, bien que guerrero:
(pluma la malla) gravemente vano
cada ojo compuso de un lucero:
sus pompas gire ahora así bizarro,
que el muro le dirá si hay pie de barro.

CXVI

Humo escupiendo a plumas reducido,
grabado era el morrión un Mongibelo:
adunco de real águila mentido
rostro minaz en él, revuelto al cielo,
dudas da de otro rapto no mentido,
cuando al viento sus plumas fingen vuelo,
pues pudo ministrarle a Jove copa
por Ganimedes único de Europa.

CXVII

Este escollo de acero luminoso,
hiedra de varias plumas convestida,
un penacho lo trepa vagoroso [36],
precipicios mintiendo en la subida;
llega a la cumbre, y ve de allá orgulloso
despeñada su copa, y no caída:
y al aire con quien lucha, suma a suma,
es un Briareo trémulo de pluma.

CXVIII

Diamante el peto en láminas batido,
si endurecidas su espaldar centellas;
sol de acero su estoque es encendido,
y sol con rayos de frecuentes mellas,
pende del tahalí que le ha ceñido
(astros de bronce sean, sean estrellas
las láminas que brillan trecho a trecho),
zodíaco de oro el ancho pecho.

CXIX

Si mar de luz el peto, ondas de soles
quiebra en la orilla en conchas de escarcelas,
y en veneras inunda y caracoles
toroso al muslo, ya inundado en telas;
valentía de flándricos crisoles,
de Trïones compone las tejuelas;
y en las mallas derrama, coro a coro,
en piélagos de luz, sirenas de oro.

CXX

Pudiera ser del unicornio crudo,
por relevada y por cerúlea frente,
el convexo bruñido de su escudo;
si ya no fuera emulación valiente
de aquella del monóculo membrudo
que es cielo al sol de su pupila ardiente:
cuya pestaña, de fatal acero,
aun de los bronces es lince severo.

CXXI

Vibrada una serpiente la asta era,
que en la lengua del hierro fulminaba
tósigos de su temple, que rompiera
el diamantino arnés que a Marte agrava:
no tan fatal saeta, tan ligera
(víbora que da al aire indiana aljaba)
por la malla penetra, en quien derrama
veneno, cuando en ella viste escama.

CXXII

Su jineta en la plaza de Pamplona
cetro de un campo se erigió de estrellas,
que al muro, que sus techos ciñe zona,
conductor inducía las más bellas;
firmamento de signos lo corona:
de Argos que pestañeando están centellas;
de leones al sueño tan despiertos,
que aun lo alberguen los párpados abiertos.

CANTO TERCERO

Capitán en Pamplona, la defiende del francés: reprime a los suyos, que huían medrosos; redúcelos a defender el muro, a donde pelea varonilmente hasta que deshecha una pierna con el golpe de una piedra, que desbarató una bala en los muros, gana el francés a Pamplona.

CXXIII

Los que el Cuarto Filipo alumbra imperios,
hesperio sol rayos tan humanos,
en más ceñidos los ardió hemisferios,
con esplendores Carlos soberanos:
Marte, que con impulsos siempre serios
ejes volcó a la tierra en sus manos [37],
y con la fuerza de una de ellas sola
pudo en los cielos estrellar su bola.

CXXIV

Piedra lució de su rëal corona,
si ya no pedernal de su cadena,
a la que puso cátedra a Belona
en una y otra que la ciñe almena:
a la escoltada del león, Pamplona;
a la que altiva a su eslabón condena
la cerviz más exenta, del que al muro
o cauteloso escala, o bate duro.

CXXV

A su enjambre de techos numeroso
que estrecha el aire en jaspes obstinados,
no leve corcho, no, sí ponderoso,
los muros son de almenas coronados,
do hiedra de cristal el Arga undoso
abrazos da a sus piedras apretados,
y en halagos de vidrio (cuando octubre
le da caudales) las almenas cubre.

CXXVI

Su muro escoltan vigilantes guardas,
frenos aun para el ímpetu más ciego,
alanos de metal, roncas bombardas,
que escupen plomo cuando ladran fuego;
si basiliscos no, cuyas más tardas
pupilas libran al menor despego
ponzoña tan fatal, tan prevenida,
que la muerte anticipan a la herida.

CXXVII

¡Oh pólvora, invención de áspid humano!
¡Oh químico tudesco; qué enemigo
a la vida fatal, labró tu mano
en polvo poco un siglo de castigo
contra el mayor esfuerzo, pues su grano
es del cobarde apetecido abrigo,
donde imperiosa el arte al fuego apura,
y reduce centellas a clausura!

CXXVIII

La centellosa sangre has penetrado
del pedernal en las heridas venas,
y de sal y alquitranes fabricado
infierno breve en rápidas arenas;
y un rayo, el más fatal, desmigajado
en tan menudos polvos encadenas,
que átomos son del fuego, o contra el risco
ojos molidos son de basilisco.

CXXIX

Reducida la cólera a minutos,
y a granos la impaciencia de la llama,
es mostaza que en humos absolutos
se le sube a los montes de más fama;
y de los tiempos salsa, entre los brutos
riscos con tales hambres se derrama,
que un breve instante come, apresurado,
lo que no pudo un siglo desganado.

CXXX

Antes que tú nacieses, el membrudo
jayán era temido, y el soldado
la defensa preciaba de su escudo;
un dardo de la cuerda era arrojado
el áspid más fatal; ariete rudo
desmigajaba el muro levantado;
nacida tú al cañón, halló tu ira
contra distantes vidas longemira.

CXXXI

A infundir en Pamplona altos desmayos
a estos Etnas de bronce, se dispone
el lilio galo, en los sutiles rayos
que en hoja y hoja el oro le compone.
Pompa olorosa de caducos mayos,
¿quién, de tu antigua cuna te traspone
a tan activa pira, do tu estrago
no el golpe causará, sino el amago?

CXXXII

¡Qué mal el gallo contra el león se arroja,
el sueño a las vigilias alternado,
si en sus ojos dos Argos éste aloja,
aun cuando más del sueño acariciado:
si canta aquél, aun cuando más se enoja,
y es bramido el de aquéste, aun no enojado;
si es, el resuello de éste, al bosque espanto,
y es el grito de aquél, apenas canto!

CXXXIII

Si, o trinche fieras, o diamantes rompa,
cetro la garra de éste se blasona;
si a este monarca, enmelenada pompa,
le ensortijó su greña la corona:
¿qué turbante de púrpura, qué trompa
de ronca pluma aquél audaz entona,
si el crestado morrión poco es granate,
si apenas su espolón es acicate?

CXXXIV

Mas ¡ay! que el lilio es bélica armería,
caja marcial su copa campanuda:
y cada rayo de su lujoso día,
más que de acero es una hoja cruda;
y del galo a la disona armonía
vacilarás, león, bestia membruda,
y digerida en la ceniza leve,
urna el lilio a tu pompa será breve.

CXXXV

Plantó el francés el escuadrón armado,
círculo al centro de su lilio de oro;
cual su esfera a la rosa ha coronado
de susurrante enjambre el vago coro,
a inculcar libador, ¡oh buzo alado!
en sus purpúreas conchas neto lloro.
Tal, lenguadas de acero, en sus blasones,
las picas se afectaron aguijones.

CXXXVI

O vencer, o dejar con la herida
el aliento, obstinado el francés jura:
habló alto una bala sacudida,
y aunque sorda, la oyó la piedra dura:
desentrañó otra pieza mal sufrida
la respuesta que al galo se apresura,
y a intimarse las piezas el destierro,
avestruces de bronce cuecen hierro.

CXXXVII

Una el francés repite y otra bala,
y en vano se repite la defensa;
plumas calza, aun el plomo, de leve ala,
y en guardarse la guarda sólo piensa:
no al cauteloso Hipómenes iguala
en el sulfúreo pomo, grave ofensa;
pues no enfrena, estimula en copias tantas
muchas tímidas turbas de Atalantas.

CXXXVIII

Cual (relámpago el huelgo tormentoso,
si la espumosa lengua torva llama),
cuando estrecha lo aborta nube al coso,
rayo es con piel el hijo de Jarama,
y al que inunda la plaza, populoso
vulgo, a inquirir asilos lo derrama:
tal, al bramido, al golpe de las balas,
el miedo calza presurosas alas.

CXXXIX

Laurel a tantos rayos, un Loyola
altamente al temor su pecho exime,
en común cobardía excepción sola,
y privilegio al bronce, así sublime,
que en él no bastardeó sangre española,
mas lo que en otros pierde, en él redime;
laurel, respetó el rayo su persona:
componga de sí mismo su corona.

CXL

Si al cristalino potro, arroyo undoso,
desde el escollo reprimió pendiente
con los que mueve, auriga numeroso,
frenos Orfeo en cítara elocuente:
Loyola, así, del campo temeroso,
desde los muros reprimió el torrente,
y de un mosquete a la sonante lira,
generoso este néctar les inspira:

CXLI

"¿Qué miedo instimuló[38] vuestra carrera?
¿Así excusáis el golpe al adversario?
¿Esas armas de acero son de cera,
o de diamante son las del contrario?
Dad a la suerte qué dudar siquiera;
no le hagáis el trofeo necesario.
Huyendo, sólo le franqueáis más gloria
que os diera, muerto él, vuestra victoria.

CXLII

"Desflemará el preludio de su ira
en las piedras del muro, y enervado
ese orgullo veréis, que así os retira,
en sus mismas rüinas sepultado;
no se deba al amargo que os admira,
o que pueden deberle opuesto al hado:
advertid que en certamen tan acedo,
el mayor enemigo es vuestro miedo.

CXLIII

"La sangre se le huyó viéndoos al muro,
y ardiente sangre le ministra Baco:
la que el aspecto ya derramó duro,
no tema agora vuestro miedo flaco:
mate perdiendo, hiera no seguro,
haced siquiera que merezca el saco;
sepa de vuestra sangre la palestra,
y en su sangre anegad la sangre vuestra.

CXLIV

"Redimid con la muerte vuestra fama;
la sangre saque mancha tan notoria:
también ciñe al vencido ilustre rama;
pelear sin esperanzas es victoria:
sin gloria muere el que murió en la cama:
trompas son, las heridas, de la gloria:
dadles qué celebrar a los pinceles,
y con sangre regad vuestros laureles.

CXLV

"Pelear para vencer, es granjería;
pelear para morir, es rico empleo;
victimarse al cuchillo, es valentía;
socorrerse del riesgo, es gran trofeo:
un airoso morir colma en un día
la honrosa hidropesía del deseo:
siempre el de la ocasión fue presto vuelo:
detenedla, aunque sea por un pelo.

CXLVI

"¿No ha de pagar la vida, en pluma poca,
con una enfermedad plebeya muerte?
¿No ha de callar los huesos una roca?
¿Tierra no sellará la mejor suerte?
A un siglo y otro le ocupad a boca;
quien desprecia el morir, tan sólo es fuerte:
degollad en el ara de la fama
lo que sin gloria usurpará la cama.

CXLVII

"Habladle alto al olvido, porque crea
que el soplo de la vida de un soldado,
si airoso lo exhaló, feliz granjea
a la fama un clarín de él ocupado:
la eternidad en estas piedras lea
con sangre vuestra el nombre vuestro arado:
que es epitafio eterno gota breve,
a quien el tiempo no su diente atreve.

CXLVIII

"Pelicanos de España, dad la vida
con la sangre al honor que mató el miedo:
si faltare la pólvora, vertida
mi sangre lo será; mi menor dedo
se acicala puñal, bala escupida
el ademán será de mi denuedo:
y con mi nombre o con mis ojos arda,
siempre bien emplëada, la bombarda.

CXLIX

"La hueste al español es, denodado,
lo que al vasto elefante breve hormiga.
¿Veis aquel escuadrón tan apiñado?
¿Veis la selva de lanzas enemiga?
Sólo un grano será cada soldado,
cada pica una arista, y una espiga
el campo, que el león vuestro severo
con garras segará de noble acero.

CL

"Aquel que mura, enjambre numeroso,
la pompa flaca de su lilio de oro,
para sus timbres liba, codicioso,
el que en sus hojas derramasteis lloro;
muerto pretende a vuestro león fogoso
su colmena el artífice canoro:
no el miedo picas haga de aguijones,
ni, corpulento, abejas en Sansones.

CLI

"Si del galo Sansón culta melena
enervare al león, alta sea gloria
fabricar nuestra pira en su colmena,
que dulce nos conserve la memoria:
dorado es nicho el que la miel estrena,
tabla es la cera para vuestra historia:
¡feliz a quien su muerte urna le dore,
o nicho que arda cera, o néctar llore!

CLII

"Profanará su miel la pica aguda
del Jonatás valiente que, heredero
del imperio español, en lengua cruda
venas de oro le abrirá guerrero:
si muerta, y no vencida, la membruda
pompa cayere del león severo,
muertos vincularéis, vasallos fieles,
a Hércules español sangrientas pieles".

CLIII

Si rémora es su aliento a su carrera,
áncora firme a fugitivas naves,
Sirena atrae después (bien que severa)
los ánimos con vínculos süaves:
ya, pues, Anfión, al muro le numera
más leones que él tiene piedras graves;
pues pulsada su lengua de alta mano,
nuevo supo erigir muro tebano.

CL, 8: *Iudic.*, c. 14, v. 8. — CLII, 1: I *Reg.*, c. 14, v. 27.

CLIV

Tigre crïollo es ya, quien fue medrosa
liebre; elefante vasto, el que fue hormiga;
y una máquina carga portentosa,
el que temió cargarse de una espiga:
lira, imán atractiva, numerosa,
suavemente eficaz su lengua obliga
al hierro de las armas, a que duro
suba veloz a defender el muro.

CLV

Bosque de picas fue cada muralla,
erizo fue de dardos cada almena;
galo escribe cañón a hispana malla
en el papel del plomo lo que ordena;
la pólvora, estafeta en la batalla,
la una posta y la otra desenfrena,
y, correo mayor, el bronce duro
los portes saca con violencia al muro.

CLVI

Dialéctica de Marte, conclusiones
al uno le dictó y otro artillero,
y neutra la victoria en opiniones,
ni a uno victoreó, ni otro guerrero:
las bombardas dijeron sus razones
en silogismos de globoso acero;
mas que Francia reduce, es infalible,
a España en sus respuestas a imposible.

CLVII

Arcadas da el metal, fuego vomita:
Icaro al español, no cera alado,
acero sí, a los fosos precipita;
que mar de rojas ondas alternado,
sus escudos veneras acredita,
que sellen perla al héroe destrozado;
mientras el tiempo a la memoria llama,
y en red lo saca de oro ilustre fama.

CLVIII

Tanto repite el muro precipicio,
que en el foso las aguas enmaraña;
de cuerpos ya sin el vital oficio
sangrienta se ha erigido una montaña,
o en rocas de coral un edificio,
con que antemuro al muro opone España;
que aun muerto el español, es así duro,
que crece foso al foso, y muro al muro.

CLIX

Al pie de la muralla ha sacudido
una, teñida en sangre, y otra ala
la fama; y del destrozo enrojecido
(que inculca apenas entre bala y bala),
un Babel de rüinas ha erigido,
que en riscos de cora al cielo iguala,
donde de España se elevó la gloria
a escribir en los cielos su memoria.

CLX

Ponderoso del galo el plomo oprime,
en las rüinas del valiente hispano,
un glorioso lagar, que a Francia exprime
crüento, en que naufrague, un océano,
cuando, del plomo nuestro, mal se exime:
pues uno y otro que le escupe grano,
en su campo sembrado, así lo trata,
que en pámpanos purpúreos lo desata.

CLXI

Tendida vid, el humo el aire trepa,
eslabonada en pámpanos de fuego,
de quien un bronce y otro es fértil cepa,
cuando ministra su alquitrán su riego;
fáltanle al aire espacios [39] en que quepa,
y del humo sepulcro, aun el sol ciego,
y enmarañada de su esfera toda
la luz más afilada, aún no la poda.

CLIX, 5: *Genes.*, c. 11, v. 4.

CLXII

Olas de fuego quiebra en las almenas
del ímpetu francés el mar furioso;
no menudas del muro lame arenas,
escollos sí le muerde proceloso:
las armas que tiñeron nobles venas,
conchas a su furor son espumoso;
y de su mismo corazón armado,
es roca Ignacio en tanto mar airado.

CLXIII

Menos la roca de la errante flota,
que, al mar creída [40], el viento descamina,
en una quilla vio, y en otra, rota,
de su fatal estrago la rüina;
que (repetida al fuerte la pelota)
trozos del muro, que áspera fulmina,
en el foso vio Ignacio derrotados,
de tantas olas como sangre arados.

CLXIV

Mariposa el francés, que al estandarte
hispano vuela al muro, al rayo ardiente
fulminado se siente de este Marte,
y antes la muerte que la herida siente;
al despeñado al pie del balüarte,
mortaja el tafetán diera decente,
si en la caída el rayo que lo toca,
no hiciera su pavés pavesa poca.

CLXV

Ignacio Alcides es, clava su estoque,
si monstruosa el francés hidra lernea;
al uno y otro que fulmina toque,
una siega cerviz, otra golpea:
sin miedo, pues, que el número le apoque
(cuando ya un tronco cada cuello afea),
multitud fiera de su sangre brota,
hecha fuente de horrores cada gota.

CLXVI

Tanta el campo cabeza le palpita,
que si balas faltaran, cada una
(vestida acero) en balas se habilita,
con que logre de trozos su fortuna[41];
mas la del galo lágrimas imita
en las heridas que sufrió importuna
(ojos de su valor), e industria el filo,
cuando más lagrimoso cocodrilo.

CLXVII

Fabrica una granada cumulosa
en uno y otro tronco semivivo,
sangrienta tanto, como numerosa,
de su troncada gente el galo altivo:
la corona le dio majestüosa
que a Loyola ha quitado ejecutivo,
Marte, que ya la aclama coronada,
después que Ignacio la partió granada.

CLXVIII

Cadáver a cadáver, sobrepone
monte a monte, el valor más que gigante
del fogoso francés que a España opone
un Olimpo en su cúmulo arrogante,
a que Ignacio las sienes le corone
de estrellas desde el muro, pues triunfante
el plomo arranca en él, con golpe duro,
al león del zodíaco del muro.

CLXIX

Trágico Orfeo, la bombarda aleve
los dormidos peñascos le recuerda
al muro; y el que más ágil se mueve,
lúgubremente la dulzura acuerda
del pautado de nervios leño breve,
que metros gime en la pulsada cuerda,
al contacto de aquél que en voces pocas
supo vestir de plumas a las rocas.

CLXX

Menos a Troya estragos le conduce
el caballo fatal que (atropellado
uno y otro sillar) raudo se induce,
el vientre de armas y de horror preñado,
que la bombarda ruinas introduce
en el muro a Pamplona destrozado,
cuando le vibran altas impaciencias
muchas preñadas balas de violencias.

CLXXI

Menos de Jericó ladrado el muro
del sonoro clarín que lo baldona,
uno y otro sillar desata duro,
que mordidos los muros de Pamplona
de uno de bronce Cancerbero impuro,
de sus almenas rinde la corona:
mordió la bala un risco, cuya parte
aun la columna arruinará de Marte.

CLXXII

¡Oh, a inculcarle a la estatua el pie de barro
no se desate, no, guija tan poca;
ni al que metales luce así bizarro,
empañe la saliva de una roca;
no de los muros el fatal desgarro
a inmortal Lariseo, mortal boca [42]
le escudriñe, que Estigia fulminante
en ondas lo ha bañado de diamante!

CLXXIII

No así, fatal, del canto breve diente,
no así del pedernal breve gusano,
cual de la hiedra, la rüina intente
del antiguo ciprés, del roble ufano:
¡Oh! No siempre la llama se ensangriente;
desmiéntase una vez rayo inhumano;
no cual al junco, verde mariposa,
arda también la encina populosa.

CLXXII, 2: *Daniel*, c. 2, v. 34.

CLXXIV

El más rebelde risco más se humane,
y juventud venere esclarecida;
sierpe improvisa, el canto no profane
aún en su flor aquella heroica vida:
no que parezca, no que se amilane,
esa le intime piedra sacudida:
no de Eurídice áspid, de Atalanta
pomo, empozoñe no, enfrene su planta.

CLXXV

Este esplendor rosado de españoles
púrpura cuente a púrpura, en su pompa,
los que la flor plebeya cuenta soles;
de su botón el nudo un lustro rompa;
no efímeros le dé los arreboles:
séquela un siglo y otro le corrompa:
y sol de grana sea, rosa bella,
la que aun hoy de carmín es dubia estrella.

CLXXVI

Áspid, con una carga el bronce duro
selló el oído y su escupida esfera
su tósigo fatal le flechó al muro:
¿quién, sino un áspid, tan tirano fuera?
¡Oh, presagio la bala sea futuro,
que a su planta impelida así ligera
someta un mundo, en quien se fije queda
de su mejor fortuna inmoble rueda!

CLXXVII

Guiñó al fogón el fuego, y a la bala
patrona a Ignacio la encontró una almena;
(ésta deshecha), los sillares cala,
y al muro de sus piedras desmelena:
tras sí arrebata cuanto activa tala;
y al viento todo así lo desenfrena,
que, o ya por fulminado, o encendido,
el Luzbel de aquel muro ha parecido.

CLXXVIII

De carne declaró que Ignacio era
el golpe, y halló pies en su denuedo,
cuando a impelerlo a tímida carrera
nunca los pies le pudo hallar el miedo:
pavón se los miró, si bien su esfera
el uno repitió y el otro ruedo:
que no marchitan pompa los rubíes
que blasones se calzan carmesíes.

CLXXIX

Su esfera gira en su sangrienta espuma,
la pluma tiñe en el rubí su gloria,
y la tinta le ofrece con la pluma
al volumen heroico de su historia:
no tiempo habrá que su esplendor consuma,
que a sus letras es tabla la memoria;
y por de Ignacio, que la dio constante,
es ya su sangre tinta de diamante.

CLXXX

La piedra al pie le arremetió, cobarde;
huyóle el corazón, que armó el diamante;
ratera sierpe, le pesara tarde
si al rostro un solo se atreviera instante;
pues fatal un antídoto la arde
en la vista, que luz vibra constante:
en átomos cayera sierpe flaca,
que hay también basiliscos de trïaca.

CLXXXI

A lo süave no, sino a lo fiero,
a su sangre de sí le pidió aviso,
que espejo de rubí fue lisonjero
cuando de sí lo enamoró Narciso:
el otro él de su valor guerrero
en otro vulto le ofreció diviso;
y en él desvanecido ya Loyola,
troncada es sobre el foso una amapola.

CLXXXII

¿Quién contra ti, si tú no te vencieras?
Hicístete de parte de la muerte;
aun en un pie sin sangre te tuvieras,
si no te rebelaras a tu suerte,
si al rasgado peligro oído dieras,
pues a imposibles no hay denuedo fuerte:
date por entendido de tu herida,
y piénsese que es tuya aquesa vida.

CLXXXIII

De su porfiado ardor precipitado
y de obstinadas ansias impelido,
cayó Faetón Ignacio, y abrasado
dejó lo que en su púrpura teñido:
no auriga al carro fue mal doctrinado,
cuando hubiera aun el sol mismo caído;
que no fácil así, no así seguro
corre el valor la eclíptica del muro.

CLXXXIV

Peleaste hasta caer, no hay más trofeo;
permítete al dolor, diga un suspiro
que no eres de diamante; no ya reo
se achaque a ti lo que pudiera al tiro.
Ya trocaste la tierra: no así Anteo,
(cuando en la espada forcejar te miro)
te repite a tu ardor en nuevas lides,
que eres tú mismo de ti mismo Alcides.

CLXXXV

Entredicho al trofeo esclarecido
Ignacio fue; ya Troya arder se puede,
cuando está ya su paladión rendido:
la escala a la bombarda le sucede,
sube alado el de Francia, y baja herido
el de España, a que Ignacio su alma herede;
y él, Gerïón con duplicadas vidas,
convoca a su desprecio las heridas.

CLXXXVI

Devigoróle un ángel el nervioso
muslo a Jacob, que le tocó valiente,
y por padre lo erige numeroso
de la que electa le vincula gente:
arenas dio de luz al cielo undoso,
y astros de arena al piélago luciente;
y el pie de Ignacio, en sus medrosas huellas,
arenas dará al cielo, al mar estrellas.

CLXXXVII

Impone Cristo al conquistar el cielo
un pie sobre otro al tronco, que así estrecho
angustió su camino, y ya en el suelo
el caminante de su Cruz te ha hecho;
nada ignora tu imagen al modelo:
puedes medirte al cortezudo lecho,
pues ya llevas andada la fatiga
a que la Cruz a tu Maestro obliga.

CLXXXVIII

Delirio eras reloj; ya te examina
la pesa, que en el pie te agrava ahora;
ya el corazón, tu rueda diamantina,
vuelta en tu vida girará sonora;
por mano de esa rueda se destina
la alta mano de Dios, que en buena hora
(cuando en su rueda te apuntó fortuna
a las dos) señalado te ha la una.

CLXXXIX

Acicates de pluma agite al viento,
en los que leves se calzó talares,
Mercurio, acicalándose da aliento,
para decirle a los distantes mares [43],
que el de esta piedra a Ignacio ofrecimiento,
a su deidad le borra los altares:
pues cuando a ver la eternidad camina,
a sus plantas la piedra le destina.

CLXXXVI, 2: *Genes.*, c. 22, v. 17. — CLXXXIX, 3: *Prov.*, c. 26, v. 8.

CXC

A ti te hará esa piedra vigilante
más que a la grulla cauta piedra grave,
o escudriñe la noche instante a instante,
sus párpados abriendo, atenta llave;
o ya la ancore un pie, pluma constante,
o ya navegue el aire, alada nave;
de su piedra su pluma siempre hiedra.
siempre imán atractiva de su piedra.

CANTO CUARTO

Admirado el francés de su valentía, lo trata urbanamente, y desesperado de su salud, lo remite a su tierra donde con amoroso sentimiento lo recibe y acaricia su hermano, y no teniendo esperanza de su vida le previene el funeral. Visítalo S. Pedro y sánalo de su herida.

CXCI

Hidrópico de viento un estandarte
a un mar de soplos se creyó sediento,
y con picada sed, su menor parte
un golfo se ha bebido en cada aliento;
ajado un lilio desató sin arte,
lisonja tremolada al fácil viento,
adonde aleando la vestida espuma,
garza florida fue, o lilio de pluma.

CXCII

¡Oh, escale su cenit halcón hesperio
que el escollo abrigó de alta corona,
pues, plumado provincias de un imperio,
su alcándora una ha sido y otra zona:
doctrine en cada garra un vituperio,
pues ya en su pluma por latón se entona
la trompa de la fama, y española
cólera al blanco lilio haga amapola!

CXCIII

Sonoro camaleón, la hueca trompa,
la sed que al viento le bebió esponjosa
y la que muda atrajo al aire pompa,
en música digiera numerosa:
su arteria de metal a soplos rompa,
y la gala al francés cante armoniosa;
y si tósigo a España en copa de oro,
le propine al francés néctar canoro.

CXCIV

Bebiólo el eco, y trastornó sus heces
(veneno a España) en la bolada copa [44]
del cóncavo esplendor de sus paveses,
y su voz ocupó toda la Europa;
potable fuego fue, que los franceses
a su clarín vinculan tropa a tropa;
y a Ignacio, mal cobrado de su estrago,
profeta fue, centella cada trago.

CXCV

Almas de fuego, estatua así sedienta,
(cada oído una imán) Ignacio bebe;
y espiritoso al soplo que lo alienta,
la que espada ya fue, Cipión [45] la mueve;
hollaba Fogio [46] el muro, y en su afrenta
la voz Ignacio, y el acero, atreve;
que al *non plus ultra* del valor, fortuna
en su espada erigió la otra coluna [47].

CXCVI

"¿De un rendido te abrigas con un muro?
¿De un herido te esconde una trinchera?
No bala temas este hueso duro;
no pólvora mi sangre el miedo crea.
No (si es trïunfo) así se empañe obscuro:
¿qué gloria (vivo yo) te lisonjea?
Mofándome postrado, no te exaltas,
que más que la victoria hay ruinas altas.

CXCVII

"No magnífica, no, el monte al pigmeo:
aun en la cima lo es, el que es gigante;
no grande el muro te erigió Geteo,
ni a mí la fosa me ha abreviado infante:
el pie tan sólo me negó el trofeo;
mas muy de escollos es no ser errante,
y muy de empíreo inmoble son laureles
a despeños ganados de Luzbeles.

CXCVIII

"Inmoble norte me investigue aquella
aguja, más que lanza, de tu mano;
Osa sangrienta soy, trágica estrella,
sobre el un polo de este pie; que ufano
eje, sustentará cuanto en la bella
esfera de ese cielo soberano
vuelca el moble primero. ¡El hierro arroja,
pues imán te lo llama mi congoja!

CXCIX

"No dejes qué rendir, que no es de Marte
reservarle al poder algún amago;
no infames con mi vida tu estandarte
que es ya del viento favorable halago
de tu fortuna, que ha podido darte
menos valor, que franqueäado estrago".
En el muro le dijo a Fogio, y luego
en voces Fogio respondió de fuego:

CC

"¿Qué sangre mal hablada es la que miro
articularse de entre aquella arena,
que a lo de Abel, o me acrimina el tiro,
o de venganzas a los cielos llena?
¿Cómo repites importuno giro,
mariposa purpúrea, en luz serena,
si alado es tu período sangriento,
epitafio a tu mismo monumento?

CCI

"¿Qué flébil voz, en el purpúreo lago,
a embarazar aplausos ronca insiste?
¿Quién pretende a mi triunfo, tan aciago,
desvanecer la gloria que le asiste?
Mas es Ignacio, que al mayor estrago
con tan bizarro corazón resiste,
que, cuando más herido más constante,
puede ocupar la popa al carro ovante.

CC, 3: *Genes.*, c. 4, v. 10.

CCII

"Sierpe sin pies, arrastra por la tierra,
sangrienta, sí, pero acerada escama;
metamórfosis es esta de la guerra,
que veneno se intima de mi fama:
tósigo temo el que en su pecho encierra,
tan fatal, que al examen de su llama
se aquilata, y se sube así de punto,
que a otro ardor, basilisco lo barrunto".

CCIII

Levanta Ignacio el rostro, y no lo mata,
que a media rienda sofrenó el veneno;
con todo, llega Fogio, y lo maltrata
con las espumas que le lima el freno:
no rayo, no, en pavesas lo desata,
que su tósigo hiere aun con el trueno.
Al laurel, que al caer dejó en el muro
Loyola, deba Fogio este seguro.

CCIV

"Áspid, dice, español, que te ocultaste
de tu sangre en la mórbida amapola;
si te pisó la bala, amagar baste;
que el tósigo conozco de Loyola.
Antídoto al diamante, en su contraste,
no el diente exime de tu espada sola;
que atosigado, o penetrado, siente,
que es pestaña de lince, o de áspid diente.

CCV

"Vive, el que instante el cielo te concede,
síncopa de altos siglos de valiente;
urna mi corazón tu aliento herede,
si augusto asilo augusta alteza asiente.
Tu roto hueso por su trompa [48] herede
no ya parlera fama, si elocuente;
más números, que a Pan siringa cañas,
a tu canilla deban tus hazañas.

CCVI

"La sedición del ímpetu reprime,
y el motín de tus cóleras atienda
al amor, que en mi pecho es tan sublime,
que a tus heridas dedicó su venda:
rendimiento tan noble legitime
en tus altares mi admitida ofrenda;
venza amor, a quien no la hueste armada;
pues tu valor me vence, y no tu espada.

CCVII

"Hágase ya de parte de tu vida,
y a mi opinión se tuerza Atropos fiera;
su riesgo, si no el ruego, la convida
a que deponga la fatal tijera:
la hebra de diamante es bien nacida [49],
no al plebeyo torzal iguale austera;
pues si lo corta, embotará de suerte
su filo, que se acabe en él la muerte".

CCVIII

A hurto de su ánimo flaquearon
los miembros, contra quien altos rigores
la sangre y el dolor confederaron,
y aun en liga, temieron sus ardores;
relajados sudores le buscaron
en la mejilla y frente los colores,
pero aquéstos de casa se han salido
a pedirle a la sangre su vestido.

CCIX

Mejor que al lilio que dejó notado
de aljófares el alba, lo festeja
el leve pie de arena ponderado,
(cuando a él se cala) libadora abeja,
al lilio Ignacio se caló, y sellado,
urna en su copa con su piedra, deja
mucho esplendor, donde el carmín vertido
con vara de laurel prenda al ovido.

CCX

Pocos el galo lo acaricia días,
de respetos urbanos halagado,
pues del lecho arrebata al nuevo Elías,
de su salud galeno despechado:
las dos veloces, que lo inducen, pías,
a los aires se dieron en fïado;
y la que al alma viste roja capa,
en el rapto a las venas se le escapa [50].

CCXI

El hombro fatigó con peso augusto
un palanquín membrudo, otro arrogante,
lo ligero se alterna a lo robusto,
si lo leve compite a lo gigante:
este jayán sucede al otro adusto,
uno es Alcides del que el otro Atlante;
su aliento en fin agita, en la litera,
de otro Marte feroz la quinta esfera.

CCXII

A su patria lo impele la fortuna
a construirle la postrera pira
en la que suya fue primera cuna,
o a erigirla teatro en quien suspira
(ya que el coturno le ajustó importuna
purpúreo al pie) tragedias de su ira,
donde la herida, Séneca crüento,
números da en su sangre al sentimiento.

CCXIII

Menos se engolfa en la mordida espuma
de las iras del mar esquife vago,
que en el mullido lecho, en blanda pluma,
la reliquia vital del duro estrago,
en quien de escollos de oro augusta suma
mura de las holandas el halago,
y el tirio tinte de la roja seda
múrices nuevos en Ignacio hereda.

CCX, 3: IV *Reg.*, c. 8, v. 11.

CCXIV

Dédalo ya su hermano, al precipicio
del Ícaro, al pincel de amor delega,
que adoptado su arpón [51] para el oficio
al corazón a retratarlo llega:
de colores excusa el desperdicio
y los trasuntos al desmayo entrega,
cuando a darles mejor el colorido
los colores del rostro se le han ido.

CCXV

Relajada la mano, el pulso yerto,
dio a los pies del dolor con los pinceles,
y retrató mejor a Ignacio muerto,
de su desmayo el amoroso Apeles:
a verlo se asomó el sudor incierto
en pupilas de aljófar a las pieles;
y al relativo le juró conato,
que no ignoraba nada del retrato.

CCXVI

Dos declaró el amor que eran los vultos,
mas una el alma en ellos bien nacida,
que (torno su arco) en giros unió ocultos,
en un torzal la indivisible vida;
rabiosos no de Átropos insultos
la cortarán: que hebra tan unida,
por cuerda la guardó de su arco, donde
las flechas bebe, que en los dos esconde.

CCXVII

Aljaba un bernegal, flechas fulmina
de repetidas ondas a la cara;
mucha resulta astilla cristalina
de la que quiebra vidrïosa jara:
tocóle alarma al alma, y más vecina
en escudos de sangre la repara,
y en las mejillas descogió, asaltada,
purpúrea a tanta flecha pavesada.

CCXVIII

Reconoció los puestos el sentido,
trincheróse en el cuerpo el alma, y luego
le dio el nombre a los miembros [52], y un gemido
artilló en la garganta almas de fuego:
Cástor se repitió a Pólux herido,
destiló de sus ojos vital riego,
partió caudal la vida, y diole marca
que aun en los reinos valga de la Parca.

CCXIX

Losa la que lo hirió, sella a Loyola
el corazón; y al Lázaro ya muerto,
fraterno mar de llanto en ola y ola
(que aun limara dolor de un mármol yerto),
de Cristo invoca la piedad, que sola
dará a su vida en tanto golfo puerto,
cuando a acordarle amor rompe sus venas [53],
dos niñas, de dos ojos Magdalenas.

CCXX

Elevó al corazón la losa el llanto,
y una vez le da voces a la vida
que, Sísifo agonal del duro canto,
de la boca repite la caída
al hondo corazón, que en un quebranto
es fragosa a la lengua la subida;
porfió el precipicio, y si la mano
un cordial no le diera, fuera en vano.

CCXXI

Fúnebre a Ignacio se previene pompa,
en las que perlas la mañana llora,
antes que en las cortinas del sol rompa
alamares de estrellas el Aurora,
y la abejuela con quejosa trompa
en esponjosos corchos atesora,
porque químico tropo le digiera
lágrimas de agua en lágrimas de cera.

CCXIX, 3: *Ioann.*, c. 11, v. 32.

CCXXII

Un túmulo Babel se prevenía,
que ardua cúpula en humos inundase,
donde el luto en ergida monarquía
al sol jurisdicciones le usurpase:
escollo de bayeta, en quien el día
las ondas de sus luces quebrantase,
y en quien la antorcha, que aún el cielo ahúma,
de un piélago de fuego fuese espuma.

CCXXIII

Torvo atezado Scila, en quien la vida
con el bajel naufraga más hinchado,
cuando, a soplos fatales impelida,
Euro, la muerte, la rompió enojado,
y a poca arena estrecha la engreída
pompa que todo un mar ha dominado:
donde, en breve ataúd, ceniza poca,
saliva es de este mar, en fatal roca.

CCXXIV

Donde la muerte, en campos de bayeta,
en cirio y cirio, lilio y lilio ordena;
y en uno y otro que encendió cometa,
rubio enjambre de fuego desenfrena:
do, abeja cada luz, le liba inquieta
lágrimas que dedica a la colmena
del sepulcro; que al llanto de la antorcha,
un hueso y otro le dedica corcha.

CCXXV

Adonde brazo de arteriosa nieve
cada cirio se emula, en quien la llama
las venas hiere de algodón, y breve
hilo de cera en el blandón derrama;
si no es gusano su esplendor, que atreve,
o cuando su vigor mejor inflama,
o cuando muerde el algodón, severa,
diente de luz, que hiedras roe de cera.

CCXXVI

De las paredes desgajó el brocado,
apeó de los frisos las pinturas,
lacrimoso un invierno conjurado
contra los mayos de la colgaduras.
Mudó de piel la casa, que variado
serpiente fue, y vistióse las obscuras
escamas de bayeta, y sus enojos
desflemaron veneno por los ojos.

CCXXVII

Privilegio al cadáver le prepara
el bálsamo en mi América sudado,
donde al gusano le quebró la vara
el que a tan regio se acogió sagrado:
mas ¡ay!, que mal la carne se repara,
cuando tan sólo treguas ha alcanzado
del gusano, a otro siglo prevenido:
que es grave culpa la de haber nacido.

CCXXVIII

Sudaba al mármol escultor valiente,
docto buril el epitafio araba;
despreciólos su fama, que altamente
en los bronces del cielo el blasón clava:
(pauta las zonas del zafir luciente),
en cada estrella cada letra graba;
que a quien sepulcro es corto todo el suelo,
mármol le fuera estrecho otro que el cielo.

CCXXIX

Del cuerpo augusto el breve esquife roto,
naufragante vacila en un mar muerto;
no cable el hilo que le tuerce Cloto,
ni áncora el huso, le establecen puerto:
Varado, penderá náutico voto,
si norte el cielo le indicare cierto;
y olas de siglos romperá en su quilla
en las aras del tiempo su barquilla.

CCXXX

Remos sus llaves dos, ondas de estrellas,
si abismos de zafiro cielo y cielo,
o rompe o quiebra Pedro, y de centellas
(leve espuma a su remo) inunda el suelo:
cometa es cada surco de sus huellas,
en cuanto rompe cristalino velo;
y de tablas del sol hecha la barca,
suspensión de su oficio trae a la Parca.

CCXXXI

Tendió al alma la red su voz süave,
y en todo el cuerpo la investiga apenas,
que es pece el alma que nadar no sabe
sino en los hondos ríos de las venas:
sólo en la sangre su elemento cabe:
flacas las carnes son, sin ella, arenas;
de éstos la saca Pedro altos agravios
a la purpúrea orilla de los labios.

CCXXXII

Vinculóse a Loyola otro Eliseo;
en su cuerpo su cruz Pedro retrata,
pues ambas manos en el pie le veo
cuando a las venas el livor les ata:
dichoso pie, pues que le acuerda, creo,
cuando rubí en sus manos le desata,
el pie de aquella cruz donde diestro
antípoda subió de su Maestro.

CCXXXIII

Menos el hierro, amante calamita [54],
sedienta hidropesía del lucero,
(si a la imán se bebió) el norte medita,
que a la piedra de Pedro el muerto acero
con cariñoso anhelo solicita;
a su imán lo tocó el sacro clavero,
y a su efecto le dicta que devoto
norte a sus llaves, las dedique voto [55].

CCXXXII, 2: *Reg.* c. 4, v. 34.

CCXXXIV

Solidóle la basa al que coluna
erigió de su Iglesia, a quien se arrime
la cúpula de Pedro, que a la luna
o le embaraza el globo o se lo oprime:
yugo encendido al mar pondrá la una
cuando en la tierra la otra se sublime,
pues a ser ángel nuevo le convida
en la basa que a Ignacio le solida.

CCXXXV

El nombre de Jesús Pedro le arrima
al tartamudo paso del que el templo
pisaba con un pie; y aquí sublima
mayor poder en más ilustre ejemplo:
que el nombre exalte de Jesús le intima,
cuando sanarle a Ignacio el pie contemplo,
y al nombre erige Ignacio la rodilla,
a quien alto el querub la suya humilla.

CCXXXVI

Al pavoroso golpe conmovido
de las voces de un gallo, en tierno llanto,
uno Pedro artilló y otro gemido;
y a Pedro Ignacio se refiere tanto,
tan bien curado de tan mal herido,
que un canto a Ignacio, a Pedro le hace un canto
suspirando gemir, y en los dos hallo
que a Ignacio el galo hiere, a Pedro el gallo [56].

CCXXXVII

Corrido al lecho el tirio terciopelo,
orbes compendian en fogoso giro
los talares que Pedro calzó al vuelo;
a la pensión se niega del suspiro,
ahogado en el sueño, su desvelo;
y al inculcarlo el sol en su retiro,
en la tabla del gozo no esperado
salió su vida y su salud a nado.

CCXXXIV, 6: *Apoc.*, c. 10, v. 1 et 2.
CCXXXV, 2-8: *Act. Apostol.*, c. 3, v. 6. — Paul., *Ad Phillipp.*, c. 2, v. 10.

CCXXXVIII

Monstruo lo duda de caduco sueño,
con la edad de la fiebre delirante;
apela del placer, bien que halagüeño,
al hueso, aún en la sangre redundante:
la verdad lo ha sacado del empeño,
pues de las vendas lo admiró ignorante;
y por zonas el cielo las aclama,
cuando aún palpita luces en la cama.

NOTAS AL LIBRO PRIMERO

Como lo dijimos en la advertencia editorial, estas notas son en parte totalmente nuestras, en parte reconstrucción de las sugerencias que había hecho el P. Méndez Plancarte en los apuntes marginales a su copia del *San Ignacio*. Como es obvio, hemos conservado intactas las que él alcanzó a redactar y las referencias que dejó claramente señaladas. Comentamos en cambio sus opiniones, respetándolas o discutiéndolas, pero advirtiéndolo de manera expresa en cada caso. Cuando no hacemos mención de su nombre, ha de entenderse que la observación es únicamente nuestra. Agradecemos al Dr. Fernando Antonio Martínez sus valiosas observaciones para las notas del primer libro que nos llevaron a precisar y corregir algunos puntos.

[1] *vulto*. Antiguamente rostro o cara, muy usado en todo el poema.

[2] *crüel lo atrae a que temprano muera*. Aparentemente, *lo* es errata por *la* (mariposa), como lo sugiere el P. Méndez Plancarte en los apuntes marginales a que nos hemos referido. Pero respetamos el original porque el autor pudo haber tenido en cuenta para la concordancia el *pensamiento* del primer verso.

[3] *Al David de la casa de Loyola*. El P. Ribadeneyra, a quien sigue en gran parte el poeta, dice en su *Vida de San Ignacio de Loyola*, cap. 10 (ed. de la "Biblioteca de Autores Cristianos", *Historias de la Contrarreforma*, Madrid, 1945, pág. 43): "Tuvieron estos caballeros cinco hijas y ocho hijos, de los cuales el postrero de todos, como otro David, fue nuestro Iñigo". El texto bíblico aludido en la nota marginal reza: *David autem erat minimus*.

[4] *Presente otra María*. El doctor Méndez Plancarte se inclina a suponer que hay errata en *presente* y que debería corregirse *presenta*. Así lo interpreta en su prosificación de las primeras estrofas (véase *Apéndice*). Conservamos, sin embargo el original porque creemos que ese *presente* puede entenderse como ablativo absoluto y entonces se leerían así estos tres versos: "un establo ya escucha a Ignacio lacrimante: a otro Cristo, presente otra María".

[5] *o en sí se alcanza*. Así el original. El doctor Méndez Plancarte propone corregir "o en sí *no alcanza*". Ambas lecturas parecen aceptables.

[6] *el tirio*. Corregimos el orig. "Tyro", como lo exigen la consonancia y el sentido.

[7] *no teme tierna*. El Dr. Méndez Plancarte corrige *tierno*, para hacerlo concordar con "el brazo breve". Preferimos el *tierna* del original porque puede leerse: "no teme al áspid implicado a su tierna fortuna". Sin embargo, el *inerme* siguiente inclina a la primera interpretación por el paralelismo de conceptos: "tierno, no teme - inerme, no perdona".

[8] *peine*. Se corrige el original *peynes*.

[9] *nuevas armas le gaste en cada luna*. El doctor Méndez Plancarte corrige: "nuevas armas *legando* en cada luna". Creemos sin embargo que el original está bien y que el verbo empleado aquí es *gastar* y no *legar*.

[10] *a inculcar nuevos términos al día*. No hemos hallado en las obras poéticas de Góngora este verso *entero*, como dice la apostilla marginal. La expresión "términos del día" es común en Góngora, como puede verse en el *Vocabulario de las obras de don Luis de Góngora y Argote* por Bernardo Alemany y Selfa, Madrid, 1930, pág. 935. Hacia el fin de la *Soledad primera* hallamos: "De los dudosos términos del día". En el soneto 140 de la ed. de Pedro Henríquez Ureña, Buenos Aires,

1939 (en Rivadeneira, 32, el 135), se lee: "...ha dorado / el sol casi los términos del día". (Vide III, 53, v. 6º).

[11] *Escila.* Modernizamos el original *Syla,* lo mismo que en otros pasajes, siempre que lo permita la medida del verso.

[12] *Clicie.* Es el nombre poético del heliotropo o girasol.

[13] *Sin alas y con ojos un Cupido.* Los versos de Góngora, al comenzar el Coro I de la *Soledad primera* (ed. de P. H. Ureña, pág. 129), son: "Ven himeneo, ven donde te espera / con ojos y sin alas un Cupido".

[14] *risco así, pertinaz,* Corregimos el original *a sí,* aunque pudiera interpretarse: 'pertinaz a sí', para sí, consigo mismo.

[15] *cantarlo quiere.* El texto original dice: "cantar lo quiere".

[16] *le embistió la boca.* Las palabras del P. Nieremberg en su *Vida de san Ignacio de Loyola* (ed. de Madrid, por María de Quiñones, 1645, cap. I, pág. 4), son las siguientes: "En unos manuscritos del Colegio de Alcalá se dice que, dudándose cuando bautizaban a san Ignacio, cómo le llamarían, el mismo niño se puso nombre, con el cual se significa el oficio que había de hacer en la Iglesia". En cuanto a la expresión "le embistió", pudiera leerse acaso "le invistió", ya que para la época no se hacía diferencia entre *b* y *v* y se confundían los prefijos *en-, in-* (*em-, im-*). Además, *embestir e investir* tienen el mismo origen (*investire*), el primero por formación popular y el segundo por la vía erudita. Conservamos, por tanto, la forma del original. (Vide I, 98 y II, 72).

[17] *si la vista lo oyó, lo vio el oído.* Vide III, 125: "oyen los ojos lo que ve el oído", y V, 144: "que los oídos ven y oyen los ojos". No hemos podido precisar a qué Ribera y a qué *Triunfo de David* remite la apostilla marginal. Lo más probable es que se trate del P. Luis de Ribera (1555-1620), sevillano emigrado a México y uno de los mejores poetas religiosos de su época, cuya obra, *Sagradas poesías,* fue impresa en Sevilla por Clemente Hidalgo en 1612 y reeditada en Madrid por Diego Flamenco en 1626. El tomo XXXV de Ribadeneira trae algunas de estas poesías, pero no figura allí la citada por Domínguez Camargo. También podría tratarse de Anastasio Pantaleón de Ribera (1600-1629), cuyas *Obras* fueron publicadas por Pellicer en 1654 y del que hay una muestra en Ribadeneira, tomo XLII. Mucho menos probable, desde luego, es esta última hipótesis.

[18] *muró de crespas garzas.* En la transcripción de este pasaje hecha en la *Historia de la literatura colombiana* por Antonio Gómez Restrepo, t. I, 3ª ed., pág. 122, se quitó el acento de la palabra *muró,* echando a perder todo el sentido.

[19] *terliz.* "Tela fuerte de lino o algodón por lo común de rayas o cuadros y tejida con tres lizos" (*Dicc. Acad.*).

[20] *Mentida Isis en la piel.* A esta estrofa anotó el doctor Méndez Plancarte: "Io, la hija de Inaco, rey de Argos, a quien Júpiter convirtió en vaca para ocultar sus amores con ella; pero a la que Juno condenó a errar hasta Egipto, donde, según los egipcios, recobró su forma, se casó con Osiris y fue venerada luego como la diosa Isis".

[21] *Al que la leche le ministra pasto.* Gerardo Diego en su *Antología poética en honor de Góngora,* Madrid, 1927 y Emilio Carilla en *Hernando Domínguez Camargo. Estudio y selección,* Buenos Aires, 1948, transcribieron esta estrofa con tres graves erratas: en el primer verso, *casto* por *pasto*; en el tercero, al contrario, *pasto* por *casto* y en el segundo, *desvigorizada* en lugar de *devigorada,* destrozando el verso.

[22] *se diputa.* Gerardo Diego, Carilla y Gómez Restrepo (*ib*), trascribieron *disputa,* cambiando totalmente el sentido.

[23] *Pelicano de frutas, la granada.* Este verso se repite en IV, 119. Creemos que la voz pelícano, hoy esdrújula, debe hacerse en ambos versos llana para conservar el ritmo. Así lo advierte el doctor Méndez Plancarte y lo confirma la estrofa 40 del libro IV, donde la rima exige *pelicáno.* Góngora la acentúa también llana y juega con la doble aceptación: *pelicano, peli-cano.*

[24] *partos de Ofir.* Gerardo Diego y Carrilla copiaron mal, *parto.*

[25] *do el aurora.* Es frecuente en el autor sostener la rima en una octava repitiendo la misma palabra, como aquí en el 1º y 5º versos. El doctor Méndez Plancarte sugiere reemplazar el hemistiquio "do el aurora" por "hasta que Flora".

[26] *fragra luciente.* Este *fragra* parece ser una asimilación de *flagra,* del verbo flagrar, resplandecer; a no ser que sea errata por *fragua,* o que esté relacionado con el antiguo *fragrancia.* El sentido sería: "su cabellera resplandece luciente o reverbera ungida por el culto aliño en que, siendo cuidadosa, le peinó el arte muchos ámbares dorados".

[27] *alma, en lo arduo y en lo fácil, una.* Bien nota el doctor Méndez Plancarte que este verso recuerda a Horacio (*Odas,* II, 3): *Aequam, memento, rebus in arduis / servare mentem.*

[28] *esponjoso.* Modernizamos aquí y en otros pasajes (1, 193, 221), el original *espongioso.*

[29] *a cuyos netos globos.* El original: *nectos.*

[30] *el ascálafo tardo.* El ascálafo es una ave nocturna semejante al búho o lechuza. En la mitología Ascálafo era el joven hijo de una ninfa que fue convertido en búho en castigo por haber delatado a Perséfone o Proserpina que hurtó una granada del jardín de Hades. Vide IV, 241.

[31] *turba de cuervas.* Carilla transcribió *cuervos*; mas aquí, como en otros pasajes, se trata específicamente de cuervas, hembras del cuervo, grajas. Lo confirma además la concordancia del 7º verso de esta estrofa y del 2º de la siguiente.

[32] *Scila.* Mantenemos aquí la forma antigua, en vez de Escila, por la necesidad del metro.

[33] *polvoroso es borrasca cuanto vuela.* Carilla trascribió "cuando vuela", con lo que se hace más difícil la interpretación, de por sí ardua, de este pasaje. El doctor Méndez Plancarte propone leer *polvorosa.* Creemos que pueda entenderse: "cuanto polvoroso vuela, es borrasca".

[34] *en carta de matar líneas mayores.* Así el original: "carta de matar". Como en el verso anterior lo ha llamado "Colón de Marte", parece tratarse de un juego de palabras relacionado con *"carta de marear"*, "mapa en que se describe el mar, o una porción de él, con sus costas o los parajes donde hay escollos o bajíos" (*Dicc. Acad.*). En el verso 4º modernizamos el original *reduzgan.*

[35] *que pretendió la Estigia a Lariseo.* Corregimos la errata original *Etigia.* Se trata de la conocida fábula de Aquiles, sumergido por su madre Tetis en las aguas de la Estigia. El doctor Méndez Plancarte anota que en dos pasajes de la *Eneida* (II, 197 y XI, 404), se llama al héroe griego "Aquiles Lariseo".

[36] *vagoroso.* En diccionarios antiguos o modernos no se encuentra la forma *vagoroso* que da el original y que es sin duda un caso de asimilación del castizo *vagaroso.*

[37] *ejes volcó a la tierra en sus dos manos.* Parece necesitarse la *a* que falta en el original después de *volcó.* Es enmienda propuesta por el doctor Méndez Plancarte.

[38] *instimuló.* Anticuado por *estimuló.*

[39] *fáltanle al arie espacios.* Modernizamos el original *"fáltale",* aunque esta construcción es corriente en la época clásica. "Falta espacios al aire".

[40] *al mar creída.* Cf. la expresión latina *credere se mari,* embarcarse. Vide III, 121, v. 4º.

[41] *con que logre de trozos su fortuna.* Así el original. El doctor Méndez Plancarte supone que acaso deba leerse "destrozos" en vez de "de trozos". También podría leerse "de torsos". Creemos, sin embargo que, como está, puede entenderse: "cada cabeza de francés se habilita como bala para lograr, *con trozos* (de cuerpos), la fortuna de Ignacio".

[42] *a inmortal Lariseo.* "Aquiles, a quien su madre, la nereida Tetis, lo hizo invulnerable sumergiéndolo en la Estigia, salvo el talón de que lo tenía sujeto. (A. Reyes, *Iliad.* p. 234)". Copiamos lo que dejó escrito el doctor Méndez Plancarte, quien añade luego, citando también a A. Reyes: "Historia ya muy tardía y puramente folklórica". (Vide nota 36).

[43] *para decirle a los distantes mares.* Es práctica casi invariable del poeta usar el dativo singular *le* en los casos en que gramaticalmente se exigiría el plural *les.* Aunque lo haremos notar en cada caso, respetaremos el original, ya que, como dice Cuervo al respecto (*Apunt.* § 335): "entre los hechos que los gramáticos califican de errores, pocos hay que sean más geniales de nuestra lengua". El mismo filólogo abona con numerosos ejemplos de los clásicos este uso, antiguo y moderno. Véase también Charles E. Kany, *American Spanish Sintax,* Chicago, 1945, pág. 107 y C. Sturgis, *Uso de le por les,* en *Hispania,* X, 251-254.

[44] *en la bolada copa.* El *Dicc.* registra el sustantivo *bolada* como "tiro que se hace con la bola". Mas aquí está empleado como adjetivo, por lo que parece más bien una palabra forjada por el autor sobre *bola.* Por la confusión, corriente en la época, entre *b* y *v,* podría leerse también *volada,* participio pasado de *volar* en sus acepciones 6ª, "sobresalir fuera del paramento", o 7ª: "ir por el aire una cosa arrojada con violencia" (*Dicc. Acad.*). Vide III, 64.

[45] *Cipión.* Ha de referirse a Publio Cornelio Escipión, el Africano. Recuérdese a Rodrigo Caro en *Las ruinas de Itálica:* "Aquí de Cipión/la vencedora colonia fue".

[46] *Fogio.* "Fogio es Andrés de Foix, señor de Asparros, que acaudillaba las tropas francesas". Nota del doctor Méndez Plancarte.

[47] *la otra coluna.* Según la fábula, Hércules grabó la inscripción *non plus ultra* en los montes Abila y Calpe (las Columnas de Hércules), que creyó eran los límites del mundo.

[48] *por su trompa.* Corregimos el original *trampa,* pues es evidente la errata.

[49] *la hebra de diamante es bien nacida.* Respetamos el texto porque, tal como está, tiene sentido, aunque pudiera leerse, como propone con razón el doctor Méndez Plancarte: "la hebra *de diamantes* bien nacida".

[50] *se le escapa.* Caso de *le* por *les* (la sangre *se les* escapa a las venas). Vide nota 43.

[51] *adoptado su arpón.* Así el original, aunque pudiera ser errata por *adaptado.*

[52] *le dio el nombre a los miembros. Le* por *les* (*les* dio a los miembros). Vide nota 43.

[53] *cuando a acordarle amor rompe sus venas.* Aparentemente hay errata en *rompe,* como lo supone el doctor Méndez Plancarte, quien corrige *rompen,* haciendo sujeto del verbo al "dos niñas" del verso siguiente. Mas, si bien se mira, no hay tal errata, pues *acordar* parece aquí tomado en su sentido arcaico de "hacer a alguno volver en su juicio, despertar". En este caso, *amor* es el sujeto de *rompe* y "dos niñas" es un simple apósito del complemento "venas". La oración tendría, pues, este sentido: "El llanto fraterno invoca la piedad de Cristo... cuando, para tornar en sí a san Ignacio, el amor rompe sus venas, que son dos niñas de dos ojos, llamadas Magdalenas". Al último verso de la octava anotó el doctor Méndez Plancarte: "La esposa de don Martín García de Loyola se llamaba doña *Magdalena* de Araoz, lo mismo que su hija mayor".

[54] *Menos el hierro, amante calamita.* Con razón cambió el anotador mejicano la puntuación del original que decía: "menos el hierro amante, calamita", pues así lo pide la significación de "piedra imán, brújula", dada a esta palabra.

[55] *las dedique voto.* Aunque *las* pudiera ser errata por *les,* respetamos el original, pues podría ser un caso del empleo de *la* como dativo femenino, muy raro en el autor.

[56] *a Pedro el gallo.* Nótese el juego de palabras: *canto* = trozo de piedra, *canto* = acción y efecto de cantar. *Galo* = francés, *gallo* = ave.

LIBRO SEGUNDO

Su conversión, su penitencia, y singulares favores que le hizo el cielo en este tiempo

CANTO PRIMERO

Unidos ya los huesos deshechos, sobresalió uno, relevado a los otros feamente. Hácelo aserrar san Ignacio sin que muestre sentir tan grave tormento. Pide un libro de caballerías para divertirse en la cama; no se halló[1] *sino uno de vidas de santos; leyendo en él, le trueca Dios el alma; y habiendo batallado con vanidades del siglo, se determina a dejarle*[2]

I

Un sol adoleció, y otro, en la cura;
un voto, y otro, le ha escuchado el lecho;
tenaz un hueso al otro se asegura,
y de bronce se emula el más deshecho;
mas diente fiero contra la hermosura
del coturno, que siempre calzó estrecho,
en la rodilla se relieva feo,
letrante giba contra el culto aseo.

II

Adonis español, lo infama diente
de fiero jabalí contra su gala:
desnudóse de humano, y impaciente
dentada sierra contra sí acicala;
más repetirse al blando lecho siente,
que si iterara su rigor la bala;
sordo se obstina escollo, a las atroces
que el instrumento crudo le da voces.

III

Circe su aliento, lo obstinó de piedra:
plaza de risco el corazón asienta [3],
de quien su dulce hermano, tenaz hiedra,
en vano estorbos a su riesgo intenta:
"Precipicio de ti, tus años medra;
no a la ley del dolor, bronce te exenta:
dale audiencia a tu riesgo, crudo Marte;
no te condenes sin oírte parte".

IV

No inmoble lo fijó cáñamo crudo,
a tortüosos lazos reducido;
no en argollas torcido acero rudo
le enfrenó el movimiento dolorido:
mordaza su valor lo implicó mudo,
vedándolo al descanso del suspiro;
pues forjando de sí dura cadena,
risco a su corazón ató su pena.

V

Imperioso a la argolla de un preceto
su alma encadenó, que al movimiento
rémora fue mental, cuyo respeto
el bajel enfrenó del sentimiento;
hízose el "ah de casa" del secreto [4],
desterrólo a su pecho el sufrimiento:
a un lince los dolores le negara,
del corazón antípoda, la cara.

VI

Dentado acero se caló inhumano,
y roe el relevado hueso inculto,
y en las médulas se afectó gusano,
mucho violento ejecutando insulto;
no ya el verdor le marchitó lozano,
hiedra al color rosado de su vulto;
antes rubís palpita roja hiedra,
abrazando [5] en su cuerpo alma de piedra.

VII

Despojo el hierro de marfil derriba
que el hombro a Itis le supliera ufano;
y dormida la parte sensitiva,
a prole nueva Dios abrió la mano;
y (a virtud elevado productiva),
consagra el hueso en tan fecundo grano,
que reliquia de Ignacio, Adán segundo,
religiosa una Eva le dio al mundo.

VII, 3: *Genes.*, c. 2, v. 21 et 22.

VIII

De Cadmo, así, la heroica agricultura,
de un diente hizo nacer un Marte crudo,
y en lanzas vio espigar su mano dura
el grano, que al terrón dio, colmilludo;
ondeó la mies ejércitos madura,
ventilando una espiga en cada escudo.
¡Oh fragmento fecundo! De Dios fía,
que una te aliste heroica Compañía.

IX

Reitera el lecho, mártir de la gala;
vive a la pluma, asiste a la cortina,
reincidencia que al golpe de la bala
en la espontánea cometió rüina;
desganado al dosel que lo regala,
salsa de las holandas, determina,
por pasar la vianda de los días,
un libro vano de caballerías.

X

Vulgo de pajes se desata inquieto
y el fantástico libro solicita,
el camarín divulga más secreto
y la más muerta alhaja resucita;
mas, al lince escrutinio, alto decreto
con ceguedad de topo lo limita;
y del tiempo y del polvo relajado,
un libro sacro se encontró el cuidado.

XI

Los sudores que enjugan los laureles,
los que tiñeron púrpuras crüores,
los que martirios gradüó crüeles
en triunfos [6] de los bárbaros mayores,
un sagrado escritor, divino Apeles,
con elocuentes exprimía colores:
desagravió del polvo sus renglones,
y agotó con los ojos sus razones.

XII

Pólvora bebe en la sagrada letra,
y en sus ojos al alma oculta mina
dirige Dios, y de su fuego impetra
eficacia una llama fulmina
cuantas torres fantásticas penetra,
cuando a los cielos vuela su rüina;
ya el alma desmantela nube y nube
y en hombros de un auxilio, al cielo sube.

XIII

Alado llamas [7], corazón de cera,
vuela en la pretensión de su caída;
efímero cometa en ancha esfera,
su muerte impetrará de su subida:
arrancó desde el pecho su carrera,
y de sus alas desató su vida
la terrena de afectos pesadumbre
que le negó el bravío de la cumbre [8].

XIV

Repitióse a la imán de los renglones,
acero, se torció al norte sagrado,
y en los divinos forcejó eslabones
süavemente el corazón atado;
muchas, Primero Moble, dio impulsiones
a su efecto altamente iluminado;
y en los purpúreos polos de su lecho,
giros volcó la esfera de su pecho.

XV

Habita la cama para cuna [9]
de alto, si bien infante, pensamiento,
que al áspid engazado a su fortuna
ahogó en el primero movimiento:
una del lecho vio, y otra coluna,
opuesto el uno al otro rompimiento;
y el que certamen prescribió valiente,
ondas lo alternan de invisible diente.

XVI

Los renglones en lágrimas inunda,
las tildes a las cláusulas agota,
do rayo ejecutor, mano iracunda,
relámpagos le aró en la letra ignota:
temióse Baltasar, y a la coyunda
del cielo, su cerviz tendió devota:
al período, al fin, de sus engaños,
punto dieron final los desengaños.

XVII

Esconde el llanto la mejilla bella;
salióle a recibir la voz al labio;
sílabas su torrente le atropella,
y aquestas pocas redimió a su agravio:
"Leo, Señor, en la menor estrella
que en la cerúlea piel [10] escribes sabio,
de tu poder un tropo, una sentencia
del Tulio de tu altísima elocuencia.

XVIII

"Cláusulas en el mar undosas leo,
que en punto y punto paran de la arena;
paréntesis las islas suyos creo,
cuando en corvas orillas las enfrena;
perífrasis son tuyos el arreo
que en cultas flores tu elocuencia ordena;
antonomasia el hombre a ser viviente;
e hipérbole de luz [11], el sol ardiente.

XIX

"Metáfora en las plantas translativa,
cristal altera en esmeralda hojosa;
pluma de luz, al sol dictas, que escriba
retórica de la estrellas numerosa;
y en tu boca del mundo descriptiva,
una voz cada cielo es armoniosa.
¿Aquesta (¡oh mármol yo!) no me movía
oratoria de Dios, dulce energía?

XVI, 4: *Danie.*, c. 5, v. 5.
XVIII, 1: *Iob*, 38, v. 11. — 3: *Genes.*, 1, v. 12. — 6: *Genes.*, 1, v. 27. — 7: *Genes.* 1, v. 16.
XIX, 5: *Psal.* 32, v. 9.

XX

"Poca letra me intima ejecuciones,
cuando el alma más áspid se me obstina.
¿Quién cadenas le forja los renglones,
a la que al yugo les declina?
¿Quién las veces le ha dado de eslabones
al libro que me halaga y me acrimina?
¿Quién de dientes te armó, página grave,
que mordiendo eficaz, labra süave?".

XXI

Zozobrado el aliento en dulce calma,
las señas que las letras imprimieron
en los ojos, caminos para el alma,
huella a huella las lágrimas corrieron:
líquidos Hipomenes [12] que la palma
ganarle a la justicia pretendieron,
pues, rémoras los pomos de estas perlas,
se paró la clemencia a recogerlas.

XXII

Un océano en perlas dividido,
tierna desensartó cada pupila;
cada gota un incendio es reprimido
y en cada perla un alma se destila:
los ojos cansa el llanto repetido,
y la vista en las lágrimas vacila [13];
y en diluvio tamaño, el alma arriba
a la clemencia que le dé la oliva.

CANTO SEGUNDO

Vota a la Virgen Santísima el visitar su casa de Monserrate. Ella le remunera este deseo con su presencia; infúndele en esta visita el don de castidad.

XXIII

Ciñe al diamante obstinación precita,
y breve piedra en su inflexible idea,
lucero endurecido se acredita,
opulento Luzbel se lisonjea;
éste, que aun a los yunques supedita
el poder al martillo, así flaquea
aun al guiñar de Dios tierna pupila,
que en lágrimas de fuego se destila.

XXIV

Eternidad de mármoles armada,
el inmortal escollo que eminente
huella alfombra la nube levantada,
diadema ciñe el epiciclo ardiente,
águila rauda es, riscos plumada,
ciego error en el aire, así obediente,
que a las voces de Dios nubes escala,
y en cada piedra le consagra un ala.

XXV

Correr admira en la revuelta arena,
caballo de cristal, a ese espumoso,
rápido a ese Jordán que el aire llena
(polvo a su piel) de aljófar luminoso:
esa violencia incorregible, enfrena
con blanda rienda Dios; y así obsequioso
ceja en los pies, que el pecho sobre el viento,
o más veloz lo huella, o más violento.

XXIV, 3: *Mathaei,* 21, v. 24. — 5: *Psalm.* 113, v. 4.
XXV, 2: *Iosue,* c. 3, v. 16.

XXVI

Terror del mar, errante Mongibelo [14],
temida aun de la más exenta roca
(pues todo el mar alista contra el cielo,
cuando sorbido lo escupió), la foca
mulló a Jonás, ileso aun en un pelo,
albergue el vientre, si cojín la boca:
y a la vida tiró sueldo su suerte
en el mayor presidio de la muerte.

XXVII

Las estrellas espuma, el surco era
la eclíptica, al correr arrebatado
de la nave del sol, cuando ligera
(el paño todo de su luz echado
ondas rompiendo azules en su esfera)
navegaba del cielo el mar hinchado:
y envuelto Dios en una voz süave,
la carrera ancoró de tan gran nave.

XXVIII

En sus lenguas de fuego confundido
aquel Babel del horno se conspira
aun contra el cielo, a quien descomedido,
tronco pretende al sol, que arda en su pira:
este del fuego hipérbole engreído,
en el motín más ebrio de su ira,
a tres hebreos se humilló sereno,
que en cada llama Dios le impuso un freno.

XXIX

Ligada la esperanza a la coyunda,
la fe al arado (bien que poca vara),
del Rojo Mar la vega más profunda,
obsequioso Moisés o rompe o ara;
y en terrones de vidrio, en que lo inunda,
estrecha al aire en su región más clara:
ya florecer vio el sulco, y ya lo admira,
si calzada a Israel, a Faraón pira.

XXVI, 2: *Ionae,* c. 2, v. 1.
XXVII, 3: *Iosue,* c. 3, v. 12.
XXVIII, 2: *Genes.,* 11, v. 7. — 5: *Daniel,* 3. v. 24 et 49.
XXIX, 2: *Exod.,* 14 v. 21. — 8: *Sapient.,* 19, v. 7.

XXX

Llamó Moisés al agua en el dormido
risco, y a obedecer su llamamiento,
Argos de piedra a Dios reconocido,
a su voz respondió con un portento:
ojos abrió en el agua ciento a ciento;
pues párpados vitales convestido,
y a la menor pupila, mas preñada
madre fue de una fuente dilatada.

XXXI

La mano, pues, que obró tales portentos,
que fabricó en los cielos dulce lira,
compulsando suavísimos concentos
en una y otra que le agita espira [15];
que en sus raudos sonoros movimientos,
o cuerdas once, o cisnes once, gira [16],
a cuyo són los signos soberanos
tejen un coro asidos por las manos,

XXXII

tocó de Ignacio el corazón dormido,
a cuyo impulso, cítara süave,
si cielo no, del cielo compelido,
se gira acorde, y se desmiente grave;
y el pie que mueve, o el que da suspiro,
del cielo es vuelco y de su pecho llave,
pues, cuando flaco se ajustó al concento,
a Monserrat le vota el movimiento.

XXXIII

Suavemente eficaz se afecta espuela
de movimiento tan recién nacido,
María, que le absuelve la pihuela [17]
en que le tuvo su temor prendido:
verla en su casa le votó, y ya vuela
en alas del amor que le ha movido;
y la que dulce admite corazones,
con su vista pagó sus intenciones.

XXX, 1: *Exod.*, 17, v. 7. — 4: *Numer.*, 20, v. 11.

XXXIV

Este arcángel y esotro en la coyunda,
partido el sol en cuatro ruedas bellas,
el pie, que holló feliz sierpe iracunda,
al retrete de Ignacio dio sus huellas;
al aire el carro, y a la tierra, inunda
en piélagos de fúlgidas centellas,
en cuyas ondas muchos querubines
sin vestirse de escama son delfines.

XXXV

Nilo es de oro el cabello, al sol bruñido,
o inunde el pecho, o ya la espalda esconda;
en siete no, en cien venas dividido,
cuando las cuenta el viento en onda y onda:
süavemente un caracol torcido,
o las nada, la oreja, o ya las sonda,
cuando de doce estrellas el armada,
o sonda sus orillas, o las nada.

XXXVI

La frente, en sus corrientes anegada
y de las cejas corvas dividida,
isla es de nieve, y isla fortunada,
de alternas ondas de oro repetida;
si ya no la venera más plateada,
en piélagos de soles sumergida,
que del grano oriental más neta fuera
ella la perla, el grano la venera.

XXXVII

Dos corvos esplendores de la luna,
esta y aquella ceja con luciente,
cuando tierna a la luz se le arqueó cuna
en el primer albor de su creciente;
si dos cogollos no se tienden de una
palma de nieve, que creció eminente
en su nariz, y con primor decoro,
en estas ramas dos se partió de oro.

XXXV, 6: *Apocali.*, 12 v. 2.

XXXVIII

Más lucientes hicieran, más sonoras,
sus ojos dos, dos fúlgidos luceros,
en dos lóbregas noches dos auroras,
no menos luminosos que parleros:
mudas sus niñas dos, nadan canoras
Sirenas del zafiro, dos esteros,
a quien, o cristal sean, o luz pura,
adelfa de oro en las pestañas mura.

XXXIX

Estrecho de marfil, entre los ojos
la nariz se origina, a los dos mares
que en leche están cuando ventilan, rojos
ondas en las mejillas de azahares;
si no botón de nieve a los despojos
de dos, de plata y púrpura, alamares
que en ellas se entretejen, cuyos rayos
rosas de abriles son, lilios de mayos.

XL

Si desluce el clavel, tizna la nieve
purpúrea boca, como blanco diente,
que fuera de coral la cuna breve
en que durmiera en perlas el oriente,
si, cuando a razonar dulce se mueve,
no fuera el labio rojo, suavemente,
meandro breve de carmín [18] adonde
turba de cisnes cándidos se esconde,

XLI

el sol como en su cuna se durmiera
en el hoyuelo de su barba bella;
y si hubiera una estrella que muriera,
urna el hoyuelo fuera de la estrella:
si su seno el jazmín trocar pudiera,
lograra glorias en trocar con ella:
mas pues son todas estas fealdades,
el camarín sea ya de sus beldades.

XLII

Su cuello se afrentó de ser coluna
de alabastro, cuando él su albor le debe;
negra es con él la pella de la luna
torcida en roscas de mullida nieve;
a perder con sus venas, una a una,
hiedra azul, el zafiro no se atreve;
pues sin arte su voz, y él sin adorno,
es clarín de marfil sacado al torno.

XLIII

La azucena gentil emprende en vano
ser, de su mano, aun imperfecta copia,
cuando sujeta, sin pelear, su mano
en la nieve otro imperio de Etïópia;
con quien de oriente el opulento grano,
no es pobre, no, sino la misma inopia.
Y pues la injuria aun el mayor apodo,
es Ella misma: ya lo dije todo.

XLIV

Si excede esta beldad, hijo la fía
en sus brazos un Niño tan amante,
que al cuello se eslabona de María;
hilado su cabello es un diamante;
su cuerpo, de las carnes es del día,
cuando aún en leche el sol es luz infante:
de este volumen de hermosura y gala,
índice que la obtiene y la señala.

XLV

Acuerda bien, cuando mejor defiende,
túnica augusta, claramente obscura,
los pechos donde lince amor atiende
dos cúpulas del templo de hermosura:
dos pomos, por quien Ida el suyo enmiende;
dos Potosís de la beldad más pura,
donde en sus venas un licor desata,
de quien es piedra el sol, y él es la plata [19].

XLVI

Talar el manto de zafir tejido,
cuanta beldad le cela, le ha inundado,
azul undoso piélago, tendido
desde el hombro supremo al pie sagrado:
donde, al soplo del aire combatido,
en tormentosas rugas se ha alterado,
que entre las rocas de marfil ocultas,
crestadas ondas son, crespas resultas [20].

XLVII

Al golpe de la luz y del portento
(el edificio todo coludido),
no cupo en sí de Ignacio el aposento,
y en la voz se quejó de un estallido:
el pasmo a Ignacio le ahogó el aliento,
embargóle a los miembros el sentido;
y el corazón faltando de su lecho,
le busca puertas, por donde huir, al pecho [21].

XLVIII

Ancorólo una voz, que al aire fía
(un ángel sea cada aliento breve [22],
y cada acento cada jerarquía,
pues toda la razón son todas nueve)
la siempre süavísima María,
que dulce enfrena lo que hermosa mueve:
envióle al alma todos sus despojos,
y llamóla a asistir sólo a los ojos.

XLIX

A cada aliento admiración le cabe [23]
y sobrarán después admiraciones,
la lengua al paladar tuerce la llave
porque ignoran el vado las razones:
lo mucho se embaraza en lo süave;
y en tantas del portento inundaciones,
zozobrado el bajel de la memoria,
nadan los ojos piélagos de gloria.

L

En sus brazos Ignacio repetido,
"La afinidad (le dijo) de mi pecho
(de ilibado pudor, don confundido)
dulce, de hoy, te ceñirá pertrecho:
ni al alma halagará torpe gemido,
ni al cuerpo manchará impúdico lecho".
Dijo, ausentóse, y infundió María [24],
de su voz y su rostro hidropesía.

LI

Menos emparentó con la esponjosa
sed de la imán el atraído acero,
que hijo de su ansia contagiosa,
nieto se califica del lucero,
que María lo atrajo cariñosa
a que del cielo fuese verdadero
secuaz, a quien aclame la memoria
aguja de marear golfos de gloria.

LII

Armado de un escollo en cada malla
y no oprimido de su grave peso,
violento es lince a la mayor muralla,
con la pestaña aguda de su hueso;
rinoceronte, en quien el áspid halla
la suspensión de su fatal exceso,
éste que, con imperios absolutos,
el Polifemo es vasto de los brutos,

LIII

depondrá la violencia más sañuda,
cuando ilibada una doncella vea,
la planta inmoble, el pecho ya desnuda,
nuevo jayán de nueva Galatea.
En María depone aquella cruda,
aquella, Ignacio, sanguinosa idea
a que Marte lo indujo, pues tal pecho
a su caricia se consagra lecho.

LIV

Aquélla le infundió virtud, aquélla,
que en el carro agonal unció las pías [25],
que de una y otra convistió centella
al siempre casto, al siempre serio Elías,
y (alta del cielo atropellada estrella)
a que viese parar raudos los días
y cerrarse los siglos lo ha guardado,
bálsamo de sus carnes ilibado.

LV

Aquélla, a cuya voz el sentimiento
del impúdico incesto, a una zagala
que a la ley ajustó del instrumento
un vuelo al giro y a la planta un ala,
ciego el cuchillo le franqueó crüento,
que a la cerviz del Precursor se cala,
donde en su lengua colocó su enojo
aguja de marear otro Mar Rojo.

LVI

Aquélla que le envió filo al acero,
que despachó los bríos a la mano
de una Judit, a cuyo golpe fiero
tronco el lecho manchó, que adoró vano,
el caudillo insolente, que guerrero
yugo a Betulia le intimaba ufano,
y en vena y vena, que desata rota,
un río de carmín es cada gota.

LVII

Aquélla que a José cauta le avisa
de la que, oculta entre halagüeñas flores,
al alma le flechó, siempre improvisa,
el tósigo mayor de sus amores,
y a una corona lo elevó indecisa,
o a un cetro solo en dos emperadores:
rey como Faraón, que ató coyunda
en la cerviz de cuanto el Nilo inunda.

LIV, 4: IV *Reg.*, c. 2, v. 11 et 12.
LV, 1: *Mathaei*, 14, v. 11.
LVI, 2: *Iudit*, 13, v. 10.
LVII, 2: *Genes.*, 39, v. 12.

LVIII

La que en Inés, armada de diamante,
al teatro alcanzó de admiraciones,
cuando agonal arena huella ovante,
cuando alista en su guarda los leones,
cuando aún nevado en leche el labio infante
llama imposibles las aclamaciones,
y en qué reinar no deja el sufrimiento,
ni puestos que ganar a otro tormento.

LIX

La que asentó su propia monarquía,
donde el Angel supremo es potentado,
en la siempre purísima María:
en cuyo pie, que humilde le ha besado,
la más alta se encumbra jerarquía
cuando ve que, en el Verbo que ha engendrado,
con su pureza su deidad contrasta,
que humilde agrada al que concibe casta.

LX

Aquélla que nació en el Padre Eterno,
que aunque engendra, y hay Prole concebida,
engendra Virgen, cuando el amor tierno
es después de la prole esclarecida:
engendra sin amor, que le una al Terno,
primer origen en aquella vida,
pues después de que el Hijo lo es perfeto,
se origina el Sagrado Paracleto.

CANTO TERCERO

Deja su patria: va a Monserrate; hace una confesión general. Vela en el templo sus armas; y dando sus ricas galas a un pobre, se viste de un grosero saco.

LXI

Dejó Ignacio su patria esclarecida,
vencidas las instancias de su hermano.
¡Oh patria, que te intimas a la vida
del pimpollo mejor, sordo gusano;
y te divorcias, siempre matricida,
del hijo que en tu seno vivió ufano,
y adversa convocándole fortuna,
urna sin gloria eriges a su cuna!

LXII

Dejóla Ignacio, y cometió a la espuela
que al caballo avisase del camino
de Monserrat, a cuyo monte apela,
disfrazando a su hermano su destino:
de portante arrancando [27] el frisón vuela,
cuando pierde con él velero el pino;
y al contacto de Ignacio que lo instiga,
muchas devana lenguas su fatiga.

LXIII

El espacio mayor compendia breve,
las distancias aprieta a las jornadas,
y en una tantas presuroso embebe,
que a las plantas, que raudo agitó aladas,
ni aun un carácter el arena debe
cuando de espumas las nevó argentadas
el freno; y trastornado el horizonte,
condujo a Ignacio a descubrir el monte.

LXIV

De muchos montes lo ha admirado extremo,
donde calza la nube el pie eminente
de aquel soberbio verde Polifemo
que por ojo adoptó de su alta frente
el templo, a quien eleva así supremo,
que albergado en su pecho ilustremente,
el firmamento escolta, ya atalaya,
si más allá del cielo mundos haya.

LXV

Venera el monte, en cuya falda verde
un serpiente de espumas escamado,
en roscas de cristal sus giros pierde,
flexüoso entre peñas desatado,
y al risco que lo pisa, altivo muerde,
en sortijosos vínculos vibrado:
matricida cristal de dos montañas
que, al parirlo, rompieron sus entrañas.

LXVI

Espejo en quien se mira y desvanece
el tosco risco, antípoda a Narciso,
donde bebiendo sus raudales crece
recental que balando le dio aviso
en la espesura al lobo, que amanece
a purpurar sus aguas improviso;
donde al toro, en las lides que barrunta,
el risco al cuerno acicaló la punta.

LXVII

Al monte sube, y mira en la ardua peña
que la nube excedió, desembarcada
del peinado repecho, a la cigüeña
en fomentar sus huevos ocupada;
distante mira al águila, que enseña,
Clicie de pluma, al sol, ave obstinada
(sin que palpite el párpado), a sus hijos,
que porfíen al sol los ojos fijos.

LXVIII

En la grieta menor del risco herido
del desgarro de un rayo, a la culebra
trinchando ve al lagarto, que mordido,
los pedernales con la cola quiebra;
a cuyas sobras, presta se ha tendido
sobre las peñas la mentida hebra
de las hormigas, que en la piel ya vana,
o se enreda, o se tuerce, o se devana.

LXIX

La avecindada tórtola en el tronco,
a la pluma da el pico, y al gemido;
y la cigarra con su albogue ronco,
aun los retiros muerde del oído:
y a las entrañas del peñasco bronco
en que torció el conejo perseguido
su cueva, se retira temeroso,
cuando siente al caballo [28] presuroso.

LXX

En la apacible entretenida escena
el alma derramada, halló vencida
la tan fragosa cumbre como amena,
cuya en dos partes cima dividida
(si no aserrada), la menor arena
que escupió su corona coludida,
o los serrines que esparció menudos,
las peñas brutas son, los riscos rudos.

LXXI

La opulencia del templo envidió a Ignacio [29]
a tributos de mármol, el instante
que, sin dejarle a descartarse espacio,
sus opulencias le arrojó delante;
la vista se subió con el palacio
hasta el cielo, y cansóse en lo distante;
que olvidado de sí, al Empírio sube [30],
y débil se apeó de nube y nube.

LXXII

Coronó los umbrales de la puerta,
y embistióle los ojos y el oído [31]
la opulencia y la música; y no acierta,
de opuestos mar y viento combatido
bajel, con rumbo ni derrota cierta;
y del mismo naufragio socorrido
zozobrando, le ofrece a su grandeza,
tabla a la voz, y tabla a la riqueza.

LXXIII

Inculcando rocíos del aurora,
el norte cala y sur, en onda y onda,
no abeja alada, no, sí nadadora,
el siempre casto buzo, sin que esconda
los granos que en sus aguas atesora,
o venera tenaz, o gruta honda;
y cual, de flor y flor, perla libada,
de concha y concha al templo la traslada.

LXXIV

Con nueva en el Ceilán astrología,
otra eclíptica al sol halló el acero,
y nuevas le creció luces al día,
con uno y otro, que pulió lucero
en el diamante que el Oriente cría;
y a formar *Mapa-caeli* verdadero,
y a tender en María su alta zona,
al manto se pasó, y a la corona.

LXXV

Si hubo nocturno sol, si el Polifemo
se halló de la opulencia investigado,
o en costa y costa, de prolijo remo,
o en reino y reino, de interés sagrado,
el carbunclo en el pecho halló supremo
de María su carro iluminado;
que a los astros de piedra da menores
migajas de su luz en sus fulgores.

LXXVI

Débansele a la estrella que las cría
en nuestro Muzo, en carnes de cristales
(venas de verde luz, que ardua porfía
en tan copiosos derramó caudales).
las esmeraldas; que ellas a María
la honra, que en sus pies logran reales,
le deben, cuando son de esotras piedras,
en cojín imperial, las verdes hiedras.

LXXVII

Navega, en cuanto espacio se dilata
una lámpara y otra suspendida,
el culto Potosí en naves de plata
el piélago del viento; y encendida
la luz, en cuantos bálsamos desata,
una poma es, de vidrios convestida,
donde, bebiendo el fuego almas süaves,
aromas da a la bomba en ricas naves.

LXXVIII

Las almas que ha mentido la pintura,
el oro que ha pendido en el brocado,
la que la voz desperdició dulzura,
las perlas que anegaron lo bordado,
los que formó milagros la escultura,
la beldad que en los vultos ha voceado,
la más que todo, celestial María,
fueron de Ignacio dulce tiranía.

LXXIX

Zozobrado Loyola en tanta gloria,
sus grandezas hidrópico bebía,
cuando entró a despertarle la memoria
una luz arrojada de María:
que el volumen revuelva de su historia,
y que a cómputo llame día por día
su vida, le intimó; y él, obediente,
la revocó a la lista de su frente.

LXXX

Levantó la memoria, la bandera,
y a la reseña convocó su vida,
y contada, pasó la más ligera
hora de sus puericias impedida:
cejó la más distante en su carrera,
y aun la pequeña le acordó caída;
y alistado aún el leve pensamiento,
al presidio se fue del sentimiento.

LXXXI

Diole el oído un religioso grave,
y el rostro de sus lágrimas arado,
en su conciencia le franqueó la llave
del secreto, aún el alma retirado;
y lo que gravemente oyó süave,
süavemente grave le ha curado;
y al Jordán sus pecados conducidos,
él quedó limpio y ellos sumergidos.

LXXXII

Inmoble el templo lo admiró coluna,
o madre de dos fuentes, viva roca,
el tiempo que gastó en platear la luna
cuantos de un horizonte espacios toca:
dedicóle sus armas, una a una,
cuando su ardor con más ardor la invoca.
en su altar a María, cuyo oído
fue esponja dulce a su agonal gemido.

LXXXIII

"¡Oh espada, dijo, bien nacida, llave
que las chapas abriste de la vida,
de aquesta mano levemente grave
en ocasiones del honor regida:
timón, que vinculándote a la nave
de mi fortuna, en muchos conducida
mares de ajena sangre, que inculcaste,
nuevos mundos de gloria me ganaste!

LXXXIV

"¡Oh tú, pavés, que ahora derrotado
en el mar de la guerra embravecido,
ora en el lecho de la paz togado,
o de cojín o tabla me has servido;
cuyo alto timbre, ilustremente arado,
más que el buril, el dardo lo ha mordido,
y rayo aró tus rayas la pelota:
por mapa penderás de mi derrota!

LXXXV

"Esta celada, que en el duro invierno
torreón nevado fue de escarcha dira [32],
o con asilo en el verano alterno,
taza donde templé mi ardiente ira,
ocupe la pared por timbre eterno,
si ya a mi vida no se erige pira,
y este epitafio imponga al mármol yerto:
'Aquí yace un soldado, hasta aquí muerto'.

LXXXVI

"Este, del plomo, peto destrozado,
que fue del corazón mullido lecho,
cuando más de las guerras quebrantado,
o caja fue marcial, adonde el pecho
tocó a marchar al cuerpo fatigado
de la vigilia, o de pelear deshecho,
penda, al golpe del tiempo, de diamante,
pues los del pecho toleró constante.

LXXXVII

"Este espaldar, a quien el pecho mío,
cuando más en la guerra fatigoso,
pagándole la casa de vacío,
sueldo le señaló de hierro ocioso;
a las paredes de este templo frío,
como tablas del ponto tormentoso,
por el obrado en mi salud milagro,
como rüinas mías las consagro".

LXXXVIII

Violas aquel que, entre los coros nueve,
Olimpo fue del cielo el más sublime,
a quien el tiempo vanamente atreve
el golfo de los años, sin que lime
en su tenaz idea arena breve,
en cuanto bate sordo, o mudo gime;
que escollo quiebra, armado eternidades,
olas de siglos, piélagos de edades.

LXXXIX

El que de Dios imagen la más bella,
monarca se juró de la hermosura,
y en las manos los ejes que atropella
de aquella idea eternamente dura,
orbe a orbe arrebata, estrella a estrella,
a despeño feliz, a llama obscura;
que en raudo curso, móvil fue primero
el que entre todos su mayor lucero;

XC

aquel que, Serafín precipitado,
inflexible dragón vive la llama,
de escorpiones revueltos coronado
y de un áspid vestido en cada escama:
de las armas de Ignacio provocado,
un Marañón de fuego azul derrama
de su espumosa boca, así iracunda,
que el infierno en sus tósigos inunda.

XCI

Con los dos basiliscos con que mira
y con el un escuerzo en que pronuncia,
de su veneno un vaho les respira [33],
y de su pecho un trueno les anuncia:
fabricada una idea de su ira,
misible su concepto les denuncia
a aquellos que, de espíritus alados,
en dragones cayeron escamados.

LXXXIX, 2: *Ezequiel,* c. 28, v. 13.

XCII

"Yo aquel, dijo, que quise antiguamente
ceñirme de Dios mismo la corona,
cuando mi cola os arrancó impaciente,
estrellas de la más ilustre zona,
y a la del Numa más laureada frente
mi cetro en este abismo no perdona,
antes, de cuantos Césares me quema,
me gasta en cada escama una diadema.

XCIII

"O ya nos queme el fuego aprehendido,
o espíritus nos arda ya elevado,
en crudo ecúleo nuestro se ha erigido
y en potro torcedor se ha consagrado
Ignacio, en cuya torva llama ardido,
y en cuya conversión atormentado,
Nerón lo tiemblo en muchos ardimientos,
que un Nuevo Mundo inculque a mis tormentos.

XCIV

"Con una pluma que en su mano mueva
(alta sea vara, o cetro soberano),
le intimará al infierno pena nueva;
y a breve firma de su diestra mano,
aun el mayor demonio le hará entrega
del cuerpo que ocupare más insano;
y en una nos maquina Compañía,
a esclavitudes nuevas, Berbería.

XCV

"No me asegura, deje el fuerte acero
que el corazón ceñía tan constante;
que otras armas le azoran más guerrero,
que en dureza y valor cede el diamante [34];
peto le viste la piedad ligero,
el yelmo del dictamen vigilante
ciñe la sien, si embraza por escudo
recta equidad, que armarle todo pudo.

XCII, 1: *Apocal.*, 12, v. 4. — 5: *Isaiae,* 14, v. 23.
XCV, 4: *Sapienti.*, c. 5, v. 9. — 6: *Ad Ephesios,* c. 6, v. 13.

XCVI

"Y pues, contra mi imperio rebelado,
guerra me intima, mi furor ardiente
el yugo le impondrá, que relevado
vencer procura su cerviz valiente:
no quede monstruo alguno, que abrasado
dragón no quede alguno, que impaciente,
furias contra Loyola no provoque,
contra su obstinación, ira no choque.

XCVII

"Salamanca la docta, y Barcelona,
la Alcalá culta, la París florida,
no pacífica Palas, mas Belona,
contra su honor las armaré y su vida:
la garra esgrima España cual leona
y del lilio el francés, hoja homicida;
su patria, armada acero sus entrañas,
se niegue madre, mofe sus hazañas.

XCVIII

"No sólo en vida, aun de la Parca fiera
profanaré sagrado el más constante;
y aunque triunfante goce la ribera,
al cielo el golpe atreveré arrogante;
y a su escuadrón, que sigue y que venera,
en huella y huella, estrella rutilante,
nieblas le arrojará mi pecho impuro,
que el tino pierda el paso más seguro".

XCIX

El furor siente Ignacio, embravecido,
de este sacre infernal a quien provoca;
y tierno pollo, busca asilo y nido
de María, ave real, que humilde invoca.
A su sombra desprecia, agradecido,
cual desbocado al mar, altiva roca;
muralla forma en su tendida ala,
bombarda el pico, su graznido bala.

C

El templo deja, mas el alma asida
a cada jaspe, a cada losa fría;
y entre la sombra busca mal tejida
a Cristo pobre su terneza pía;
que si gala del cielo bien lucida
a Ignacio viste Cristo en este día,
a Cristo Ignacio; y porque más asombre,
día el mesmo en que Dios se viste de Hombre [35].

CI

La vanidad, ¡qué diferente gala
viste en su brío, arrea en su persona!
Ciñe el sombrero en plumas no poca ala,
que más le desvanece que corona;
sigue la empresa, que por ardua escala,
su vuelo que igualar puede la zona,
sin que su fama, en sus ligeras plumas,
triste epitafio tema en las espumas.

CII

Cardada la esmeralda en el vestido,
piélago verde el chamelote undoso
formaba, de riberas mil ceñido,
en este y en aquel galón precioso:
islas de Ofir los golpes se han fingido;
y los botones, que caló ingenioso
filigranista en cada ojal decoro,
torcidos eran caracoles de oro.

CIII

Desmintiendo el estrago a la pelota,
cuando mordaz hebilla la ceñía,
de armiñas pieles la ajustada bota,
no extraño adorno, propio parecía:
aun en la planta duramente rota,
el oro en las espuelas se lucía,
y al alamar que al pie las apretaba,
uno y otro diamante lo cerraba.

C, 8: P. Ribadeneira in *Vita D. Ignatii.*

CIV

Roja banda de múrice embriagada,
si Marañón de púrpura partido
en dos raudales, le abrazaba aislada,
la media espalda y medio pecho, unido
después en la bisagra eslabonada
de un cerrado botón, si no lucido [36]
arco de un ojo de apretada puente
en que estrechó el carmín mucha corriente.

CV

De las holandas últimas desnudo,
despojos a un mendigo las ofrece.
Menos el austro desgreñó sañudo,
cuando más el octubre lo enfurece,
de las esposas pámpanos al rudo
olmo que en trepas halagüeñas crece,
de la lasciva hiedra, que abrasado,
espíritu de Dios, lo ha despojado.

CVI

De mal torcido cáñamo dentado,
áspera talar túnica lo abriga,
y de esparto en sus roscas erizado
nudosa cuerda su cintura liga:
breve a un bordón en yemas anudado,
que supla veces de su pie le obliga.
Parte a Manresa; y el cabello al cielo,
peine el aire, lo cuenta pelo a pelo.

CANTO CUARTO

Descríbese la cueva de Manresa, donde el santo hizo áspera penitencia y compuso el libro de los Ejercicios.

CVII

Amenazando al Aries su mordisco,
irritándole al Tauro el cuerpo agudo,
en Manresa se empeña un tosco risco,
alano, aun contra el cielo, colmilludo:
cuya garganta a bárbaro fue aprisco,
redil, y techo al pastorcillo rudo,
donde el lobo presidio halló cerrado,
o como escollo, o como can dentado.

CVIII

Lengua fue un tiempo de su hiante boca,
vencido el toro, el jabalí espumoso,
que en los labios formó, de roca y roca,
o bramido o estruendo pavoroso,
tascando el diente aquél, que al can provoca
el cuerno examinando éste, celoso;
y tálamo tal vez de agrestes flores,
a los del fauno Pan torpes amores.

CIX

Sus crinitos raudales precipita,
cometa de cristal [37], un arroyuelo,
desde la cima que en la nube habita,
porque caigan sus aguas desde el cielo;
y desgreñando al risco, en que palpita
luces de vidrio, se despeña al suelo
de ampo en ampo y, su cristal quebrado,
la cola vibra en el ameno prado.

CX

Hija de su despeño, zarza poca,
armada abrojos y verdor crestada,
sus grifos de esmeralda a roca y roca
en crespas hojas vinculó, erizada
hidra del risco, Alcides que la toca
con clava undosamente fulminada;
y riza en uno y otro cuello verde,
o lucha con sus peñas o las muerde.

CXI

Pocas aldeanas flores encarcela
con eslabones de torcida plata
el arroyuelo, que se ató pihuela
al pie de la que al sol ojos dilata
en cuantas hojas viste o granos cela,
Clicie, que en rudos bosques se desata
águila de las flores, y es al prado
reloj de sus edades concertado.

CXII

Sandalia de cristal, que la apïola [38]
(labrada de la espuma rosa y rosa),
a los pies se ajustó de la amapola;
jervilla es ya de la vacinia hojosa [39];
y del que leve el aire lo vïola,
ligustro, abarca fue, a pesar de undosa:
que coturnos, los calzan las sutiles
flores que huellan áulicos pensiles.

CXIII

Arteria en cada poro de esta peña,
late la espiritosa lagartija,
y revuelta la sierpe zahareña
en cada piedra forma una sortija;
en la ruga al cristal más halagüeña,
se anuda un caracol a cada guija;
y en cuanto miembro enlazan arenisco,
son venas las hormigas de este risco.

CXIV

Las zarzas y los riscos enmaraña,
y desde centro igual las redes tiende
con lazos, más que hilos, el araña,
y hurtada un tanto, en su retiro atiende
la simple mosca, a quien su vuelo engaña,
y mal entre sus nudos se defiende
cuando, sacre, la embiste y aprisiona
en una y otra, que le implica, zona.

CXV

En el abrigo duerme de la grama,
melena del arroyo fugtivo,
la querellosa rana; y de su cama,
presa en el diente dispertó, nocivo,
del que en sus venas tósigos derrama
serpiente, en sus rüinas tan altivo,
que grifa la cerviz, torvos los ojos,
que le sobran ostenta los enojos.

CXVI

Al pedernal se tuerce menos rudo
el serpiente a dormir; y ya dormido,
de las hormigas se desata mudo
el escuadrón; y en cuernos dividido,
le imprime el diente cada cual agudo,
y aun antes que dispierto, así embestido
por cuanta escama falseó, se advierte
que sus muertes abrevia con su muerte.

CXVII

De superior impulso conducido,
bien abrigado de la eterna diestra
y del divino arpón Ignacio herido,
esta cueva eligió para palestra,
adonde a brazo luchará partido
con el infierno todo, a quien ya muestra,
atleta soberano, las arenas
que vestirá con sangre de sus venas.

CXVIII

Tesoro antiguo de su casa era
un crucifijo, que condujo, escudo
en que pudiese rebatir severa
flecha letal de Leviatán sañudo:
en cuyo vulto el arte así se esmera,
que dudan del pincel y escoplo agudo,
los que en el Cristo admiran sentimientos,
si del primero fueron instrumentos.

CXIX

Una u otra corteza [40] desgajada
rompe lo que ya unió toroso nudo
en la rama, que cruza atravesada
de un rudo tronco, aun para tronco rudo;
y erigida la Cruz, ensangrentada
desde el mástil al gajo cortezudo,
se dobla al peso del cadáver yerto,
que eleva a Cristo vivamente muerto.

CXX

Cuatro lo fían de obstinado acero,
mal del martillo clavos doctrinados,
que oprimen crudos, mas que él rompe fiero,
las blancas manos y los pies nevados:
cada cual, sobre boto, así es severo [41],
que en cárdenos rubíes desatados,
al que fue el paraíso de los ojos,
cuatro raudales lo desatan rojos.

CXXI

El pecho esconden, cuando el rostro niegan,
enmarañadas ondas del cabello,
que cuando crespas la cerviz anegan,
se derraman inciertas en el cuello;
bajeles sus dos ojos las navegan,
y en lo sangriento naufragó lo bello:
las luces turbias, que el naufragio agota,
en niña y niña se aparecen, rota.

CXX, 7: *Genes.*, 2, v. 10.

CXXII

Armóse en cada abrojo de una escama,
y vinculando a cada escama un diente
(si en cada diente un tósigo derrama),
complicado de juncos un serpiente:
zodíaco se ciñe en cada rama
de agudos escorpiones a su frente;
que en los hilos que brota carmesíes,
víboras pare en Libias de rubíes.

CXXIII

Mancha la rosa y la ilibada nieve,
que en la mejilla en alma paz vivieron,
de morado alelí la copia aleve
que las violentas manos le imprimieron;
no sus rocíos el aurora llueve
sobre cárdenas rosas; sí llovieron
desde las nubes de profanos labios
borrascas de salivas y de agravios.

CXXIV

Rota la encía, ensangrentado el diente,
en el último anhelo el labio abierto,
poca lengua a la vista le consiente,
que al paladar se eleva descubierto:
no sepulcros de pórfido luciente,
de jaspes sí manchados, donde al yerto
cadáver de la lengua destrozada,
cubren terrones de su sangre helada.

CXXV

Sangrienta antorcha el corazón se vía,
distante de las pieles breve trecho,
que en turbias llamas de rubís hervía [42],
y en muchos hilos su crüor deshecho,
arroyos de corales derretía,
que deslizaban por el roto pecho;
y a las rojas cenizas que brotaba,
breve lágrima de agua las nevaba.

CXXVI

Abierta en dos mitades la granada
del pecho, desunido grano a grano,
si no ya hueso a hueso, declaraba
los que el rigor descoyuntó tirano;
y con pasión piadosa deletreaba
en todo aquel cadáver soberano,
cuyo pecho, ensanchando las heridas,
purpúreas franqueaba al tronco vidas.

CXXVII

Sangrienta vid, al cuerpo le desatan
de cinco mil agravios los rigores,
cuando en pámpanos rojos se dilatan
los que el golpe cuajó yertos livores;
y entre las venas que mejor recatan
en cárdeno zafiro sus rubores,
negros brotan racimos, que crüeles
la clausura no sufren de las pieles.

CXXVIII

Aquesta efigie Ignacio, dolorida,
en un balcón del risco mal volado,
para dechado de su nueva vida,
con aseo estudioso ha colocado:
breve cima, de piedras construida,
fijó del tronco rudo el pie sagrado,
cuyos guijarros coronó, severa,
del tiempo una roída calavera.

CXXIX

Este fue anfiteatro un año entero,
que le aclamó victorias agonales,
donde tierno aún el risco más severo
las migajas guardó de sus corales,
y lacrimoso más que lisonjero,
purpureó de sus venas sus cristales
el arroyo, y tres veces cada día
de su sangre inundado, más crecía.

CXXX

Pulvinar se mulló a su breve sueño
un rugoso peñasco endurecido,
y el lecho compusieron halagüeño
aqueste agudo, esotro mal mordido
pedernal, que en lo grifo de su sueño [43],
aun del hueso supieron escondido;
y de la cueva el pabellón eterno
le abrigó en el verano y el invierno.

CXXXI

Muchos dentados hierros la armería
ocupan de la cueva, que pendientes
del colmillo que más sobresalía,
el risco así los admiró inclementes:
la cueva, que de horror se estremecía
y sacudía de temor los dientes,
cuando de Ignacio la constancia santa
o los cansa, o los gasta, o los quebranta.

CXXXII

La pestaña de un lince ha vinculado
a cada punta de las que ha torcido
en el hierro, que en hebras tenüado
y en alacranes ásperos mordido,
desde los hombros hasta el pie sagrado
con implicadas zonas ha vestido
el cuerpo, a quien trató como de piedra,
pues que lo viste de tan dura hiedra.

CXXXIII

Esta le inculca el más secreto hueso,
y convestida de las flacas pieles,
nervios los negó suyos sólo el peso [44]
que muchas dulces le causaron hieles;
lo que aquesta perdona, a un saco grueso
a quien, o el jabalí puntas crüeles,
o giboso el camello le dio cerda,
lo entrega, porque en lo mordido muerda.

CXXXIV

De un tronco en ramos dividida siete [46],
y cada uno un escorpión de acero
si ya no sierpe, cada cual comete
a cada extremo suyo un diente fiero,
hidra rubia de cáñamo, acomete
al débil cuerpo, aun contra sí severo,
la disciplina, y escarpiar porfía
sus espaldas tres veces cada día.

CXXXV

Inmoble pierde cuando inmoble ora,
con él el risco; y pierde el arroyuelo
con sus dos ojos cuando Ignacio llora;
y pierde con sus lágrimas el cielo,
o ya en las perlas de la blanca aurora,
o ya en las luces del cerúleo velo:
que, llorando, las cansa o las agota,
estrella a estrella Ignacio, gota a gota.

CXXXVI

Cuando en este occidente el sol coloca
las calientes cenizas de sus rayos,
o en la del oro más calada roca,
o en el monte más hijo de sus mayos,
del mendigado pan reliquia poca
no esfuerza, no, divierte sus desmayos;
y del helado arroyo pocos granos
su sed atizan, cóncavas las manos.

CXXXVII

No poco le ocultó estrago crüento
el saco vil que le ciñó la cuerda,
aunque a acusar su mudo sufrimiento
el tosco saco le caló la cerda;
y de la manga o cuello al movimiento
(o el brazo hiera, o ya en el pecho muerda),
a dar de sus rigores corto indicio,
mal recatado se asomó el cilicio.

CXXXVIII

No en cultas crenchas, cual antiguamente,
revuelto en toscos nudos el cabello,
la hermosura le estorba de su frente,
la blancura le borra de su cuello;
y en la barba emboscado incultamente
lo que en su rostro se lució más bello,
con desaseos rígidos macera
el ámbar que peinó en su cabellera.

CXXXIX

De este ayudado riguroso insulto,
sedienta el tiempo esponja, le ha bebido
con la sangre el color, alma del vulto;
y al cuerpo débil, duramente herido,
las carnes le royó con diente oculto,
cuando en la piel, que al cuerpo se le ha unido,
enredados los nervios y patentes,
por mapa lo erigió de penitentes.

CXL

Carnosas las pupilas, siempre rojos
los párpados del llanto, han retirado
hasta el casco, cansados, sus dos ojos:
dos en ellos cisternas se han quebrado,
que retener no pueden los despojos
del raudal de aquel llanto arrebatado,
que rompiendo en el rostro suavemente,
en mucha barba esconden su corriente.

CXLI

Las rodillas clavado a un risco rudo,
de sus cordeles al menor amago,
la espalda golpes le rebate, escudo
del que resulta sanguinoso estrago:
en el pecho le rompe un canto crudo,
con alternas heridas, ancho lago;
y en el Cristo, a quien voces da devotas,
nuevas imprime llagas con sus gotas.

CXLII

¡Oh tú, que oprimes el mullido lecho
cuyo cariño desplumó las aves,
y el prolijo artesón te dora el techo
escoltando tu sueño muchas llaves!
Cuando, entre holanda y púrpura, tu pecho
hierros de torpe amor arrastra graves,
Ignacio te despierta. ¡A Ignacio atiende,
que en un risco su techo y cama tiende!

CXLIII

¡Oh tú, que a los gusanos das cuidado
y a las ruecas de holanda das fatiga,
por quien Milán el oro atenüado
a los tormentos del brocado obliga:
cáñamo mal tejido y mal dentado
el cuerpo viste, y la cintura liga
rudo esparto, de Ignacio, que te enseña
que cabe la grandeza en una peña!

CXLIV

¡Oh tú, que bebes (las tinajas rotas)
en tazas de cristal caduco el vino,
y la pluma, la piel, la escama agotas,
de golosos melindres adivino,
por quien trasiegan mucho mar las flotas
investigando el clima peregrino!
¡A la mesa de Ignacio te revoca:
pobre verás mendrugo, y agua poca!

CXLV

¡Oh tú, que aun las holandas te lastiman,
y en tus cariños aun la holanda es dura;
a quien las plumas en el lecho liman,
y escarpia aun de las martas la blandura!
¡Oh cuántos a tu vida se le intiman
estímulos, en cuanto se conjura
contra Ignacio, o sea cáñamo sonante,
o de hierro sea zarza penetrante!

CXLVI

Tal vez le llama los sangrientos ojos
el Cristo a Ignacio, y ve que condolido,
le acaricia el peñasco en los despojos,
que le ha de sus entrañas ofrecido:
depuestos en un risco los enojos
de tósigo fatal, se le ha torcido
sobre la frente, en quien sus roscas quiebra,
escamada un abril, verde culebra.

CXLVII

Pénsil desde el cenit [46] baja la araña,
y en cuantas hebras en su vientre esmera,
uno y otro cabello le enmaraña
y otra le sobrepone cabellera;
el que lo ciñe lino, en hilos baña,
y en esconder la sangre persevera
tan sutil, que en las manchas que le cela,
no se ve lo que va de tela a tela.

CXLVIII

El que el prado (o saliva de la estrella,
o carbunclo menor) de luces nota,
y si del sol molida no es centella,
es de la luna destilada gota,
sea gusano ya, o lucerna bella [47],
los ojos muertos de la efigie dota
y en pupila y pupila donde habita,
fulgores late cuando luz palpita.

CXLIX

Con los nortes de dos cuernos que mueve,
el tronco arriba trepa perezoso,
manchada de carmín su tersa nieve,
un caracol y otro tortüoso;
y en cada clavo cada cual se embebe,
cuando se ancora en ellos tan viscoso,
que arrancar quiere el clavo en que se prende,
porque quedar en su lugar pretende.

CL

Azogada purpúrea lagartija
por el sacro cadáver se dilata,
y la cabeza en el costado fija,
en cuanta sangre corre, se desata;
la mariposa azul, de guija en guija
vuela, y tenaz al cardenal se ata
y lo esconde piadosa, cuando aquélla
el costado con diente y diente sella.

CLI

Desátase una hormiga y otra hormiga,
y en la llaga, desgarro, o breve gota,
aquello en que tenaz una se liga,
se vincula a cubrir otra devota;
a cerrarle la llaga ésta se obliga;
la sangre aquella le enjugó, que agota:
que en los brutos ha hallado y en las peñas,
su Crïador caricias halagüeñas.

CLII

De una escuadra que al campo el jugo tala,
esta y aquella se perdió abejuela,
y hasta la lengua cariñosa cala
la que, aljófar cargado, al labio vuela:
la trompa alivia y aligera el ala,
y en borrarle la hiel tan dulce vela,
que, venciendo amargores sus porfías,
nadan los labios dulces ambrosías.

CLIII

Las piedades del risco Ignacio admira,
cuando impiedades de los hombres llora:
cada cual a su puesto se retira,
y en paz del otro aun el serpiente mora.
Blando del cielo rayo a Ignacio inspira
cuando, piadoso más, a su Dios ora,
que en éste escriba Patmos, Juan segundo,
en breve libro, Apocalipsi al mundo.

CLIV

La mano con la pluma descansaba
de la sangrienta cruda disciplina,
y en poca plana mucha luz araba,
dictado siempre de la luz divina:
Su tinta, el sol, la pluma le bañaba;
y en cuantos ésta rumbos determina,
eclípticas rubrica de centellas,
epiciclos de luz, líneas de estrellas.

CLV

Breve selló volumen que intitula
o *Ejercicios*, o vías en que el alma,
o descompuestos sus afectos pula,
o tormentosos, les imponga calma:
sacra después los ha laureado Bula,
diploma augusto les paró la palma,
cuando el Tercero Paulo a luz los saca
y los gradúa celestial trïaca.

CLVI

Cítara en quien (si la pasión destempla
la armonía que Dios templó canora
en el alma), si atenta la contempla
y por los puntos de sus voces ora,
los discordes afectos así templa,
que el que discorde fue, cuerda es sonora,
y tal da consonancia en el retiro,
que cada voz compone de un suspiro.

CLVII

Libro que concordó, en cada semana
de aquellas cuatro del volumen breve,
una veloz esfera soberana
que sus planetas siete, en siete mueve
felices días; y con luz no humana
en cada letra tanto fuego embebe,
que planetas a tres esferas bellas,
y a firmamentos tres, sobran estrellas.

CLVIII

Volumen sacro, en quien abrió el Cordero
en cada siete días sïete sellos,
y a cada letra vinculó un lucero
que con candores deshiciese bellos
las tinieblas, que aquel descoge fiero
dragón que peina sierpes sus cabellos,
consagrándolo carta esclarecida
que el rumbo señalase a cada vida.

CLVIII, 3: *Apocali.*, 5, v. 1.

CANTO QUINTO

Las grandes aflicciones y escrúpulos que padeció su espíritu al principio de su conversión. Serenado ya éste, le hizo el Señor singulares favores: vio la hermosura del rostro de Cristo, corridos los velos de las especies sacramentales; revelósele el misterio de la Trinidad Sagrada, manifestándosele otras maravillas en un rapto que le duró ocho días.

CLIX

Turban la paz, que próspera navega,
los siempre fieros y encontrados vientos
de escrúpulos, en quien dubia se anega
en un amargo mar de pensamientos;
y rompido el timón, ciego se entrega
a muchas ondas de remordimientos,
que quebrando en el alma de Loyola,
toda la arrastran en cualquiera ola.

CLX

Dulce libaba electro en la colmena
que, cual de corcha y corcha, peña y peña
le fabricó la cueva hasta allí amena,
y aun en sus toscos riscos halagüeña;
mas aculeoso ya se desenfrena
de su vida el enjambre, y crudo empeña,
calándose los días a su historia,
enconoso aguijón a su memoria.

CLXI

De espinas su conciencia combatida,
un crudo abrojo en cada culpa alienta,
arduo erizo del alma, adonde herida
la voz, que dubia la salida intenta,
se advierte, y de sus puntas embestida,
la razón más piadosa se ensangrienta,
y envuelta en laberintos mil de abrojos,
los hilos busca en agua de sus ojos.

CLXII

Teme que la pasión aún alimenta
boscaje inculto de cambrón pungente,
y porque en el manjar su humor fomenta,
le enjuga ayuno, agóstale abstinente:
que si el humor en solo un surco alienta
tal vez la espiga, tal la ortiga ardiente,
la ayuna carne, nunca a un tiempo abriga
espiga de virtud, del vicio ortiga.

CLXIII

Siete veces el sol la pira dora
en que durmió la noche sepultada,
y otras tantas la noche en la urna llora
en que la luz del sol durmió enterrada;
y ayuno Ignacio, tan valiente ora,
con afecto y con voz tan alentada,
que si clamar el risco no lo oyera,
que era risco, como él, se persuadiera.

CLXIV

De tamaño rigor fue blando freno
la voz del confesor, que obedecida
halla piedad en el divino seno,
cuando se otorga parco a la comida.
El tormentoso mar calmó sereno;
y dejóse alargar más comedida,
de esta y esotra mano regalada,
la conciencia de abrojos implicada.

CLXV

Cargada la mejilla de la mano,
y el pecho sobre el risco, a Dios implora,
después de siete soles, soberano
sustento Ignacio; y cuando atento ora,
al uno vio seguir y otro serrano,
a la una y otra montaraz pastora,
que del templo venían reducidos
a coronar la tarde en los ejidos.

CLXVI

Compitiendo lo hermoso y lo canoro
y a lo airoso cediendo lo lucido,
tejidas caminaban en un coro,
en el cabello del abril florido
una Libia de víboras de oro,
aun cuando más de crenchas oprimido,
desataban al aire que, sereno,
soplo irritaba a soplo su veneno.

CLXVII

De las pizarras, que agitaba una,
al dictamen tan ágiles se mueven
las otras, en sazón tan oportuna,
que los ojos al giro mucho deben:
relámpagos de nieve en la coluna
de aquella a quien los céfiros se atreven,
cuando migajas de marfil arroja
la menos ágil, entre grana roja.

CLXVIII

De rosado cristal brazo desnudo,
tejiendo el aire, al otro se eslabona;
y de la más pesada el pie más rudo
que en la anudada se giró corona,
(sin violarla en un hilo) correr pudo
en la que Aragnes vidrïosa zona
al viento implica, sin que el viento pueda
sentir el laberinto en que la enreda.

CLXIX

Perlas sudara el aquilón más seco,
con las que lame el céfiro en la frente
de la que, haciendo a la pizarra eco,
al aire se ha librado, diligente:
en la mano responde el marfil hueco
y el pie las leyes de los golpes siente
tan leve, que la hierba, a quien no humilla,
piensa que el viento se calzó jervilla.

CLXX

Cantos repiten, coros alternando,
cuando, irritado de un serrano adusto,
las manos con dos piedras ponderando,
otro, no menos ágil que robusto,
las huellas borra de la raya, cuando
los viste a todos de envidioso susto,
pues ya tres dardos excedió ligero,
desatado en tres saltos, al primero.

CLXXI

Librado sobre un pie, raudo se gira
un mancebo, que un risco ha sacudido
de la torosa cuerda con que tira
en el brazo, a quien otro, mal sufrido,
donde resulta el risco se conspira;
y tan valiente al aire lo ha escupido,
que en su alcance cojeara, siempre lerda,
flecha impelida de nerviosa cuerda.

CLXXII

Menos fieros se implican esgrimiendo
dos toros por la frente eslabonados,
que pecho y pecho restalló, crujiendo,
de dos membrudos mozos abrazados;
alterno aqueste sobre aquél pendiendo,
de su violento impulso arrebatado,
quebrando pedernales, ni sujeta
ni es sujetado, en la palestra, atleta.

CLXXIII

La meta un pobo, el palio una montera,
cuando la aurora más argenta el prado,
de un joven y otro el pie veloz pudiera,
sin dejarle un aljófar abollado,
agitar por las flores la carrera
que iguales los condujo al destinado
bravío [48], que sus ímpetus rasgaron
cuando raudos los dos lo arrebataron.

CLXXIV

El que de pluma fue tiorba sonante
un lustro entero, que al rosado oriente
en canto y canto prenunció arrogante,
del brazo de una encina ya pendiente,
en su obstinado cuello de diamante
alternos golpes de serranos siente,
y cediendo a la mano más nerviosa,
el pie besó de una zagala hermosa [49].

CLXXV

Con poco lienzo mucho abril ajado,
animado con almas de pimienta,
en el de fresno plato mal cavado [50],
la esposa del que, aun muerto, la lamenta,
un breve seno le ocupaba al prado,
ladeada el pernil, que representa
en la sal que lo observa a la comida,
el alma que de sal sirvió a su vida.

CLXXVI

Ladraba sobre el lienzo o lo mordía
un ajo y otro en dientes dividido,
y en su favor la mesa discurría
su deudo el puerro, en cólera encendido;
el motín de estos dos favorecía
el nastuerzo [51], a su nombre tan nacido,
que, consanguínea, dulcemente abraza
a su hermana gemela la mostaza.

CLXXVII

Largo juega montante ensangrentado,
haciéndose temer por más valiente
el rábano de plumas coronado;
y oposición se fulminó impaciente
a su enojo, el pimiento colorado,
que la mostaza que se halló presente
se le subió; y el tufo que tributa,
dejó almadeada la sabrosa fruta.

CLXXVIII

El motín el nastuerzo favorece,
garrucha del olfato, que ha torcido,
cuando mellizo a la mostaza crece;
arrugada la frente y el vestido,
la escarola, aunque fría, se enfurece
contra el ajo en cabezas dividido,
hidra del huerto, que a los más valientes
mostró gruñendo sus bruñidos dientes.

CLXXIX

Sus hojas desenvaina la lechuga;
y el pepino, con ella muy picado,
cuando crudo su frente más arruga
en la mesa cayó despedazado;
en el lienzo sus lágrimas enjuga
cuando la sal su herida le ha curado;
y porque verlo herido le da pena [52],
triste se retiró la berenjena.

CLXXX

Un escudo ha embrazado y otro escudo,
y de dobles paveses se ha ceñido
la cebolla, que el golpe temió crudo
de la que mallas muchas se ha vestido
alcachofa, a quien ya el erizo rudo
de la castaña audaz se le ha atrevido;
y sin saberse cuál a cuál ofenda,
agria la lima hizo la contienda.

CLXXXI

Tierno el melón, calado de una herida,
escrito su epitafio cayó muerto,
cuando lanzando su purpúrea vida,
inerme la granada, el pecho abierto,
la mesa del crüor dejó teñida;
frío el cohombro, o temeroso o yerto,
yace enterrado entre la roja guinda
que, hecha una sangre, no escapó por linda.

CLXXXII

Echando espuma se ha pasado el vino,
desde el odre que rompe, al boj torneado,
y de refriega tan atroz, mohíno,
en sus vahos sus retos les ha echado,
cuando la paz en el aceite vino,
en muchos claros ojos desatado,
sobre el que ya degeneró en la cuba,
bastardo hijo de la dulce uva.

CLXXXIII

El blanco pan, que blanca mano parte,
no pocas gotas al aceite apura;
y mientras ella a cada cual reparte
su presa, cohechó la coyuntura,
por que al cortar se hiciese de su parte;
pues tan fácil se cala a la más dura [53],
que trinchando del ave los despojos,
vistió el cuchillo de adivinos ojos.

CLXXXIV

Con sauce y sauce en cóncava cuchara,
agotaba en el fresno su fatiga
el embriagado pan, de quien avara,
cada serrano se afectaba hormiga:
cuando a Ignacio famélico repara [54]
el más anciano, y a escalar obliga
el risco a un joven, que piadoso lleve
cuanto Amaltea de su cuerno llueve.

CLXXXV

Del éxtasis cobrado, humano admite
cuanto el zagal le ofrece condolido,
y del que Dios le preparó convite,
nuevo Daniel se afecta agradecido.
A la oración y al rapto se repite,
de la imán de su Dios tan atraído,
que de su cuerpo el alma se desata
y librado en el aire lo arrebata.

CLXXXV, 4: *Daniel,* 14, v. 36 et 37.

CLXXXVI

Rompiendo nubes, cielos escalando,
del cuerpo ya depuesta la pihuela,
el Empíreo sagrado penetrando,
a la corte de Dios Ignacio vuela,
y al trono se presenta, venerando,
de aquella, que a los suyos se revela,
deidad que, coronada de despojos,
es dulce hidropesía de los ojos;

CLXXXVII

en la que bebe sed, cuanto más bebe;
en la que come hambre no saciada,
cuanto se goza más; en la que a breve
minuto, estrecha eternidad gozada;
en la que en dulce paz al alma mueve
en esferas de amor arrebatada,
y es mar de sed, letargo de dulzura,
piélago de hambre, abismo de hermosura;

CLXXXVIII

la que no cabe en el mayor aumento
de la mente querúbica, ni cabe
en la pupila del entendimiento
del más agudo ingenio, o que más sabe;
a cuya luz se agobia el sufrimiento
de la vista eficaz de imperial ave,
y se encandila el lince que examina,
no un rayo, un pelo de la luz divina.

CLXXXIX

En ésta Ignacio, pues, empírea cumbre,
en aquella Deidad que es Una y Trina
(o ya auxilio especial su mente alumbre
a que la esencia pueda ver divina;
o sumiller de Dios, divina lumbre
a su dosel le corra la cortina,
y su vista conforte), a Dios percibe,
que con la vida de su mente vive.

CXC

O inmediación de Dios al alma sea,
o sea Vice-Dios su especie impresa
lo que a Loyola Dios le da que vea
en su esencia, que ya le bebe expresa,
su pluma a la piedad le da que lea
este favor, que tímido confiesa,
y de su mano y de su letra sella:
"Visto he, mi Dios, la esencia como es ella".

CXCI

Vio cómo engendra el Padre, y que procede
por pura intelección, Hijo Sagrado,
el Verbo, porque el Padre darle puede
lo que en su ser divino se ha cifrado,
que es actualísimo entender; ni excede
el Padre al Hijo porque lo ha engendrado;
y tan grande como ambos, es divina
la que, de ambos, Persona se origina.

CXCII

Más que Paulo vocal, descendió al suelo [55],
pues del misterio que gozó escondido
y sólo se habla bien dentro del cielo
(sin que hubiese otras letras aprendido
que el escribir), con soberano vuelo
dio su pluma un volumen tan crecido,
que en ocho veces diez folios [56] que nota,
argucias a las cátedras agota.

CXCIII

Perseverando al templo su constancia,
tal vez de las especies la cortina
le corre Dios, y muestra la substancia
de aquella carne, a que se unió, divina,
en quien el pan la suya transubstancia
por el amor que a nuestro amor le inclina:
porque en su vista Dios ha colocado
un Sumiller de Corps [57] a lo sagrado.

CXCIV

Dorada llave le concede a Ignacio
del camarín en que la fe se ciega,
y no prendido en limitado espacio,
abre el empíreo, cuando al cielo llega;
y en el que al lince querubín, palacio
se niega imperceptible, se le entrega,
pues le franquea en el altar abiertas,
de las especies las cerradas puertas.

CXCV

Esta y aquella nube al sol corrida,
o roja al vino, o blanca al pan sagrado,
desata el rayo, a quien su vista mida
el párpado de Ignacio acicalado;
y ave Ignacio real, en la lucida
copa, los resplandores le ha agotado
a aquel sol que embriaga de luz pura
a la más perceptiva crïatura.

CXCVI

En este Patmos, pues, Dios lo arrebata
por siete soles, a que viva ausente
de sus miembros el alma: con él trata
cuanto en los siete fabricó, potente,
días de la semana; en él retrata
un cielo nuevo, un orbe floreciente,
pues vincula un portento a cada día,
en la que allí le dicta Compañía.

CXCVII

Lejos del cuerpo, hurtado de sí mismo,
en éxtasi süave, en largo olvido,
en rapto amable, en dulce parasismo,
cómo nació la luz del labio vido
de Dios, que la derrama en el abismo;
la luna en leche, el sol recién nacido,
gemelos admiró mecerse en una
vuelta, que el cielo les giró su cuna.

CXCVIII

La carroza admiró correr del cielo,
cuyas raudas esferas agitadas,
cuya cortina azul de terciopelo,
cuyas ruedas de estrellas tachonadas,
gira en perpetuo infatigable vuelo,
sin ruidoso tropel de pías aladas,
auriga un ángel, que trastorna solo
la máquina del orbe en polo y polo.

CXCIX

Desgranada la luz en la alta mano,
sembrar la vio en el campo de zafiro,
y macollar vio un astro en cada grano
cuando rompiendo un sulco en cada giro,
(arado corvo el cuerno más lozano
del naciente esplendor, bien que deliro[58],
de la luna) ofreció la vez primera
al sol esa brillante sementera.

CC

Vio que, discordes tan concordemente,
tan armoniosos les vincula acentos
a los cuatro que templa, omnipotente,
concordes y discordes elementos;
do, el leve al ponderoso diferente,
pulsados de su mano los concentos
tan armónico laten, tan süaves,
que los leves se templan a los graves.

CCI

Vio que la voz de su süave imperio
al redil recogió de poca arena
ese rebaño de olas, donde serio
con blando muro mucho orgullo enfrena,
y partiendo a la tierra su hemisferio,
en grano y grano le erigió una almena
tan inviolable, que aunque el golfo brame,
los muros besa, las arenas lame.

CCI, 1: *Genes.*, 1, v. 9. — 7: *Iob,* cap. 38, v. 11.

CCII

Vio que al aliento de la sacra boca [59]
el reino de la espuma se dilata;
y toma posesión de cada roca
cuanto, al mar, ciudadano se desata;
y que el cetro temido de la foca,
al más crespo delfín el yugo ata;
y cuanta escama bruñe el oceano,
el imperio obedece de su mano.

CCIII

Vio que, fecunda la mullida espuma,
o vulva fue sagrada, o dulce nido,
de cuanta el aire nada blanda pluma,
que el imperio venera esclarecido
de aquella parda Clicie, de aquel Numa,
que alberga al sol, aun cuando más ardido,
en sus ojos que, a fúlgidos ensayos,
son la piedra de toque [60] de sus rayos.

CCIV

De cuatro arados de cristal surcada
la tierra vio, cuando le ató coyunda [61]
a cuatro fuentes Dios, en la vedada
huerta del Paraíso: y la profunda
senda que abrieron, rinde cultivada
la rubia mies, en que su seno inunda;
la hermosa flor, que el campo le tributa;
la que le suda el árbol, dulce fruta.

CCV

El campo vio inundado de animales
tratables al cariño de la mano,
y en alma paz comunicarse iguales
el más humilde con el más lozano,
cuando en sus greñas el león reales,
monarca se juraba soberano
de cuanta piel, o blanda o zahareña,
anima el bosque rudo o la ardua peña.

CCII, 4: *Genes.*, 1, v. 21.
CCIII, 4: *Genes.*, 1, v. 20.
CCIV, 3: *Genes.*, 2, v. 10.
CCV, 3: *Genes.*, 1, v. 24.

CCVI

Vio, que vaheada del divino anhelo [62]
aquella argila se informaba, aquella
única crïatura a quien el cielo
el pie llegó a besar, estrella a estrella:
el hombre, emperador de cuanto el suelo,
de cuanto el aire y cuanto el agua sella;
a quien de su costilla, Dios le esmera,
en letargioso sueño, compañera.

CCVII

La que armónica allí le rayó idea,
el Arquitecto Soberano quiere
que norma ya de aquella ilustre sea
fábrica, a quien Ignacio se refiere
artífice segundo, a quien arrea
del orden sumo que de aquella infiere
planta del mundo, cuando Dios le fía
compañera en su nueva Compañía.

CCVIII

De un astro y otro le descoge escala
a la mar, que abrazó la tierra al cielo,
dormido a este Jacob, adonde el ala
de un ángel y otro se repite al vuelo,
cuando al empíreo desde el suelo escala
la que previene Religión su celo:
puente, por donde el mundo ya seguro
halle pasaje al estrellado muro.

CCIX

Parda circumvistió nube a la cima
que rompe el rayo, que la llama dora,
del monte en que a Moisés leyes intima
el sumo emperador a quien adora,
cuarenta soles; pero más sublima,
y a Ignacio en siete días lo mejora
(pues en ellos le dicta dogmas graves),
el que sus yugos fabricó süaves.

CCVIII, 2: *Genes.*, 28, v. 12.
CCIX, 2: *Exod.*, c. 20, v. 18 c. 21.

CCX

Robada la color, el cuerpo yerto,
yace de sí olvidado, en Dios unido,
Ignacio, a quien latiendo mal despierto
el corazón, que le pulsó dormido,
las urnas le negó, cuando tan yerto,
en tan prolijo se arrebata olvido,
que siete noches le pararon, bellas,
túmulo que ardió antorchas las estrellas.

CCXI

El sol la muerte, que el cadáver miente,
lacrimosa lamenta; el zafir nota
de una lágrima y otra, en que luciente
la estrella se afectó lúgubre gota;
urna la luna, en su primer creciente,
a sus cenizas dedicó devota
su corvo seno, donde cada día
con terrones de luz las cubra pía.

CCXII

Sentido el Marte de que el Marte muera
que a vivir lo condujo jubilado
el pabellón azul de su alta esfera,
un rayo y otro de su ardor quebrado,
de su luz arrastrada la bandera,
el parche de su cielo destemplado
y rota su marcial bélica trompa,
fúnebre le previno a Ignacio pompa.

CCXIII

De la muerte Mercurio acibaroso,
del que, arrancando de sus patrios lares,
nuncio fuera de Cristo luminoso
aun más allá de los indianos mares,
el caduceo, que quebró lloroso,
los que depuso trémulos talares,
al túmulo consagra por tributo
del que cubrió su cielo, obscuro luto.

CCXIV

Las nubes de dolor despedazando,
gimiendo triste en sordo y sordo trueno,
volcán desde sus ojos lacrimando
y al sentimiento relajado el freno,
Júpiter llora al que con rayo blando,
con luz süave y con ardor sereno,
conductor se afectara soberano
del rayo de Jesús, que vio en su mano.

CCXV

Venera sea de luz aquel lucero
en que navega Venus en su esfera,
que como Ignacio la venció guerrero
y de su concha le paró galera
en que gimió su afecto lisonjero,
de ramera trocada ya en remera,
convertidas sus lágrimas en perlas,
a su sepulcro se llegó a ofrecerlas.

CCXVI

A su misma tristeza cortó el luto [63]
que en su esfera arrastró, Saturno esquivo,
y el rostro no de lágrimas enjuto,
muerto lamenta al que define vivo
un ay que dio la vida por tributo
al labio que lo exprime compasivo,
cuando el alma del cielo se despide
y al cuerpo ya, segunda vez, se mide.

CCXVII

Con estos, pues, favores halagado,
cuando más de asperezas consumido,
o retiro fue un año, regalado,
o teatro la cueva fue, aplaudido
del cielo; donde, atleta victoreado,
siempre a Luzbel lo desarmó rendido,
pues aun los riscos consagró vocales,
que sus lauros cantasen trïunfales.

CCXVIII

Aguja que de nubes se corona,
donde el cincel memoria aró estudiosa,
el doctor le erigió Juan de Cardona,
electo ya Prelado de Tortosa,
que este agonal primero le blasona
trïunfo, a aquella mente victoriosa
de Ignacio, cuyas letras siempre bellas
con rayo y rayo limpian las estrellas.

CCXIX

Una vez pisó el sol aquel serpiente
que de crespas estrellas escamado
el cielo ciñe, cuya riza frente
le grifa el Aries con vellón dorado;
cuya cola el un pez y otro luciente
de conchoso diamante han argentado;
cuyo diente, Escorpión le dio cosario,
y en sus flechas la lengua, Sagitario,

CCXX

mientras Ignacio en la escollosa peña
ilustró los agudos pedernales
con una y otra religiosa seña
de los que en ella desató corales;
mientras colmena se mulló halagüeña,
mientras fueron sus riscos los panales
al enjambre de aladas Jerarquías,
que en ellos desataron ambrosías.

NOTAS AL LIBRO SEGUNDO

[1] *no se halló.* Corregimos el original "no se holló".

[2] *se determina a dejarle.* Modernizarmos, con el doctor Méndez Plancarte, el original que dice "se determina dexarle". Vide, al final, el índice general.

[3] *el corazón asienta.* Corregimos y modernizamos el original: *corçon.*

[4] *el "ah de casa" del secreto.* En el texto se lee: "hízose el *ay* de casa". Corregimos poniendo entre comillas la expresión "ah de casa", muy usada antiguamente para llamar en casa ajena.

[5] *abrazando.* Corregimos el original *abrasando,* como lo pide el sentido.

[6] *en triunfos.* Con razón corrigió el doctor Méndez Plancarte el original *"es triunfos",* como parece reclamarlo el sentido y lo exige la construcción.

[7] *alado llamas.* El original trae *"al lado",* que parece ser una errata, como lo advirtió el doctor Méndez Plancarte. Nótese que es esta una construcción muy frecuente en Domínguez Camargo, según puede verse en I, 38, 76, 157 et passim.

[8] *el bravío de la cumbre. Bravío* como sustantivo, es un latinismo (*bravium*), tomado a su vez del griego βραβειον, premio del certamen, especialmente de la carrera, 'lauro'. Vide II, 173.

[9] *Habilita la cama para cuna.* Este y los siguientes versos hacen, sin duda, alusión a la leyenda de Hércules, según la cual, la diosa Hera introdujo a la alcoba donde dormían los hermanos Hércules e Ificles, niños de ocho meses, dos enormes serpientes que se enroscaron a sus cuerpos. Mientras el pequeño Ificles gritaba desesperadamente, Hércules prendió a los animales por la garganta, uno con cada mano, y los estranguló. Vide I, 15.

[10] *en la cerúlea piel.* Introdujo el doctor Méndez Plancarte el *la* que falta en el original. Así lo pide la armonía del verso, considerando a *cerúlea* trisílabo, aunque prosódicamente no hay diptongo en *ea* y pudiera, por tanto, omitirse el *la.* El mismo Domínguez Camargo en otros pasajes diptonga los finales de tales voces: *"purpúrea* boca como blanco diente" (II, 40); "que *consanguínea* dulcemente abraza" (II, 186).

[11] *e hipérbole de luz.* Modernizamos, como lo hizo el doctor Méndez Plancarte en todos los pasajes en que ello es posible, el original "y hipérbole".

[12] *líquidos Hipomenes.* Hipomenes, según la fábula, era un joven héroe que pretendía a Atalanta, la cual había jurado que sólo se casaría con quien lograra vencerla en la carrera. Ya había derrotado y dado muerte a muchos pretendientes cuando Hipomenes entró en la competencia. Este, mientras corría, arrojó delante de ella unas manzanas de oro que había recibido de Afrodita. La joven se paró a recogerlas y así logró Hipomenes vencer a su rival y casarse con ella. A este mito aluden sin duda los cuatro últimos versos de la octava, donde la voz *pomo* (< *pomum,* manzana) parece tomada en doble sentido por *pómulo* (< *pomulum,* manzanita). Vide I, 137, 174.

[13] *y la vista en las lágrimas vacila.* Suprimió el doctor Méndez Plancarte con razón un primer *en* que se lee en el original: "y *en* la vista en las lágrimas vacila".

[14] *errante Mongibelo.* El monte Etna, al que los árabes llamaron *al-jebel,* y los italianos, latinizando la palabra con un hibridismo: Mongibello. Muy usado por Góngora y su escuela.

[15] *en una y otra que le agita espira.* El original, por indudable errata: "*e pira*". *Espira* parece estar aquí por *espiral.*

[16] *o cuerdas once o cisnes once gira.* El pasaje es particularmente oscuro por lo que hace a las "once cuerdas" u "once cisnes", pues ni en los mitos órficos ni en los de Apolo que se relacionan con la invención de la lira y con cisnes fabulosos se encuentra alusión alguna a ese número específico. Tampoco hallamos explicación en las creencias astronómicas corrientes en el siglo XVII, ni en las denominaciones de *lira* y *cisne* aplicadas a ciertas constelaciones boreales. Los "signos soberanos" del v. 7º han de ser sin duda los doce del zodíaco.

[17] *le absuelve la pihuela.* Modernizamos, como lo hizo el doctor Méndez Plancarte, el antiguo *pigüela,* "correa con que se guarnecen y aseguran los pies de los halcones y otras aves".

[18] *meandro breve de carmín.* Corregimos el texto que trae *Menandro* por *meandro.*

[19] *y él es la plata.* Cf. la misma imagen en I, 16.

[20] *crespas resultas. Resulta,* como sustantivo, tiene el significado de "efecto, consecuencia, resultado" (*Dicc. Acad.*).

[21] *le busca puertas por donde huir al pecho.* No obstante lo inarmónico de la sinalefa "por *donde-huir*", respetamos el verso en su integridad, aunque fácilmente podría corregirse, como propone el doctor Méndez Plancarte: "por *do* huir".

[22] *cada aliento breve.* El original: *liento,* que sin duda es errata, pues aunque el *Dicc.* registra *liento —a, adj.,* "húmedo, poco mojado", no tiene aquí sentido esta acepción.

[23] *a cada aliento admiración le cabe.* Corregimos este verso que en el original se lee así: "a cada aliento *a* admiración le cabe.

[24] *ausentose y infundió María.* Mantenemos en este verso la *y* conjuntiva del original, contra lo hecho en otros pasajes (vide nota 11), pues aquí tiene valor consonántico como en II, 36, v. 3º; además, al cambiarla por *e,* habría que hacer una forzada sinalefa entre el final y el comienzo de las dos formas verbales, lo que rompería la medida del verso.

[25] *unció las pías.* El *Dicc. de Autoridades* define: "Pia, s. f., el caballo u yegua cuya piel es manchada de varios colores como a remiendos". Parece que aquí como en II, 198, en III, 53, en IV, 112 y en V, 135, no pueda tratarse de otra acepción distinta.

[26] *ciego el cuchillo le franqueó.* Corregimos *franquó* que trae el original (Vide, II, 81, v. 3º).

[27] *de portante arrancando.* En el original se lee *deportante,* unido. Separamos los dos elementos, pues *portante,* según el *Dicc.* "dícese del paso de las caballerías", mientras *deportante,* según el mismo, es igual a "deportista".

[28] *cuando siente al caballo.* Nos ha parecido necesario, siguiendo al doctor Méndez Plancarte, cambiar "*el* caballo" del original por "*al* caballo".

[29] *La opulencia del templo envidó a Ignacio. Envidar* es término de juego: "hacer envite a uno en el juego. Envidar con poco juego, con la esperanza de que no admitirá el contrario" (*Dicc. Acad.*). Por eso el verso siguiente nos parece que debe leerse: "a tributos de mármol", como está en el texto, y no "atributos de mármol", como propone el doctor Méndez Plancarte. Que se habla en metáforas de juego lo demuestra el v. 3º: "que sin dejarle a descartarse espacio".

[30] *al Empírio sube.* Conservamos el original (Empíreo) para guardar la medida del verso y porque es un uso muy difundido en la época.

[31] *embistióle los ojos y el oído.* La concordancia gramaticalmente parece exigir "embistiéronle" (la opulencia y la música). Sin embargo, la construcción es aceptable como caso de concordancia "ad sensum". *Opulencia* y *música* aparecen como los dos notas tan asociadas en la mente de san Ignacio, que forman para él un todo, el cual *embiste* los ojos y el oído (Vide Bello, *Gram.* § 832). Fenómeno similar parece existir abajo en el verso 5º: "bajel con rumbo ni derrota cierta

(= ciertos), donde, además, tuvo que obrar la necesidad de la rima. Vide nota 39 del 1er. libro.

[32] *de escarcha dira. Dira* es un latinismo (*dirus -a -um,* cruel) que no se halla ni en el propio Góngora.

[33] *un vaho les respira.* El original dice *los.* Hemos cambiado por *les,* porque el verbo *respirar* parece estar usado como transitivo (cf. 'respira odio') con dativo de daño: "les respira vaho de su veneno", a las armas, que figuran en la estrofa anterior. Refuerza esta interpretación el verso siguiente: "les anuncia un trueno".

[34] *cede el diamante.* El original: "cede *al* diamante", pero la corrección se hace necesaria por el sentido: "no me asegura el hecho de que deje el fuerte acero que tan constantemente ceñía el corazón; porque ahora otras armas le infunden ánimo más guerrero y tiene menos valor y dureza que él el diamante". A menos que *ceder* tenga aquí el extraño sentido de exceder, vencer, no registrado por Cuervo en su *Dicc.*

[35] *día el mesmo en que Dios se viste de hombre.* El pasaje de la *Vida* del P. Ribadeneira a que alude es el siguiente: "Corría el año de 1522, y la víspera de aquel alegre y gloriosísimo día que fue principio de nuestro bien, en el cual el Verbo Eterno se vistió de nuestra carne en las entrañas de su santísima Madre" (*Vida... cit.,* p. 54).

[36] *si no lucido.* El original trae *sino* que no podría entenderse como conjunción adversativa, no estando claro el concepto con el cual deba hacerse la coordinación; parece por tanto más obvio leer *si no.* O sea: "un cerrado botón, si no ya lucido arco, etc.".

[37] *cometa de cristal.* "*Cometa crinito.* Astron. Decíase de aquel cuya cola o cabellera está dividida en varios ramales divergentes" (*Dicc. Acad.*).

[38] *que la apïola.* "*Apiolar:* poner pihuela o apea... 3. fig. y fam. *prender,* 2ª acep." (*Dicc. Acad.*).

[39] *jervilla es la de la vacinia hojosa.* Modernizamos el original *geruilla* (cf. II, 169, donde se lee *gerguilla*). Se trata de la *servilla*=zapatilla. En cuanto a *vacinia* (*sic*), se refiere a la *vaccinia* de que habla Virgilio, *Egl.* II, 18: *Alba ligustra cadunt, vaccinia nigra leguntur* y II, 50: *Mollia luteola pingit vaccinia calta.* Don Miguel A. Caro tradujo jacintos. El ligustro del v. 6º es la misma *alheña* (Citas del doctor Méndez Plancarte).

[40] *una u otra corteza.* Modernizamos aquí como en otras partes, el original: "una *o* otra". En el v. 5º cambiamos el texto *eregida* por *erigida.*

[41] *cada cual, sobre boto, así es severo.* El texto escribe *voto,* pero se trata, sin duda del adjetivo *boto,* en su 1ª acepción de romo, obtuso y sin punta.

[42] *que en turbias llamas de rubís hervía.* Parece muy razonable la corrección del doctor Méndez Plancarte, quien suplió el *en* que falta en el verso original. Así lo reclaman el sentido y la simetría con el verso siguiente; a menos que se tome a *hervir* como transitivo con su complemento en "turbias llamas". Nótese, además, el plural *rubís* y compárese con el del último verso de la estrofa 122, *rubíes.*

[43] *en lo grifo de su sueño.* "Grifo, a. Adj., dícese de los cabellos crespos o enmarañados" (*Dicc. Acad.*). "Lo grifo", acaso deba entenderse como "lo profundo" del sueño, lo intenso y más vivo de él, por asociación con la selva profunda y enmarañada.

[44] *solo el peso.* Corregimos con el doctor Méndez Plancarte el original manifiestamente errado: "solo *es* peso".

[45] *De un tronco en ramos dividida siete.* El original: "en ramos *divididas*". Corregimos *dividida,* haciéndolo concordar con la "hidra rubia de cáñamo" del 5º verso o sea "la disciplina" del 7º. No puede suponerse la errata en la palabra *ramos,* para corregir *ramas,* pues el verso siguiente habla de "cada uno", referido a *ramo.*

[46] *Pénsil desde el cenit.* Conservamos llana la voz *pénsil,* no sólo por la necesidad del ritmo acentual, sino porque tal era la pronunciación en la época clásica,

según la etimología y el sentido (*pensilis*=pendiente, colgante). La acepción de *jardín* se generalizó más tarde, lo mismo que el cambio fonético, por la asociación *jardín pensil* que aludía a los célebres *horti pensiles,* o jardines colgantes de Babilonia. (Vide *Poesías, A la pasión de Cristo,* 2).

[47] *lucerna bella.* Aunque *lucerna* tiene la acepción antigua de "lamparilla o linterna", la unión que hace aquí el autor con "gusano" ("el que nota de luces el prado"), indica que está tomado por *luciérnaga,* el gusano de luz, o los americanos *candelilla* y *cocuyo.* El último verso de la octava es particularmente alusivo a la intermitencia de la luz producida por estos insectos. (Vide Cuervo, *Obr. Compl.,* II, 504-508).

[48] *bravío.* Vide II, 13, nota 8 del libro segundo.

[49] *el pie besó de una zagala hermosa.* La estrofa toda describe el juego de "correr gallos", de larga tradición en el folclore español y americano y con muchas variantes según los lugares. (En el Tolima, Colombia, "despescuezar el gallo").

[50] *mal cavado.* El texto escribe con *b, cabado,* por lo cual, tal vez, en la ed. de Carilla se trascribió erróneamente *cebado.*

[51] *el nastuerzo.* Conservamos el original *nastuerzo,* en lugar de la forma más común *mastuerzo,* no sólo por ser antigua y etimológica (*nasturtium*), sino porque nos parece advertir un curioso juego de palabras, lo mismo que en la estrofa 178 de este libro, vv. 1 y 2.

[52] *le da pena.* Corregimos el original: "*lo* da pena", que sin duda es errata.

[53] *se cala a la más dura.* Errata del original: "a *las* más dura".

[54] *cuando a Ignacio famélico repara.* Con el doctor Méndez Plancarte hemos introducido la *a* antes de Ignacio, que falta en el original, pues parece necesaria por el sentido de *reparar* en su segunda acepción de "notar, advertir una cosa" ("Cuando el más anciano repara a Ignacio famélico, obliga a un joven a escalar el risco").

[55] *Más que Paulo vocal, descendió al suelo.* Mantenemos la puntuación original, con la coma después de *vocal,* pues entendemos que esta palabra, lo mismo que en II, 217, está tomada en su sentido de "persona que tiene voz en un consejo" (mejor vocal que el mismo san Pablo). El doctor Méndez Plancarte proponía poner la coma después de Paulo.

[56] *en ocho veces diez folios.* El dato es del P. Ribadeneira, *op. cit.,* cap. 7º, p. 62, quien dice: "Y desde allí le quedó este inefable misterio tan estampado en el alma e impreso, que en el mismo tiempo comenzó a hacer un libro desta profunda materia, que tenía ochenta hojas, siendo hombre que no sabía más que leer y escribir".

[57] *Sumiller de Corps.* "Uno de los jefes de Palacio que tenía a su cargo el cuidado de la real cámara" (*Dicc. Acad.*) Vide II, 189.

[58] *bien que deliro.* La voz *deliro* está acaso por "delirio", acción y efecto de delirar, perturbación de la fantasía, acomodada por el poeta para sostener la rima. El original tiene coma después de *delirio,* con lo que podría interpretarse, a pesar de la violenta distorsión de la frase, "bien que yo deliro". Vide v. 44.

[59] *vio que al aliento de la sacra boca.* Mantenemos la corrección hecha por el doctor Méndez Plancarte al texto, el cual dice: "vio *cómo* al aliento de la sacra boca", pues sería muy extraño que el autor hubiera dejado pasar un verso mal medido como éste. (Vide nota 22, libro II).

[60] *piedra de toque.* Corregimos el original "*del* toque".

[61] *cuando le ató coyunda. Le* por *les* (*les* ató coyunda a las fuentes). Vide libro I, nota 43.

[62] *vaheada del divino anhelo.* "Vahear, echar de sí vaho o vapor" (*Dicc. Acad.*). *Anhelo* está en su sentido original de respiración o soplo. En el v. siguiente *argila* por *arcilla.*

[63] *A su misma tristeza cortó el luto.* En éste y en los dos versos siguientes hemos suplido la primera letra que falta en nuestro ejemplar del *San Ignacio.*

LIBRO TERCERO

Sus peregrinaciones a Roma, Génova, Venecia, Jerusalén y vuelta a España

CANTO I

Despídese de su dulce retiro de Manresa; llega a Barcelona. Isabel Rosella le admira con rayos de luz en el rostro, cuando humilde entre los niños escucha la divina palabra; hospédale en su casa, y negóciale embarcación para pasar a la Italia.

I

A la cueva perdona el peregrino,
palestra que a sus luchas consagrada
en cada piedra lo aclamó divino,
de victoriosa sangre matizada;
y al Jordán endereza su camino,
undoso norte a su feliz jornada,
pues depuestas el mar sus iras graves,
arar se deja de veleras naves.

II

¡Salve, olvidado albergue, a quien fabrica
no corintia labor, en mármol paro,
que a la pompa de un príncipe dedica
en piedra y piedra muda, un blasón raro;
tu techo breve, tu estructura rica,
hueca bóveda es de un risco avaro,
en cuyo laborioso seno rudo
un siglo y otro fue cincel agudo!

III

¡Salve, escondido albergue entre las peñas!
No tiria grana, no flamencos paños,
hiedras sí te convisten halagüeñas,
por las manos tejidas de los años;
no del pincel te ilustran cultas señas,
cuando te adornan sólo desengaños;
pues lienzos a la vida son vocales
los roídos del tiempo pedernales.

IV

¡Salve, rústico albergue, cuya frente
con timbre no, de plumas anegado,
la nobleza escondió bárbaramente;
de cogollos sí grifos, ocupado
el más mordido pedernal del diente
del siglo más voraz; has reservado
los blasones del tiempo, a cuya pluma
el diamante más duro es flaca espuma!

V

¡Salve, pequeño albergue en rudo suelo!
No los aires tu máquina elevada
estrecha, ni tu cúpula en el cielo
la esfera le embaraza más holgada;
no la invención del arte, en tu modelo,
una planta borró, y otra, estudiada:
humilde, sin estudio, es tu edificio;
dentado pedernal es tu artificio.

VI

¡Salve, feliz albergue, en cuyo techo,
no el artesón de cedro, ardiendo en oro,
abriga el esplendor de ebúrneo lecho
ni el sudado de América tesoro!
Araña cuelga vil tu cerco estrecho,
que, vecina del más secreto poro,
con sus hilos halaga desiguales
las columnas de toscos pedernales.

VII

No aquí la adulación, miel del oído,
al paladar del príncipe sazona
sus lisonjas de ambrosia; no, mordido
del ponzoñoso amor de la corona,
a su rayo anhelando esclarecido,
remota aquélla, ardiente esotra zona
el áulico vadea, y dan sus plumas
con su rüina nombre a las espumas.

VIII

No desplegando aquí está la mentira,
al ambicioso el párpado dorado,
en cuantos ojos su volumen gira;
ni en el áspid mordiendo está escamado
la envidia, que sus tósigos respira
si el crecimiento ajeno ve logrado;
ni, camaleón del gusto de señores,
se viste la lisonja de colores.

IX

No la avaricia, en una y otra vena
que desata a la América sedienta,
bebe hidrópica sed; no aquí, Sirena,
los bajeles segundos escarmienta
con la rüina que infamó su arena
y que a las rocas mismas amedrenta,
la lujuria, que blandamente fiera,
Scila de pluma, escollos da de cera.

X

No te profane planta bipartida
de deshonesto Sátiro; no espuma
de jabalí te manche, malnacida;
no te vïole la lasciva pluma
de la paloma a Venus ofrecida;
ni de nocturnas aves torpe suma,
volando infausta, ultraje aquel espacio
que la persona ennobleció de Ignacio.

XI

Ese rompido arroyo que te mura,
sonante sea cristalina lira
en quien el cisne temple su voz pura
cuando lo erija su postrera pira;
un diamante en la guija menos dura
bruña su plata, en cuanto campo gira;
venera cualquier hoja de su selva,
la que gota recibe, aljófar vuela.

XII

De Amazonas aladas susurrante,
esta escuadra veloz, la otra ligera [1],
en ti se aloje, y en tu seno plante
vitüallas de mil, tiendas de cera:
el pedernal halague penetrante;
con ambrosias adule la severa
piedra que del crüor guarda, devota,
de la sangre de Ignacio, alguna gota.

XIII

Sagrado asilo te investigue el pardo
corcillo, cuando huyendo el bosque vuele
del can, que lo persigue, más gallardo;
el jabalí cerdoso, cuando apele
a ti del duro, que lo cala, dardo,
refugio te halle; y cuando más te anhele
el conejuelo simple, halle su vida
torcido laberinto en tu acogida.

XIV

Dejó en Manresa, con la cueva umbría,
señas de su virtud extraordinarias,
donde de Vich la ilustre Señoría
de piedras una aguja erigió varias,
cuyo globo le dora el rey del día,
y la noche le cuelga luminarias,
donde a los siglos deja encomendado
de Ignacio un epitafio bien hablado.

XV

Sagrada planta le besó el camino
que lo indujo veloz a Barcelona;
alta del sacro templo al peregrino
llamó los ojos, la que lo corona
torre, después del muro diamantino,
de atado mármol la ceñida zona,
si no es de la ciudad tendida hiedra [2]
que encadena tenaz bosques de piedra.

XVI

Sobre los techos descoger admira
pavón al tiempo su obstinada esfera,
que un jaspe vario en cada pluma gira,
si una pupila no, en cada lumbrera:
por cuyos ojos claros, del sol mira
nacer y terminarse la carrera,
cuando, cabeza su elevada torre,
crestada mármol, por los cielos corre.

XVII

La peregrina planta el templo toca,
cuando altamente Cicerón cristiano
pendiente tiene al pueblo de su boca,
duro arguyendo, persuadiendo humano;
entre los niños ocupó una roca,
y el alma, de aquel néctar soberano,
de cuya articulada fue lisonja,
avarienta su oído un rato esponja [3].

XVIII

Entre hisopos humildes se descuella,
funesto así, pirámide del valle,
ciprés, que a descolgar alguna estrella
sulca en los aires apretada calle
porque la turba de los astros bella
en su mustio verdor fruta se entalle,
cual en las gradas, entre infante e infante
humilde Ignacio se erigió gigante.

XIX

Su recámara el sol pasó a la cara
de Ignacio, en quien tendió esplendor radiante,
y en la que luz le reflorece clara,
atezado carbón es el diamante;
la de rayos más pródiga, es avara
estrella, con su luz menor brillante [4],
y en el rayo menor que el rostro puebla,
el carbuncle asentó plaza de niebla.

XX

En enjambres bullía de centellas
el rostro del humilde peregrino,
cual de abejuelas con globadas pellas
el huerto a la colmena convencino;
o en populoso ejército de estrellas,
en sereno zafir, lácteo camino;
o al despojo acudiendo de la espiga,
esta apiñada con aquella hormiga.

XXI

Océano de luz su rostro era,
que en cosquillosa fúlgida mareta
hervía, en cuyo seno negra fuera
espuma, aun el fulgor de alto cometa;
no fuera esquife la mayor esfera,
no breve pez, aun el mayor planeta:
pues sin margen, sin ley, sus arreboles
quiebran al aire piélagos de soles.

XXII

A los fulgores de Moisés tan nuevo,
pupila de diamante mal sufrida
el águila opusiera, cuando un Febo [5]
en su obstinado párpado se anida.
Isabela Rosel, tierno renuevo
en la selva del cielo, esclarecida
Clicie a este sol, en su florido mayo,
la luz le bebe al rostro, rayo a rayo.

XXIII

De la que el sol le viste cabellera,
hilos peinó a sus lumbres sus pestaña,
y solo en su pupila reverbera
cuando al lince la suya se le empaña:
enigma fue su luz en tanta esfera,
que si a Rosela alumbra, al pueblo engaña;
y a Loyola, indecisa, le comete
que en su casa la cifra le interprete.

XXII, 2: *Exod.*, c. 24, v. 29.

XXIV

Huésped mereció a Ignacio, instante el ruego
de Isabela, que, Marta ya oficiosa,
en limpio barro le ministra luego
(venera que pudrió el chino rugosa)
no prolijas vïandas, que del fuego
la llama fatigaron orgullosa,
simples manjares sí, que aquí el aseo
burla en la gula su superfluo empleo.

XXV

Agua el pie lisonjeó del peregrino,
de odoríferas mil hierbas sudada [6];
y sobre tabla de grosero pino,
más limpia le paró que regalada
cama, donde casero tosco lino,
en columna de fresno no torneada,
un día y otro le previenen sueño,
mientras depone el piélago su ceño.

XXVI

Plato a la gula de la hambrienta broma [7]
de un caduco bajel años fue ciento,
en quien presas trinchó, que el tiempo coma,
de alterno mar el ímpetu violento;
este nadante yugo, que al mar doma
la rizada cerviz de su elemento,
era elegido vaso en que Loyola
una romper quería, y otra ola.

XXVII

Resistiólo Isabel; y el vaso apenas,
mal escamado de caduca haya,
el áncora zarpó de sus arenas
y sus abrigos perdonó a la playa,
cuando, rompidas sus caducas venas,
zozobrado del piélago, desmaya,
desnudando al morir, cuervo marino,
antiguas plumas que vistió de pino.

XXVIII

¡Oh mar, oh tú, devorador crüento
del bien nacido leño en la montaña
que del Noto mofó soplo violento
y escarneció del Ábrego la saña [8],
en cuyas tablas roe tu elemento
en cuanto embiste torvo, o ledo baña
tanto cadáver de velero pino,
que a su rüina lo condujo el lino!

XXIX

¡Oh Tifis, tú, conculcador primero,
en bastarda, en plebeya, en torpe haya,
del no violado imperio del mar fiero,
de la hasta ti temida, undosa raya! [9].
Temeridades tuyas hoy severo
castiga el mar en la infamada playa,
en cuanta lastimando está su arena,
deshecha quilla, quebrantada entena.

XXX

¡Oh interés, que las selvas arrojaste
en tanto unido monstruo, en tanto abeto,
en el piélago undoso en quien hallaste
en tantos siglos mundo a ti secreto;
y en uno y otro mar, lince, inculcaste
de la rugosa concha el hijo neto,
en cuyo alcance, quebrantadas quillas,
más que ellas conchas, diste a las orillas!

XXXI

¡Oh escollo, tú, del norte hidropesía,
Clicle de piedra que sus rayos bebes,
imán de cuyo amor el hombre fía
alados bosques y montañas leves
del ponto falso, y a inquirirle al día
los más secretos términos, atreves
tanto pueblo de naos, que sin camino
las zonas borra con precito lino!

XXXII

Tú, pues, codicia, pérfido piloto,
despreciadas de Alcides las Colunas,
con tres quillas rompiste el nunca roto
piélago occidental de otras algunas;
y sobornando al mar náutico voto,
porfiaste hasta las rocas importunas
del Istmo, que cordel son diamantino
del arco de ambos mares cristalino.

XXXIII

A pesar, pues, del indio, cuya frente,
cuya espalda vistió exquisita suma [10],
de plumas ésta, aquélla del luciente
aljófar que le dio su rica espuma:
la flecha a quien el áspid le dio el diente,
la jara a quien sus aves dieron pluma,
quebrada, violó perlas en la orilla
de esta mi cuna tu obstinada quilla.

XXXIV

Desatada, después, sierpe de pino
rompió con alas de obstinada lona
en nunca hollados piélagos camino,
y en su globo rayó espumosa Zona,
el alamar hallando cristalino
que cerúleas cortinas abotona
en el lecho de pórfidos que al cano
Neptuno le construye el Oceano.

XXXV

Condujiste después [11] linos segundos
al mar, cuna del sol, donde el aurora
en los senos esconde más profundos
lo que en las conchas más rugosas llora;
muró en vano, después, sus nuevos mundos,
cuanto espumoso monstruo el agua mora,
con las que alterna formidable señas
de mástiles rompidos en sus peñas.

XXXVI

Cuna y pira del Fénix, las secretas
aromáticas islas inquiriste,
donde, entre espumas que las muran, netas,
y entre el cristal azul que las embiste,
hacen la confusión que los planetas
en el zafiro que los cielos viste,
o el agua del Erídano argentada [12],
de blancos cisnes la canora armada.

XXXVII

Al Egipto su aroma traducido,
el Nilo, hidra de cristal, navega,
que en siete cuellos túrgidos partido,
escamada de naves, al mar llega:
undoso Alcides, donde dividido
y desatado de su escama, entrega
naves, ardiendo en incentivo aroma
que enciende a Grecia, que destempla a Roma.

XXXVIII

¡Oh, cuánto cuesta al lusitano noble,
a las Quinas del viento trïunfantes [13]
(que en cuantos labra hipérboles de roble,
y de obstinado pino arma elefantes,
piélago no hay fragoso que no doble),
hallar el firmamento de diamantes,
la láctea vía de la perla neta,
y del rubí la eclíptica secreta!

XXXIX

Esta, pues, Parca undosa, que vïola,
con tormentosa cristalina jara
que del arco despide de ola y ola,
a todo unido abeto, sepultara
en su lóbrego túmulo a Loyola,
si del bajel anciano se fïara:
erigiérale piras en sus rocas
y sepulcro en los senos de las focas.

XL

De otra parada nao ocupa el seno,
águila de madera, que en la espuma
ala bate ligera el lino lleno,
y leve en cada tabla agita pluma;
bien mandada al timón, voluble al freno,
que en las distancias que ligera suma,
elevadas las presas de la orilla,
cometa es con timón, rayo con quilla.

XLI

Midióse el viento al lino descogido,
lúbrica resbaló su prora aguda,
y más arrolló aljófar, que ha llovido
perlas en flor y flor la noche muda;
en el de augusta Coya [14] esclarecido
cuello, no tantos descogió la ruda
gruta del sur, en pámpanos opimos,
de nacaradas perlas los racimos.

XLII

No cupo en sí, ni cupo en el cerrado
odre de Ulises, desgreñado el Noto:
el diamantino quebrantó candado;
y el calabozo de su cárcel roto,
desmelenando encinas en el prado,
decreto infausto le intimó al piloto
en los delfines, que en partidas colas
la tez azotan de las quietas olas.

XLIII

El presagio fatal la nao despluma
de cuantas olas lisonjeaba el viento,
y amotinada la caduca espuma,
huye en sí mismo el húmedo elemento;
de torvas nubes conjurada suma,
borran el día; el Africo crüento
al cielo empuja el mar, y tanto sube,
que su esfera forjó de nube y nube.

XLIV

Hierve, en las olas que sacude el Noto,
enmarañada la profunda arena;
mesado el mar, en bordo y bordo roto,
la sierpe desgreñó de su melena;
áspid de espuma sordo, no oye el voto
que a las paredes ofreció la entena
del sacro templo en la aclamada orilla,
si le perdona el mar su incierta quilla.

XLV

Arduo obelisco, la escondida roca
sobre la mar, que se abatió, descuella;
y el que en sí se apretó tumor, se choca,
y en sí mismo restalla, y se atropella:
despéñase, y el risco que lo toca,
espumosa sacude su centella,
y rompiéndose en sí, son los cristales
eslabones, a un tiempo, y pedernales.

XLVI

Su menor onda vidrïosa ala,
a asustar la quietud del firmamento,
Ícaro de cristal, al cielo escala
y en su región el mar estrecha al viento;
las estrellas asalta, a quien iguala
espuma a espuma, el líquido elemento;
y sus plumas quebradas cristalinas,
los escollos vistió de sus rüinas.

XLVII

Esta Babel de vidrio, que corona
de turbios astros su erizada frente,
si Atlante no espumoso, que la zona
en sus sienes aprieta más ardiente,
en terrones undosos desmorona
este y esotro escollo transparente;
y el vaso dubio, que naufraga roto,
bula es breve del mar [15], pila del Noto.

XLVIII

Cofres se bebe el mar, el viento votos,
de mercancías y de llanto llenos,
con que los pasajeros y pilotos
coyunda al mar, al viento imponen frenos:
éstos, timones sacrifican rotos;
lienzos, aquéllos, cultos, que los senos
del templo de Neptuno, no vacíos,
vistan humildes, embaracen píos.

XLIX

No es sordo, no, Neptuno a quien festeja,
cristalina entre pórfidos tïorba,
rompido el mar; que a la llorosa queja
(bien que tal vez se niega su ira torva),
una de esponjas labra, y otra oreja,
y antes que su furor las flotas sorba,
en la porosa bebe, hambrienta esponja,
de los náuticos votos la lisonja.

L

De ganchosos corales la sublime
frente, y de perlas netas impedido
el hombro, de un delfín cerúleo oprime
el lomo, de veneras convestido;
silencio al mar, que entre las rocas gime,
un caracol le publicó torcido:
clarín de nácar, que compuso iguales
Babilonias rebeldes de cristales.

LI

Callado el mar, el viento recostado,
con galernos impulsos en aquella
melena de cristal, que ha desgreñado,
peinó de aljófar una y otra estrella;
bruñe en la arena ya, menos airado,
la que escarbó el furor violenta huella;
y halagada la nao entre ola y ola,
la cayetana arena [16] holló Loyola.

LII

Góndola breve, pollo de madera,
de aquel alado pino al mar se arroja;
y ocupado de Ignacio, en la ribera
que de un gigante escollo los pies moja,
lo expone alegre; y él la cumbre fiera,
que alcïones marítimos aloja,
cansado escala, y desde el risco rudo
la palestra contempla del mar mudo.

LIII

Su carro vio agonal, arrebatado
no de volante polvorosa pía,
del viento sí, y del mar, despedazado
(voltarios monstruos de que el hombre fía,
cuando más de su engaño acariciado,
el inculcar los límites al día),
que en la corva ribera, en la secreta
fatal arena, coronó la meta.

CANTO SEGUNDO

Después de haber sido albergado y regalado nuestro peregrino de un pescador, sigue su viaje, hallando la Italia infestada de peste; y desechado de las ciudades, se ve obligado a dormir por los campos, a la inclemencia del cielo. Al fin llega a Roma, y habiendo visitado aquellos santos lugares, besa el pie a Su Santidad.

LIV

La roca besa agradecido, en tanto
que a sus cansados ojos les desata
el dulce, el tierno, el armonioso llanto
uno y otro raudal de undosa plata:
por aqueste y aquel pelado canto
menos lúbrica sierpe se dilata,
que de la barba a las pendientes peñas
hilos corren de perlas halagüeñas.

LV

Arbitro sobre el más rizo copete
del grifo escollo, la circunvecina
región ilustra, de quien es ribete
argentada de conchas la marina;
construido bucólico retrete
entre una se oculta y otra encina,
de leves algas y espadañas, donde
el uno y otro pescador se esconde.

LVI

Esta barraca, a cuyo humilde hospicio
melena el alga da, huesos el roble,
céspedes son carnosos su edificio,
cuando carrizos su estructura pobre,
al de los pescadores ejercicio
en breve, que lo baña, ancón salobre,
oficina preside; y norte, avoca
al peregrino que escaló la roca.

LVII

Hollando riscos, escalando peñas,
en desmayos del sol sombras pisando,
estas y aquellas vence opuestas breñas
que venciera la cabra mal, trepando:
a las llamas, imán, sigue halagüeñas,
que del ancón el margen coronando,
muchos convoca rubios escuadrones
de amantes de su fuego camarones.

LVIII

A la engañosa luz de la ribera,
auras volando azules, si espumosas,
en la del falso mar salada esfera,
marítimas concurren mariposas:
golosa de la luz, la más ligera
en la prolija red piras nudosas
halla, cuando obelisco en los cristales,
ascua del mar, ceniza de corales.

LIX

La que marina engaña rubia hormiga,
convoca al descuidado peregrino
que, al grito de la luz que atrae amiga [17],
lo prolijo enderece del camino:
neutro lo induce, tímido lo obliga,
norte a sus ojos, y a sus pasos tino,
a que el diente o la voz del can despierto
ancore sus fatigas en el puerto.

LX

Menos del monte enmarañado extremo
inculcador penetra diligente,
inquiriendo el villano aquel supremo
coronado monarca, aquel luciente,
bárbaro de los bosques, Polifemo,
que un ojo, sol del cielo de su frente,
en un carbunclo incluye, a quien el prado
de flores es zodíaco estrellado.

LXI

Cariño lo recibe aquel que mudo
juzga servicios las que son mercedes,
que a la ambición no es cuna el barco rudo
ni a la opulencia halagan pobres redes,
al de piedad albergue no desnudo
(cuando estrïado nácar sus paredes
conviste bruto) lo reducen pobre,
que beba en conchas y que coma en roble.

LXII

Dos son los pescadores, uno anciano
padre de un joven, hijo floreciente,
los que sin pompa de cortejo vano
albergaron a Ignacio pobremente;
coronaron, sentados, a Vulcano
que en los despojos de una encina ardiente,
Scila es devorador, en cuyo ceño
en cenizas naufraga el mejor leño.

LXIII

Tabla que ya fue miembro de urca rota
en el vecino escollo, y onda fiera
que rocas hiere y mármoles azota
la vomitó cascada en la ribera,
poco lino vistió de vela ignota
que en las arenas enterró velera
nao, que al Noto, de quien leve escapa,
diáfano toro, le arrojó la capa.

LXIV

Anés de la tortuga, una volada
concha le expuso cuando ya marisco,
o de las aguas fue espuma animada,
o pertinaz verruga de algún risco;
ni el escollo, ni el agua que mal nada
lo privilegian del nudoso aprisco
de las redes, que hicieron de su presa
teatro dulce la prolija mesa.

LXV

Nudo de nácar, cuando no cerrado
botón de hueso, desató nocivo
el ostión, cuyo seno regalado
breve de Venus fue hecho lascivo;
sinüoso capullo, el enterrado
en la que pira es muerto, y casa vivo,
caracol descogió, en cuyos internos
laberintos, son hilos sus dos cuernos.

LXVI

De la rompida cuna de su hueso,
armado de espaldar y peto, apenas
el primer rayo saludó de Febo
en las ardientes que ha surcado arenas,
de la tarda tortuga el pollo nuevo,
que en las de insidias y de nudos llenas
orillas se enredó; y en concha breve,
tierna lisonja el apetito bebe.

LXVII

Coronadas morrión, vistiendo escudos,
dorando mallas, argentando golas,
dardos vibrando duramente crudos,
esgrimiendo cuchillas en las colas,
las murallas violando de los nudos,
Belona de la espuma y de las olas,
langostas, en la mesa dan, marinas,
al paladar suavísimas rüinas.

LXVIII

La que huella el abismo, el cielo toca,
con escolloso pie, con grifas frente,
ya coronada, ya calzada roca,
del cancro, ya marino, ya luciente,
mal ha eximido de la angosta boca
(que en uno corvo en otro agudo diente
lo prende) de la nasa, al cancro hirsuto
que sinüoso al plato da tributo.

LXIX

Exime mal la retirada gruta
que más lo guarda, que mejor lo medra,
carnoso al pulpo, que en la peña bruta
se eslabona tenaz, nerviosa hiedra;
la cogulla que viste, nunca enjuta,
intrépido le oprime en piedra y piedra
valiente joven, y postrero abrazo
torciendo nervios le vincula al brazo.

LXX

Estas, y muchas más turbas villanas [18]
que viven de las grutas las aldeas,
al huésped se tributan en las vanas
conchas, que se desnudan, hicoteas [19].
Sellan la cena, bellamente urbanas,
con sus flores, marinas Amalteas,
dando en el camarón y la sardina
lilio veloz, nadante clavellina.

LXXI

Cenizas de cristal en la estrïada [20]
concha, que es taza al huésped, y a ella pira,
líquida mariposa desatada
en una y otra cristalina espira,
fuentecilla propina; así arrojada,
que alas de vidrio [21] en un escollo gira,
y en la hoguera de un piélago de espumas,
undosas da rüinas, si no plumas.

LXXII

Limpias eneas, que prolija ata
el junco sobre el corcho lisonjero,
al peregrino ofrecen quietud grata,
sueño solicitándole ligero;
los fatigados miembros le desata
amiga dulce paz al forastero;
que motines al vino no le espuma,
como al que granas carga, y aja pluma.

LXXIII

Del botón de la noche tenebrosa
en quien ajado se apretaba el día,
rosa de luz el sol, o luz de rosa,
de arrebolados céspedes nacía:
mucha desabrochaba luz hojosa,
hojas de luces muchas esparcía,
cuyos rayos a Ignacio son abrojos
que blandos le punzaron en los ojos.

LXXIV

Can de lanas crecido, que lo guarda,
rompe el sueño también: que a su garganta
dentada (del albergue fiel bombarda),
voces le da en el agua que levanta [22],
batido el remo en la barquilla tarda
que siembra corchos y que nasas planta,
que azora peces y fatiga ancones,
ara cristales y trasplanta arpones.

LXXV

Ocupado el timón del padre anciano,
y el remo del mancebo floreciente,
el dardo alterna, que el timón, la mano [23],
y al remo le sucede arpón luciente.
El cerúleo cristal nevaba cano
el que ya lo cortaba diligente,
como de pedernales impedido
de un monstruo, harpía del marino ejido.

LXXVI

No de otra suerte, que de augusta mano
tras la argentada garza se desata
halcón (a quien escollo perüano
nido en sus venas le mulló de plata),
y en las caladas que mintió inhumano,
no templado en mi clima este pirata,
cuanto le estraga, o cándido, o crüento,
las nubes nieva y repurpura el viento,

LXXVII

halcón (si el haya le vistió su pluma
y alterno el remo le duplica el ala),
sigue la barca, aquel tirano Numa
que los imperios del estero tala.
Sus leves cuernos le rayó la espuma;
y a un tiempo el agua y las escamas cala
el arpón, entre dos que lo ha violado
pedernales viscosos al costado.

LXXVIII

Las ondas amotina más serenas,
la espuma borra en la distante roca,
con Nilos que desata de sus venas,
con Ábregos que bufa de su boca,
cuando, aljófar quebrando en las arenas,
ya relaja la cuerda, ya la avoca
la barca, mientras corre o se desmaya,
roca de mermellón [24], en playa y playa.

LXXIX

Varó en la arena, y luego diligente,
al ancón la barquilla fio el costado,
y un arco forma, que ligeramente
un laberinto desató anudado:
redujo sus dos cabos a la frente
de la playa; y el arco allí apretado,
a las arenas mucho le dispara
lúbrico dardo y escamada jara.

LXXX

No de otra suerte que tendiendo golas
la yunque bate el mazo repetido,
las aguas hiere con partidas colas,
la arena azota con mortal rüido,
en la oficina undosa de las olas
el vulgo de los peces oprimido;
que en las orillas que besó, fatales,
lúbrico es mazo en yunque de cristales.

LXXXI

"Ese diro que ves, risco de escamas,
esa roca de espinas que ha vestido
de violento coral líquida rama,
Scila animado de este ancón ha sido:
rüina de la más nudosa trama,
peste fatal del cáñamo torcido,
que bosques de harpones ha frustrado [25]
y murallas de dardos, profanado.

LXXXII

"En la urna del nácar sinüoso,
guija este día tan feliz me cuente,
aquella que al cristal mordió lustroso
de recíproco mar el culto diente,
la estrella venza su esplendor hermoso,
la perla exceda su candor luciente,
en que aquesta dentada infiel cuchilla,
varando muerta, se embotó en la orilla.

LXXXIII

"Años ha muchos, peregrino, dijo,
que la que lana ves, fue culta seda,
impelióme la mar a que al prolijo
cáñamo vil la púrpura suceda,
cuando una tabla y este dulce hijo
(que ya opulencias, hoy la barca hereda)
es mi caudal, que redimió esta arena,
más de piedades que de conchas llena.

LXXXIV

"No, observador de la inconstante cara
del tiempo, escondo el perezoso arado
en la que mal responde tierra avara
el grano, de su crédito fïado;
undoso campo mi barquilla ara,
de su quilla y mis remos inculcado,
y mi nudosa hoz, mi red, lo obliga
a que en el pez me dé escamada espiga.

LXXXV

"No poco agrava el alholí marino [26]
de mi barquilla, su confusa suma,
que al lugar conducida convecino,
menos pesada la volvió la espuma
cuando de plata más cargada vino,
pues plomo la despido y vuelve pluma,
siendo en tan corto mar mi barca rota
de mi fortuna perüana flota.

LXXXVI

"Aquesta me peinaron desengaños
prolija barba, que me nieva el pecho,
y a éste, cediendo a la fortuna engaños,
lo frágil albergó de aqueste techo:
los tardos me hallarán, postreros años,
los juncos albergando de mi lecho:
y cisne dulce en mi nevada pluma,
erigiré mi pira en esta espuma".

LXXXVII

Descogiera el anciano de su historia
prolijo el hilo, en narración sabrosa,
si un áspid no pisara su memoria
en lo fatal de su anegada esposa:
la ponzoña mental hizo notoria
inundación de lágrimas forzosa;
con que, obligado al viejo, el peregrino,
al Norte se torció de su camino.

LXXXVIII

Lagar sangriento Italia entonces era
de una peste oprimida tan sañuda,
que la muerte, hasta allí nunca tan fiera,
y su cuchilla, nunca tan desnuda,
cuanto racimo ya segó severa,
en negras cubas apretaba cruda,
llorando así el agraz, como el opimo
en sazonados pámpanos racimo.

LXXXIX

No conducía el buey el tardo arado,
lengua que el campo lame cultamente;
el césped, no mordido en verde prado,
no respondía de la azada al diente;
el que, de pan llevar, fue mar sembrado
que en rubias ondas inundó su frente,
deja que tale imperios de su espiga
dentado cardo, mordedora ortiga.

XC

Ignorante el ganado del crujido
de honda pastoral, yerra en la vega,
y el que inundaba el campo más tendido
apenas un redil estrecho anega;
o mal herido el can, o bien dormido,
macilento rebaño al lobo entrega
que piratal monarca de los prados [27],
tiraniza provincias de ganados.

XCI

Cuanto Pomona ya sudaba grata
en gotas dulces de una y otra fruta,
lágrimas son amargas que recata
contagiosa pupila, yema enjuta;
basiliscos al aire mil desata,
Libias descoge de áspides, la gruta
que flores alojó en lascivos senos,
ya alhóndigas comunes de venenos.

XCII

Lengua es cualquiera hierba, de serpiente;
cualquiera flor es ponzoñosa escama;
la fruta dulce, venenado diente;
áspid fatal, la más amiga rama;
víbora de cristal, cualquier corriente;
quelidro, el sol [28] en su amarilla llama;
ojos los granos son de basilisco;
y sangriento dragón, cualquiera risco.

XCIII

Láquesis no hila ya vidas humanas,
no las devana ya Cloto ligera:
Atropos crudas todas tres hermanas
una embotan fatal y otra tijera;
las de Aquerón espumas inhumanas
selvas de quillas sufren [29]; que severa
segur, no ya guadaña, de la Parca
una negra fabrica y otra barca.

XCIV

Arados ya los templos, y surcadas
las más festivas plazas, los rincones,
las cisternas, mil siglos olvidadas,
de cadáveres son mustios mesones;
no oprimen huesos piras elevadas,
no los pórfidos sellan los blasones:
plebeya incluye al Cónsul sepultura,
y su funesta aguja es tierra dura.

XCV

No de otra suerte caen, que en la furiosa
de amotinados Euros ciega saña,
se envuelven en un valle, en selva umbrosa,
cresta de cedro y plumas de la caña;
y en un terrón la bien nacida rosa
al alhelí plebeyo se enmaraña;
y a la granada, que cayó sublime,
un césped mismo con la serva oprime.

XCVI

Teatro a esta tragedia de no mudas,
funestas siempre, mal habladas scenas [30],
era entonces Italia, en quien sañudas
las Parcas tres representaban penas:
pendiendo flechas en la espalda agudas,
áspides anudados las melenas
y ajustando el coturno al pie sangriento,
sacaban de los riscos sentimiento.

XCVII

Esta, pues, infección, echó al camino
un monte inaccesible, echóle al muro
candados de diamante; al peregrino,
este es guardado, esotro mal seguro;
estufa, no una vez, el cristalino
cielo, si pabellón el aire impuro,
en el del campo mal mullido lecho,
ardiente hogar le dan, y amigo techo.

XCVIII

Lámele el sol lo que la noche llora
en la que riza fue, culta melena:
argenta aquesta el pelo que aquel dora,
hilo del Potosí, del Ofir vana;
el Céfiro le peina en el aurora
los anillos que el Austro desmelena;
y el que estrecho de día era camino,
cama en la noche fue del peregrino.

XCIX

Débil el cuerpo, el rostro atenüado,
hurtada la color al labio ayuno,
que era, al vecino acusan avisado,
de los heridos del contagio, uno:
húyelo el caminante; y el soldado,
Cerbero de las puertas importuno,
lo ladra, y no lo muerde [31], porque lleno
dragón lo juzga de fatal veneno.

C

De las ciudades huésped expelido,
mal abrigado de los montes, llega
a pisar en el Tíber el torcido
cristalino serpiente en vega y vega,
que nunca tanto venenoso ha sido
al que lo bebe hijo, o lo navega
huésped devoto, pues contagios viste
en las casas que besa o lame triste.

CI

Alma aquella ciudad, humilde adora,
de mármoles colmena convestida,
donde, panal cualquiera piedra, llora
purpúrea miel de mártires vertida;
donde lilios de piedra Febo dora
en mucha de alabastros erigida
columna; cuyo augusto sacro muro,
no frágil corcho, mármol ata duro.

CII

¡Ol colmena, en quien hoy abeja impera,
dos veces cuatro Barberino Urbano [32],
que en las dos alas que batió de cera,
en las dos llaves que erigió su mano,
la monarquía compendió severa
del imperio de Césares tirano,
trocando en tres abejas sus blasones
las águilas que honraron sus pendones!

CIII

¡Déjate hallar, oh cúpula elevada,
de la vista que Ignacio a ti encamina!
No así, de tus cimientos olvidada,
en los cielos te pierdas peregrina;
que penetra tras ti su vista alada,
por una esfera y otra cristalina,
por ver si ese tu globo temerario
es ya de piedra espacio imaginario.

CIV

Fatigada apeó su vista Ignacio
en un mesón del aire, en una aguja
(mustio ciprés de jaspe) que alto espacio
a un bosque de columnas sobrepuja:
en mucho descansó después palacio
que en el aire apretado se rempuja,
y al purpurado rosicler ampara
que sus botones abre en la tïara.

CV

Aquellos veneró siete repechos
que, empedrados de pórfidos lucientes,
sobre un confuso piélago de techos
islas son a sus ondas eminentes;
secretos adoró agonales lechos
que mártires ilustran eminentes,
en cuyos senos cada cual desata,
en siete Potosís, huesos de plata.

CVI

No de otra suerte a cada templo admira
un rebaño de casas agregado,
que a la gallina el vulgo se conspira
de este implume y aquel pollo asustado;
o al olmo blanco, a la frondosa lira
(si cisne no, del genitivo prado,
a los soplos del Céfiro), la suma
del que vistió, jazmín, fragante pluma.

CVII

Pisó, en fin, el umbral de aquel clavero
que mundos cierra más, con poca llave,
que el César sujetó con mucho acero
fulminado en el orbe, en quien no cabe:
de aquel que siempre, sacro marinero,
piélagos vence más, con breve nave,
que en el Oriente y Sur aguas marinas
rompen Leones y sujetan Quinas.

CVIII

La que su planta huella reverente
piedra, la besa su halagüeña boca,
cavada ya del peregrino diente,
que una mordió, sagrada, y otra roca;
su labio seca el húmedo torrente
que en cada mármol lacrimoso toca,
engazando su lengua, en los más rudos,
de repetidos ósculos los nudos.

CIX

El pie venera del Pastor de Roma
que montes de oro en las diademas huella,
de las cervices que su planta doma
en los dragones regios que atropella;
a cuyo sacro pie desata aroma,
cuanto labio de príncipes lo sella [33].
Y a los muros perdona diligente,
dando la espalda a los que dio la frente.

CANTO TERCERO

Pasa de Roma a Venecia, donde le hospeda un cónsul en su casa; embárcase para Jerusalén, y reprendiendo las culpas que se cometían en la nao, determinan los marineros, ofendidos de su censura, arrojarle en un islote desierto; pero trocando Dios los vientos, llega con felicidad a la isla de Chipre.

CX

Era del tiempo la estación ardiente [34],
en que luces del sol la melenuda
pompa de julio peina en su luciente
greña, sobre la piel que estrellas suda:
buído rayo solar era su diente,
si arpón de fuego no, su lengua ruda,
y era a su boca espuma, a su pie huella
el planeta veloz, la riza estrella,

CXI

cuando el que débil descansar pudiera
de púrpuras de ebúrneo augusto lecho,
polvorosa la rubia cabellera,
descalzo el pie del plomo ya deshecho,
al Jordán endereza su carrera,
del aliento impelido de su pecho,
tan leve, que su planta peregrina
ni aja la arena ni la flor inclina.

CXII

Enterrado en el saco penitente,
del ayuno la carne macerada,
esqueleto es con habla, si viviente
cadáver, cuando no muerte animada;
húyelo el pasajero diligente,
repúlsalo la más franca posada:
que teme, el que a hospedarlo más se inclina [35],
que una Libia de víboras fulmina.

CXIII

No el hogar le doctrina la comida,
no le adula el calor fresca lechuga,
lisonja de las mesas, ni manida
la perdiz le desnuda su pechuga;
no la nieve le ata la bebida,
no blanda holanda su sudor enjuga:
llamas bebe en las aguas cristalinas;
su mesa se consagran las encinas.

CXIV

De tanta comensal dura fatiga
el concurso, que mármoles limara,
contra su vida ya conjuró liga,
y en una choza la urna le prepara;
cruda la encuentra, ríndela enemiga,
mucha quebrando en ella ardiente jara;
que su vigor bebiéndole sedienta,
sus hambres en los huesos apacienta.

CXV

A un corto albergue lo retira, rudo,
desalhajado de sus pobres dueños;
con sus miembros se mide un risco crudo,
abrigado de mal vestidos leños;
celeste el Can le imprime el diente agudo,
del León de julio lo calientan ceños,
sin más amparo que las duras rocas
que urnas serán de sus cenizas pocas.

CXVI

¡Oh! enfrena, Parca, la pendiente mano
al fatal complicada duro acero
que el hilo vital besa; no ya en vano
ruego te solicite lisonjero:
no al sol le siegue luces, inhumano:
no corte rayos al mejor lucero;
¡así venza la lira en lo canoro,
así duerma su filo en vaina de oro!

CXVII

Enfrena el brazo y el acero embota,
pendiente aqueste, cuando aquél agudo,
quien su cruda guadaña dejó rota
en la palestra de su Cruz, desnudo;
atiende pío a la que voz devota
le flecha tierno, le despacha mudo
del corazón el arco fatigado,
de tan fuertes cordeles apretado.

CXVIII

Articulada flecha su suspiro,
plumas esconde en el divino pecho,
y del empíreo convocó retiro
a Cristo, a que le asista al duro lecho:
y su luciente carro en raudo giro
quebró las luces del cerúleo techo,
y el albergue su luz doró, escondido,
de querúbicas pías conducido.

CXIX

Cual al carro se agrega de la espiga
(volubles ruedas de oro, grano y grano)
esta y aquella conductora hormiga,
tal, a los frenos que rigió la mano [36]
de aquel infatigable eterno auriga,
se agrega el querubín más soberano
al carro de oro, y su coyunda tira
pluma que rayo es ya, cuello que es lira.

CXX

Aquella voz a cuyo imperio asiste
dócil el risco, tímida la estrella;
que oye la muerte, cuando entrega triste
(bien que su oreja sorda un áspid sella)
al que segunda vez miembros se viste,
cuatridüano a Lázaro, que huella
del lecho al hoyo no, del hoyo al lecho,
el pocas veces navegado estrecho;

CXX, 5: *Ioan.*, 11, v. 24.

CXXI

Aquella, que atendió, pira nadante
de pórfidos viscosos construída,
huesa común de triste naufragante
que al mar se cree en tabla fementida,
la foca, al tiempo que en Jonás, nadante [37].
Tántalo fue marino que su vida
en su vientre halagó, hospedó en su seno
que le atacó a su gula una vez freno,

CXXII

llamó a la vida, que en Ignacio estaba
al flaco pecho retirada, donde
dubia latía, incierta palpitaba:
oyóla el corazón, en que se esconde
de las vitales jaras el aljaba;
y en cuanto alegre rosicler responde
en una y otra que embistió mejilla,
rosado arpón quebró, purpúrea astilla.

CXXIII

Vistióse de sus armas el sentido:
sonante caja el pulso, al destemplado
ejército de espíritus, rendido,
a recoger tocó; y él, reforzado,
marcha a compás en regular latido;
su puesto reconoce el más turbado;
y así sus armas juega el menos fuerte,
que las espaldas le volvió la muerte.

CXXIV

En pie sus miembros desató gallardos,
tan suelto, que pudiera sin herida
por el filo trepar de agudos dardos;
tan leve, que su planta no impedida
los rayos se atreviera a mofar tardos;
tan fuerte, que su mano, sacudida,
el risco desgranara más constante,
la obstinación rompiera del diamante.

CXXI, 3: *Ioan.*, c. 2, v. 1.

CXXV

La lengua se le pierda ya en la boca,
a los ojos la vista ya no sabe
volverse, al tiempo que en el alma toca
el prodigio que en ella apenas cabe.
A los cielos el carro se revoca;
al labio echó la admiración la llave;
y trocándole oficios el sentido,
oyen los ojos lo que ve el oído.

CXXVI

Nervio de oro los peñascos ata,
cada paja del techo es neta vena;
limaduras el polvo son de plata,
cuando no perlas la menuda arena:
un Marañón de luces se desata
de piedra y piedra, en quien se desmelena
el diamante, el topacio se deshila,
y el rubí, o es espuma o es favila.

CXXVII

De las ondas de luz la fugaz suma
deja ser riscos los que ya hizo soles,
cual con su mar huyendo hace la espuma,
que coronen la orilla caracoles.
Calzó talares de ligera pluma,
gloria nuestro romero de españoles,
y compendiando leve las distancias,
las venecianas descubrió arrogancias.

CXXVIII

De casas admiró la inmóvil flota
que, embarcada en la mar, en la melena
del león evangélico, devota,
sus ducales timones encadena:
nunca las olas han besado rota
la que de jaspes obstinada entena
en sus torres se erige, cuando ufano
un pórfido es su lino más liviano.

CXXIX

No tan süave, cuando más canora,
la de cisnes república ha tejido
los senos de las aguas en quien mora,
vivificando su espumoso nido;
ni tan risueña sobre el campo Flora
ejércitos de lilios descogido,
como Venecia da, en techo y naves,
de jaspes, lilios, y de pinos, aves.

CXXX

La de piedras tendida pavesada,
el lienzo admira, que la ciñe muro,
que una roca lo ata aquí obstinada,
si un mármol acullá lo teje duro:
éste, de ilustres casas el armada
encadena en el mar, que hace seguro,
con leones que alberga, de madera,
en la que armó en los piélagos leonera.

CXXXI

¡Oh república, tú, que siempre fuiste
vecina del cristal del oceano;
cuyo estudioso aliento al aire viste
miembros de vidrio, camaleón que ufano
el volumen diáfano conviste
siempre luciente, pero siempre vano,
adonde cuanto rey copas te debe,
con tus vidrios también tu nombre bebe!

CXXXII

Esta medio ciudad y medio flota,
Centauro en tierra, y en la mar Sirena,
que mucha la escamó dubia galeota,
si mucha la vistió dudosa entena,
cuando en ondas de piedra al mar azota
y en piélagos de naos baña la arena
a Ignacio alberga; y él, pequeña hormiga,
relieves pide de sobrada espiga.

CXXXIII

En la que a Marcos, su patrón, esmera
plaza real el veneciano empeño,
no a Ignacio halaga pluma lisonjera,
tiria cortina no le escolta el sueño;
la cabeza a una losa da severa
y los miembros a un mármol no halagüeño,
si obstinados mendrugos dio a su boca.
¿Quién come pedernal? ¿Quién duerme en roca?

CXXXIV

El cansancio, del sueño, pues, sainete,
salsa de los reposos, la fatiga,
lo insulso de las losas acomete
y al seno de la paz lo pasa amiga;
el tejido de mármoles tapete,
cuánta pluma le fue, mudo lo diga
el éxtasis [38], que al mármol hace yerto
que pierda, con su sueño, por despierto.

CXXXV

Náufrago casi la razón y el tino [39]
en el piélago ardiente de una copa,
a un Cónsul grave aligeraba el vino
de los cuidados la pesada ropa:
tablas del gusto rotas, roto el lino
del sentimiento en la gulosa tropa
de escollos no, de platos, daba el pecho
a la plumosa playa de su lecho.

CXXXVI

Halagado, a este Cónsul, de fortuna,
vestida augustamente de brocado,
ebúrnea le paraba alta coluna
largo reposo, sueño regalado:
campo de Venus, de Cupido cuna,
en quien sus alas éste ha desplumado,
sus palomas aquella más süaves,
y Africa todas sus lascivas aves.

CXXXVII

Enherbado cariño al Numa estraga[40]
la holanda que aun süave lo atormenta,
la lana que livor tirio embrïaga,
la seda que el carmín noble ensangrienta;
la marta lisonjera que lo halaga
lamiendo dulce lo que más fomenta,
y el aroma que al vino da halagüeño
armas de Circe que endurezca el sueño.

CXXXVIII

En aquel dulce, no, napolitano
ponto, de Venus sí, en cuyas arenas
por el pelo al cariño traen la mano
mudamente süaves sus Sirenas,
naufragio indujo (bien que soberano)
el grito de una voz que en muchas penas
zozobra el sueño; y cuando más perdido,
el alma sale a nado en el oído.

CXXXIX

"¿Cómo (le dijo) que la cama blanda
te halague en mucha delicada pluma,
y que, escondido entre halagüeña holanda,
en quien por dura ya perdió la espuma,
de añoso vino, de gentil vïanda
gastes al sueño la confusa suma,
y que al ayuno Ignacio en duro suelo
albergue el mármol y caliente el cielo?".

CXL

Este vocal acúleo le amotina
en potro el lecho, de tormento fiero:
la marta le acicala en dura espina,
obstínase el colchón risco severo;
en zarza se le enriza la cortina,
en grave escollo el cobertor ligero;
a cada pluma un áspid le atribuye,
y a todos juntos en el lecho huye.

CXLI

Los gritos en el sueño enmarañados
un cirio a un paje le vinculan luego,
que a pocos hilos de la cera atados,
lenguada le anudó pluma de fuego [41],
cosquillosa a los aires, que enojados,
mal le retozan en su espacio ciego,
cuando su rayo en la vestida esfera
garzotas desató de ardida cera.

CXLII

Raudo carbunclo de la noche fría,
muchas sombras le vence, en el que induce
en su labio atezado dubio día,
trémulo ardiendo, cuando activo luce:
a un piélago de sombras su luz fía,
breve bajel de cera, que conduce
al del Cónsul afecto conmovido
al norte inmóvil del imán dormido.

CXLIII

Guiñóle al corazón, dormido el vulto,
y hurtado a la luz [42]; al rostro atiende:
grave lo mira, aunque lo mira inculto;
hermoso, aun cuando el hielo más le ofende.
De sí acusado, apela a sí inconsulto;
fiado sobre un pie, trémulo pende,
mientras se agobia todo, a que halagüeño
borre en sus ojos el contacto el sueño.

CXLIV

Los apretados miembros en el frío
desata Ignacio perezosamente
por el espacio en que camina umbrío
al palacio del Cónsul, que indulgente
sirve opulento cuando alberga pío,
al romero que admira reverente:
púrpura el lecho, el plato hizo süave
cuanto la gula ignora, cuanto sabe.

CXLV

La piel que el bosque al suelto can tributa,
la pluma que el augusto Numa ignora,
la escama que escondió sinuosa gruta,
la ambrosia que la unida corcha llora,
la preservada en néctar dulce fruta,
el vino que la antigua cuba mora,
en oro, en vidrio, en damascado lino
admitió con templanza el peregrino.

CXLVI

Desconoció el olán su penitencia,
el ayuno extrañó lauto el banquete,
no se halló la pobreza en la opulencia,
ni el peregrino pie sobre el tapete,
hurtóle a las delicias su presencia [43];
y desde el pobre que eligió retrete,
a que indulgente el piélago lo admita
la púrpura del Griti solicita [44].

CXLVII

Asiente el Duque a que la augusta popa
de su Virrey del Chipre conductora,
ocupe Ignacio; y su tendida ropa
al viento, cuando al piélago la prora [45],
le da la nao que bebe, en copa y copa
de vela y vela, alientos del aurora,
y en ola y ola aljófares derrama,
cuando perlas el alba en grama y grama.

CXLVIII

El cóncavo volumen de su lino,
entre la pluma de cañones ciento
(ojo de rubio bronce el menos fino),
lisonjas arrogándose del viento,
pompa del mar la nao, pavón de pino,
dilata sobre el húmedo elemento,
que argentándole pies en el abismo,
a su esfera le excusa el parasismo.

CXLIX

Marítimo alcïón, entre la espuma,
sobre sus huevos abrigaba el nido,
y freno duro, aunque de leve pluma,
impuso al mar, del mar nunca rompido:
este, de tanto imperio breve Numa,
de tanto undoso pueblo obedecido,
en las olas tendía desiguales,
copos de espuma en playas de cristales.

CL

Dulce coyunda al piélago la prora
yugo en el cuello le imponía suave,
mientras el vulgo que las naves mora,
en mucha culpa y muchas veces grave
se despeñaba, tanto que, señora
con cetro, la maldad rige la nave:
ya blando Ignacio, y eficaz lo siente,
alternando la lengua con el diente.

CLI

Amenazado, Ignacio no desiste,
al torpe vicio eslabonado alano
que ardiente muerde, y tanto más insiste
cuanto le hiere más, rebelde mano;
obstinado diamante el pecho viste
de cuanto peca pasajero insano,
que conjurando contra él su ira,
al mar lo inducen, que lo abrace pira [46].

CLII

"¿Cómo (dice la siempre infame gente
del piélago), que humilde una esclavina
nuestra mayor delicia así amedrente?
¿Que no dé paso en cuanta flor camina,
que no lo imprima sobre agudo diente
que no lo estampe sobre cruda espina?
¿Y que plato no dé Venus süave,
en que su acíbar no desate grave?

CLIII

"¿Que sacudido se descuelle robre,
sin vacilar al Euro que lo toca?
¿Que su flaqueza a nuestra fuerza sóbre,
y combatida nos resista roca?
¿Que el temor no amedrente a un hombre pobre
y mordaza no sea de su boca?
¿Que, áspid su lengua, nos fulmine enojos
y al placer basiliscos sean sus ojos?".

CLIV

Urna (la boca un tiburón dentado)
del marinero agrega, y del piloto,
de negro pedernal siempre obstinado
contra Loyola aqueste y aquel voto;
definen, no que al mar muera arrojado,
mas que un islote lo aprisione ignoto,
que pezón de aquel mar, dulces apoyos
en muchos flecha líquidos arroyos.

CLV

Imán, llamaba al mar islote breve;
y el viento, cuerda al arco cristalino
del piélago, en la nao flechaba, leve
sobre alada, veloz jara de pino.
Rauda hacia el blanco del islote mueve
su arpada prora, su plumado lino:
pendía Ignacio al risco; mas el viento
trocado, al mar rebate el movimiento.

CLVI

Menos el aire breve piel vestido
en suelto globo, cuando el cielo escala,
resulta entre las nubes, sacudido,
cejando al golpe [47] de contraria pala;
menos pendiente el pie se ha recogido
sobre el que hollaba áspid, que se cala
la popa de la nao contra el corriente,
hiriéndole los vientos por la frente.

CLVII

La planta, que la espuma ya violaba;
la mano, que del risco ya prendía;
el cuerpo, que en los aires vacilaba,
divina mano los revoca pía
al pino, cuya gente le calzaba
al pasmo miembros de una peña fría;
la admiración, mordazas a las bocas,
que exhalan hielos cuando visten rocas.

CLVIII

Trocado el viento, fue batida espuela
que en los linos picaba de la nave,
que a despecho del vicio, en el mar vuela
más rauda que hasta allí, si más süave:
el Favonio midiendo va, en la vela,
no más que el soplo que en sus senos cabe.
Llegó; y alano el áncora valiente,
tenaz en roca y roca imprimió el diente.

CLIX

Chipre los recibió, donde Cupido
(piloto ciego de fatal carrera)
con el timón de un dardo fementido
a su madre conduce en su venera;
donde el brazo del remo, el pie impedido
de la cadena dulcemente fiera,
tanto príncipe gime, arando ciego
olas de ambrosia en piélagos de fuego.

CANTO CUARTO

De Chipre pasa a Jerusalén; y habiendo visitado tan sagrados lugares, da la vuelta a España, a donde llega después de haber padecido muchos ultrajes de los soldados españoles.

CLX

Dejó su nao, marítima sentina,
y en otra es albergado urbanamente,
donde devota ya mucha esclavina
inculcar pretendía la corriente
del río que, en su urna, diamantina
tïara sella que ciñó la frente
de Cristo, en cuya fe quiere sagrado
cristalino obtener Pontificado.

CLXI

Astro no fijo, no, sino astro errante,
en la cerúlea esfera se desata
la nao, que descogió mucho brillante
rayo en la espuma que labró de plata:
su carrera cerró siempre triunfante
en la sagrada orilla, a quien lo ata
el áncora, que fijo lo respeta,
de errático que fue, raudo planeta.

CLXII

La boca da a la arena Ignacio, en tanto
que la humedece más que el sacro río,
con dulces olas de su tierno llanto
que borra undoso lo que besa pío:
devoto inculca, si curioso, cuanto
el otomano usurpa señorío,
bárbaro precediendo hoy el turbante
lo que la Cruz un tiempo trïunfante.

CLXIII

¡Oh Palestina, oh tú, de sacra historia
teatro un tiempo, circo ya profano
del albornoz y la almalafa, gloria
de torpe mora o bárbaro africano!
¡Oh cuánto pisa de áspid mi memoria
en tanto lilio galo, que inhumano
el alfanje troncó! ¡Véate arada
de nuestros yugos o de nuestra espada! [48].

CLXIV

Venera aquel que, siendo ameno huerto,
palestra fue agonal, que vio, devota,
indulgente al letargo, al sueño yerto,
triunvirato de amigos cuando brota,
Argos purpúreo Cristo, Argos despierto,
un párpado sangriento en cada gota,
que al angor desatada su pupila,
corales llora, si rubís destila.

CLXV

Venera el tribunal que vistió toga
a la impiedad, que vara empuñó aguda;
do, impedidas las manos de una soga,
la inocencia de Cristo asistió muda,
y cuando el miedo la justicia ahoga,
escamada de acero mano cruda
sobre la rosa al alba más risueña,
almádena de bronce se despeña.

CLXVI

Reverente y lloroso, aquel venera
teatro, aún de la sangre salpicado,
en que su dueño fue yunque de cera,
a la dura columna vinculado,
cediendo ya al cambrón, ya a la severa
adunca uña, al nervio complicado,
que entre terrones de rubí, buscaban
los jaspes de los huesos que surcaban.

CLXIV, 4: *Lucae,* c. 22, v. 41, 44 et 46.
CLXV, 1: *Marc.,* c. 14, v. 63 et 64. — 5: *Ioann.,* c. 18, v. 22.
CLXVI, 2: *Ioann.,* c. 19, v. 1.

CLXVII

Aquel camino con los ojos huella
que con desnudos pies holló su dueño,
cuando sus hombros quebrantado sella
el peso crudo del toroso leño;
que zodíaco fue de cuanta estrella
el junco le desata, no halagüeño,
donde todos los signos, o leones,
o dentados se armaron escorpiones.

CLXVIII

Aquel junco venera reverente
que de irrisivos coronó blasones
del pacífico rey la augusta frente
con diadema torcida de cambrones;
adonde el crudo, si afrentoso diente,
hirsutos imprimieron escorpiones,
que, en la nevada frente que mordieron,
Libias de sierpes de rubí parieron.

CLXIX

La cerviz ascendió de aquel collado,
que del madero coronó su frente,
a quien con cuatro hierros vinculado [49]
su dueño purpureó, de ellos pendiente;
risco de mermellón, que desatado
en una y otra caudalosa fuente,
al calvo vistió monte, en vena y vena,
de líquido rubí roja melena.

CLXX

Tierno venera la ilibada pira
que virgíneos selló polvos reales
del almo Fénix Cristo, que la ira
en destrozados perdonó corales,
y no entre aromas que el Arabia espira,
entre pocos plebeyos pedernales,
renaciendo el cadáver siempre regio
no le violó a la piedra el privilegio.

CLXVII, 2: *Ioann.*, c. 19, v. 17. — 5: *Mathaei,* cap. 27, v. 28.
CLXVIII, 2: *Mathaei,* cap. 27, v. 29.
CLXIX, 4: *Luc.*, cap. 23, v. 33.
CLXX, 2: *Ioann.*, c. 19, v. 40.

CLXXI

La que buril la planta grabó, dura
piedra, venera: sacro ya tapete,
sobre cuyo cenit la arquitectura
nunca labró a sus templos capacete;
isla del aire, a quien la piedra mura,
sin que pueda toldarle su ribete;
índice de aquel vuelo esclarecido,
que anillos mil de mármol ha ceñido.

CLXXII

En la piedra anudó Ignacio la boca;
dejóla; y cuando ya bajado había,
a la imán que atractivo lo convoca
repite el pie, reduce el alma pía:
la guarda tuerce cuando se revoca,
un fino hijo de su escribanía
con que a las plumas doctrinaba el diente,
que el papel le mordiesen cultamente [50].

CLXXIII

Peligrosa la planta fugitiva,
sin guarda al monte sacrosanto vuela:
que un áspid ponzoñoso cada oliva
en cada turco, que la escolta, cela:
y en cuanto el llanto riega, el labio liba,
de la una huella para la otra apela,
y afectüoso el éxtasi desea
que urna del alma su carácter sea.

CLXXIV

Trueno sus voces, votos sus alientos,
rayos sus plantas, si sus manos fuego,
de un ministro lo asaltan torcimientos,
cuando lo oprimen golpes ya de un ciego:
muchos le alega crudos escarmientos
que purpurean olivos con su riego;
y ensangrentando cuanto de él tocaba,
del monte o lo impelía o lo arrojaba.

CLXXI, 2: *Marc.*, c. 16, v. 19. — 5: *Acta apostol.*, c. 1, v. 9.

CLXXV

Menos, seguro el corderillo tierno
asustado se vio de loba fiera,
cuando, excedido de la oreja el cuerno,
lasciva Parca de las flores era;
y menos, lujurioso el árbol tierno,
que al aire descogió pompa primera,
embestido se halló del Euro ronco,
y pira de sus hojas vio su tronco.

CLXXVI

Oyó de Ignacio el lastimado anhelo
piadoso Cristo; y por la misma escala
que inviolable en el aire abrió su vuelo,
su amor agita la piadosa ala:
inclinóse con El todo su cielo,
y previo al peregrino así regala,
que liba, abeja el querubín alada,
cuanto a Ignacio Jesús néctar traslada.

CLXXVII

No de otra suerte alivia su desmayo,
antecediendo Cristo su carrera,
que a Clicie en el jardín, pompa del mayo,
mide su luz el sol desde su esfera;
menos, el contagioso ártico rayo,
de la Osa polar la imán altera,
que en Cristo bebe, herido el peregrino,
luz a sus ojos, norte a su camino.

CLXXVIII

Las olivas vistió el cumplido voto
con la esclavina y báculo decente,
deshecha la una, cuando el otro roto,
éste arrimado, aquélla mal pendiente;
breve epigrama le ocupó devoto
a sus cortezas la bruñida frente,
porque vocales guarden, años ciento,
de Ignacio el peregrino monumento.

CLXXIX

Aura medida repitió, oportuna,
forzando a Ignacio en breve navecilla,
a la que fue del dios Cupido cuna
y de su madre fue lasciva silla,
isla que, en ancho mar inmóvil luna,
vestida del zafir su undosa orilla,
lupanar se mulló de cuanta tropa
agorera a su altar dedicó popa.

CLXXX

Tres arrullaba naos en su ribera
que esperan que el Favonio las despierte:
turca la una, harpía de madera,
aun contra el Euro más violento fuerte,
que Parca piratal del pronto era,
nadante calabozo de la muerte,
cuyo lunado alfanje o media-luna
cuchilla se esgrimió siempre importuna.

CLXXXI

Aguila era de pinos convestida
(al agua riscos, a los vientos pluma),
que de imperiales alas presumida
conducidora fue de augustos Numas,
otra nao, veneciana, que engreída
la pihuela del ancla en las espumas
desataba veloz, cuando velera
la alcándora dejaba en la ribera.

CLXXXII

Solicitando abrigos de una peña,
de antigua espuma fomentaba el nido
otra nao, que, del mar parda cigüeña,
de robre componía carcomido
esta pesada, esotra no halagüeña
pluma: que presagiosa, a su gemido
último, a su rüina el mar, postrera,
cadahalso espumoso ser pudiera.

CLXXXIII

Del argonauta, Ignacio, veneciano,
con ruego humilde el pecho solicita,
que en su nave le fíe al oceano,
pues tan torre del ponto se acredita:
crudo le expulsa; y le responde, insano,
que al piélago su ropa le remita,
y que las aguas surque, pues es santo,
en el bajel tejido de su manto.

CLXXXIV

¡Oh, de la plata venerado imperio;
oh mérito del oro lisonjero,
y cuánto le agregaste vituperio
al que no viste púrpura el dinero!
Medir podrá su planta el hemisferio
del ponto undoso, aun cuando brame fiero,
hollando en cada onda fluctüante
playas de bronce, tablas de diamante.

CLXXXV

El seno ocupa, pues, del tercer pino;
y fïadas del ponto las tres quillas,
alas tienden las dos de ufano lino
y en sus proras esgrimen dos cuchillas,
cuando encuentra la mar aquel marino
galápago, arador de sus orillas,
dejando su timón, del tiempo boto,
más oprimido el piélago que roto.

CLXXXVI

Al yugo de la entena, complicado
este caduco buey de antiguo pino,
arrastró en el timón el tardo arado,
y en el campo rompiendo cristalino
mucho césped undoso, en lo surcado
granos sembró de aljófar matutino,
con que a sus senos duramente obliga
que una de espumas brote y otra espiga.

CLXXXVII

Desatados delfines de madera,
ondas calan azules las dos naves
a quien escama el pino dio ligera
si alas el lino les vistió süaves.
Tortuga esta otra, las siguió, ratera,
a quien el robre conchas vistió graves,
cuando, arrastrada del dormido viento,
trepando oprime el húmedo elemento.

CLXXXVIII

El Áfrico del Noto eslabonado,
y el Austro con el Ábrego reñido,
al campo de la mar salen airado,
al circo van del piélago movido:
luchando gime el Noto desgreñado,
bramando bufa el Ábrego herido,
y trasegando al mar sus turbios senos,
sudan tormentas y resuellan truenos.

CLXXXIX

Picado el mar, y de soberbia lleno,
cristalino caballo se desboca:
y no cabiendo en su tendido seno,
con las manos y el pecho el cielo toca:
rompe furioso el diamantino freno,
y estrellando su frente en roca y roca,
espumas masca en la fragosa orilla
y escupe los bajeles de su silla.

CXC

Yunque de pino, el vaso naufragante
tablas escupe al mar, así sañudo,
que le sacara astillas al diamante,
que al pedernal le desatara el nudo:
la breve onda es ya grifo gigante,
la blanda espuma es ya risco membrudo;
bala, la arena más desconocida,
que el alcázar embisten de la vida.

CXCI

Dentado el aire, zozobrado el día,
muerde el oído, si la luz anega;
y en cada onda, desgreñada harpía
descomedida hasta los cielos llega:
la desvïada orilla, furia impía,
peinando sierpes espumosas, niega
a las naves piedad, que gimen solas,
atormentadas de un infierno de olas.

CXCII

Ticios las naves dos de pino [52], atado
al buitre undoso de la mar el pecho,
este ofrecen y aquel flaco costado
de sus rostros ímpetus deshecho.
Sísifo, la tercera, despeñado,
fragoso de la mar sube el repecho:
ascua es undosa la menor escama
y el más dorado pece es torva llama.

CXCIII

La turca nave, de la mar sorbida,
ciñendo cada onda de un turbante,
no jubila en la tabla alguna vida
de mucho derrotado navegante:
en pocos miembros náda, dividida,
la que durezas apostó al diamante;
y la que Parca fue de alado abeto,
apenas es de tablas esqueleto.

CXCIV

La veneciana nao, en una roca
(Cerbero can del piélago furente),
dichosa más, mas bien deshecha, toca;
y en miembros dividida, en diente y diente
de los escollos de que armó su boca,
deshace pinos y destroza gente,
y en cuanto risco se elevó colmillo,
migaja apenas fue tan gran castillo.

CXCV

Breve espuma de tablas la tercera,
como en sus senos recogió a Loyola,
poco violada de la mar severa,
corrió las aguas sin violar la ola:
por mariposa se eximió velera
por flaca presa se jubila, sola,
del piélago, que sacre cristalino,
las raudas garzas desmembró de pino.

CXCVI

Rïóse el cielo ya, acostóse el viento,
peináronse las olas desgreñadas,
echóse a descansar el mar violento,
las espumas durmieron argentadas;
y lisonjas hollando la mar ciento
en las cerúleaes ondas desatadas,
el áncora en Venecia dio a la arena
por convestir el templo de su entena.

CXCVII

Repitiéndose a España, holló a Ferrara;
llamóse al templo, cuyo umbral sagrado
turba de pobres inundaba avara;
solicitó su pecho lastimado
el amor de uno, en cuyos miembros ara
sangrientos surcos contagioso arado:
llamó al dinero del mendigo el ruego,
y el pobre al pobre le socorre luego.

CXCVIII

Menos sobre las aguas ha atraído
en la cárcel de mimbres el süave
alado imán, el ruiseñor, prendido,
esta y aquella codiciosa ave,
que el dinero en el pobre despendido,
a este pïante, al otro indujo grave
mendigo, que pidiéndole importuno,
sus cuartos le agotaron uno a uno.

CXCIX

No perdonó su ánimo piadoso
un cuarto solo para su sustento:
santo lo aclaman, cuando, religioso,
al popular se hurtó, túrgido viento:
mendigo, en cada puerta, generoso,
humilde solicita su alimento;
enseñando, en tan pía gentileza,
que alimenta Alejandros la pobreza.

CC

A Génova (de Europa, ya del orbe,
esponja de tesoros atractiva,
que Orientes bebe, Américas se sorbe
y la riqueza atrae más fugitiva,
porque a su Fúcar la rodilla corve
de augustos incas la opulencia altiva),
se parte Ignacio, cuando Lombardía
en rabioso marcial incendio ardía.

CCI

Lilio francés, vestido hojas de acero,
y de aljófar de pólvora argentado,
lombardos campos escondía severo,
castellano león bronces peinado [53]
(pelo süave suyo el dardo fiero),
y de diamantes rígidos dentado,
con su anhelo secaba, y con su diente
campos segaba de liliada gente.

CCII

Caja marcial de aquél la hueca copa,
bélica trompa de éste la garganta,
de aquella conducía y de esta tropa,
o ya nativa o ya extranjera planta:
visten las huestes acerada ropa,
un reino y otro al campo se trasplanta;
y al caminante, o propio o peregrino,
anudan atalayas el camino.

CCIII

Vigilante impidió guarda española,
inducida del traje, por espía,
la inocencia sagrada de Loyola;
implicado un cordel, su cuello fía
al campo que, ocurriendo en ola y ola
al escrutinio de la causa pía,
importuno lo inculca, tilde a tilde,
cuando él instancias redarguye humilde.

CCIV

Argos, le acusa el general atento,
a quien francesa vigilancia pudo
vestir en cada miembro de ojos ciento
y en todos despertar un lince agudo:
del potro lo amagaba el torcimiento,
si al agrio examen persistiese mudo;
mas, Tulio la verdad, oró süave,
sin gastar tropas, en su vulto grave.

CCV

Libre lo expulsa el general prudente;
mas libre siempre militar licencia
del castellano joven floreciente,
el sagrado profana a su inocencia:
satírico le imprime agudo diente,
que en el bronce embotó de su paciencia;
la barba le ofendió mano irrisiva,
cuando le esconde el rostro la saliva.

CCVI

Dentado apodo le mordió el oído,
ajóle el rostro la pesada mano,
del que le abriga mal, roto vestido,
cualquiera joven se le intima alano:
cuerda no hay que no le deje herido
ni cuento que con él se muestre humano;
y hace de Ignacio la sellada boca
lo que al Euro la encina, al mar la roca.

CCVII

Menos al vulgo respondió latrante
de eslabonados gozques el augusto
irlandino lebrel, que al espumante
toro azorara, guedejudo susto,
que heroico sufrimiento de diamante
en Ignacio responde al trato injusto
del joven que, otro tiempo, a Ignacio fuera,
aun armado de acero, blanda cera.

CCVIII

¡Oh tú, divina mano, que enlazaste
a la cerviz del mar yugo de arena,
sin que su eterno túrgido contraste,
breve a la playa le derribe almena;
y león cristalino, lo enseñaste
a que tienda en la orilla su melena,
y bramando nos diga que tú sola
la cólera enfrenaste de Loyola!

CCIX

Pamplona lo dirá, cuya muralla
en vocales hoy mármoles predica
cuántas su estoque huestes le avasalla,
cuánto su aliento lilio le complica,
cuánta su mano desengaza malla,
cuando glorioso su livor salpica
el muro, que en su fe, con el más breve
mármol, al siglo más voraz se atreve.

CCX

Aun airado, el francés templó su saña,
y acariciado lo trató indulgente.
¡Oh Libia con tus hijos, madre España,
engendradora de natal serpiente!
El aire pueblas de una y otra hazaña,
el suelo espinas de uno y otro diente;
néctar de aplausos das a otras naciones,
¡y a tus hijos les flechas escorpiones!

CCXI

Al Potosí de Europa Ignacio llega:
a la Génova, imán de toda plata;
al crédito del mar ésta lo entrega
en una nao, que al piélago desata:
las mesmas ondas surca, que navega
errante Scila, náutico pirata,
a quien se hurtó feliz, cuando corona
su incierta prora el mar de Barcelona.

NOTAS AL LIBRO TERCERO

[1] *la otra ligera.* Góngora en la *Soledad segunda,* vv. 288-290, llama a la abeja: "aquella / que sin corona vuela y sin espada / susurrante Amazona, Dido Alada".

[2] *si no es de la ciudad tendida hiedra.* Corregimos, como lo hizo el doctor Méndez Plancarte, este verso y el siguiente que se leen en el original así: "*sino* es de la ciudad tendida hiedra / que *en cadena* tenaz bosques de piedra".

[3] *avarienta su oído un rato esponja.* El doctor Méndez Plancarte anotó frente a los tres últimos versos de esta octava: "y ocupa el alma con el néctar, de cuyas deleitosas palabras absorbió su oído, como una esponja ávida".

[4] *con su luz menor brillante.* Acaso haya que corregir, como lo hizo el doctor Méndez Plancarte, la palabra *menor,* del original, que hemos conservado, por "*menos* brillante".

[5] *cuando un Febo.* Hemos suprimido una *a* que se lee en el original antes de "Febo".

[6] *de odoríferas mil hierbas sudada.* El original, por errata, *sudadas.*

[7] *la hambrienta broma.* La broma es un molusco que, según el *Dicc. Acad.:* "se introduce en las maderas bañadas por las aguas del mar y en ellas se desarrolla y vive hasta destruirlas completamente excavando galerías en todas direcciones".

[8] *y escarneció del Abrego la saña.* Errata del original: *escirneció.*

[9] *de la hasta ti temida, undosa raya.* El verso original dice: "de la hasta *sí* temida undosa raya". Tifis fue el primer piloto del navío Argos. Por tanto es el "primer conculcador" de la undosa raya *hasta él* temida. Parece, pues, necesario cambiar *sí* por *ti,* ya que se dirige a Tifis en segunda persona, "oh Tifis, tú", y continúa luego hablando de "temeridades tuyas". El doctor Méndez Plancarte sugería corregir *allí.* Vide IV, 3.

[10] *cuya espalda vistió exquisita suma.* Hemos corregido, con el doctor Méndez Plancarte, lo que parece, por el sentido, ser errata del original: *espada.*

[11] *condujiste después.* El original "conduciste".

[12] *o el agua del Erídano argentada.* Conservamos el original, aunque se comprendería mejor el pasaje si sustituyéramos, como proponía el doctor Méndez Plancarte, *el agua* por *al agua,* o quizá por *en agua.*

[13] *a las Quinas del viento triunfantes.* Las Quinas son las armas de Portugal que tienen "cinco escudos azules puestos en cruz y en cada escudo cinco dineros en aspa" (*Dicc. Acad.*). Vide II, 107.

[14] *augusta Coya. Coya* era el nombre de la soberana o princesa de los incas. El pasaje está totalmente inspirado en Góngora, *Soledad segunda,* vv. 61-68: "Aquel, las ondas escarchando, vuela; / este, con perezoso movimiento, / el mar encuentra, cuya espuma cana / su parda aguda prora / resplandeciente cuello / hace de augusta Coya perüana / a quien hilos el Sur tributó ciento / de perlas cada hora".

[15] *bula es breve del mar. Bula* parece tomado aquí en su sentido anticuado de *burbuja* (*Dicc.*).

[16] *la cayetana arena.* Las playas de Gaeta, a donde llegó san Ignacio. Es una castellanización de *gaetano.*

[17] *que, al grito de la luz que atrae amiga.* Así rectificó el doctor Méndez Plancarte el verso original que decía: "que al grito de la luz que *lo* atrae amiga".

[18] *estas y muchas más turbas villanas.* En la ed. de Carilla citada, quien trascribe desde la estrofa 67 hasta ésta, bajo el título de *Banquete marino,* se lee erróneamente: "todas villanas".

[19] *conchas, que se desnudan hicoteas.* Parece ser ésta la elección acertada. El original dice *"y coteas"*, con una cedilla borrosa en la *c,* por lo cual en la ed. de Carilla, lo mismo que en la de Bogotá, 1956, se trascribió *"y zoteas"*, lo que carece de sentido. "Hicotea (voz americana), f. Especie de tortuga de agua dulce que se cría en América; tiene unos 30 centímetros de longitud y es comestible" (*Dicc. Acad.*).

[20] *cenizas de cristal en la estrïada.* El original trae "en la estría". En nuestro ejemplar, con tinta y de mano antigua, está hecha la obligada corrección que aquí damos.

[21] *que alas de vidrio.* El original dice: "a las de vidrio". Seguimos la enmienda que hizo el doctor Méndez Plancarte.

[22] *voces le da en el agua que levanta.* Hemos añadido, como hizo el doctor Méndez Plancarte, el artículo *el* que falta en el original, donde se lee: "en agua".

[23] *que el timón la mano.* Así el verso original. Pero acaso deba leerse: *"al timón la mano"*. Lo dejamos como está para que el lector haga la corrección que crea más conveniente, ya que, en el camino de suponer erratas, serían varias las maneras de cambiar el verso.

[24] *roca de mermellón.* Respetamos aquí como en otros pasajes (vide III, 169 y *A la pasión de Cristo,* 25), la forma asimilada *mermellón,* más interesante que el primitivo *bermellón,* porque muestra el influjo de lo popular en los escritores cultos de este siglo. (Cf. *borona-morona, veneno-meneno, bandolina-mandolina,* etc.). En IV, 270: *bermellón.*

[25] *que bosques de harpones ha frustrado.* Damos aquí la ortografía original de *harpones,* al contrario de lo que hicimos en otros lugares (vide estr. 75), porque la aspiración de la *h* es indispensable para la medida del verso, a menos que se haga el feo hiato *de-ärpones.* El doctor Méndez Plancarte prefirió corregir: "cuando bosques de arpones...". Igual caso vuelve a presentarse en IV, 93.

[26] *el alholí marino.* El texto escribe *alolí.* Se trata de la voz *alfolí* o *alholí,* "granero o pósito. 2. *Amacén de a sal"* (*Dicc. Acad.*). Vide IV, 130.

[27] *que piratal monarca de los prados.* Así el original. El *Dicc. Acad.* no registra el adjetivo *piratal,* sino *pirático.* Aquí pudiera tal vez leerse "pirata monarca", a manera de apósito o de compuesto.

[28] *quelidro el sol.* Así escribe el texto, *quelidro,* que es una serpiente mitológica muy venenosa, según el Diccionario de Autoridades, el cual da *Chelidro,* pero advierte que la *ch* se pronuncia a la manera latina como *k.*

[29] *selvas de quillas sufren.* Corrigió el doctor Méndez Plancarte el original "sufre", pues se trata de "las espumas de Aquerón".

[30] *mal habladas scenas.* La exigencia del verso no permite aquí modernizar *scenas* en *escenas...*

[31] *lo ladra y no lo muerde.* Así el original. Acaso deba corregirse *"le* ladra".

[32] *os veces cuatro Barberino Urbano.* Alude a Mafeo Barberini, Urbano VIII, Pontífice de 1623 a 1644, lo que constituye importante dato para la cronología del poema, impreso en 1666. Recuérdese que Domínguez nació en 1605 y murió en 1659. Para la interpretación de los dos últimos versos de esta octava, léase el siguiente dato de la *Historia de los Papas* de Carlos Castiglioni, Barcelona, 1948, tomo II, p. 391: "Como en su blasón tenía Urbano VIII tres abejas, se le llamó la *abeja ática* para significar su buen gusto literario". El doctor Méndez Plancarte anotó al margen de su copia: "Weech, *Urban VIII,* Londres, 1905". No hemos podido consultar esta obra.

[33] *cuanto labio de príncipes lo sella.* El original *"los* sella".

[34] *Era del tiempo la estación ardiente.* Recuérdese a Góngora al comenzar la *Soledad primera* y compárese con el primer verso de las estrofas 104 y 236 del libro IV.

[35] *que teme el que a hospedarlo más se inclina.* El verso impreso dice: "que tiene". Mas en el ejemplar que utilizamos aparece tachada con tinta antigua la palabra *tiene* y corregido encima *teme* que, por el sentido, parece ser la elección correcta, por lo cual la hemos aceptado.

[36] *a los frenos que rigió la mano.* Hemos corregido, con el doctor Méndez Plancarte, el original que dice "erigió", pues así parece reclamarlo el sentido.

[37] *nadante / Tántalo fue marino.* Para evitar la repetición de *nadante* en este verso y en el primero de la octava, el doctor Méndez Plancarte sugirió reemplazarlo aquí por *gigante.*

[38] *el éxtasis.* Por excepción usa aquí el autor la forma *éxtasis,* que ordinariamente es *éxtasi.* Lo hemos dejado en cada caso como se encuentra. (Vide IV, 35).

[39] *Naufragó casi la razón y el tino.* Así el original, con acento en la última sílaba de *naufragó.* El doctor Méndez Plancarte propuso leer *náufrago* (en cuanto a "la razón y el tino"), lo que cuadraría muy bien con la época y con el estilo del autor. Preferimos sin embargo conservar el texto como está, porque en este caso se tomarían los dos primeros versos como una oración independiente, en la que *razón y tino* fueran los sujetos, entendidos como un todo y concordando en singular con *naufragó.* Caso similar al que se vio en II, 72, nota 31. Esto exigiría, eso sí, cambiar la puntuación y hacer pausa larga después de "copa".

[40] *Enherbado cariño al Numa estraga. Enherbado* por *enherbolado,* emponzoñado. Vide *Obras completas de sor Juana Inés de la Cruz,* edición, prólogo y notas de Alfonso Méndez Plancarte, México, 1954, I, p. 478, nota al verso 42 de la poesía 75.

[41] *lenguada le anudó pluma de fuego. Le* por *les* (*les* anudó a los hilos). Vide nota 43, libro I.

[42] *y hurtado a la luz.* La lectura correcta de este verso es prácticamente imposible en nuestro ejemplar, pues la segunda palabra dice *"hut..ado",* con un signo impreso entre la *t* y la *a* que no es fácil reconocer, tachado o corregido a tinta de mano antigua. Hemos puesto *hurtado,* que es lo que más hace sentido, aunque para conservar la medida del verso haya que aspirar la *h,* contrariamente a lo que el poeta acostumbra.

[43] *hurtóle a las delicias su presencia. Le* por *les* (*les* hurtó a las delicias). Vide n. 43, libro I.

[44] *la púrpura del Griti solicita.* "Era Duque de Venecia en aquella sazón Andrea Griti, varón muy estimado en aquella república; fue nuestro Ignacio a hablarle, y contóle en su romance castellano la suma de su deseo, y suplicóle que le mandase dar embarcación". Ribadeneira, *op. cit.,* p. 74.

[45] *al viento, cuando al piélago la prora.* El original dice *"el* piélago", lo que es, al parecer, errata, como corrigió el doctor Méndez Plancarte.

[46] *que lo abrace pira. Abrace,* da el original, con *c,* pero quizá sea errata por *abrase,* ya que se habla del mar como una pira u hoguera. Respetamos, sin embargo, el texto, porque también con *abrazar* hay sentido.

[47] *cejando al golpe.* Corregimos, como lo hizo el doctor Méndez Plancarte el texto que dice "cejando *el* golpe". Así parece exigirlo el sentido.

[48] *de nuestros yugos o de nuestra espada.* Recuérdese a Góngora en el *Panegírico al Duque de Lerma,* vv. 381-384, refiriéndose a Argel: "Imiten nuestras flámulas tus olas / tremulando purpúreas en tu muro, / que en cenizas te pienso ver surcado / o de tus ondas o de nuestro arado".

[49] *a quien con cuatro hierros vinculado.* El texto escribe "herros".

[50] *que el papel le mordiesen cultamente.* Para la inteligencia de los últimos cuatro versos de esta estrofa, véase Ribadeneira, *op. cit.,* p. 77.

[51] *breve epigrama le ocupó devoto.* Parece ser un caso de *le* por *les* (*les* ocupó a las cortezas). Vide nota 43, libro I.

[52] *Ticios las naves dos de pino.* A este verso anotó el doctor Méndez Plancarte: "Tityos o Ticio, gigante hijo de Júpiter y la Tierra, fulminado por Apolo por haber

solicitado a Latona, y al que, en el Hades, un buitre le devora perpetuamente el hígado".

[53] *bronces peinado.* Hemos corregido el original "peinando", como lo exigen la rima y el sentido, ya que es ésta una construcción muy común en Góngora y sus imitadores.

LIBRO CUARTO

Sus estudios y perfecciones en ellos

CANTO PRIMERO

Da principio a sus estudios de latinidad en Barcelona; apaléanle unos mancebos divertidos, porque ampara la virtud; y Dios le honra, resucitando por sus oraciones un difunto.

I

Alta resolución (digna de cuanto
calzó coturno heroico docta pluma;
digna que el mar, en su cerúleo manto,
gaste en ararla, cuanta argenta espuma;
digna que el alba, cuanto escarcha llanto,
en escribirlo, en flor y flor, consuma),
lo indujo a que estudiando, Colón fuese
que un Nuevo Mundo literario abriese.

II

Esta, pues, desató de las colunas
con que Minerva el literario enfrena
piélago, reales naves que, oportunas,
difícil siempre han inculcado arena:
breves hasta su tiempo fueron cunas,
que al mar fiaron recatada entena,
las plumas que, por nueva hoy ya derrota,
mucha desatan literaria flota.

III

A este Colón se debe el no inculcado
pïélago hasta allí de antigua pluma,
de tanto allí cañón divino arado,
de tanta hoy docta encanecido espuma.
¿Qué Indias no ha Minerva penetrado
en tanta de altas naos alada suma? [1]
¿Y en qué volumen no agregó tesoro
de letras de diamante en hojas de oro?

IV

¿Qué zona en la Escritura, su estudiosa,
su infatigable entena no halló pía?
¿Qué escollos no venció en la tormentosa,
en la siempre agitada Teología?
¿Qué bocina, que trópico, que osa,
su magnitud de su compás no fía?
¿Qué tropo ya no viste nuevas flores?
¿Qué oratoria no halló nuevos primores?

V

Alto ingenio el de Ignacio, no versado
en magistral escuela, en casi siete
lustros que a la esclavina le ha gastado
o el militar ceñido capacete,
el prolijo abarcó primero arado,
donde al inculto césped le comete
gramático cultor el suelo estrecho
que de otras ciencias es fecundo lecho.

VI

A buscarle aprendió la coyuntura
al nombre, que partido en convenientes
casos, declinación le alterna dura
en cada artejo letras diferentes;
aqueste nombre con esotro mura,
ajustando biformes las dos frentes;
que articulada hiedra el uno, abraza
al olmo literal en que se engarza.

VII

A la vocal del verbo arguta lira,
que en consonantes cuerdas se divide
y varias voces compulsada inspira,
ardua conjugación los tiempos pide:
la oración, que retrógrada se gira,
ya recta exorna, ya refleja mide,
cuando al nombre y al verbo da, prolijo,
legítima ascendencia y propio hijo.

VIII

Ya a la sílaba grillos calza grave,
y al acento le viste plumas leve,
y en metro eslabonándolo süave,
en numerosos pies sus ritmos mueve:
ábrele al tropo con dorada llave
la puerta el progimnasma [2], que lo lleve
a la armería donde Tulio ardiente
a su lengua ciñó espada elocuente.

IX

A aquestas, pues, auroras literarias
previas al sol de ciencias más lustrosas,
risueñas flores, tributaban parias
de Ignacio las vigilias estudiosas:
mientras süaves, cuando más cosarias,
juventudes del pueblo licenciosas,
de un claustro eran de vírgenes sagradas,
lascivas moscas, cuando no pesadas.

X

De esta colmena, pues, no ya murada
de corchos, sí de mármoles, adonde,
no susurrante, no, no abeja alada,
enjambre sí de ángeles se esconde,
aquí de miel, de cera fabricada
la aceda más, la dura más, responde
al festejo del joven livïano,
con la voz, con el rostro, con la mano.

XI

Sirenas adulaban el oído,
alma canora dando al instrumento
que, de oculares dedos impelido,
tósigo al alma fue, néctar al viento:
en cada voz Orfeo repetido,
reproducido Anfión en cada acento,
no hay alma que no roben, entre tanto
que armoniosa es ganzúa el dulce canto.

XII

Tamaña liviandad, duro gusano,
araba el pecho de Loyola ardiente,
y al joven oponiéndose liviano,
no poco le imprimía acedo diente;
al religioso, ya claustro profano,
riguroso le afea suavemente,
que ilibado el pudor de tanta rosa
se deja ajar de mano irreligiosa.

XIII

"¿Cómo (les dice), en tanta flor, Cupido,
abeja así solicitó, lasciva,
en el arpón que le dejó embebido,
secar la pompa del candor que liba
al lilio casto Cristo, que ofendido,
de vuestro huerto su deidad esquiva,
pues su mano no elige flor alguna
que del áspid de amor fue breve cuna?

XIV

"¿Que lo que el cónsul y el plebeyo sabe
de vuestra liviandad, no ya os confunda?
¿Que en el virgíneo cuello, el yugo grave
de inmundo anude amor la mano inmunda,
y de él desate aquella tan süave
que vuestro esposo os coligó coyunda,
y siembre el cardo y la dentada ortiga
donde el lilio nació, donde la espiga?

XV

"¿Que un lobo rija, y otro lobo fiero,
un pueblo de corderas tan lucido,
de quien dulce pastor ya fue primero
fatigado Jesús, Jesús herido;
que haciendo de su pecho abrevadero
(redil un tiempo el claustro recogido),
o vistieron armiño sus amores,
bebisteis néctar y pacisteis flores?

XVI

"Pueblo de cisnes en el sacro coro,
os atendió envidioso, o compitiente,
aqueste serafín y aquel canoro;
enjambre os emuló, menos luciente,
melifluo menos, menos ya sonoro,
el de la abeja imperio floreciente.
¡Pudor jubile noble, hidalga pena,
cuello virgíneo, de tan vil cadena!".

XVII

Armas jugó de Tulio, tan valiente,
que rompiendo aun el yugo de diamante,
rubor cubrió feliz la blanca frente,
o de la amada más o más amante:
al virgíneo botón, pompa luciente,
la rosa complicó más arrogante;
y murado de espinas, santo enojo,
llamado rosicler, respondió abrojo.

XVIII

O lamer o adular el can risueño
el esplendor pretende de la rosa,
y el que seno fue antes halagüeño
esfera se complica ya espinosa;
armóse erizo el más afable ceño,
y la lengua ensangrienta cariñosa
que grata lo aduló, y el sentimiento
el segundo le enfrena atrevimiento.

XIX

Menos canicular rabioso insulto
la inmunidad de su señor profana
cuando, enconosa harpía, el mesmo vulto
que halagüeña aduló, muerde inhumana;
que contra Ignacio conjuró el tumulto
del colega estudioso rabia insana,
contra quien aculeando el duro diente,
en cada lengua acicaló un serpiente.

XX

De los torosos miembros de una encina
la insana juventud el brazo armado,
en la calle a la casa convecina
de este de Cristo celador sagrado,
del secreto revés de oculta esquina
cual insidioso áspid abrigado,
improviso lo asalta, e impaciente
fulmina a Ignacio el anudado diente.

XXI

Débil, el golpe lo embebió primero
entre las piedras de la calle oculta;
de aquél eleva, y de éste el brazo fiero
lo despeña la cólera inconsulta;
y alternando los golpes el madero,
el aire implica el asta que resulta:
rayo es atroz la mano menos fiera,
a quien los huesos son yunque de cera.

XXII

Yace, no de otra suerte ya Loyola,
fulminado de golpe de atroz mano,
que oprimida del agua la amapola
en los bárbaros céspedes del llano,
cuando, rompiendo nubes, la vïola
nimboso el Orïón, el Euro insano,
y en el plebeyo sulco infausta sella
la que del campo fue purpúrea estrella.

XXIII

El que ya fue, de pedernal torcido,
caduco miembro en una encina añosa,
como junco de vidrio sacudido
de la segur del Austro tormentosa,
en una y otra astilla definido
en la palestra yace polvorosa,
donde justó desnuda la inocencia
con la armada de leños inclemencia.

XXIV

Conculcada del pie descortésmente
la boca, que su injuria a Dios relata,
en labio y labio mudo, en diente y diente,
un arroyo purpúreo se dilata:
cual, lacrimoso, en una y otra fuente
comprimido el racimo se desata,
que en el pámpano fue más soñoliento
Argos sembrado de pupilas ciento.

XXV

Muerto lo califican, y a la fuga
del delito cometen el secreto,
cuando, a acusar su culpa, Argos madruga
de la conciencia el ocular decreto:
mal el livor el pedernal le enjuga,
poco le adula el delincuente abeto,
mientras la gente concurriendo pía,
de un pobre lecho sus rüinas fía.

XXVI

De escorpiones de acero la crüenta
quirurgia armada, se agregó a la cura,
y en un lince de plata, en una tienta [3],
del hueso allá el secreto ver procura;
no pocos días la piedad fomenta
de venda medical la ruina dura;
selló sus llagas Dios, y él sella el labio
al escrutinio de tan crudo agravio.

XXVII

Desganado de sí un mancebo ardiente,
y empalagado de su misma vida,
la miraba con ceños impaciente,
de contrarias fortunas impelida:
no cupo en sí, ni en ella, el indulgente
halago con que vive al cuerpo unida;
almadeóse del alma, y cada día
arcadas en su cuerpo repetía.

XXVIII

Lejos de sí, del pueblo retraído,
mal hablado a su pecho, en quien no cabe,
a la muerte intentaba fementido
falsear la dura, la secreta llave:
menos, del dardo que sintió embebido,
sacudirse el corcillo alado sabe
por más que el campo arrebatado vuele,
que él de la enferma vida, que le duele.

XXIX

El cuello a un lazo le complica crudo,
que en sus roscas de cáñamo lo oprime,
y de la fe creyéndose de un nudo
y de un robre fiándose sublime,
obstinado se impele, y pende mudo
(cuando su miembros más feroz esgrime)
Ícaro audaz, que en vuelo dio violento
sus rüinas al piélago del viento.

XXX

Acusó su despecho, estremecido
el robre; y al cordel eslabonado
(que Alcides es, de cáñamo torcido,
de Anteón en los aires elevado [4])
cede el vivir del mozo aborrecido;
y el pueblo, el espectáculo agregado,
admira el joven, no sin sentimiento,
girándose en aquel lecho de viento.

XXXI

Vio a la muerte que, ociosa, en su heredero
(si ella muriera ya, si ella engendrara),
por guadaña de más precito acero
el corvo acero suyo jubilara:
con quien, por pertinaz y por severo,
nuevos mundos de vidas conquistara,
cuando, en los filos de tan cruda saña,
el filo está sacando a su guadaña.

XXXII

La admiración, de mármoles vestida,
en el joven miraba, no maduro,
un trágico cometa de la vida
vibrado fatalmente al aire obscuro.
Lacrimosa asistía, y condolida,
la piedad de Loyola al caso duro;
y vibrando al cordel piadoso acero,
el suelo oprime aquel cadáver fiero.

XXXIII

Descogió su piedad la vital hiedra,
del Elíseo fervor émula ardiente,
y al tronco se implicó de yerta piedra,
ajustado con él del pie a la frente.
En cuantas voces logra, en cuantos medra
clamores santos su oración ferviente,
invisibles da nudos a la vida
de aquel risco de carne desunida.

XXXIV

Cada voz es imán articulada
que el alma llama a aquel cadáver feo;
tïorba cada acento es acordada,
de aqueste herida soberano Orfeo:
que, una Circe a las cuerdas vinculada,
hollando furias, entra su trofeo
a robar al infierno [5], donde impuro
el Cerbero, a su voz, fue mármol duro.

XXXV

Con éxtasis de risco le entorpece
la siempre hiante tripartida boca,
(y el huelgo empedernido) el vulto ofrece
de un Scila mudo, en más pasmada roca;
la rueda a Ixión sus giros endurece;
precipitado Sísifo no toca
el suelo: que en el aire suspendido,
le ató a su pena letargioso olvido.

XXXVI

La mano, entre las víboras ardientes
que peinaban las furias desgreñadas,
se ató con ellas, y las más pendientes
al aire se prendieron anudadas;
pasmáronse las siempre sueltas fuentes
en las infaustamente urnas quebradas;
el buitre olvidó a Ticio: que al infierno,
entredicho Loyola intimó eterno.

XXXVII

En las puertas rompió, y en las cadenas,
chapas de acero, nudos de diamante;
y al alma revocada de sus penas,
vegetable la indujo, y trïunfante,
a que segunda vez nade en las venas
y el cadáver informe. El repugnante
coro de Parcas, contra el duro estilo,
a la vida anudó el rompido hilo.

XXXVIII

A sus culpas, el joven fortunado
al teatro llamó de la memoria;
y habiendo el llanto en él representado
de su trágica vida larga historia,
de indulto ya sacramental lavado,
en el seno durmió de la victoria
que a Ignacio concedió deidad benigna,
digna del mármol, y del bronce digna.

XXXIX

¡Oh Ignacio, tú que así, fiscal severo,
las de la muerte imperas monarquías:
exención te jubila de su acero;
salamandra, te exime de los días!
¡Oh, ya te observe Dios al día postrero,
para clarín que las cenizas frías
de las urnas compulse, pues tu aliento
a los muertos infunde sentimiento!

XL

¡Oh, ya tu grito usurpe soberano
sobre el cachorro, la leona, muerto;
de tu lengua el halago infunda humano
la osa al embrïón, que informa incierto;
tu boca calce al pico el pelicano
sobre el polluelo, que ensangrienta yerto;
y en la ceniza en que renace nueva,
un huelgo de tu voz el Fénix beba!

CANTO SEGUNDO

Estudios, persecuciones y cárceles que ejercitó y padeció en Alcalá.

XLI

En el latino idioma ya instruido,
perdonó a Barcelona: que movía
sagrado impulso a Ignacio, al escondido,
al noble estudio de filosofía.
Peregrino lo ardió Febo encendido,
nevólo peregrino Febe fría;
y calzado su pie leves talares,
las arenas holló del docto Henares.

XLII

Aquel taller pisó, aquella oficina
de Palas, donde ya culto gusano
el cándido capullo le destina
al teólogo; el flavo, al siempre humano
médico; y el cerúleo le ilumina
al físico; purpúreo, al soberano
legista; y al dosel y al templo arroga
sacra la mitra, judicial la toga.

XLIII

Aquella a quien concurre, de la Europa,
de mucha noble juventud lozana
esta y aquella codiciosa tropa,
como a colmena, no de corcha vana
que al aljófar que llora en copa y copa
de las caducas flores la mañana,
atesora; de olivos sí, lucientes,
cuyos panales son luz de las gentes.

XLIV

Donde escamada de oro, armada de alas
de culta abeja conductora alada,
emperatriz de las escuelas, Palas,
sin aguijón preside, y sin espada;
donde la que frecuenta doctas salas
juventud, liba ambrosia desatada
en vocales aljófares que irrora
del labio magistral, laureada aurora.

XLV

Estudioso a las leyes se conforma
del revuelto a su medio silogismo,
serpiente literal, que al genio informa,
que en la espira se tuerza de sí mismo;
al hilo consiguiente de la forma
(que un laberinto ciego, que un abismo
de implicadas cuestiones desanuda),
tenaz incumbe, diligente suda.

XLVI

Penetra la dialéctica escabrosa,
de su incansable estudio la porfía:
del aliento mayor, cima fragosa,
si del ingenio culta ya armonía;
do operación triforme litigiosa
propios, si desiguales, actos fía,
que ventile la cátedra al conceto,
que las pretende su mental objeto [6].

XLVII

Físico, partes del compuesto ausculta,
y aquella, que es común hospedería
de cuanta forma corporal se abulta,
materia prima, ve que la varía
actüante la forma [7]; y que resulta
en un compuesto, en que la unión lo fía
existente; y corrupto, aún ella existe
pues de otra forma, camaleón, se viste.

XLVIII

De aquesta cetrería literaria
pendiente Ignacio vive; mas no tanto
que, del alma dulcísima cosaria,
el pecho todo le robase santo:
su alterna lengua, dulcemente varia,
al dilema la voz, al salmo el canto
daba en los libros; que eran, en sus ojos,
el sacro rosas y el profano abrojos.

XLIX

Tres agregó su amor comilitones,
de su espíritu Clicies enfrenadas,
de su manto Eliseos, que blasones
erigen suyos pompas despreciadas:
sayal los viste pobre, y da pregones
en las clases el traje, conjuradas
al escarnio, que vibra en cada aliento
un Momo armado de convicios ciento.

L

Al claustro ofende el traje acedamente,
su celo al vicio acíbar le desata;
aquél los mira con rugosa frente
y religioso esotro los maltrata;
salsa se sazonó, al rabioso diente,
de esta y aquella monacal beata
inconstante ridículo destino,
que al báculo se vota peregrino.

LI

Lucrecias eran dos, que retraídas
de populares ojos, dos rincones
teatros eran de sus santas vidas,
si ya de su virtud eran blasones:
de mudables impulsos compelidas,
varias intentan peragrar regiones,
hollando el dubio pie polvos extraños,
con secreta esclavina, largos años.

XLIX, 1: IV *Reg.*, c. 2. v. 13.

LII

Oráculo su labio constituye
de aqueste impulso a Igancio, que el destino
divierte, cuerdo, si eficaz arguye
al sexo flaco el voto peregrino:
áspid precito, cada cuál lo huye,
y al votado entregándose camino,
mucho en el vulgo se excitó tumulto,
que el hecho a Ignacio atribuyó inconsulto.

LIII

Agrio jüez, a Ignacio le comete
que, en los del crimen vínculos más graves,
el seno anime inmundo de arduo brete
debajo del seguro de dos llaves:
infame robre al pie le dio tapete,
Argos sembrado de ojos no süaves;
y serpiente, eslabones escamado,
se implicó tortüoso al pie sagrado.

LIV

Pulvinar se mulló la infame piedra
a este segundo Pablo, que afligido
méritos altos logra, afectos medra,
escollo de diamante, convestido
de aquella, si tenaz, sonante hiedra:
y en púlpito su cepo convertido,
reduce a Cristo cuanto al hierro gime
delincuente forzado, que lo oprime.

LV

Aquel bajel de luz, el paño echado
de cuantos rayos teje su ardimiento,
el ancla en el oriente había zarpado,
y el cerúleo sulcando firmamento
en el escollo de oro más calado
de aqueste mi occidente, el movimiento,
ancorado feliz veces cuarenta,
y aún Loyola vivía de su afrenta.

LVI

Indulto superior las peregrinas
redujo pío a sus antiguos lares,
y las sospechas de Loyola indinas,
desatadas en humo vio el Henares.
Aclamaciones atendió divinas
quien tantos ya rompió túrgidos mares:
repitióse a la clase; y duro imperio,
que el traje mude le ha intimado serio.

LVII

Que escolástica beca vista luego,
y que el común estilo en todo siga,
sin darle qué roer al vulgo ciego,
indulgente el jüez a Ignacio obliga.
A las piedades solicita el ruego
obediente la inopia, y ya mendiga,
humildemente en cada mano dura
breve al dinero muerde limadura.

LVIII

Poca palestra a mucho vulgo era
la plaza, en quien al golpe de la pala,
breve de viento compelida esfera,
al pensamiento más veloz se iguala:
tarda con ella el águila perdiera
en una fulminada y otra ala;
pues hurtada la vista, al aire frío
pagan los ojos casa de vacío.

LIX

De esta herida bien, mejor de aquella
alterna pala al viento compulsada,
plumado, en cada impulso una centella,
violento sacre fue de quien rizada
se teme garza la mejor estrella,
de violentos crujidos azorada,
cuando no fijo, no, en su firmamento
instable fue zodíaco del viento.

LX

Despeñada a la tierra, que no oprime,
resulta al aire y en las nubes toca
tan veloz, que se duda que la anime
en cada arena, de Aquilón la boca;
menos el agua se impelió sublime
por la canal de taladrada roca
desde el escollo al aire, que las palas
violentamente alternas le dan alas.

LXI

Menos corcillo volador revuelve [8]
al mismo que huyó, lebrel dentado,
al tiempo que contrario otro se absuelve
de la laja en que late complicado [9];
y en este riesgo y en aquel se envuelve,
herido en uno, en otro ensangrentado,
y apelando de aquesta a la otra parte,
a un tiempo en ambas sus despojos parte.

LXII

Trocando puestos, chazas refiriendo [10],
los más felices golpes numerando,
los ya bebidos polvos escupiendo,
los sudores ansiosos enjugando
y los picados huelgos reprimiendo,
el uno trïunfó del otro bando;
y en dobla y dobla, sella augusto cuño
las palmas, que manchó el viscoso puño.

LXIII

A corifeo del triunfante juego,
que erario avaro de las doblas era,
le pide Ignacio, con humilde ruego,
del reportado precio breve esfera.
Miróle torvo; y de coraje ciego:
(dijo), si aqueste hipócrita malvado
"¡En vivas llamas abrasado muera
no merece de fuego ser quemado!".

LXIV

La admiración, en el concurso mudo,
en las venas derrama un hielo incierto:
vestido un risco, el estupor no pudo
arquear las cejas, cuando al labio yerto
el pasmo le apretaba un torpe nudo;
vivo, con cada cual, fuera el más muerto
pedernal, pues blasfemia tan severa
fuentes atara, riscos deshiciera.

LXV

Un imperio vestido en cada pluma,
un mundo en ala y ala complicando,
hollando de ambos piélagos la espuma
y en sus ojos los dos polos girando,
garzón nació real, de augusto Numa [11],
el Segundo Filipo, que estrechando
el piélago y el orbe, a su fortuna
nido fue el uno, el otro fue laguna.

LXVI

Fiel del Henares el medido estilo,
líquido su raudal, sarmiento apenas,
vid cristalina ya, desde su usilo [12]
en pámpanos undosos las arenas
escondía, arrogándose del Nilo
más que de espumas, de soberbia llenas
las olas, cuando, en su canal profundo,
el natal de Filipo oyó Segundo.

LXVII

El cielo, pues, que Polifemo al día
la blasfemia atendió del fementido
joven, en cuantos astros descogía
un Argos desataba esclarecido,
para que viese castigar la impía
procaz audacia, en término ceñido:
que a vengar de Loyola los enojos,
brotan los cielos vengativos ojos.

LXVIII

Festejosa Alcalá, nocturnos soles
descogía en los techos eminentes,
que en diademas de ardientes arreboles
muchas ceñían almenadas frentes;
y en concurso apiñado de faroles
(granos purpúreos no, sino lucientes),
la torre de luceros coronada
luminosa Alcalá, la hacía Granada.

LXIX

Este en aquel clarín sonoro topa,
y bebiéndole al aire sus alientos,
en la canora les propinan copa
armoniosas ambrosias a los vientos:
bríndase aquesta con aquella tropa,
dícense la salud los instrumentos;
y tantas bebe, cada cual, auroras,
que al aire inundan crápulas canoras.

LXX

Tela es el aire, donde justan luego,
por el palenque de una cuerda lisa,
este y aquel mantenedor de fuego
que sus distancias encendido pisa:
aquéste corre alado, esotro ciego;
y en cuanta lanza quiebran improvisa,
resultando en astillas las centellas,
al aire firmamento hacen de estrellas.

LXXI

En poco espacio, voladora llama
una Libia en el viento induce ardiente,
en que de mucha luminosa escama
este y aquel se dilató serpiente,
que en la cola, en que agita breve rama,
que en la boca, en que vibra rojo diente,
en nube y nube se apretó, y en ellas
la piel depone, que vistió, de estrellas.

LXXII

Restallan de alquitrán constelaciones
en uno y otro comprimido trueno;
zodíacos las ruedas, de escorpiones
que químico acicalan su veneno:
en violentas girándose impulsiones,
rompen al hilo el complicado freno;
y barajado el luminoso coche,
Faetontes de humo despidió la noche.

LXXIII

Azoran la región iluminada
torrentes de cometas donde en vano
la red tiende de sombras atezada
la mustia noche con escura mano;
palma es de luz, la torre coronada;
cedro de fuego, el techo más enano,
cuyas copas embiste el vuelo ciego
de cuanto cruza, pájaro de fuego.

LXXIV

Trágico cuervo, a quien la pluma obscura
mucho compuso grano salitroso,
graznando infausto al techo se apresura
del blasfemo mancebo, que injurioso
la lengua contra Ignacio esgrimió dura;
y desatado en humo presagioso,
el pico hambriento de favila breve
en un cadáver de alquitrán embebe.

LXXV

Alma le infunde luminosa, luego,
Prometeo funeral, a la dormida
pólvora, que vistió miembros de fuego
y, en su misma violencia estremecida,
miembro a miembro midiendo el aire ciego,
desata luces su fogosa vida;
y creciendo gigante en breve estrecho,
vuela su frente al encontrado techo.

LXXVI

Borró de las paredes el brocado,
los milagros violó de los pinceles:
de milanés prolijo aquel, cuidado;
desvelo, estotros, del divino Apeles.
El oro ya en el humo zozobrado,
náufragos en el fuego los doseles,
nadando están, en el conflicto sumo,
olas de fuego en piélagos de humo.

LXXVII

Menor tragedia indujo el leño griego
en la que aún hoy vahea desatada
en sangrienta ceniza, en tibio fuego,
Troya, que en la del cielo fulminada
casa del joven, que conoce ciego
su blasfemia a su vida trasladada:
Babilonias la lama induce atroces,
mezclando lenguas más que el pueblo voces.

LXXVIII

No hay presea vedada a la hambrïenta
gula del fuego, que si no comida [13],
lamida al menos, su rigor no sienta;
aun con los bronces ya descomedida
unos digiere, en otros se apacienta,
y pertinaz, en la pared ardida,
vence embriagada al mármol, que valiente
a un siglo y otro le embotaba el diente.

LXXIX

Negro las plumas, trágico el aliento,
brasas afila, llamas acicala
en la hoguera fatal sañudo el viento,
al impulso violento de ala y ala:
de los robres se queja el sufrimiento,
restalla el haya que el incendio tala;
y el sagrado metal, gimiendo tierno,
a ver convoca un cuadro del infierno.

LXXX

En este, pues, sulfúreo Mongibelo,
el joven, fulminada mariposa,
uno repite y otro incierto vuelo,
de su propia rüina codiciosa:
y de impulso fatal, de ciego anhelo
arrebatado Faetonte, osa
conducir en la llama aquella vida
que en pavesas vio el pueblo definida.

LXXXI

A la muerte, que nunca desganada
el diente a nuestras vidas le comete [14],
mostaza en alquitrán fue confitada
la pólvora, que dulce ya sainete,
aquella hambre le picó, insaciada,
con que el blasfemo joven acomete;
y tascando sus miembros en su boca
a las urnas les dio migaja poca.

LXXXII

Túmulo tanto, tan funesta pira
a este erigió Faetón su arrojamiento,
que, en cuantas llamas contra sí conspira
su nefando procaz atrevimiento,
trágico cada mármol lo suspira
de cuantos lame aún hoy lúgubre el viento,
inscribiendo epitafio que, severo,
halle vocal aun el clarín postrero.

LXXXIII

Al corazón de Ignacio el caso toca
y lo muerde eficaz agrio gusano,
desatando suspiros en su boca
la tragedia fatal, que lloró humano.
Menos, movido el piélago a la roca,
el Euro menos al invierno cano
comete montes, desenlaza alientos,
que el caso a Ignacio lima sentimientos.

LXXXIV

Más que el incendio lenguas discrimina
en la pira del joven fulminado,
conmovida Alcalá de la rüina,
panégiris a Ignacio ha consagrado:
a Ignacio que atribuye cruda espina
al labio en sus honores desatado;
que su modestia pisa con los ojos,
en sus aplausos, rígidos abrojos.

CANTO TERCERO

Estudios, persecuciones y cadenas en Salamanca; y por seguir el divino impulso que le llamaba, se parte a París.

LXXXV

Sordo al encomio se selló el oído
que esponja fue sedienta al vituperio,
y de Alcalá se ausenta, conocido,
al extraño del Tormes hemisferio:
al Tormes, que de ciencias dulce nido,
si no de doctos cisnes claro imperio [15],
a cuanto, o canta dulce, o dulce espira,
es su corriente, numerosa lira.

LXXXVI

Al Tormes, que si no torno torcido,
telar undoso es, que a docta mano
mucho ministra hilo esclarecido,
mucho teje capullo soberano,
con que estudios laureados ha vestido
con lo que a tanto desnudó gusano;
pues sólo para dar seda a su adorno,
se alimenta el moral y gime el torno.

LXXXVII

Al Tormes, que en los mármoles que lava
no a Palas baña su marcial escudo;
sí en clase besa y clase [16], docta aljaba
que ilustrándolo el hombro no desnudo,
de literarios dardos se lo agrava;
y desde el culto hispano al indio rudo,
docta los flecha en cuanto estrado aboga,
de la mitra ilustrado, y de la toga.

LXXXVIII

En este, pues, teatro literario,
mucho aplauso excitó, sacro estudiante;
y siempre de los vicios adversario,
convistió su constancia del diamante.
¡Oh cuánto muerde, áspid, el cosario
diente invidioso que admiró constante
discípulo en la clase, a quien admira
apostólica el pueblo dulce lira!

LXXXIX

En torva noche, en cielo no sereno,
vibrando luz crinita en diente y diente
(relámpago la escama, el silbo trueno),
menos ruidoso, menos ya luciente,
de la nube rompió el materno seno
naciendo el rayo, súbito serpiente,
y a la vista y oreja dio, medrosa,
venenado fulgor, luz ponzoñosa.

XC

De ignorante en las ciencias acusado,
de temerario en el decir mordido,
con negro notan pedernal dentado
el dogma en su doctrina esclarecido,
y al calabozo más descomulgado,
de un áspid criminoso conducido,
vive a los hierros, vive del conflicto
en aquella Tebaida del delito.

XCI

Bisagra un duro grillo abrazadora,
une el sagrado pie siempre inocente,
con el de un joven, que la cárcel mora
por secuaz de Loyola, por valiente
arnés de su doctrina, mordedora
del vicio en las escuelas indulgente:
tan cruda, tan tenaz, que menos fiera
víbora, al pie revuelta, los mordiera.

XCII

En aquel para Ignacio tan süave
delincuente vergel en que sedienta
de injurias, su virtud, abeja sabe
dulce ambrosia libar de amarga afrenta,
rosa de acero dulce el grillo grave,
cuando el crüor sagrado la ensangrienta,
aljófar le propina, aljófar rojo,
en la copa agotada del abrojo.

XCIII

En cada flor de las que liba grata
en los purpúreos dulces eslabones,
no la propia, la ajena injuria ata
una Libia crüenta de escorpiones,
que en cada boca a Ignacio le desata
un carcaj venenoso de harpones,
que al piadoso dolor beben, sedientos,
sangre del alma en mudos sentimientos.

XCIV

Clarín su pecho es, que más herido,
más ladinos, más altos da clamores,
y a sus voces el pueblo conducido,
contra el vicio atendió gritos mayores:
en la alcándora ve, de un grillo unido,
dos sagrados, dos dulces ruiseñores,
que presos, en divinas redes prenden
a cuantas almas a su voz atienden.

XCV

Entona dulce aquél, dulce responde
esotro, que süave se lastima;
muchos Orfeos cada pecho esconde,
muchos Anfiones cada voz anima,
y a delfines convoca aquéste, donde
riscos desate aquél, y aguas comprima:
que en la voz más dormida de su aliento,
no fueran ambos aun pequeño acento.

XCVI

Cerró la noche el párpado lucido
del claro cielo con obscuro ceño,
y pupila luciente, el sol dormido
en las sombras mulló lecho halagüeño:
y en veinte y dos desvelos sacudido,
depone el cielo el pegajoso sueño;
y al lado de su injuria, la inocencia
la duerme, y la recuerda la paciencia.

XCVII

A otros dos consodales, menos cruda
en la cárcel común, prisión oprime,
al tiempo que la noche induce muda
a mucho preso, que sus hierros lime:
éste, de su cadena se desnuda;
aquél, del duro grillo se redime;
sordo royó gusano duras hiedras,
mudo diente royó rebeldes piedras.

XCVIII

Calzó silencio el grillo más parlero,
vistió sueño la esposa más despierta,
giróse mudo el más locuaz madero,
la más vocal cadena calló yerta:
o bien adunco o mal torcido acero
la dura profanó ilibada puerta:
durmió pesado, o ya se giró lento,
Argos armado, el cepo, de ojos ciento.

XCIX

Desatado en letargos vino, pudo
tullirle el sueño a la dormida guarda,
las orejas atarle a un mármol rudo,
y una piedra a los pies calzarle tarda.
Un preso y otro, cuyo paso mudo
aun del Céfiro blando se acobarda,
bebiendo sombras, enfrenando alientos,
no pisan tierra, por pisar los vientos.

C

Aun rogados, los jóvenes no huyen;
aun de esotros resisten impelidos,
cuando infames sus ánimos arguyen.
Huyeron todos; y ellos, no impedidos,
al brete su inocencia restituyen,
e imanes de sus hierros convestidos,
la cárcel guardan, porque su paciencia
al sagrado apeló de su inocencia.

CI

Hirió el sol las cadenas quebrantadas
y las guardas, del vino comprimidas,
no topaban sus ojos, avisadas,
ni sus plantas hallaban, impedidas:
las puertas ven del hierro profanadas,
las prisiones admiran mal mordidas
de lima sorda; y en la cárcel sola,
solos los dos secuaces de Loyola.

CII

Esta heroica constancia, aqueste augusto
desprecio de la fuga, aguda espuela
al juez se le intimó, que ya con gusto
en ver la causa de Loyola vuela.
El impuesto delito inculcó, injusto,
a su limpia virtud judicial tela,
donde mantuvo con paciencia muda,
contra armado rigor verdad desnuda.

CIII

O ya esconderse humilde a mucha estima [17]
que el mucho ultraje le granjeó, pasado,
o del cielo impelido, que lo anima,
su pie condujo, siempre fortunado,
a aquel imperio cuyo honor sublima
un lilio que, de pueblos coronado,
hojas sus rayos ve, donde lucientes
liban enjambres de infinitas gentes.

CIV

Era del año la estación algente
en que, travieso el pie, rígido el pelo,
adunco el cuerno, si lascivo el diente,
en la vid del Zodíaco, que el cielo
en mucho ciñe pámpano luciente
astros el Capro pace, cuando el hielo
que el pie le muerde a Ignacio peregrino,
el carácter le niega del camino.

CV

Cuando en potro del Ábrego torcía,
verdugo inexorable el duro invierno,
las cuerdas que comprime, el corto día
que gime amargo, que se queja tierno;
cuando del Austro desatado fía,
en las preñadas nubes, el gobierno
de imperios de procelas conjurados
y de pueblos de rayos rebelados.

CVI

Hollaba Ignacio acicalada nieve
que su planta hería, cuando el cielo,
lo que de día en su cabeza llueve,
de noche escarcha de obstinado hielo:
tardo en tullidos ríos el pie mueve;
montes de nieve escala, a quien el vuelo
(si coronar quisiese su alta cumbre)
con prolija venciera pesadumbre.

CVII

Del tormentoso Ábrego sañudo
que dentado de hielo lo mordía,
huyendo Ignacio, se conduce al rudo
albergue que en un valle se escondía,
cuyo humo, espaciosamente mudo,
desatado en el turbio helado día,
del peregrino fue conductor faro,
aun a pesar de sus tiniebelas claro [18].

CVIII

No tan airoso nace, tan ameno,
el voluble juguete de la pluma
(a quien este mi patrio Magdaleno
oro a la cuna, al nido le da espuma),
del de la parda garza blando seno [19]
en una y otra inquieta negra suma,
cuando, o lo juega el blando movimiento,
o lo retoza lisonjero el viento.

CIX

Fatigado llegó; y el vigilante
can, copioso de lanas, dulcemente
rémora al peregrino fue latrante,
audaz las voces, recatado el diente.
Anciano labrador, al caminante,
que a su albergue perdone no consiente,
sin que su mesa y el hogar templado
a París le remitan obligado.

CX

Coronan el hogar, que lisonjero
cadahalso es de fuego, en quien la llama,
si acicalado no, cuchillo es fiero
de la de olivo hidalga gruesa rama:
cuyo filo, ya blando, ya severo,
tanta caliente sangre les derrama,
cuantos desata en ascuas encendidas
livores rojos y purpúreas vidas.

CXI

Con sordas dilaciones lo divierte,
mientras su hija, Parca ya secreta
(si tan bello disfraz vistió la muerte),
en un cuchillo vibra una saeta
a un cabritillo que, en sus manos, vierte
de espumoso rubí mucho cometa
en poca sangre, que perdió con ella
en labio y labio de su boca bella.

CXII

Lúbrico menos se caló el serpiente
del ruiseñor en el secreto nido
e implumes prendas degolló inclemente,
que ella a las prendas que abrigó Cupido
de columbinos pollos, en la frente
del olmo entre las chozas escondido:
que de esta Venus, en felices días,
vincularse querían raudas pías.

CXIII

De el jabalí que, en el vecino cerro,
de su venablo trágica rüina
y peste fue fatal del suelto perro,
en purpurados hilos la cecina
al fuego gira sobre agudo hierro,
al pichón y al cabrito convecina,
que lamidos del fuego, ya dorados,
embarazan los fresnos mal cavados.

CXIV

El can mordaz de huerto floreciente,
el ajo, que la carne mordió activo,
el uno quebró en ella y otro diente,
rabioso al paladar, mas no nocivo;
la leche, que en su mano transparente,
dulcemente alabastro fugitivo,
por imitarla suavemente dura,
flüida densó al fuego su blancura.

CXV

Cándido lino, y por su mano bella
ya oprimido en la tela, ya lavado,
agrestes pinos en la mesa sella:
donde el virgíneo descogió cuidado,
si de cardada nieve no una pella,
crespo volumen sí de hielo hilado;
tendiólo, y menos cándido en la espuma
el blanco cisne desplegó su pluma.

CXVI

Sirvió, modesta, rústica comida,
en la que ya tejió prolija tela,
con pudor más purpúreo que escondida
la virgen rosa, del carmín que cela
la pompa de sus hojas encogida,
al botón las pestañas le cairela,
antes que el alba el párpado descoja
y una pupila y otra le abra roja.

CXVII

De cisnes de cristal ceñido el pecho
y su pelo en aljófar anegado,
no lejos mucho del pajizo techo,
potro de vidrio corre desatado
un arroyuelo, que en fragoso trecho
espumas labra en cuantas le han atado
guijas la boca; y cuanta gota suda,
a la mesa propina en copa ruda.

CXVIII

En su cárcel cerrada el avellana,
sordo ya cascabel, rodó en la mesa;
arrugada la nuez, antes que cana,
en laberintos dio su carne presa;
el atezado higo a quien lozana
su Etiopía ya fue la higuera gruesa,
corrugado el mantel tiznaba bello,
formando de las pasas su cabello.

CXIX

El pesado melón, a quien enjuga
sangre de néctar ya, paja dorada;
la pasa complicada en mucha ruga,
cadáver de la uva preservada;
y abierta la real dulce pechuga,
pelicano de frutas, la granada,
que de mudas abejas carmesíes
colmena fue süave de rubíes:

CXX

éstas, y muchas más (cuyo süave
jugo el bálsamo ha sido, que incorruta
efímera la carne eximir sabe [20]
a un siglo y otro, de la dulce fruta),
la bucólica mesa oprimen grave
con lo mucho que en ella se tributa
al peregrino, que agradece, humilde,
de su cariño aun la pequeña tilde.

CXXI

—"Días ha muchos, el anciano dijo,
que, frustrándole jaras, una a una,
con esta dulce y otro dulce hijo,
el aljaba agoté de la fortuna;
con breve arado poca tierra aflijo,
que al sudor corresponde así oportuna,
que en los del año más ardientes meses
zozobró en un océano de mieses.

CXXII

"Dïana de estos montes cazadora,
(absolviendo mi hija atrahillado
el lebrel) al que el monte oculto mora,
acusa jabalí, rayos dentado;
y corriendo espumoso, le colora
el venablo del hierro coronado,
cuya muerte me avisa este arroyuelo
que viste granas a su undoso hielo.

CXXIII

"Si al corzo en quien la posta toma el viento,
la saeta dentada, el can gallardo,
plumada del más raudo pensamiento,
o no lo hiere, o no lo alcanza tardo,
lo muerde, expulso del cordel violento,
can de madera su lenguado dardo;
y falseando estos dos su planta bella,
el corzo sin fatigas atropella.

CXXIV

"Adonis casto, su querido hermano,
aquel tiempo la sigue que en los bueyes
perdona al yugo su robusta mano
y a la tierra surcada no da leyes:
a la ahijada [21], que dio desde el villano
sulco tal vez los cetros a los reyes,
el venablo sucede, el dulce día
que adula a la labor la montería.

CXXV

"En estos, pues, halagos divertido,
sordo dejo roer [22] al fatal diente
del tiempo, en estas canas embebido,
un surco y otro en mi caduca frente;
adonde muchos lustros se ha dormido
cuanto en él se abrigó mental serpiente,
que la memoria huella aquel momento
que en mi dormido pisa sentimiento.

CXXVI

"Este que albergue ves, de la retama
mal abrigado, sucedió al luciente
pórfido, de extranjera augusta trama
convestido; y al techo que eminente
púrpuras halagó [23] de ebúrnea cama,
el corcho avaro que groseramente
fomenta, en piel y piel, al que la blanda
pluma le lastimó, le hirió la holanda".

CXXVII

Dijo; y en las que plumas la memoria
vistió funestas, leve el pensamiento
al teatro llevaba de su historia
en presuroso vuelo el pensamiento [24]
que a Ignacio se la hicieran más notoria
si, con tardo los bueyes movimiento,
pendiente de los yugos el arado
con las chozas no hubieran encontrado.

CXXVIII

Sueño le concilió el corcho süave;
y cuando Febo una tïorba alada
en una compulsaba y otra ave,
perdona al corcho y a la piel templada:
que armoniosa su lengua, arpada llave,
a la del sueño oreja bien sellada
abrió canora; con que el peregrino,
agradecido, prosiguió el camino.

CANTO CUARTO

Entra en París, donde recibe el grado de Maestro. Reduce a ajustada vida a un sacerdote divertido, y gana para Dios a otro doctor de esta Universidad, jugando al truco. Excusa la muerte temporal y eterna a un hombre que ya tenía el dogal en la garganta.

CXXIX

Aquella descubrió ciudad, aquélla
que inunda en techos tantos tanto suelo,
pues vencen éstos una y otra estrella,
y abrevia aquél el uno y otro cielo:
Zodíaco de piedra el muro, sella
en ella al firmamento un paralelo
en los astros de mármol, que ya Febo
luciéndolos se arroga un año nuevo.

CXXX

Aquella que, cabeza coronada
de infinitas ciudades, clara afrenta
la aritmética, en ceros alcanzada,
si vencida del número la cuenta;
así Sicilia, en mieses inundada,
tantas a agosto espigas le acrecienta,
cuantas París Sicilias ve eminentes,
de pueblos mieses, y alholís de gentes.

CXXXI

Aquella admira urna que pudiera,
según estrecha al aire, al cielo oprime,
serlo del mismo sol (si el sol muriera),
que, a Dionisio sagrada, en su sublime
usilo [25], aquellos que la Parca fiera
lilios segó reales, le redime
a un siglo y otro, en cuanta suda goma
árbol sabeo en lagrimado aroma.

CXXXII

Pisó a París, y en ella el literario
Olimpo, que a ambos mundos eminente,
nunca herético Ábrego cosario
las católicas letras de su frente
turbulento borró; que ilustre armario
de sacros dogmas se erigió luciente,
cerrando, en el botón de borlas tantas,
augustas togas y tïaras santas.

CXXXIII

Teólogo, inculcó con docta pluma
y con divino ingenio, el océano
de quien aun fuera el sol obscura espuma
entre las borlas que lo nievan cano;
del Nuevo Mundo la opulencia suma,
del tomístico dogma soberano
besó, devoto, en la laureada arena
que ha coronado literaria entena.

CXXXIV

No gusano ingenioso hebra lucida
tuerce prolijo, o hila delicado,
que cerúlea la tinta le dé vida;
el zafiro celeste sí, hilado
por la de Palas mano esclarecida,
ápice en su cabeza se ha ilustrado:
maestro el cielo lo laureó, que espera
poner, donde la borla, azul su esfera.

CXXXV

Poco le agobia al esforzado Atlante
la azul cogulla el hombro floreciente;
poco le oprime el ápice arrogante,
la borla azul, la bien sufrida frente,
cuando aun el cielo al hombro de diamante,
y a su cabeza el sol será luciente,
cogulla de zafir, aquél, lucida,
y aquéste, borla de oro esclarecida.

CXXXVI

Poco capullo al sol es la vïola
de cuanta se complica azul esfera,
a aquel botón de luz, aquella sola
rosa que luminosa reverbera;
y poco cielo azul es a Loyola
la pompa de capuz, cuando pudiera
tender rayos de luz su ardiente celo
en las esferas del zafir del cielo.

CXXXVII

Comensal de su albergue y su dinero,
que el ruego a Ignacio le adquirió mendigo,
villano Caco despojó severo
al que tratado había como amigo;
interpuso distancias, y ligero
a sus estudios le quitó el abrigo [26],
forzándole los dos primeros años
a que en los climas mendigase extraños.

CXXXVIII

Aquella que ya fue, de la romana
silla, obediente, conductora pía,
que a su coyunda dulcemente humana
coronadas cabezas sometía,
serpiente ya fatal, que la tirana
conduce en sus provincias herejía,
Londres, a Ignacio en ella forastero,
breve auxiliar le concedió dinero.

CXXXIX

Aquella que, al albor de grano puro,
de Margarita fue neta venera [27],
pavés templado hoy de alemán duro,
si de Marte no ya la quinta esfera,
do en su sangriento rebelado muro
tanta española sangre reverbera,
Flandes, a Ignacio en ella peregrino,
socorros le franqueó de metal fino.

CXL

Cultor de las escuelas, docta pluma
a las cuestiones sacras dedicaba,
y al nieto ciego de la blanca espuma
los encendidos dardos apagaba:
de venenosas flechas mucha suma,
de que agotó su lujuriosa aljaba,
coronaban su pie; y en sus arpones,
Libias hollaba ardientes de escorpiones.

CXLI

Un sacerdote, pues, en la venera
de Venus dulcemente adormecido,
ajaba plumas de lasciva cera
en la cuna arrullado de Cupido:
con el arco, la cuerda lisonjera
tïorba fue süave, que empelido
un dardo lo flechó, que en vena y vena
el arpón le embebió de una sirena.

CXLII

Infamó la corona el admitido
letargo muchos días, y el veneno
tósigos le flechaba a lo escondido,
que uno vulgar bebía, y otro seno:
aqueste monstruo, pues, torpe, engreído,
sacrílego fractor del sacro freno,
el carácter sagrado profanaba
con el que incienso a Venus consagraba.

CXLIII

Con pío, sí, mas con celante acero
despedazaba a Ignacio la rüina
del de Venus dulcísimo remero;
absolverle del banco determina:
sus puertas entra; y dulcemente austero,
al pie profano su rodilla inclina,
y en penitentes lágrimas deshecho,
sus sanas llagas refregó en su pecho.

CXLIV

De su pasada tormentosa vida,
en el profano mar de angores llena,
mucha tabla le expone mal rompida
mucha le enseña quebrantada entena
que, de las fieras ondas sacudida,
besado había la piadosa arena;
y al mar de penitencia sus despojos
revocados, nadaban en sus ojos.

CXLV

—"¡Tanto (le dice) mástil destrozado,
tanta en la roca quebrantada quilla
que el piélago del siglo alborotado
en una dividió y en otra astilla,
en el templo divino han ya besado
amiga arena, penitente orilla,
a cuyo dan cadáver, bien deshecho,
piélago el llanto, cuando aliento el pecho!".

CXLVI

Tantas, con esto, lágrimas los ojos,
tanto suspiro desató su pecho,
que de aquéllas el mármol los despojos,
de éstos los ecos hoy conserva el techo:
sacros, con esto, le ha infundido enojos
contra el halago del lascivo lecho
cuya holanda abomina, y en dos fuentes
de lágrimas se inunda penitentes.

CXLVII

—"Goce serenidad (dice) tu llanto,
ata en el pecho el lúgubre suspiro:
que mis naufragios, en tu pecho santo,
con mayor riesgo y menos luz admiro;
de sirena fatal el dulce canto
arrebató mi nave, que retiro
de la arena en que admiran mis excesos
mucho obelisco de lascivos huesos.

CXLVIII

"Mi quilla a tanto escollo huye ligera,
y al mástil de tu amparo coligado,
será cada voz tuya, amiga cera
que, al oído oprimiéndome sellado,
sordo lo exima de la lisonjera
sirena, que tan dulce me ha cantado,
que entendí, cuando más me hallo deshecho,
que encerraba otras mil dentro del pecho.

CXLIX

"Los colores depón, divino Apeles,
que aun pintada en tu vida mi tormenta,
alma beben tan viva en los pinceles,
que zozobrada el alma se amedrenta,
cuando surcando dulce un mar de hieles,
de sus aguas bebía tan sedienta,
que ignoraba la roca lisonjera,
que al lince escollo es, al topo cera.

CL

"Depón, sagrado Tulio, el dardo agudo,
a quien el sacro tropo su arpón fía,
pues que plumas vestirle doctas pudo,
cuando en esta eficaz, dulce ironía,
más elocuente hiere, mientras mudo
invectivas de lágrimas envía
tu afecto al pecho; pues en la más breve,
todas sus armas la elocuencia mueve".

CLI

Dijo; y el llanto, cristalino arado,
de gemidores ayes conducido,
dejando el rostro en lágrimas surcado,
en el alma sus puntas ha embebido:
adonde siembre Ignacio aquel sagrado
grano, que ciento a ciento ha respondido,
naciendo espigas ya, donde escorpiones
sembraron de Cupido los arpones.

CLII

Un joven académico, laureado
con blanca seda la estudiosa frente,
de Cupido süave era forzado,
al remo atado de su flecha ardiente;
y en el golfo de amor, de él azotado
con la cuerda del arco, reverente
en sus espumas ofrecía culto
a mucho de su madre torpe bulto [28].

CLIII

En esta, pues, dulcísima galera,
con nudosa cadena al flaco cuello
sierpe se ensortijaba lisonjera:
que en crespos eslabones el cabello,
que en nudos de cristal mano de cera,
que en lazos de rubís el labio bello,
que en argollas de soles los dos ojos,
viviente era Argel de sus despojos.

CLIV

Al Doctor, eximir quiso Loyola
de tan lascivo duro cautiverio;
y a tiempo entró en su casa, que la bola,
del taco obedecía el duro imperio:
roja, la ocupación, una amapola
le deshojó en el rostro, cuando serio
bien que cortés vio a Ignacio, que no el juego,
el incendio acusaba de su fuego.

CLV

—"Así del tiempo, dijo, el curso engaño,
que en perezosos pies al ocio fía
en la estación en que, dentado, el año
caniculares rayos viste al día,
desatando las bolas en el paño
que breve es circo, donde desafía
el un marfil al otro, haciendo, iguales,
o gladiatores juegos, o ferales.

CLVI

"Calificad el taco un tanto humano [29],
y usurparéis al día divertido
las fatigosas horas del verano".
—"Nunca (Ignacio responde) ha recibido
violento impulso el globo de mi mano;
mas jugaré, saliéndome a un partido:
que en treinta soles haga, el que perdiere,
la voluntad de aquel que le venciere".

CLVII

El truco ocupan, pues [30]: pavón que, hinchado,
de muchos claros ojos se perfila;
y Argos festivo, el párpado calado
para ver sus batallas despavila:
lentos, los dos, al paño han desatado
del globoso marfil rauda pupila;
y la de Ignacio herida, feliz deja
calado el aro, sin tocar la ceja.

CLVIII

Rápida se apretó la subsecuente
en las pestañas de la argolla dura,
en tanto que a pulsar dichosamente
aquel cuerno, Loyola se apresura,
que único se relieva de la frente
de aquel rinocerón que el paño mura:
y del marfil herido, trïunfante,
tembló sonoro y se vibró sonante.

CLIX

En la mesa repite la estacada,
vestida agilidad la ebúrnea esfera,
y de alternos impulsos agitada,
cada cual se arrebata a su carrera;
mas del Doctor la bola fulminada,
lo claro penetró de una tronera,
y quebrando al caer violentas alas,
Ícaro de marfil, midió las salas.

CLX

Menos, al bote corvo de la acerba
rápida harpía, baharí violento,
precipitada se giró la cuerva
con inciertos errores en el viento;
y fulminada menos en la hierba,
de su livor la maculó crüento,
hasta llegar al césped, donde en suma
infamó sus verdores con su pluma.

CLXI

Tercera vez, del truco el atrio siente
chocarse los marfiles voladores.
Menos, aquella con esotra frente,
petulcos cabritillos entre flores
se alternan choque lujuriosamente,
o celosos, o ya retozadores,
que opuestas se acometen bola y bola,
hiriendo más feliz la de Loyola.

CLXII

Al tiempo, pues, en que en el aro aprieta
su marfil el Doctor con mano activa,
sin violarlo Loyola, una falqueta
del trofeo al marfil opuesto priva;
y calándole al aro la niñeta
su bola por el truco fugitiva,
tan lince penetró, tan encañada,
que en el bolillo se quedó clavada.

CLXIII

No en aqueste mi clima, indio flechero
(de un lince la pestaña atada al dardo
en la ceja del arco) hirió certero
al perdido en las nubes neblí pardo;
menos, arrebatado del ligero
caballo valenzuela, halló gallardo
africano jinete, en la estacada,
del anillo su lanza coronada.

CLXIV

Al marfil perdonó, el taco depuso:
que en el globo vio breve, aquella mano
que al de los cielos orbe más difuso
con impulso arrebata soberano;
que Dios movió la bola vio, confuso,
de Ignacio; y a su diestra rindió humano
el cuello en soles treinta, en que a su inmunda
vida le complicó casta coyunda.

CLXV

Cadáver su conciencia, coligada
de la mortaja de su inmunda vida,
y en la del torpe amor pira, enterrada,
de vitales alientos convestida
y de ejercicios sacros reformada,
al cielo revivió; y agradecida,
dándole el desengaño a sus enojos [31],
clavo, colgó en el templo sus despojos.

CLXVI

Sediento, en treinta soles, su deseo
en la lira de aquel libro sagrado,
néctar libó armonioso al dulce Orfeo,
en celestiales metros desatado:
despojo fue secuaz de su trofeo
el duro corazón que, arrebatado
del infierno de amor, bebió en su celo
auras, viviente Eurídice, del cielo.

CLXVII

Con Licio la fortuna un tiempo leda [32]
(joven a quien París dio augusta cuna),
ya desganada de él con él aceda,
lo despeñó del cuerno de la Luna:
faltóle el clavo a su voltaria rueda;
y el que, pavón, los tumbos de fortuna
espumoso ancoró, fijó bizarro,
precipitado vio sus pies de barro.

CLXVIII

Esta, de tantas aras venerada,
y en tan devotos humos escondida,
deidad de nuestra mente fabricada,
de víctimas de Licio mal servida
o de sus muchas dichas ya cansada,
arcadas provocó contra su vida;
y del seno lanzándole violenta,
los que halagó cariños, le ensangrienta.

CLXIX

Reñido su despecho con su vida
y no cabiendo en el revuelto pecho,
agriamente de aquel esta mordida [33],
y eslabonada el alma en el despecho,
vincularon su paz en la salida
que un cordel a los dos prometió estrecho,
en que, fiando al aire sus despojos,
hallen descanso el pecho y paz los ojos.

CLXX

El secreto del joven impaciente,
a la de Ignacio lince profecía
lámina fue de vidrio transparente,
donde el despeño trágico leía:
trompa el secreto mundo fue, elocuente,
a su sagaz oreja, a quien Dios fía
del mudo, del obscuro arrojamiento,
brillantes luces y parlero aliento.

CLXXI

Un lazo, pues, de cáñamo verdugo [34],
que mal revuelto al infelice cuello
(negando al corazón el fresco jugo
que por conductos corre del resuello),
a la respiración fiero tarugo,
Licio intentaba, al tiempo que, al torcello
del colmillo tenaz de un viejo encino,
enderezaba al bosque su camino.

CLXXII

Violo; y de un joven que obediente imita
su ejemplo, y de su lado entonces era
Acates fiel, el pecho solicita
a que de Licio siga la carrera;
cuerdo le intima que Eco se repita
aun de la acción que en Licio verá fiera:
que con afectación se exprima nimia,
de sus acciones industriosa simia.

CLXXIII

—"Porque a dar su garganta a una vil cuerda
se precipita (dice) al más seguro
seno del bosque, y porque no se pierda,
traslada puro, tú, su afecto impuro:
su dictamen al tuyo así concuerda,
que de tu pecho fíe el suyo obscuro;
y cuando amaneciere yo improviso,
desnuda el pecho y dóblate a mi aviso".

CLXXIV

Menos secuaz al desatado ciervo,
(absuelto de la laja) el can valiente
anhelante persigue y hiere acerbo,
tenaz bisagra el diamantino diente;
menos, alada imán, del parto nierbo [35]
sacudida saeta diligente,
en el norte fugaz de corza leve
tenaz se ata, pertinaz se mueve.

CLXXV

Cual sombra suya el joven sigue a Licio,
el camino prosiga, o lo divierta,
Argos piadoso de su precipicio,
una y otra pupila siempre abierta;
hasta que, de él notado el artificio:
—"Índice, dice, de mi planta incierta,
¿qué fatal rayo de mi negra estrella
encadena a mi pie tu secuaz huella?".

CLXXVI

—"Según que tu despecho lo vocea
(le dice el joven), con adverso hado,
del mismo crimen que la tuya rea,
con tu vida mi estrella ha emparentado:
una muerte pretendo darme fea,
de mi fortuna trágica volcado;
pues de su rueda hollé ápice sumo,
y de su luz agora siento el humo.

CLXXVII

"El más nudoso gancho de una encina
tremolará a los aires este odiado,
aqueste infausto cuerpo, que destina
infame pira suya aquel cerrado
monte, que mustio selle mi rüina,
de funestos cipreses coronado;
donde si el tiempo lo perdona acerbo,
plato será y alcándora del cuervo.

CLXXVIII

"De tu dictamen, este breve rato,
y de tu impulso temerario, he sido
no sé si original o si retrato,
no sé si conductor o conducido;
con esta cuerda, pues, que al cuello ato,
ahogaré mi aliento aborrecido;
vincula el tuyo en ella: hará, apretada,
lo que en Tisbe y en Píramo una espada.

CLXXIX

"Pendan del brazo de una encina vieja
dos Absalones ya: no del cabello
que a su gancho anudó crespa madeja;
del impedido, sí, precito cuello.
Infausta nos endeche la corneja;
y ni canoro pájaro, ni bello,
pluma desate en él, o aliento puro;
búho lo endeche, o dísono u obscuro".

CLXXX

De la cuerda el extremo desatado
y en la rama anudado el crudo lino,
pendía el joven ya, del elevado
tronco fatal, al salto convecino;
cuando Ignacio, del bosque enmarañado
al fracaso naciendo repentino,
del discípulo acusa el pensamiento
que a tamaño le impele arrojamiento.

CLXXXI

Mentido en labio y labio un docto Apeles,
a la de Licio infiel fortuna aleve,
con expresivos trágicos pinceles
el afecto le hurta, el vulto bebe:
a sus designios, pues, aquestos fieles,
en el lienzo vocal con tinta breve
exponen vivamente la rüina,
que al precito despecho los destina.

CLXXXII

Rémora fue armoniosa la elocuente
lengua de Ignacio al que, en el precipicio
piadoso adopta, si industrioso miente,
en la persona que exprimió de Licio:
—"¿Cómo, le dice, joven imprudente,
el ceño de fortuna no propicio,
a fatal impeliéndote caída,
acibarosa te guisó la vida?

CLXXXIII

"¡Ay mil veces de ti, si en esta encina
el teatro infamases puro al viento!
Pues de fatal a más fatal rüina
ciego te precipita arrojamiento,
el dardo embistes, y huyes de la espina,
tan neciamente tierno el sentimiento,
que amotinó contra tu mesma vida
trágico tronco, cáñamo homicida.

CLXXXIV

"Permite, dócil, que a la roca helada
de tu discurso, una mental saeta,
aquella eterna, aquella siempre armada
llama devoradora te cometa;
y verás, en su fragua desatada,
la que flecha partió, volver cometa
que trágica fulmine eterno fuego
al precipicio torpe, al salto ciego.

CLXXXV

"Rompióte el mar de la fortuna ciega
el cansado bajel en roca y roca,
erigiendo a la vida que se anega,
nadante pira en la crüenta foca;
y cuando en tabla y tabla rota llega
a sellar las orillas con la boca
la vida que escapó, ¿será cordura
volverla al mar y a la tormenta dura?

CLXXXVI

"Aquesta breve, agradecido observa
reliquia que te deja, cuando pudo
llevársela también, la mano acerba
del hado que tu pecho saqueó crudo:
la más valiosa joya te reserva
en la vida, que ilustre será escudo
que le frustre las flechas, una a una,
a la obstinada aljaba de fortuna.

CLXXXVII

"No de su parte tu despecho se haga,
dándole contra ti lenguado dardo,
en disfavor armando de tu llaga
de plumas el arpón, que acusas tardo;
en tus entrañas a tu vida halaga,
que de fortuna triunfarás gallardo
si le mostrares que, en tan duro estrecho,
le faltan dardos y te sobra pecho".

CLXXXVIII

Rendimientos el joven le mentía
al persuasivo de Loyola acento,
y entrambos con divina batería
tiros a Licio fulminaron ciento.
Rindióse, al fin; y de sus plantas fía
el cordel que su cuerpo fiara al viento,
y de la encina echándose ascendida,
se reconcilia con su misma vida.

CANTO QUINTO

Pretende un mancebo quitarle la vida, y el cielo le ataja y rinde con una espantosa voz. A otro, que le había hurtado el dinero, le asiste y cura en una grave enfermedad. Y queriéndole azotar públicamente en el Colegio de Santa Bárbara, Dios le libra de aquesta infamia, acreditando más su santidad.

CLXXXIX

Entre lilios halló sierpe importuna
al último suspiro del veneno
pira olorosa, y erigida cuna
al áspid que naciendo le abrió el seno:
a cuya verde complicó coluna,
tortüoso el cadáver, nudo obsceno;
y en cuya ropa, que violó, de plata,
tósigos matricida le desata.

CXC

Y en lilio y lilio de ilibada vida,
que fragancia a París, si al cielo nieve
daba Loyola, túrgida se anima
desatando ponzoñas sierpe breve,
que al sagrado candor descomedida,
un diente y otro, venenoso, mueve:
un joven (digo) que, entre amenas flores,
contra Loyola forja sus rencores.

CXCI

Que insidioso a su vida, pretendía
manchar de su livor un crudo acero,
según un pensamiento le decía,
que en el joven, Luzbel infundió fiero;
uno lo pica, irrítalo otro día,
y tan crudo lo muerde, y tan severo,
que más piadoso el can, mordiendo estrellas,
le fulminara dientes de centellas.

CXCII

Hospedando en su pecho un tigre hircano,
vestido el corazón un áspid crudo,
decreta redimirse así, inhumano,
del presagio que el pecho hirió sañudo:
examinó su estoque, y en su mano
la vista le acedó, cuando desnudo
de la vaina, a los ojos dio, severo
relámpagos de luz, rayo de acero.

CXCIII

Un Argos de zafir el cielo era,
que, el volumen cerúleo desatado,
en la tendida pluma de su esfera,
había tantos ojos desatado
cuanta en su manto estrella lisonjera [36]
vigilante lo miente, o desvelado,
ya pestañeando rayos brilladores,
ya atractivos guiñando resplandores.

CXCIV

En negra nube desmentido el vulto,
al rebozo el secreto cometido,
los ápices rumiando del insulto,
a la calle dio el pie, cuando argüído
duramente su crimen oyó, oculto,
de este canicular y esotro aullido,
si no del búho que gimió importuno,
a un funesto calándose aceituno.

CXCV

Requerida la calle con pie mudo,
acusando al silencio de parlero [37],
al céfiro infamando de sañudo,
los umbrales de Ignacio holló severo:
al brazo diestro cometió membrudo
la aleve ejecución del golpe fiero;
y al pie pendiente ya en el aposento,
súbita voz enfrena el movimiento.

CXCVI

—"¡Ay mil veces de ti, precipitada
(una trompeta pronunció horrorosa),
que a la llama más bien acicalada
te despeñas, infausta mariposa!
O el vuelo enfrena de tu furia alada,
o tarde arrepentida, harás forzosa
tu ruina en esa llama, que severa,
aun de tu acero hará caduca cera".

CXCVII

Menos, pendiente sobre el áspid breve
que entre las flores yace, el pie ligero
en su mismo pavor cauto se embebe
cuando en su diente se calaba fiero,
que ya el librado joven el pie mueve
a los umbrales que pisó primero;
y lejos de su acuerdo, el hierro absuelve
la tibia mano, que el temor disuelve.

CXCVIII

En sus ojos la vista le zozobra
la misma voz que le inundó el oído;
y naufragios en él tamaños obra,
que dando el pulso tímido latido,
distante de sí mismo, en sí se cobra;
y un mármol animado, empedernido,
en cada miembro tardo se desata,
cuando el temor los pasos le recata.

CXCIX

Al pie de Ignacio, temeroso llega;
y el temerario deponiendo intento,
con lágrimas el suelo humilde riega
que en crüor pretendió bañar violento:
su audacia acusa infaustamente ciega;
y apadrinado de él su sentimiento
anudándole el pecho en dulces lazos,
indulgente lo aprieta entre sus brazos.

CC

¡Oh, en antiguo rencor pecho sañudo,
alimentado de fatal serpiente,
que el agravio trinchándolo está mudo,
y royéndolo está tu duro diente,
cuando apretando el vengativo nudo
aun la vejez te encaneció indecente:
de Ignacio el pecho te dirá, y el labio,
que es fácil descasarse de un agravio!

CCI

El joven comensal que ya el dinero
y el alivio robó del sacro Ignacio,
de un accidente arrebatado fiero,
el pulso opreso, si en los miembros lacio,
lecho oprimió fatal: donde severo
causón [38] aun breve le negaba espacio
en que justasen en sus ardimientos
los cuatro, que nos ligan, elementos.

CCII

En la armoniosa concertada lira
de las arterias, el Orfeo suave
del corazón no late, o no respira
impulso que discorde no sea, o grave:
presagioso desorden, que la pira
trágica intima al joven, que no cabe
en los que gira vuelcos, en el trecho
del teatro agonal, del duro lecho.

CCIII

Su peligro a un papel cometió luego,
en que el auxilio de Loyola pide,
que indulgente a su ofensa, alado al ruego,
el trecho que a París de Ruan divide,
con los talares que le calza el fuego
de su abrasado amor, tan ágil mide,
que, cuando tardo más [39], su movimiento,
muchas jornadas le ganara al viento.

CCIV

Pío enfermero, ministró al doliente:
conductor de los fármacos que intima
a la fiebre Esculapio, tan ardiente
que carne roe, que los huesos lima
con tan activo, tan acerbo diente,
que cuanta arteria su calor lastima,
delirios pulsa, flacamente aguda,
y late intercadencias, tartamuda.

CCV

Su asistente vigilia, su cuidado,
y Dios que a su piedad se vinculaba,
a la fiebre le habían agotado
fogosos dardos de su ardiente aljaba:
paz indujo en el joven quebrantado,
que las aras con votos aplacaba;
y con llantos, el pecho de Loyola,
que ingenuidad admiran española.

CCVI

Repetido a París y a la cultura
con que la noble juventud doctrina,
ésta gallarda, aquélla planta pura
a los Elísios de su Dios destina:
a cuya floreciente alta hermosura
descomedido un rayo se fulmina,
que, con precipitado sacrilegio,
aun del laurel rompiera el privilegio.

CCVII

El espumoso anhelo de fortuna,
de expectaciones túrgidas preñado,
en sazón deponían oportuna
este joven y aquel, desengañado;
a su infante virtud, grata era cuna
el pecho de Loyola, que abrasado,
muchas les propinó lácteas centellas
en generosa inundación de estrellas.

CCVIII

Propincuidad estrecha de parientes,
propia reputó injuria aquel augusto
desprecio de las pompas florecientes,
que abraza en verde edad joven robusto:
agudo vibra venenosos dientes
contra Loyola su furor injusto,
que indulgente a su injuria, ardiente en celo,
el pecho ofrece a quien le pide un pelo.

CCIX

Ciego destino el fácil pecho incita
de cuanto honor laureado en docta escuela,
en sus dogmas sus borlas acredita
en la de Palas literaria tela;
aquel colegio, pues, que se acredita
con el nombre de aquélla que encarcela
en su imperioso puño el rayo ardiente,
a las calumnias contra Ignacio asiente.

CCX

Al ejemplar lo destinó suplicio,
que más que dura, mimbre correosa,
afrenta sea de inmortal convicio
al que mudar intenta la estudiosa
juventud que se induce al precipicio,
que delito le afecta, cautelosa;
porque puniendo al que ejemplar imitan,
infamemente lo desacreditan.

CCXI

Este, pues, áspid, que celaba el pecho,
no tanto se ocultó que no exhalase
tósigo breve en un su amigo estrecho,
que mucho le instigó que se ocultase.
—"No eximirá (responde) infame techo,
del conjurado enjambre de la clase,
la virtud, que al acúleo de la mimbre,
tiene en mi pecho diamantino timbre".

CCXII

Dijo Loyola; y todo ya librado
en el divino numen, con augusto
rostro digno de imperio denodado,
heroico pie, si pie no muy robusto,
a la clase comete, despejado
despreciador de la invasión del susto.
Entró; y la llave, crudamente ingrata,
la fácil puerta con los quicios ata.

CCXIII

Ladino Momo de metal, agrega
insólito clamor al codicioso
enjambre del laureado concolega
que, en implicadas mimbres aculeoso,
aun más que armado, susurrante llega
al atrio, que corona clamoroso
en Ignacio una rosa esclarecida,
de mimbres, cual de abrojos, convestida.

CCXIV

A profanar la espalda penitente
con la mimbre bajaba el brazo grave,
cuando, de tanto impulso descendiente,
rémora Ignacio se intimó süave:
y al del Colegio docto Presidente [40],
que de sus pechos era augusta llave,
lusitano Govea generoso
aqueste néctar le inspiró armonioso:

CCXV

—"Ya un lustro atrás, disciplinado Marte
encalleció en mi cuerpo un monte rudo,
y anudándole un risco a cada parte,
me endureció un diamante en cada nudo;
militar me informó tan duro el arte,
que al breve impulso de mi estoque crudo
caduco mimbre me cedió, ligero,
en hojas siete el complicado acero.

CCXVI

"O pavorosa gima, o torva arda,
en los rayos que anima, en el que inspira
sulfúreo trueno, la crüel bombarda
a mi oreja ya fue armoniosa lira;
rosa, bien que de plomo, fue gallarda
la bala, de que aun hoy siento la ira,
de mí, aunque joven, resistida entonces
más que del muro que coronan bronces.

CCXVII

"De leche no, de fuegos mamé rayos,
consagrado a un pavés que fue mi cuna;
bosques de lanzas a mis verdes mayos
los desgarros flecharon de fortuna:
no, pues, la mimbre infundirá desmayos
al que el bronce lo halló firme coluna;
no la injuria rehúyo de su rama:
que no el suplicio, no; la culpa infama.

CCXVIII

"La espalda, que no vio la bala rota,
en el pulso motor de flaca pluma,
con la del mimbre tímida garzota
(que mal violara aun la mullida espuma),
no se verá violada: que no azota
la flaca vara, mas la injuria suma
que azotará en mi espalda un celo santo
con tanta mimbre, con convicio tanto.

CCXIX

"De un cordel impedida, y vinculada
a un mármol que ensangrienta, miro aquella
inocencia de Cristo tan violada,
que a cada nervio que su espalda sella,
en el atrio responde, desatada
en cometas purpúreos, una estrella.
Yo, pues, gusano vil, ¿qué mucho obrara
si en su afrenta la mía purpurara?

CCXX

"Estas nacientes plantas, que devoto
mi celo fomentó porque den fruto
en el pensil del cielo, en voto y voto,
al siglo le darán verde tributo,
si los desgarros de tan crudo Noto,
quebrando el soplo en mí tan absoluto,
su tierna flor profana. Aquesto siento;
no de la mimbre el clásico tormento.

CCXXI

"¡Oh! No se diga, no, que es afrentado
de quien lo ilustra ya, de quien lo sigue,
de la sacra virtud el ilibado
pudor, y que a infamalla se coligue
tanto ilustre esplendor, tanto laureado
Doctor, y que su borla desabrigue
este naciente armiño, y que Govea
su nieve tizne con la mimbre rea.

CCXXII

"Pruébese contra mí dogma, que un pelo
le tuerza a la virtud, que no se mida
al Evangelio; y luego vuestro celo
con la afrentosa mimbre el brazo impida.
El que Cristo enseñó camino al cielo,
desprecio heroico fue de libre vida;
huella el joven su pompa, a Cristo imita.
¡Cristo en las mimbres se desacredita!".

CCXXIII

El corazón ligó a su voz süave
el pendiente Govea, que al Colegio
intimó suspensión de mimbre grave,
y en él, el principiado sacrilegio
contra el honor de la virtud, que llave
dorada siempre fue del pecho regio:
cediόse al mimbre; y Lucifer, ardiente,
en cada ramo de él torció un serpiente.

CCXXIV

Menos, en las de abril blancas mañanas,
culto tonsor, el Céfiro deshoja,
en la edad de la encina, cuantas canas
peinó el invierno en la caduca hoja:
que, con violencias dulcemente humanas,
de la mimbre crüel, la voz despoja
de Ignacio, cuanto brazo le conspira
contra heroica inocencia injusta ira.

CCXXV

Vigoróse en su ramo aquel pimpollo
que en la yema encogía, pululante,
en volumen crestado del cogollo:
su fácil hoja es ya malla constante;
y el que abrigaba el nido, implume pollo,
de plumas se conviste de diamante,
y de alas armado religiosas,
huyó del mundo pompas engañosas.

CANTO SEXTO

Detiene a un mancebo a que no se despeñe torpe, y le reduce a vida casta, arrojándose en un estanque helado; que antes se había mostrado sordo a sus fervorosas amonestaciones.

CCXXVI

Garzón florido en años, floreciente
en real descendencia, de fortuna
halagado en los bienes que, indulgente,
aun los giros doró de su alta cuna,
en París vivía Julio, que luciente
Adonis, a sus Venus, una a una,
prendió en su talle, por quien ya pudiera
en las cerdas trocar Marte su esfera.

CCXXVII

Opuesto al joven, tanto encarnó un dardo
en Dámaris [41], Cupido tan valiente,
que, desde el pie, que le argentó gallardo,
a la que neta le ha bruñido frente,
sangre sacara del peñasco tardo
y fuego de la más helada fuente,
cuando Venus fue arpón, y fue la suma
de las tres Gracias su volante pluma.

CCXXVIII

Ni el oro fuera oro en su cabello,
ni el nácar fuera nácar en su frente,
ni en cada hoja de su labio bello
sueldo el rubí tirara de luciente;
la nieve le tiznara el blanco cuello,
la perla le manchara el neto diente,
su mejilla la rosa obscureciera,
y a su carne la pluma endureciera.

CCXXIX

Si hay fénix en la Arabia de lo hermoso,
o ella lo cifra, o lo duplica ella;
si pavón en la América ostentoso,
todos sus ojos en sus ojos sella;
si cisne en las espumas endechoso,
ateza en su candor su pluma bella;
si lilio entre la nieve ha habido cano,
negra violeta lo tiñó su mano.

CCXXX

Si un arco ilustra el brazo de Cupido,
habráse en sus dos cejas duplicado,
y en sus pechos de plata dividido,
si más de un Potosí se hubiere hallado.
Si ponto de sirenas dulce ha habido,
al de su boca estrecho habrá llegado;
si cuna tiene el sol, urna la estrella,
será el hoyuelo de su barba bella.

CCXXXI

Oficina, la mar, su breve boca
consagrará del ámbar, cuyo aliento,
en diente y diente como en roca y roca,
por adobarse le inculcara el viento;
pues su fragancia articulada, avoca
de matutinas aves el acento;
que en lo que exhala el labio, en lo que dora
el cabello, la juran por su aurora.

CCXXXII

Aquesta bella, pues, si populosa
metrópoli real de la hermosura,
galera era de Julio cariñosa,
donde, en cadena dulcemente dura,
su planta se implicaba licenciosa
cuando la cuerda de Cupido, impura,
su espalda hiriendo, al brazo vinculaba
por remos los arpones de su aljaba.

CCXXXIII

El día a Julio retirado al techo,
la noche en sus balcones lo hallaba,
agotando Cupido en pecho y pecho
su preñada de flechas dura aljaba:
en las cortinas del ebúrneo lecho,
sus alas en sus telas desplegaba;
y sellando un arpón sus labios mudos,
en los amantes duplicaba nudos.

CCXXXIV

Ardía dulcemente el joven ciego;
y al pecho de Loyola esclarecido,
un Mongibelo de sagrado fuego
ilustremente lo dejaba ardido:
humilde a Julio lo corrige el ruego
del celante Loyola; y sacudido
del pecho pertinaz, más grave insiste
mientras Julio más duro le resiste.

CCXXXV

Interpuso distancias largo trecho
entre el nido del Fénix peregrino
y del ardiente Julio el patrio techo,
fragoso en sus ambages el camino;
en cuyo hilo ambiguamente estrecho,
ancha laguna un nudo cristalino
complicaba en su seno, en que una puente
era de mármol tahalí luciente.

CCXXXVI

Era del año la estación nevada,
en que, la espina rígido diamante,
brumas la escama lúbrica, argentada
en onda y onda del zafir brillante,
espumas de astros con la cola alada
o batía o violaba el pez nadante,
no de Neptuno conductor luciente,
de la carroza sí del sol ardiente;

CCXXXVII

en que, fiscal, el Ábrego prendía
erigiendo sus urnas en obscuro
calabozo, las fuentes; y en que el día,
atado al banco del invierno duro,
en el remo de un África gemía
sulcando el viento, que agitaba impuro
en el seno, que el sol le ilustra breve,
ondas de nubes, piélagos de nieve.

CCXXXVIII

Calzado el pie de congelada espuma,
en venas de agua el pecho desatado,
sus miembros roca, si cristal su pluma,
Pelicano de piedra un risco helado,
undosa sangre a la argentada suma
de implume pollo no, más de escamado
pájaro, derramaba, que su cuna
o su nido mullía la laguna.

CCXXXIX

Este, pues, nido de cristal, que al pece
entre los troncos fabricó torosos,
de monte y monte, cuanto arroyo ofrece
o pajas de agua ya, o hilos undosos,
los senos vastos al invierno crece,
con los que copos le bebió mimbrosos [42]
a muchas nubes que plumó de plata,
garzas que al viento el Áfrico desata.

CCXL

Enmarañada en él la nieve pura,
no fácil nido, ruda sí oficina
de carámbanos era, si no dura
zarza que al agua acicaló la espina,
y en la ciega de espumas espesura,
al pece que el invierno descamina,
o le despluma escamas o le prende
en los abrojos de cristal que tiende.

CCXLI

Obscura cueva, aun a pesar del hielo,
negras plumas la noche descogía,
y borrándole al aire el claro velo
las huellas dubias escondió del día;
y al soñoliento ascálafo del cielo,
que sus ojos en astro y astro abría,
la atezada batiendo brumal ala
a las pupilas fúlgidas se cala.

CCXLII

De aquesta de la noche obscura pluma [43],
Ganimedes nocturno conducido,
perdona al lecho Julio, y a la bruma
cometiendo el acero convestido,
violaba al margen la erizada espuma
del lago helado que añudó torcido
el cordel del camino, en que improviso
le desata Loyola aqueste aviso:

CXLIII

—"¿Dónde te precipitas atrevida,
hidrópica de rayos mariposa,
a la luz fraudulenta que a tu vida
convoca dulce y matará alevosa?
El lenguado fulgor que te convida
con la elocuencia de su luz sabrosa,
escamado de oro es un serpiente,
que en la halagüeña llama esconde el diente.

CCXLIV

"Embebido en tu pecho, el arpón grave
desata dulce su mortal veneno,
y en el alma calándose süave,
más crudo mata, cuando más ameno:
al corazón se tuerce blanda llave,
y espuela fatal es, que rompe al freno
la licenciosa rienda, con que el vicio
ciego te induce a torpe precipicio.

CCXLV

"¡Oh! No te engañe el halagüeño estilo
de este ciego rapaz, que presidente
de un abrasado venenoso Nilo,
en lo risueño armó de su corriente,
en Dámaris un dulce cocodrilo
que envaina en su hermosura el crudo diente,
y con la sangre de tu vena rota
pagarás de su llanto cualquier gota.

CCXLVI

"¡Oh! Ya a la voz de tan fatal sirena
obstine el alma tu sediento oído,
y su rüina tema en el arena
que tanto ajeno hueso ha encanecido:
¡Oh, cuánta nave la quebrada entena
y el duro mástil escupió rompido
en sus sangrientas lúgubres orillas,
embarazadas de deshechas quillas!

CCXLVII

"(Su gavia la corona esclarecida,
mástil el cetro augusto, si la vela
la púrpura del tirio humor teñida),
a aquel Caribdis, que alevoso cela
miembros de nácar terso en la escondida
Bersabé, en el cristal rápida vuela
la davídica nave, que lamenta
en breve estanque su fatal tormenta.

CCXLVIII

"Dos se desatan de caduco pino
bajeles, a aquel Scila de Susana,
que depuesto en un mirto el blando lino,
entre las aguas dulcemente humana,
con su vulto perdiera cristalino
el bruñido marfil, la espuma cana;
en cuyas rocas, cada quilla ruda,
de sus antiguas tablas se desnuda.

CCXLVII, 6: II *Reg.*, c. 11, v. 3.
CCXLVIII, 2: *Daniel.*, c. 13, v. 8 et 9.

CCXLIX

"En tantos Scilas hierve el mar pirata,
que a tanto escollo son sus ondas pocas,
pues a naves de vidrio les desata
prontos de arenas, piélagos de rocas:
¡de sus peligros, tu timón recata;
teme, infeliz, si el rumbo no revocas,
que destrozada en áspero arrecife
la quilla veas de tu torpe esquife!

CCL

"En más escollos, pues, que espumas roto,
en más llamas que en ondas zozobrado,
entre las garras del furioso Noto [44],
de la sañuda nube fulminado
mal te conducirá ciego piloto,
con el timón de un dardo delicado,
al regazo del puerto. ¡Oh, teme pira,
al mar que bebe contra ti su ira!

CCLI

"No en la flor juvenil, Julio, confía,
que efímera nació con el aurora,
y caduca murió en el mismo día,
que tumba enluta la que cuna dora:
hojas de vidrio viste quien le fía
un breve instante, no una breve hora,
no yerra poco, no; que un mismo rayo
en su mismo crecer vio su desmayo".

CCLII

Cada oreja selló con un diamante
Julio; y en cada pie un talar vestido,
en su torpe carrera más constante,
la espuela obedecía de Cupido,
cuando, a su bien Ignacio vigilante,
a los ojos apela del oído,
y el cuerpo al lago cometió, desnudo
del dentado sayal, del lino crudo.

CCLIII

Rayo forjado en el ardor divino,
las nubes rasga de la espuma helada,
y el lago derritiendo cristalino,
en llamas hierve el agua congelada:
el hielo se desata diamantino [45];
y en la orilla, de nieve coronada,
ondas bullen de fuego indiferente,
de aljófar rojo y de cristal ardiente.

CCLIV

Las espumas ardían en la nieve,
a las llamas del Etna adusto iguales;
y en la onda menor que el Noto mueve,
escollos centelleaban de fanales:
mézclase el sol en la laguna breve;
y el pece, desatado en los cristales,
si escamada no fue roja saeta,
luminoso en la espuma es un cometa.

CCLV

Menos, del cielo el sol arado ardiente,
en los que abrió al zafiro soberano
sulcos, la noche siembra diligente
de las estrellas el brillante grano,
porque espigas de luz ciña a su frente
la azul Sicilia del zafir ufano,
que en las de nieve congeladas pellas,
mieses sembró Loyola de centellas.

CCLVI

Entre la nieve, pues, dulce sirena:
—"¡Corre (le dijo a Julio) a tus antojos,
que tus incendios templará mi pena
con los que el cielo aquí me clava abrojos.
mientras inundan esa helada arena
en torrentes de fuego mis dos ojos,
y atado en el ecúleo de este hielo,
el rayo impido, que te vibra el cielo!".

CCLVII

Su voz, canora llave fue al oído,
que obstinado lo abrió; la acción valiente,
pomo dorado al joven fue perdido,
que le enfrenó el despeño dulcemente;
la amenaza fue un áspid sacudido,
que al pie le fulminó su agudo diente;
y todo junto, cuando Ignacio llora,
dulce rémora fue, Circe canora.

CCLVIII

Sobre el hielo, el mancebo desalado
mariposa fue a Ignacio repetida;
y en sus brazos su cuello encadenado,
a sus ardores consagró su vida:
donde Ignacio, del joven ayudado,
vencer apenas pudo la ya unida
nieve a los miembros; y en la helada arena,
uno tiembla de frío, otro de pena.

CCLIX

Arrojado a sus pies, Julio le entrega
dócil el freno de su pecho, en tanto
que con ardientes lágrimas los riega,
hijas de su dulcísimo quebranto:
estufar ya pudiera la Noruega
el que sus ojos vierten, dulce llanto,
Nilo de undoso fuego, así violento,
que en suspiros zozobra el sentimiento [46].

CCLX

Menos el jabalí, erizada roca
de tanta ya calada al lomo pica,
a los pies del montero se revoca,
y al que lo hiere dardo, se complica,
cuando, esgrimiendo alfanjes en su boca,
el cándido coturno le salpica,
si no lo inunda en líquidos rubíes,
de los Nilos que vierte carmesíes.

CCLXI

Yace a sus pies el joven lacrimante,
grillo amoroso el brazo complicado
en la planta de Ignacio trïunfante;
y el que a los pies de amor avasallado,
áspid ya fue revuelto, de diamante,
de un risco cada oído embarazado [47],
la ponzoña en su pie depuesta fiera,
hiedra a Loyola se implicó de cera.

CCLXII

—"Aquestas (dice) que en mi pecho admiras
plumas süaves, que a la espalda arpones
responden crudos, dulces fueron viras,
si de amor no enconosos aguijones;
las que en el viento resonaron liras,
y en mi pecho mordaces escorpiones
una embeben sirena, en cuantos tiros
lisonjas fueron ya, ya son suspiros.

CCLXIII

"Un arpón de otro arpón se defendía
en mi cosido pecho, en que era escudo
el que amor me tiró el segundo día,
del que primero me clavó sañudo:
díctamo te vincula, al que te fía
el corazón que tanto embebió crudo
dardo amoroso, que en mi roto seno
llame a su examen el fatal veneno.

CCLXIV

"Deje su aljaba exhausta, y fatigada
la cuerda dura, el arco ebúrneo roto:
cansó el amor su mano venenada;
y cuanto dardo ociosamente boto
en mi pecho clavó, ya lo traslada
al altar de tu pie mi ardiente voto,
a que tu fuego abrase, en tanta leña,
la sirena que embeben halagüeña".

CCLXV

Menos, imán canora, la sirena
en el ponto llamó napolitano
a infamar con rüinas el arena
a cuanto leño el agua surcó ufano,
do el mástil roto y la quebrada entena
trofeo fue sangriento de su mano,
que al pie de Ignacio el joven, convertido,
sacrificó rüinas de Cupido.

CCLXVI

No así elocuente, no, el delfín ligero,
Julio escamado de las aguas, llama
al cadahalso del secreto estero
a cuanto pece el mar le argentó escama,
a que envuelto en el cáñamo severo
los nudos vista de prolija trama,
cual, en el agua Ignacio sumergido,
al arco quebró dardos de Cupido.

CCLXVII

—"Ésa (le dice Ignacio), que a tu vida
tan halagüeña se le miente aurora,
en cuya boca toda Tiro anida,
en cuyos dientes toda el alba mora,
a un cadáver la advierte definida,
y verás que el cabello que el sol dora
y lazo al alma se le aprieta estrecho,
aborto es de serpientes en tu pecho.

CCLXVIII

"La que de nácar fue mullido escudo,
frente gentil, escarnio de la nieve,
al golpe de la muerte será crudo
disforme trozo de una corcha leve;
las cejas, donde amor su arpón agudo
en duplicados arcos ciego embebe,
yugo serán rompido en quien su saña
por arado vincule su guadaña.

CCLXIX

"Esa de rayos estancada pila,
en quien se baña, en luces inundada,
una sirena en cada cual pupila
en dos traviesos ojos duplicada:
muera, y verás que cada cual distila,
cisterna de gusanos frecuentada,
de tragedia fatal turbios despojos,
horrores del olfato y de los ojos.

CCLXX

"Una y otra mejilla, en quien ufana
virgen amaneció ilibada rosa,
desatando el rubor de la mañana
en la tez suavemente vergonzosa,
la troncará la muerte; y esa grana,
esa estrella de púrpura, esa hermosa
taza de bermellón [48] desvanecida,
luto será de su caduca vida.

CCLXXI

"Esa colmena de carmín luciente,
de quien eras abeja libadora,
chupando néctar en el blanco diente
con quien perlas tal vez perdió el aurora:
esa, pues, boca de rubí viviente,
al golpe cederá de cortadora
guadaña, y será breve monumento
del cadáver de un lirio macilento.

CCLXXII

"Aquese hoyuelo de la barba bella,
que si no fue del alba dulce lecho,
cuna fue ya de la mejor estrella,
míralo al golpe de su arpón deshecho:
túmulo de sí mismo, adonde sella
el cadáver de un sol lucilo estrecho [49],
cenizas frías de una humana Flora
y secas flores de una muerta aurora.

CCLXXIII

"¡Oh, revuelve la historia de los días
en el volumen de un sepulcro obscuro,
las letras lée, que en cenizas frías
este hueso y aquel escribe impuro:
en tantas de la muerte librerías,
los cuerpos de esos huesos, mal seguro,
estudia, Julio; y en su letra advierte,
que son abecedarios de la muerte!".

CCLXXIV

Menos, los que una edad templó sonora
cisnes de suave pino al dulce viento,
concordes liras, en su voz canora,
gemelo desataron el concento;
menos, al compulsarlas el aurora,
liras de plumas, el armonioso acento
se brindan en las copas de las flores,
en un mismo tenor los ruiseñores.

CCLXXV

Süave suena aquel, suave responde
esotro llano, mientras Julio pío
en sus martas a Ignacio helado esconde,
y lo conduce al techo adonde al frío
el fomento süave corresponde;
el freno allí le entrega a su albedrío,
porque pueda regirlo, soberano,
el maestro dictamen de su mano.

NOTAS AL LIBRO CUARTO

[1] *en tanta de altas naos alada suma?* Corregimos el original que dice *tantas.*

[2] *la puerta el progimnasma.* Anotó el doctor Méndez Pl.: "Progimnasma: Ensayo o ejercicio praparatorio, como el que hace un orador para prepararse a hablar en público. *Dicc. Ac.*".

[3] *en una tienta.* Tienta en su 4ª acep. es: "instrumento más o menos largo, delgado y liso, metálico o de goma elástica, rígido o flexible, destinado para explorar cavidades y conductos naturales o la profundidad y dirección de las heridas" (*Dicc. Ac.*). En cuanto al "quirurgia" por *cirujía* del verso anterior, escrito en el original con *ch,* no la da el *Dicc.* que trae en cambio *quirurgo* por *cirujano.*

[4] *de Anteón en los aires elevado.* El texto dice *Antheon.* Lo transcribimos sin *th* para que no se confunda. 'Ανθευς con 'Ανταιος, Anteo, de quien aquí se trata. El doctor Méndez Pl. anotó: "Gigante hijo de Neptuno y la Tierra, que cobraba nuevas fuerzas al tocar el suelo y a quien Hércules ahogó *in aëre suspensum*".

[5] *a robar al infierno.* Seguimos la enmienda que hizo el doctor Méndez Pl. del original, el cual dice: "a robar *el* infierno".

[6] *que las pretende su mental objeto.* Conservamos el *las* que trae el original, porque podría referirse a *cátedras,* aunque más parece un error y acaso haya de leerse *los* (actos).

[7] *actüante la forma.* Corregimos el texto *le forma,* pues parece evidentemente una errata.

[8] *corcillo volador revuelve.* El texto dice *resuelve,* lo que corregimos, con el doctor Méndez Pl., pues parece ser errata.

[9] *de la laja en que late complicado. Laja,* según el *Dicc.* es del mismo origen del francés *laisse* o *lesse* que significa *traílla,* o sea "cuerda o correa con que se lleva al perro atado a las cacerías, para soltarle a su tiempo". En su 2ª acep., que da como colombianismo, es "cuerda de cabuya más delgada y fina que el lazo". Creemos, sin embargo, que Domínguez Camargo lo usa aquí en el sentido español y no en el colombiano, lo mismo que más adelante en IV, 174 y en V, 55.

[10] *chazas refiriendo. Chaza* es, según el *Dicc.*, "En el juego de la pelota, suerte en que ésta vuelve contrarrestada y se para o la detienen antes de llegar al saque". Confirma esta acepción un pasaje de la *Invectiva apologética, Dedicatoria al Alférez Alonso de Palma Nieto* (véase en esta ed.). *Referir,* no puede tomarse en su primera acepción de "narrar", sino en la 4ª, antigua, *aferir* o *contrastar* (sentido etimológico).

[11] *de augusto Numa.* Hemos corregido el original *augusta.*

[12] *desde su usilo. Vsilo* dice el texto. No hemos podido identificar esta forma que se repite idéntica en IV, 131, aunque, al parecer, con significado un poco distinto. Aunque es poco probable la hipótesis, quizá se trate sólo de una errata por *asilo, lucilo,* o cosa semejante. Vide nota 25.

[13] *que si no comida.* Separamos, como lo pide el sentido, el *sino* del original.

[14] *el diente a nuestras vidas le comete. Le* por (*les* comete a nuestras vidas). Vide nota 43 del libro I.

[15] *si no de doctos cisnes claro imperio.* De nuevo separamos aquí el *sino* del original, lo mismo que en el primer verso de la estrofa siguiente.

[16] *sí en clase besa y clase.* Enmendamos el original "sí en clase besa y *en* clase".

[17] *o ya esconderse humilde a mucha estima.* Así el original. El doctor Méndez Pl. proponía, tal vez con razón, modificar: "o ya a esconderse...".

[18] *aun a pesar de sus tinieblas claro.* Recuérdese a Góngora, *Soledad* primera, vv. 71, 72: "aun a pesar de las tinieblas bella/aun a pesar de las tinieblas clara".

[19] *del de la parda garza blando seno.* Conservamos el adjetivo *blando* que trae el original en este verso. Pero obsérvese que por estar repetido en el verso 7º y por la contraposición que parece exigir el "negra suma" del verso siguiente, pudiera leerse más bien *blanco,* como proponía el doctor Méndez Plancarte.

[20] *efímera la carne eximir sabe.* Este verso y el anterior aparecen en el original así: "*yugo* el bálsamo ha sido, que incorruta / *emífera* la carne eximir sabe". Así fueron trascritos por Carilla, *op. cit.*, donde además se da *hemífera,* con *h.* El doctor Méndez Pl. los corrigió como lo hemos hecho aquí, con lo cual el sentido queda muy claro: "el suave jugo de las frutas ha sido el bálsamo que les preserva incorrupta su efímera carne a través de los siglos".

[21] *a la ahijada.* Conservamos *ahijada* para no descompletar el verso, aunque evidentemente se trata de la *aguijada,* "vara larga que en un extremo tiene una punta de hierro con que los boyeros pican a la yunta" (*Dicc. Ac.*).

[22] *sordo dejo roer.* Corregimos el original *dexó,* acentuado.

[23] *púrpuras halagó.* Corregimos el original *purpúreas,* manifiestamente erróneo.

[24] *en presuroso vuelo el pensamiento.* Conservamos este verso y el anterior tal como aparecen en el original. El doctor Méndez Pl. propuso, para evitar la repetición de *pensamiento* en el 4º verso y en el 2º poner aquí *sentimiento*; y para aclarar el sentido cambiar en el 3er. verso el *llevaba* del original, por *llevara* y el 5º el *hicieran* por *hiciera.* Aunque las enmiendas son muy razonables, preferimos mantener toda la octava como está originalmente, pues, si bien defectuosa, es comprensible.

[25] *en su sublime / usilo.* Vuelve a repetirse aquí la palabra *usilo,* desconocida. Cf. IV, 66. También, como en el pasaje anterior, podría entenderse por *asilo,* aunque aquí por el sentido, y por la medida del verso es más posible leer *lucilo,* que usa en IV, 172.

[26] *a sus estudios le quitó el abrigo. Le* por *les* (*les* quitó a sus estudios). Vide nota 43, libro I.

[27] *de Margarita fue neta venera.* Se trata sin duda de Margarita de Austria (1480-1530), hija del Emperador Maximiliano, y tía de Carlos V, quien la nombró en 1520 Gobernadora de los Países Bajos y ejercía el gobierno en 1528, año de la llegada de san Ignacio a París. No ha de confundirse con Margarita de Austria o de Parma, hija de Carlos V y también Gobernadora de los Países Bajos, pero nacida en 1522.

[28] *de su madre torpe bulto.* El original trae *vulto,* tan frecuentemente usado por *rostro* o *cara*; pero aquí, como lo anotó el doctor Méndez Pl., parece ser *bulto,* con *b,* en la acep. 4ª que le da el *Dicc.* de "busto o estatua". Vide V, 97.

[29] *calificad el taco un tanto humano.* Corregimos el texto *califican,* de acuerdo con el sentido, como lo hizo el doctor Méndez Plancarte.

[30] *el truco ocupan pues.* El juego llamado "de los trucos", muy semejante al del billar, consiste, según el *Dicc.* "en echar con la bola propia la del contrario por alguna de las troneras o por encima de la barandilla".

[31] *dándole el desengaño a sus enojos. Le* por *les* (dándoles a sus enojos). Vide nota 43, libro I.

[32] *con Licio la fortuna un tiempo leda.* Se inicia aquí un episodio distinto del anterior, aunque en la Vida del P. Ribadeneira está narrado antes del del billar (pp. 367, 368, ed. cit.). *Licio,* es, sin duda, un nombre supuesto que el poeta da al personaje anónimo del relato siguiendo, también en esto, un procedimiento gongorino.

[33] *de aquel esta mordida.* El texto acentúa *está,* pero hemos aceptado la corrección que hizo el doctor Méndez Pl,, pues nos parece más acorde con el sentido.

[34] *un lazo, pues, de cáñamo verdugo.* Un ejemplar del *Poema heroico,* con el ex-libris: "Del Colegio de la Compañía de JHS de Riobamba", existente hoy en la *Bibliotheca Aequatoriana* de Cotocollao y perteneciente al R. P. Aurelio Espinosa Pólit, a quien debemos la información, tiene en esta estrofa tres correcciones importantes, hechas de mano antigua, no sabemos por quién. En el primer verso aparecen tachadas las palabras "de cáñamo verdugo" y reemplazadas entre líneas por "no ya coiunda al iugo". En el 2º verso están tachadas las palabras "que mal" y reemplazadas por "pero". En el 5º verso aparece tachada la palabra "tarugo" y reemplazada por "verdugo". Quedaría, pues, el comienzo de la estrofa así: "Un lazo pues, no ya coyuda al yugo / pero revuelto al infelice cuello"; y el 5º verso así: "a la respiración fiero verdugo". El doctor Méndez Pl., quien no tuvo este dato, propuso corregir en el 5º "fuera", en vez de "fiero" y en el 6º "a torcello", en vez de "al torcello", de suerte que estos dos versos quedarían: "a la respiración fuera tarugo / Licio intentaba, al tiempo que, a torcello". No obstante todas estas correcciones, respetamos el texto original sin variación.

[35] *del parto niervo.* La rima exige aquí conservar la forma antigua y vulgar *niervo,* en vez del culto *nervio* que se usa en otros pasajes.

[36] *cuanta en su manto estrella lisonjera.* El original trae *mano* en vez, de *manto,* pero aparece corregido a mano de letra antigua, como evidentemente lo requiere el sentido. El doctor Méndez Pl. propuso corregir en el 4º verso *delineado* en vez de *desatado,* para evitar la repetición de esta palabra. Preferimos conservar el defecto del original siguiendo el criterio de no alterarlo en lo más mínimo y sólo enmendar los posibles yerros de imprenta.

[37] *acusando al silencio de parlero.* Cambiamos, con el doctor Méndez Pl., el original *el silencio* por *al silencio.*

[38] *donde severo / causón.* "Causón (del lat. *causon, -onis* y este del gr. καυςος, ardor) m. Calentura fuerte que dura algunas horas y no tiene malas resultas" (*Dicc. Ac.*).

[39] *que cuando tardo más.* Corregimos el original *tardó,* agudó, pues así parecen reclamarlo el sentido y la armonía del verso.

[40] *y al del Colegio docto Presidente.* Hacemos la corrección que propuso el doctor Méndez Pl., pues el original decía: "ya del Colegio...", lo cual no da sentido. En cuanto al Govea, nombrado en el verso 7º, se trata de don Diego de Govea que figura en el episodio ampliamente narrado en Ribadeneira, *op. cit.,* pp. 103-105.

[41] *en Dámaris. Dámalis* en Horacio, Odas, I, 36. Nota del doctor Méndez Plancarte.

[42] *con los que copos le bebió nimbosos. Le* por *les* (*les* bebió *a* las nubes). Vide nota 43, libro I.

[43] *de la noche oscura pluma.* El texto por evidente errata dice *puma,* que hemos reemplazado por *pluma,* como lo hizo el doctor Méndez Pl..

[44] *entre las garras del furioso Noto.* El original dice: *"entre las garças...".* Si bien en Góngora se toma alguna vez *garza* por "mujer hermosa" (vide *Vocabulario... cit.*), aquí el sentido no permite darle tal significado, por lo que parece más bien errata por *garras,* como hemos enmendado, con el doctor Méndez Plancarte.

[45] *el hielo se desata diamantino.* El original dice *"el cielo...* diamantino", lo cual, aunque pudiera entenderse como metáfora de la laguna helada, más parece ser un yerro tipográfico, como lo juzgó el doctor Méndez Pl.

[46] *que en suspiros zozobra el sentimiento.* El original dice: "que suspiras çoçobra *al* sentimiento". La corrección que hacemos, propuesta por el doctor Méndez Pl., aclara completamente el pasaje, aunque pudiera enmendarse sólo la evidente errata *suspiras.*

[47] *de un risco cada oído embarazado.* En el original el verso se lee así, "en un risco cada oido embarazado". Para evitar la sílaba sobrante habría que hacer a *oído*

bisílabo y leer *óido,* lo cual podría ser influjo de la tendencia popular hacia la diptongación. Hemos preferido, sin embargo, hacer la correción que propuso el doctor Méndez Pl., pues en los numerosos pasajes en que el poeta usa *oído,* éste se tiene siempre como trisílabo.

[48] *taza de bermellón.* Nótese aquí *bermellón,* en contraste con *mermellón* de otros pasajes. Vide nota 24 del libro III.

[49] *lucilo estrecho. Lucilo* o *lucillo* es, según el *Dicc.*, "urna de piedra en que suelen sepultarse algunas personas de distinción". Vide notas 12 y 25 de este libro.

LIBRO QUINTO

Junta discípulos y da principio a la Religión ilustre de la Compañía de Jesús

CANTO I

Elige diez generosos mancebos para oponerlos, como valientes capitanes, a la herejía de Lutero.

I

Víboras añudando en el cabello
que en ponzoñosas crines se derrama
por la tostada espalda y negro cuello,
embebido un escuezo en cada escama;
áspides desatando en el resuello,
y borrando la luz su negra llama
con los dos basiliscos con que mira,
muertes Luzbel al alemán respira.

II

Desenlazó feroz, de la implicada
Libia de su melena, una serpiente,
que mordida en su boca e irritada
de muchos ñudos que le dio impaciente,
al pecho de Lutero desatada,
un infierno le imprime en cada diente;
a cuyo activo pertinaz veneno
abrigó en lo sagrado de su seno.

III

El tósigo trepó su pecho impuro,
en que forjó Luzbel una armería
adonde el dardo venenoso, el duro
acero se conviste la herejía,
profanando del siempre dogma puro
el despejado luminoso día,
que ya escondió con la volante suma
de las flechas que armó de negra pluma.

IV

¡Oh pecho, del infierno abreviatura,
taller que naves concedió al pirata;
inmundo lupanar, donde la impura
doncella, del lenón no se recata [1];
potro que, torcedor de la escritura,
a distantes sentidos la desata;
cátedra donde Venus se sublima
y escuela en quien Cupido lee de Prima!

V

Aqueste, pues, dragón, que coronado
infestó la Alemania con pie lento,
al de la Iglesia se caló sagrado,
desatando en sus dogmas el violento
tósigo, cuyo anhelo venenado
ninguno ha perdonado sacramento,
dejando en cada canon religioso
un serpiente revuelto ponzoñoso.

VI

A las dos llaves, a las dos sagradas
columnas que el Alcides soberano
impuso al orbe, tanto veneradas
aun del distante túrgido oceano,
que, en las del agua basas alternadas,
besando a su clavero está la mano,
negó sus ondas, que en infame seno
besando están escollos de veneno.

VII

La saña así del Ábrego importuna,
dos en sus alas rayos desatando,
al jazmín, que el arroyo abriga cuna;
a la rosa, que el césped duerme blando;
al lilio, del vergel fragrante luna,
sus dentados anhelos exhalando,
tronca, erigiendo a tan florida tropa,
por urna augusta, su estragada copa [2].

VIII

Teatro un tiempo sacro, ya sangriento
cadahalso Alemania a tanta era
lamentable rüina, en que crüento,
cuellos segaba de inocente cera
con filo de diamante, con violento
golpe, Lutero, de su mano fiera,
cuando aun al pecho que mamó el infante
el acero interpuso penetrante.

IX

Aquella mano soberana, aquella
que en el libro del cielo la brillante
cerúlea conscribió página bella
con tinta de oro y pluma de diamante,
y al carácter locuaz de tanta estrella
en zona y zona aró pauta radiante;
la que en el monte fue, nubes vestido,
estilo sobre el risco empedernido,

X

en un rasguño, de su diestra mano
al alma heroica de Loyola fía
un valiente designio, un soberano
modelo de su ilustre Compañía,
que en cuanto ilustra el sol, y el oceano
baña, acusase a aquella inmunda arpía,
enlazando con vínculos süaves
su votado albedrío a las dos llaves.

XI

Que a cada dogma suyo, le opusiese
no un libro solo, un piélago sagrado
de volúmenes doctos que rompiese
el muro que, de arenas agregado,
mal sufrido a sus ondas se rindiese
en infames arenas desatado,
ciñendo cada arena un oceano
y un piélago inundando cada grano [3].

IX, *Genes.*, c. 1, v. 17. — 7: *Exod.*, c. 31, v. 18.

XII

En una, pues, Ignacio, y otra escuela,
diez agregó mancebos florecientes,
que en la de Palas literaria tela,
no menos generosos que valientes,
batiéndole al ingenio docta espuela,
de cerúleo esplendor sus doctas frentes
coronaron las borlas, cuya suma
al uso torció Palas de su pluma.

XIII

Alcándora es de Ignacio el soberano
brazo, a los diez neblíes generosos
que, al dictamen templados de su mano,
sus cañones publican religiosos,
mientras depuesto el capirote vano
que sudores les dieron estudiosos,
y absuelta de esperanzas la pihuela,
a su vuelo es el viento agonal tela.

XIV

Hidalgo azor el Fabro, cuyo nido
excelsa abrigó torre saboyana,
al brazo de Loyola ha cometido
cuanta pulió en la escuela pluma ufana:
primer Decano de este esclarecido
Colegio, que a insultar la siempre insana,
la siempre inmunda luterana arpía,
generosa se agrega cetrería.

XV

De excelsas alas de imperioso vuelo,
de reales noblezas coronado,
sacro neglí, el Javier (a quien dio pelo,
no escollo rudo, nido sí dorado
la navarra Corona), al alto cielo
registrará el coluro remontado,
y alcándora su zona más ardiente,
ocuparán sus alas el oriente.

XVI

Excelso baharí, Diego Laínez
(a quien le dio Almazán cuna luciente),
alcándora hará suya los clarines
de la fama, en sus libros elocuente;
e inculcándole a Palas nuevos fines,
al tridentino cónclave eminente
suspenderá su vuelo, y hará, en suma,
religioso cayado de su pluma.

XVII

Augusto gerifalte, el siempre agudo
Salmerón (que en la roca más dorada
a quien el Tajo el pie le baña rudo,
cuna su patria le erigió sagrada),
vestirse de Minerva tantas pudo
laureadas plumas, que la dilatada
esfera de zafir del ancho cielo,
es breve plana al rasgo de su vuelo.

XVIII

Halcón de ilustres plumas, en la mano
se apioló de Loyola augustamente,
noble el Simón Rodríguez lusitano,
claro esplendor de su nación valiente;
y su vuelo tendiendo soberano,
tanta cuchilla fulminó elocuente,
que ni presas, ni pluma, ni osadía
diera Noruega a tanta cetrería.

XIX

Excelso sacre, el docto Bobadilla,
a quien dio Carrïón, entre la espuma
que exponen sus cristales a la orilla,
generoso esplendor, augusta pluma,
una en cada volumen maravilla
tendió a los vientos, cuando en cada suma
de las que el libro más pequeño incluye,
todas sus plumas Palas substituye.

XX

Al Claudio, y al Coduri, y al Pascasio
(un borní, cada cual, majestüoso),
aun todo el viento fue pequeño espacio
en que el vuelo tendieron generoso;
y a la mano calándose de Ignacio,
a su dictamen pulen religioso
las nuevas plumas que en las doctas alas
les ha vestido, en las escuelas, Palas.

XXI

!Oh diez mancebos [4] no, sí diez portentos,
a quienes, sacra alcándora, sustenta
el brazo de Loyola, que los vientos
de mucha purgan cuerva turbulenta!
Aquestos diez alados pensamientos
que su maestro espíritu alimenta,
entre heréticas turbas desatados,
rayos son, de su pecho fulminados.

XXII

A borrarle la luz a la doctrina
del dogma más católico, el impuro
seno, si no la lóbrega sentina
de Lutero, descoge mucho obscuro
cuervo a la Iglesia; e Ignacio a su rüina
escalando el que más dista coluro,
la eclíptica ascendiendo, al heresiarca
mucha desata literaria Parca [5].

XXIII

No hay ala que no roce las estrellas,
cualquiera pluma hasta la zona tala;
y en los helados trópicos, centellas
una agitada saca, y otra ala:
siente el cenit las fugitivas huellas;
y tanto implume cuervo el aire cala,
que a su sepulcro, el líquido elemento,
y a su despeño es poco todo el viento.

CANTO SEGUNDO

Vuelve a su patria, y deja la casa de su hermano. Vive en el hospital como pobre: predica y enseña en ella la doctrina cristiana. Dios, por su medio, obra algunas maravillas. Embárcase para Venecia, después de haber visitado otros lugares de España y compuesto algunos negocios de sus compañeros.

XXIV

El dictamen común confirmó el voto
en que a la Tierra dedicaban Santa
con la esclavina el báculo devoto,
y con entrambos la desnuda planta,
si aquel año al timón diese el piloto
piélagos libres que domar, en cuanta
palestra tiende al mar de espuma cana,
hasta el Jordán, la arena veneciana.

XXV

A la que cuna fue a su edad primera,
desde París Ignacio se revoca;
terminóle su patria su carrera,
y al patrio albergue perdonando, toca
su fatigada planta aquella austera
piscina de incurables que convoca
las vidas dubias a que, en hado fuerte,
por la posta caminen a la muerte.

XXVI

Acibaroso le mordió a su hermano
el de Loyola destinado techo,
que al santo impulso achaca un tigre hircano
y un dragón atribuye al sacro pecho,
cuando negado advierte su honor vano,
que en opulenta mesa, en blando lecho,
con esplendor sirviera, con decoro,
costosos platos y columnas de oro.

XXVII

—"¿De qué Libia tan rígido portento
(enojado le dice) habrá nacido,
cuando en sus alas no lo sufre el viento,
de sus ponzoñas duramente ardido?
¿Qué seno lo ha abrigado tan crüento?
¿Qué serpiente fatal lo habrá parido
sin reventar violenta, que así crudo
al fraternal amor le rompe el nudo?

XXVIII

"No tu delirio el pueblo; mi despego,
mi sangre manchará con torpe nota,
cuando a mi mengua atribuyere, ciego,
una hermandad tan duramente rota:
no ha perdonado tu desasosiego,
en máscara escondiéndose devota,
extranjera región ¿y así severo,
eres, aun en tus lares, extranjero?

XXIX

"Sin techo, sin hogar; con indecente,
con irrisiva, con infame ropa,
tu peregrino pie el nombre luciente
infamó de Loyola en toda Europa:
depuesta así la pudorosa frente,
¿aun a mis ojos, en la obscena tropa
te mezclas, en mendigos hospitales,
a tus paternos renunciando umbrales?

XXX

"¿Qué destino te induce a que mendigo
inquieras, lo que puedes lograr dueño,
armando de ojos contra mí un testigo
con cada ruego de los que tu ceño
con el uno interpone y otro amigo,
que acusándome avaro o no halagüeño,
tu estirpe notan, o mi duro pecho,
que te niego, juzgando, el patrio techo?

XXXI

"Quien te viere animar un brote obscuro
en aquese hospital (do en cada cama
armando está la muerte un potro duro
en que, torcido, cada enfermo brama),
ministro vil aun de lo más impuro,
¿qué nota no impondrá a mi ilustre fama?
¡Déjate hallar de mi piadoso ruego,
áspid sordo a mi voz, a mi honor ciego!

XXXII

"Yace en la pira de la llama activa
cuanto cadáver, o vistió la pluma,
o la piel ha animado fugitiva,
o de escamas armó la blanca espuma;
la alegre grana en la columna altiva
(digno dosel, aun del augusto Numa),
oro esconde en la cama, y mejor lecho
en mi sangre te esconde un grato pecho".

XXXIII

Indulgente Loyola le resiste,
y así, a su hermano, humilde desengaña,
que de piadosa admiración conviste
el pecho que el honor vistió de saña:
repugna, humano, al que templado insiste;
y halagando sus iras, fácil caña,
hurtando el cuerpo a su tenaz violencia,
al regalo le niega su presencia.

XXXIV

El hospital vivió, y en cada lecho,
a cuanto enfermo lo animaba, era
dulce reclinatorio el blando pecho,
vestido de almas de piadosa cera:
el pelicano, menos se ha deshecho
sobre su implume pájaro, que espera
de esta granada ilustre de las aves,
en su sangre beber almas süaves.

XXXV

Débil caña ocupando aquella mano
que empuñó en otro tiempo bastón de oro,
alma dando süave al soberano
metal ladino, ruiseñor canoro,
de tiernos niños agrega, humano,
el uno y otro resonante coro,
que, en dos tendidas alas compartidos,
dos márgenes formaban de Cupidos.

XXXVI

No de otra suerte el fénix, sol de pluma,
renacido de sí y en sí sembrado,
en el Arabia, de la dulce suma
de raudas aves vuela acompañado,
a coronar de Ganges en la espuma
al rey de esotros fríos venerado,
consagrando a su orilla reverente
reliquias de su ocaso y de su oriente.

XXXVII

El vulgo, pues, de angélicos Anfiones
eco fue alterno de la voz divina
de aqueste Orfeo, que altas suspensiones,
con la cristiana que explicó doctrina,
a las mayores daba ocupaciones:
pues su aliento fue llave a la oficina;
Circe, al comercio, su eco generoso [6];
imán, su voz, del pueblo numeroso.

XXXVIII

Al caudaloso piélago de gente
que agregaba su voz, le viene estrecho
el de los templos espacioso ambiente
y el volumen del más tendido techo;
y al del campo empujándose patente,
nunca enfrenado de los muros trecho,
diluvios lo anegaban, desatados,
de pueblos a su labio consagrados.

XXXIX

Su gesto, pues, el roble más membrudo,
del sacro cazador, su ardiente aljaba
de un dardo y otro dulcemente crudo
(sin frustrársele tiro), la agotaba:
ardiente abrasa, cuando cala agudo,
al corzo leve y a la fiera brava,
que buscaban, corriendo, a su dolencia,
el sagrado Jordán de la conciencia.

XL

¡Oh cuánta convertida Magdalena,
ahogando a sus pies dulces enojos,
en el mar que su llanto desenfrena,
zozobra de Cupido los despojos:
en ondas anegando la melena,
en mares inundando sus dos ojos,
la planta que pisaba, en tanto lloro,
sierpes de aljófar y áspides de oro!

XLI

Próxima, a la distancia más remota,
en trescientos ya fue pasos tendidos
distante el aura dulcemente rota
del lince de su voz, que a los oídos
de una matrona que ascendió devota
los techos más de Ignacio divididos,
clara se exprime; porque Dios respira
en su voz, al oído, longe-mira [7].

XLII

Menos, en la Sicilia, el viento vano
peinó süave piélagos de espigas;
menos, al campo de jazmines cano,
el Céfiro con alas meció amigas;
y menos el Favonio al oceano
(deponiendo en sus senos sus fatigas)
ondas le enrizó crespas en la frente,
que piélagos Ignacio vio de gente.

XLIII

La nao del corazón, en que la vida
ondas surca de sangre, en aquel trecho
que su derrota sigue esclarecida
en los angostos márgenes del pecho,
de dos quebrados remos conducida
en las angustias de un violento estrecho,
encallaba en un joven, donde rota,
en una de coral se anega gota.

XLIV

Los vitales alientos zozobrados,
de los pulsos deliros los pilotos,
los miembros forcejeaban anegados
en los del cuerpo términos remotos:
los iguales impulsos desatados,
en las arterias naufragaban rotos,
hallando, dubios, en la boca apenas
entre espumosas ondas las arenas.

XLV

De aqueste achaque, pues, tan tormentoso,
en que el bajel del corazón perdido,
de un Caribdis a un Scila proceloso
duramente nadaba sacudido,
naufragando mortal, el imperioso
aliento de Loyola esclarecido
el Telmo fue, que en el revuelto seno [8]
impuso a su tormenta el dulce freno.

XLVI

Por Lucifer, su emperador, había
una legión de espíritus inmunda
tiranizado un cuerpo, donde impía
obstinaba su cólera iracunda
al exorcismo sorda rebeldía:
de Ignacio sintió, al fin, dura coyunda
su obstinada cerviz, pues repulsada,
al alma dejó libre su morada.

XLVII

El brocal ocupaba de una fuente
que, por el labio de un silvano rudo,
mucha flechaba jara transparente
al que embrazaba un mármol, hondo escudo,
una anciana mujer en cuya frente
su mapa el tiempo le rayaba mudo:
purgadora del lino, en quien desagua
su ruibarbo el jabón, su sen el agua.

XLVIII

¡Oh, ya del tiempo desatado el lazo,
¡oh—, ya oprimido de rigor violento [9],
divorciado del cuerpo, el diestro brazo
ni vida le pedía, ni alimento;
caduco tronco, inútil embarazo
al impedido daba movimiento:
aquesta, pues, monócula de mano,
con el lino el cristal violaba cano.

XLIX

Esta, un sudario de Loyola breve
purificaba el agua [10], y le infundía
los candores helados de la nieve;
y apenas le tocó la espuma fría
el seco brazo, cuando en él se mueve
ágil el nervio, que arterioso fía
al repartido impulso el movimiento,
examinado en impulsiones ciento.

L

Reiteróse a la vida el mal atado
brazo a los hombros [11]; y reconocido
de la anciana mujer, de un bronce helado
los otros miembros suyos ha vestido:
yertos se pasman, pues; y el adoptado
brazo del hombro, donde se ha ingerido,
ágil se mueve: que le dio el portento
el de todos los miembros movimiento.

LI

Venerosa Guipúzcoa a Ignacio aclama
en su patria profeta, la torcida
costumbre desmintiendo, con que infama
sus hijos, de sus obras matricida;
mas él, heroico antípoda a su fama,
humilde borra en sí su ilustre vida,
y el honor acusando, que desprecia,
al camino se entrega de Venecia.

LII

Su planta merecieron peregrina
Sigüenza y Almazán, donde prudente,
enmarañados casos determina
su dictamen, a todos asistente:
halló su expedición siempre divina
el hilo al más perplejo, que expediente,
de un laberinto saca complicado
cuantos de él sus conciencias han fïado.

LIII

Profanada del polvo del camino
su boca, si del báculo su mano,
la vez tercera, al circo cristalino
que en sus aguas erige el oceano,
sagrado atleta cometió el destino,
inculcador del ponto veneciano;
y en el carro agonal de nave fuerte
se consagró vecino de la muerte.

LIV

Undoso cocodrilo, si indulgente,
le ofreció la mar seno mullido,
y a breve instante le erizó la frente
del Áfrico el desgarro sacudido:
en la menor espuma, agudo diente
acicaló su enojo enfurecido;
y la que nao creyó de sus halagos,
tarde siente advertida sus estragos.

LI, 2: *Lucae,* c. 4, v. 24.

LV

Desde las rocas, en que lo ata mudo
del Eolo la laja, se desata,
dentado can, el Ábrego sañudo,
erizando en la mar polvos de plata:
tras la corza de pino vuela crudo,
cuando en deliras ella se dilata
caladas, y se esconde de sus sañas
en las undosas, que caló, montañas.

LVI

Alcanza pertinaz y crudo embiste
la que huye veloz, tímida vuela;
y en el caduco lino que la viste,
despedaza feroz la hueca vela:
al hueso se le intima, que resiste
en el mástil fornido, a quien apela
de su tímida fuga, cuando tierno
en sus astillas es ganchoso cuerno.

LVII

De cortadoras alas convestido,
menos el cierzo, baharí crüento,
al garzón del abril esclarecido,
cándido lilio, arrebató crüento [12]
y en olorosos miembros dividido,
al cadahalso le esparció del viento
troncada nieve, deshojada espuma,
en trozos de ámbar, en fragrante pluma,

LVIII

que del furioso Ábrego embestida
la fugitiva nao, miembros de pino
se desnuda en el mar, sin que a la huída
alas le presten de velero lino.
De sus dentados soplos tan mordida
corcilla, corre al fin el cristalino
bosque de olas, que en la arena grave
cadáver yace exánime la nave.

LIX

En troncos desatada, la carrera
en el puerto absolvió tan felizmente,
que a su rudo esqueleto de madera
túmulo el mar se erige transparente:
yace en su orilla la que fue velera
ballena, que lanzó mucho viviente
Jonás, que a Ignacio atribuyó el acierto
del timón en la mar y ancla en el puerto.

LIX, 6: *Ionae,* c. 2, v. 11.

CANTO TERCERO

Llega a Venecia; y pasando a Roma con sus compañeros besan el pie al Pontífice: confírmales el voto de ir a Jerusalén; y no pudiendo pasar aquel año a la Tierra Santa, se parten a predicar por el dominio véneto. Sana a Simón Rodríguez [13] *de unas fiebres malignas.*

LX

Segunda vez feliz alberga, aquella
ciudad en los cristales embarcada,
del sacro Ignacio la divina huella.
Una calumnia aquí, rayos armada,
que de su estatua supo la centella
en París, afirmó; mas ventilada
tan grave injuria en judicial astrea,
él quedó libre, y la calumnia rea.

LXI

Dulce atractiva imán, su voz convoca
a sus celantes hijos, derramados
en las ciudades que Venecia toca
con el cetro ducal de sus estados:
llegaron; y no así, en la excelsa roca,
con anulosos nudos implicados
la hiedra trepa, cual con dulces lazos
a Ignacio implican los filiales brazos.

LXII

A que venere cada cual, devoto,
del Vice-Dios el pie, blando los mueve,
en la alma Roma, y a que el cuarto voto
pontifical sufragio les apruebe,
mientras al mar y al África el piloto
le vela fía, y el timón embebe
por escollosa espuma al agua santa
que tanta baña peregrina planta.

LXIII

Ave real, a aquella luz divina
(que vinculado ha Dios a las dos llaves
del pontificio alcázar), examina
sus hijos diez, sus diez felices aves:
que pupila a sus rayos diamantina,
a sus rayos exponen, y süaves
pihuelas a su afecto atan devoto,
en ellas apiolando el cuarto voto.

LXIV

Indulgente el Pontífice permite
a sus labios el pie; y a su destino,
que, los senos sulcando de Anfitrite,
el sepulcro venere, peregrino,
si no sucede ya que lo limite
velero bosque de pirata pino,
o piélago intratable al yugo grave
que a su cerviz impone nave y nave.

LXV

Revocado a Venecia aquel pequeño
colegio de mancebos generosos
(mientras del mar depone el torvo ceño
los entredichos que intimó espumosos),
los siembra, labrador siempre halagüeño,
en los pueblos, Ignacio, que obsequiosos
el yugo cargan veneciano, adonde
con fruto oprimo cada cual responde.

LXVI

A las llaves de Pedro coligada
y a la del Quinto Carlo espada unida,
de su León la pompa coronada,
guerra Venecia le intimó rompida
al turco Solimán, que fatigada,
o de veleros bosques impedida,
toda el agua oprimía, y con violento
lino ocupaba el soplo a todo el viento.

LXVII

Todo el bosque echó al agua, y todo el lino
al aire convistió, la veneciana
pompa naval, que a repetido pino
ancho nido mulló su espuma cana;
más corvas quillas esta al cristalino
elemento le induce, que la ufana
armada turca, en mucho gallardete,
lunas al aire corvas le comete.

LXVIII

Montañas, pues, de islas fluctüantes,
ciegos montes de mástiles calados
(cuyas menores copas tremolantes
inmensos linos son, del viento hinchados:
cuyas aves, bombardas resonantes,
avestruces de bronce son preñados),
a la de Ignacio ilustre Compañía
el paso del Jordán les impedía.

LXIX

Cuando el sol crespa luz viste al cordero
que en la dehesa azul flores de estrellas
pace retozador, y el pie ligero
(que en espumas vadea de centellas
las ondas del zafir) mucho lucero
al carácter fïaba de sus huellas,
tigre, cualquiera nao, de armada encina,
la mar, Hircania hacían cristalina.

LXX

Este, pues, bosque undoso, a quien pirata
el Barbarroja, por la luna turca,
fieras de alado pino le desata
en cuanta nave el oceano surca,
con la pihuela de las anclas ata
en el arena la velera urca [14]
que, ave real, pudiera al santo suelo
conducir Ganimedes en su vuelo.

LXXI

Este, pues, año, el veneciano suelo,
de los jóvenes diez logró dichoso
el divino fervor, el santo celo:
que ardiendo cada día fervoroso,
a conculcarle el puerto al alto cielo,
faro se contrastaron luminoso,
a cuyos se enfrenó rayos süaves
un pueblo inmenso de diversas naves.

LXXII

Menos, con silbo igual, raudos cometas,
de diez nerviosos arcos desatadas,
al ciervo se calaran diez saetas,
cuando, cuchillas de diamante armadas,
al corazón uniéndose, secretas
alas se le intimaran venenadas,
con que volara al agua, que a la gente,
rayo cualquiera fue, joven ardiente.

LXXIII

Breve el cadáver de una ermita ruda,
a quien del tiempo el flúvido progreso
con batería sordamente cruda
el uno le movió y el otro hueso,
entre areniscos miembros, que le anuda
blanco nervio de cal, que el leve peso
del techo apenas sustentaba, a Ignacio,
bien que pajizo, augusto fue palacio.

LXXIV

Aquesta, de los muros desatada,
migaja de su antiguo esplendor, era
de Ignacio y de otros dos, pobre morada,
si fiel testigo de su vida austera:
adonde a la dureza mendigada [15]
miembros el agua le vestía de cera,
domando de un arroyo los cristales,
en los mendrugos tercos pedernales.

LXXV

De esta desnuda ermita, en quien vivía
expuesto Ignacio, en la roída peña,
del tiempo a la gentil descortesía
que sus miembros violaba zahareña,
ya al púlpito, ya al ruego, cada día,
alternados saliendo, el que hoy enseña,
mañana pide, en tanto que su voto
o el pirata le absuelve, o el piloto.

LXXVI

De lenta fiebre Ignacio derribado,
ruda paja animaba en duro lecho,
mal del mendrugo terco acariciado,
mal abrigado del anciano techo;
cuando improviso nuncio (que calzado
talares de Mercurio midió el trecho
de Basán a Venecia)[16], a Ignacio advierte
que próximo Simón está a la muerte.

LXXVII

A la paja perdona, que lo abriga;
y tan veloz camina, que pudiera
sobre la rubias mieses, sin fatiga,
su prolija agitar vaga carrera
sin doblarle una arista a la alta espiga;
tan leve, que en la espuma más ligera
sin abollarle el copo más vidrioso,
su paso hollar pudiera impetüoso.

LXXVIII

Mal el halcón, absuelta la pihuela
(rayo de pluma), el vuelo le igualara;
mal, obediente a la batida espuela,
el caballo sus huellas alcanzar;
mal, el corcillo que los campos vuela,
lo siguiera, aun herido de la jara:
pues, pesado acusando al leve viento,
tomara en él la posta el pensamiento.

LXXIX

Los puestos de los miembros ocupaba
fiebre, a Simón, tiranamente unida;
y en el rendido corazón, talaba
el alcázar purpúreo de la vida,
que las vitales flechas de su aljaba
en la arteria quebrando sacudida,
poseído lloraba el mayor fuerte
del general tirano de la muerte.

LXXX

Éste, a la voz, al cariñoso lazo
del imperioso Ignacio, desampara
el ocupado alcázar: que su brazo
aun a la muerte misma sujetara.
Rindióse, al fin: que al implicado abrazo,
Eliseo en sus nudos se declara,
siendo su voz, en el conflicto fuerte,
aforismo que puede aun con la muerte.

LXXX, 6: IV *Reg.*, c. 4, v. 34.

CANTO CUARTO

Vacila en su vocación un discípulo de San Ignacio: quiere quedarse en compañía de un ermitaño; pero un ángel, en figura de un hombre armado, le vuelve a su acuerdo, y reduce a la dulce compañía de su santo Padre.

LXXXI

Eminente a Basán, monte membrudo,
émulo en sus cervices al de Atlante
(rocas sus miembros, si su pelo rudo
el encino a los siglos más constante),
en uno y otro risco colmilludo
se engreía a sus campos elefante,
de quien era, en su esfera convecina,
el Meduaco su trompa cristalina [17].

LXXXII

Plumas vestida de espadaña ruda,
sobre los hombros de una agreste peña,
mimbres sus huesos (a quien nervio anuda
con lazada a un vencejo no halagüeña),
secreta choza, aun a los vientos muda,
pajiza en aquel monte era cigüeña
que con caducas alas abrigaba
a un santo anacoreta que ocultaba.

LXXXIII

Enmarañada mies del austro era
la que los hombros y la espalda oculta
en cándidas aristas cabellera,
o tarde o nunca de sus dedos culta;
zarza de nieve, le escondía severa
el anudado pecho barba inculta,
que en espinosos complicada nudos,
fulminaba a la vista abrojos crudos.

LXXXIV

Al arado del tiempo negligente
uncido el buey de un siglo perezoso,
en el campo rompió de su ancha frente
aqueste y aquel sulco tortüoso
que en complicadas rugas a su diente
mucho le agrega césped sinüoso,
cuando el yugo en las cejas relajado
depuso el tiempo, de surcar cansado.

LXXXV

Anacoretas ya, como él, sus ojos,
en dos cisternas rotas escondían
de dos ancianas niñas los despojos,
que del comercio de la luz huían;
y ceñidas cilicio en los abrojos
de sus cándidas cejas, exprimían,
cuando el llanto sus ojos examina,
en sus lágrimas sangre cristalina.

LXXXVI

La nariz, de la frente derivada
despeño corvo, oblicuo precipicio,
al labio pende: imagen ajustada
del pico adunco que, en el buitre, Ticio
apacienta infeliz; o de la armada
al sanguinoso inexorable oficio,
guadaña de la muerte, que desea,
en su esqueleto, nada de su idea.

LXXXVII

Balas los siglos, pólvora los días,
su munición gastaron inclemente
en batir en las mórbidas encías
el muro ebúrneo del menudo diente:
que en las reliquias que conserva, frías,
su rüina acordando mudamente,
cárdena pira erige labio y labio
que mal del tiempo redimió el agravio.

LXXXVIII

En pocas carnes mucha tierra medra,
con anulosos vínculos atada
la de sus nervios complicada hiedra
que una roca en su cuerpo engaza helada;
que en sus miembros abraza piedra y piedra,
de aquella de los siglos fatigada
prolija senectud, que torpe anuda
caducos huesos a la carne muda.

LXXXIX

Relajado el color, las pieles flojas,
en el volumen de su cuerpo rudo
revuelve el tiempo sinüosas hojas,
en quien edades escribiendo mudo
con las que bebe al pecho tintas rojas
la dura pluma de su diente crudo,
biblioteca le erige a las edades [18],
en que prescribe el tiempo eternidades.

XC

Trémula la cabeza le vacila
al golpe de los años: que en los días,
espíritus de azogue le destila
el tiempo, a las que canas meció frías;
llorosa se desata la pupila
en las perennes lágrimas, que pías
descartan perlas en la barba cana,
más que en los lilios perlas la mañana.

XCI

Esta excepción del tiempo rebelada,
salamandra del fuego de los años,
en este eterno monte reservada
cátedra magistral de desengaños,
no la holanda la viste delicada
no del belga la abrigan cultos paños;
dentado ramo sí, de palma ruda,
que por vestir al viejo, se desnuda.

XCII

El tardo golpe de su breve azada,
de su mano impelido flacamente,
en la tierra a su imperio doctrinada
huertecillo habilita floreciente:
donde la planta, que se halló halagada
del culto hierro al cariñoso diente,
opima a sus sudores le tributa
sombra apacible y sazonada fruta.

XCIII

En flor, en él, fragante estrella
en olorosos rayos se dilata,
y un signo hojoso, en cada planta bella,
en fructíferos astros se desata,
cuando el arroyo, que en su arena huella,
bullicioso zodíaco de plata [19],
en cuanto corre en la tendida falda
de aqueste firmamento de esmeralda.

XCIV

El hueco seno de una encina vieja,
de susurrantes flechas dulce aljaba,
una desata errante, y otra abeja,
que arpón alado en cada flor se clava:
y en la copa que más herida deja,
el aguijón en el aljófar lava;
y en húmidas metáforas de nieve,
buída esponja es, que perlas bebe.

XCV

Aquesta escuadra, pues, retozadora
de mil alados Cupidillos leves,
o de Sirenas mil, turba canora,
que liras en sus picos pulsan breves,
lo que al lirio y la rosa el alba llora
bordando granas y argentando nieves,
en dulzura traducen, que le fía
al paladar su armónica ambrosía.

XCVI

Conmoraban en paz con el anciano,
en los carrizos frágiles del techo
y en la alcándora flaca de su mano,
pueblos de aves, a quien grato lecho
cuando implumes, le dio su seno cano [20];
y alternando con él su dulce pecho,
si cisne entona el viejo salmos graves,
cisnes le corresponden coros de aves.

XCVII

A un cortezudo tronco, vinculado
con cuatro rudos hierros, pende el bulto
de un Cristo de metal, tan lastimado
del arte docta, como del insulto
del tiempo, a sus injurias conjurado,
que, sus llagas con diente arando oculto,
con buriles de siglos perficiona
lo que el arte a su estrago le perdona.

XCVIII

El tronco rudo de la cruz nacía
del casco roto de una calavera,
que de su amada esposa fue algún día
alma de hueso de beldad parlera,
cuando rayos al sol le escurecía
con la anulosa rubia cabellera
que del hueso, que risco es indecoro,
undosos Nilos desataba de oro.

XCIX

Dos de carmín Erídanos cuajados
(en que era cisne cada blanco diente)
sus dos labios formaron encarnados
en la boca, que ahora es indecente
urna de sus despojos destrozados;
trono de la hermosura fue luciente
todo aquel hueso, que es ahora, duro,
de tanta pompa cadahalso obscuro.

C

Piadosa la abejuela, en lo que estraga
la muerte en la rompida calavera,
en cuanta el hueso expone ebúrnea llaga,
ingiere susurrante hilas de cera;
muchas rüinas con su miel halaga,
mucho le dora estrago lisonjera,
mientras el Cristo, de sus llagas rotas
melifluas mana, no purpúreas gotas.

CI

No de bronce era el Cristo al lacrimante
suspiro del anciano enternecido
que piedades sacara del diamante,
que al risco enterneciera endurecido:
de sus llagas formaba vigilante
a sus endechas esponjoso oído,
que en su pecho rompidas, hacían eco
en el de hueso simulacro hueco.

CII

Este Olimpo escalando un compañero
que en Basán a Loyola le asistía,
a este segundo Paulo, a este severo
despreciador de humana compañía
comunicó feliz; y al lisonjero
sitio, la vista codiciosa fía,
bebiendo en cada risco, en cada peña,
una imán a sus ojos halagüeña.

CIII

Ninguna abeja en el jardín resuena,
que a la tïorba del clavel, que liba,
no se intime a su alma una Sirena
en el ponto del huerto ejecutiva;
undoso cisne en la dorada arena
el agua se le finge fugitiva,
que convestido de nevadas plumas
canoras articula sus espumas.

CIV

Hojosa imán, la rosa descollada
prende su corazón en sus abrojos
cuando, purpúrea cuna regalada,
mece las niñas de sus tiernos ojos,
al tiempo que, del aire retozada,
en los halagos de su seno rojos,
en blandos a la vista da rubíes
mullido lecho, en copos carmesíes.

CV

El lilio, en copa de olorosa plata [21],
con el aljófar que le dio el aurora,
en los dulces venenos que desata,
sus sedientos afectos enamora;
anulosos al pie grillos le ata,
en el fragante ameno Argel de Flora,
la eslabonada vid que sortijosa,
de un olmo se afectó mazmorra hojosa.

CVI

De su olorosa aljaba las mosquetas
con arpontes de ámbar, a su aliento l
flechando están suavísimas saetas
en el arco dïáfano del viento;
fragantes los jazmines son cometas
que predominan en el pecho atento
del joven, que a su influjo dio, süave
de sus potencias la rendida llave.

CVII

El clavel, laberinto escrupuloso,
que nasa al aire se intimó teñida
en el livor del tiro más precioso [22],
a la vista del joven advertida,
volumen se le enreda sinüoso
en que se pierde dubio, y la salida
en sus hilos le ofrece; y siempre incierta,
a volverse a sus párpados no acierta.

CVIII

La dulce fruta que en las ramas pende,
a su confuso pie, pomo es dorado;
Anfión de plumas es, que lo suspende,
el pájaro en aquel encarcelado
Argel de Flora cuyo vuelo prende
el espontáneo vínculo anudado,
no astuto cazador, pues del anciano
pihuela la voz es, jaula la mano.

CIX

La que al escollo fue cárcel hojosa,
o calabozo en vínculos cerrado,
hiedra, en sus ciegas trepas anulosa,
al absorto mancebo se ha implicado
en apretados lazos; red nudosa
adonde el corazón encarcelado
a sus afectos apretaba mudos,
más que ella enredos, intrincados nudos [23].

CX

Orfeo dulce, el venerable anciano
en su apacible halago le infundía
a la del joven tiernamente humano
templada en sus afectos simpatía,
el de tan santa vida soberano
concento: la suavísima armonía
de las costumbres del anciano grave,
himno al mancebo se templó süave.

CXI

Precipitado el sol al occidente,
las sombras duplicaba al monte umbrío,
cuando el anciano al joven indulgente,
del lazo le absolvió del pecho frío;
entonces él, que enamorado siente
la choza trasponer del viejo pío,
vacilante al primero movimiento,
luchando baja con su antiguo intento.

CXII

Heroico pide diamantino pecho,
el que Loyola le enseñó camino:
que en mucho aprieta fatigoso estrecho
el que a la vida da, dogma divino;
ociosa paz el solitario techo,
al que fomenta ya nuevo destino,
en la choza le finge, y le convida
a sabrosos destierros de la vida.

CXIII

Amiga soledad, adonde hurtado
al contagioso tráfago del mundo,
viva sólo a su Dios, privilegiado
de las olas del piélago iracundo,
dulce llama a su afecto, y que (dejado
Loyola) se redima del profundo
ponto escolloso, donde el flaco aliento
con agua lucha y con contrario viento.

CXIV

Esfinge dulce de su vida era
el que corona el monte, paraíso,
que convecino a la celeste esfera
le arrebataba el ánimo indeciso:
relajó, pues, el freno a su carrera;
y endurecido al celestial aviso,
a rogarle se vuelve al eremita,
que compañero su vejez lo admita.

CXV

Breve término andado, duro freno
a sus pasos impone el que vomita
el monte, de su más perplejo seno,
formidable coloso, que limita
en su mudable pecho, de angor lleno,
el destino fatal que solicita,
escalando la cumbre con pie vario,
plaza asentar de estéril solitario.

CXVI

Mongibel centelloso, la cimera,
en humosos torrentes escondido,
en la tonsa oprimía cabellera
un turbio Marañón, que dividido
en torvas crines, en la frente austera
y en el rostro escolloso descogido,
en ondas anegó de austeridades
fatal concurso de monstruosidades.

CXVII

Un peñasco de acero era el gigante,
de muchas olas negras inundado,
en las conchas de cárdeno diamante
que al cuerpo viste, infaustamente armado:
de su escudo el convexo fulminante,
Etna de acero en nubes inundado [24]
rayos aborta en Libias de escorpiones,
que al aire anega en piélagos de arpones.

CXVIII

En su mano, la lanza era serpiente,
no tortüoso, no, sino tendido,
cuando vibrado al aire, su alta frente [25]
con el cuento juntaba dividido:
cuya acerada lengua, cuyo diente
de venenosas llamas convestido,
su tósigo vibraba truculento
al que gemía, estremecido viento.

CXIX

Su espuma sangre, sus resuellos fuego,
sus crines sierpes, si su pelo llamas,
en la nube escondió de polvo ciego
cuantas el hierro le conviste escamas,
el caballo que infrene y sin sosiego,
rompiendo al bosque las trabadas ramas,
en su espesura hacía, escandaloso,
lo que el rayo en las nubes proceloso.

CXX

Las manos sobre el pecho palpitante
del mancebo arrojó, precipitado,
cuando del asta el hierro de diamante
al corazón vibraba el enojado,
el horroroso, rápido gigante;
y del huelgo primero atropellado
que del impulso del caballo ardiente,
besó sus pies con la obstinada frente.

CXXI

No de otra suerte cae, que a la severa
bala que la escopeta absolvió cruda,
envuelta en su livor, rueda la fiera
por la que ya escaló, montaña ruda;
y en la del cazador planta ligera,
en su rüina desató membruda
los espumosos túrgidos rubíes,
en calientes arroyos carmesíes.

CXXII

Derrotada la vista en sus dos ojos,
anegando en sus miembros el sentido,
nadando el alma en piélagos de abrojos,
al corazón acude, combatido,
con los que al pulso le hurtó despojos,
a que bajel los salve, socorrido:
toda asiste en la oreja, adonde advierte
vestirse de piedades a la muerte.

CXXIII

—"El pie revoca (dice) del camino,
que a soledad induce infructüosa
el que afecto fomentas peregrino;
o en la que el asta coronó enconosa
llama de acero ardiente, tu destino
depondrás, engañada mariposa:
el vuelo enfrena que a su llama austera
las rocas de diamante aun no son cera.

CXXIV

"A Ignacio te repite, débil caña
que a tan ligero soplo has vacilado,
cuando a su sombra desarmar la saña
del África pudieras enojado;
a su esquila te acerca, que te engaña
en piedades el lobo enmascarado,
y en su diente verá tu triste anhelo
lo que su boca dista de su pelo.

CXXV

"A Ignacio te reduce, vacilante,
antes que Circe obstine, no halagüeña,
el corazón voluble, que inconstante
en solitarios yermos tu pie empeña,
en estatua de sal, que dé al diamante
constancias que imitar, y dé a la peña
durezas que aprender, cuando sublime
edad la roce, pero no la lime".

CXXVI

Entredicho del joven respetado
la voz fue del jayán, que calzó nieve
al pie que en el talar había calzado
a sus efectos acicate leve;
a su antiguo destino, el pecho errado,
y la planta al de Ignacio albergue, mueve:
donde, en sus brazos recibido, el mozo
logró doctrina cuando halló reposo.

CXXV, 5: *Genes.*, c. 19, v. 26.

CANTO QUINTO

Camina san Ignacio a Roma con intención de fundar su Religión y es prevenido del Cielo con una soberana revelación.

CXXVII

Desde el Pez escamado al vellocino
del Aries crespo, el sol midió su esfera,
mientras, dragón el ponto cristalino,
de turcas lunas escamado era,
que (no al manzano de oro, a aquel divino
laurel triunfante, que de Cristo era
mayor tesoro), con cosaria armada,
a la esclavina le vedó la entrada.

CXXVIII

El mar cerrado al siempre audaz piloto
del cosario timón que lo oprimía,
la condición purificó del voto
que al Jordán la ardïente Compañía
de Ignacio dedicó; que el pie devoto
a la alma Roma reductivo fía,
del Laínez y el Fabro esclarecido
en sus largos caminos asistido.

CXXIX

No lejos mucho del sagrado muro,
de una ermita el cadáver destrozado
en el sepulcro de un ribazo obscuro,
de cipreses yacía coronado,
donde en los huesos de su mármol duro
su alcándora había el cuervo fabricado,
cuando los búhos no su obsceno nido
en los senos del mármol carcomido;

CXXX

en cuyo ocioso hueco, el campo medra
una serpiente y otra, tortüosa,
en una y otra trepadora hiedra
que en sus miembros se engaza sortijosa,
desnudando el invierno en piedra y piedra
la escama que vistió del mayo, hojosa,
y renaciendo, Fénix, de su tronco,
en el Arabia de su espacio bronco.

CXXXI

Undosa lima, entre la hierba verde,
un perezoso arroyo, que la mura,
descaminado sus cristales pierde
en el cadáver de la ermita obscura;
y en las rüinas, que dentado muerde,
es cada mármol una limadura
de las ondas, que roen en sus rocas
muchas edades en arenas pocas.

CXXXII

A este Matusalén de piedra anciano,
estafermo de edades sacudido,
que a cada siglo en su edificio cano
con un mármol deshecho ha respondido,
el pie dirige Ignacio soberano,
de sus dos consodales dividido,
a engolfar, en un piélago süave,
de su alada oración la rauda nave.

CXXXIII

Pisó su umbral, y en la pared venera
una cruz, de los mármoles guardada,
que en las cenizas salamandra era,
de aquella de los siglos abrasada
ruina: de donde a la celeste esfera,
de alado amor divino arrebatada
el alma, Ganimedes, entre tanto,
le sirve a Dios la copa de su llanto.

CXXXIV

De sus miembros el alma despojada
y de linces despiertos convestida,
a la coyunda, en perlas anegada,
de una carroza advierte, esclarecida,
una escuadra querúbica anudada,
que, en ejes de diamante compelida,
giraba, entre purpúreos arreboles,
en cuatro ruedas, otros tantos soles.

CXXXV

Liras los pechos, si la voz Anfiones,
cuando el diamante la esplendente pluma,
armoniosos la tiran escuadrones
de querúbicas pías [26], cuya espuma,
al entonar a Cristo sus canciones,
de las estrellas fue la crespa suma
vencida de su luz y de su vuelo,
entre las ondas del zafir del cielo.

CXXXVI

Ornato es regio, si dosel alado,
el sacro enjambre, del majestüoso
esplendor de Jesús, que le ha colgado
en los aires, que dora luminoso,
al templo anciano su mejor brocado,
porque a su Eterno Padre, veneroso,
(que el sitial ocupó más eminente),
en traje pueda recibir decente.

CXXXVII

Revuelto entre el cabello el cambrón rudo
y hecho un sinuoso de crueldad serpiente,
que acicalando en cada extremo agudo
el enconoso repetido diente,
en muchas roscas se le implica crudo
por el campo nevado de la frente,
desatando una Libia de rubíes
en víboras que aborta carmesíes,

CXXXVIII

robusto tronco duramente armado
de nudosas cortezas, oprimía
el hombro, que a su peso desgajado,
en la espalda de cera le cedía:
a cuya carga, el muslo complicado
sobre la planta diestra se torcía,
pendiente en ella todo el libramiento
que tremolante se arrojaba al viento.

CXXXIX

Los pies divinos y las manos bellas,
en cuatro ostentan rúbricas hermosas,
purpúreas, cuando brillan, cuatro estrellas;
lucientes, cuando tiñen, cuatro rosas;
que sacando al rubí rojas centellas,
que dando al rosicler pompas hojosas,
o vergeles desatan de rubíes,
o cometas descogen carmesíes.

CXL

Hinchado rubio mar, la sinüosa
clámide, los carmines ha estancado
que al tirio da rubor, concha rugosa,
y a su tejido piélago, el costado:
púrpura anega en púrpura la undosa
túnica, que alteraba el desatado
torrente rojo, cuando quiebra iguales
ondas de rosa en ondas de corales.

CXLI

Entre el peinado golfo del cabello
(que en onda de oro inunda relevada
la blanca frente, y el ebúrneo cuello,
cuando anega la espalda lastimada),
el esplendor de las pupilas bello,
en una y otra niña zozobrada,
sirenas dos ostenta, que en canoro
plectro de luz, entonan voces de oro.

CXLII

En la red de rubí que le desata
entre el cabello la diadema cruda
con hilos de oro y hebras de escarlata,
en su beldad, parleramente muda,
un claro espejo de los cielos ata,
un simulacro de la aurora anuda,
escondiendo en sus más bellas facciones
su hipérbole mayor las perfecciones.

CXLIII

Suspenso el mundo de su diestra mano,
hirviéndole en enjambres las estrellas
en el labio, que mueve soberano
(porque a su luz, su luz escondan ellas),
el Padre Eterno al Hijo encarga humano
las de Loyola dirigidas huellas
al camino del cielo; y él, en tanto,
su vista anega en piélagos de llanto.

CXLIV

Toda el alma en los ojos asistía;
y a la oreja pasados los sentidos,
ni su luz en los ojos le cabía,
ni su voz le venía a los oídos:
ciego lince, se empaña en tanto día,
con los rayos luchando esclarecidos;
rica, se embaza sorda en los despojos [27]
que los oídos ven, y oyen los ojos.

CXLV

Aun más allá de lo admirado, anhela
la ardiente suspensión, que naufragante,
de un abismo de glorias a otro vuela,
más derrotada mientras más amante:
piérdese en él, en fin; y el alma apela
a su mismo naufragio, en quien errante
se favorece, en gloria tan divina,
del destrozo feliz de su rüina.

CXLVI

Deseosa, pues, de su feliz caída,
en alcance la vista del portento,
se salió de sus ojos, conducida
de sus aladas ansias, en el viento;
y en gloriosas cenizas definida,
al cristalino se arrojó elemento:
que a tan felices le erigió despojos [28]
el piélago salado de sus ojos.

CXLVII

Templó la luz el Padre a tanto día,
midió la voz al viento; y vinculada
a cada aliento cada jerarquía,
a su Hijo encomienda la rayada
en su divina idea Compañía,
que al dictamen de Ignacio trasladada,
vestirá, en el alcance de sus fines,
de su sotana muchos querubines.

CXLVIII

Indulgente su Hijo corresponde
al imperio del Padre; y amoroso,
en su abierto costado a Ignacio esconde,
y al divino dictamen obsequioso,
obediente concepto le responde;
y en su amparo admitiendo el fervoroso
que de su vida ofrecen sacrificio:
—"En Roma (dijo), yo os seré propicio".

CXLIX

Extenüada suavemente, huye
la luz, que el mármol convestido había
con los fulgores que en su rayo incluye
la luminosa púrpura del día:
sus rüinas al techo restituye;
y a cada piedra la desnuda, fría,
una hiedra de estrellas que, brillantes,
se van al cielo a ser breves diamantes.

CL

En la distancia se escondió el luciente
majestüoso trono, que robado
a Loyola le había dulcemente
el sentido, en sus glorias engolfado:
llamó, a los ojos, a la vista ausente;
y a la oreja, el oído desterrado;
y en tamaño portento, sus despojos
en la oreja no caben, ni en los ojos.

CLI

En las del templo rimas más secretas
resplandor arterioso palpitaba,
y si de aladas fúlgidas saetas
el más comido mármol era aljaba,
el más caduco, canas de cometas
en sus rüinas cándidas peinaba,
cuando el de mármol esqueleto obscuro
carnes vistió de luz al risco duro.

CLII

Menos el Nilo en la inundada arena,
la vez que a sus orillas se convoca,
sabandijas de vidrio desenfrena,
cual fulgente esplendor, que se revoca
al zafiro del cielo, desmelena
en aquesta y aquella anciana roca
deliquios de la luz, del sol desmayos,
en las fugaces ondas de sus rayos.

CLIII

Más que a los riscos resplandores rojos
le desató el portento esclarecido,
netos a Ignacio cometió despojos,
no de aljófar caduco encanecido,
de lágrimas sí ardientes, que en sus ojos
gota a gota le dejan excedido
su número a la arena, y los fulgores
a los que el cielo bordan resplandores.

CLIV

Sale del templo, que a sus ojos era
risco con venas de oro de occidente
o fecunda de aljófares venera,
si ya no escollo ilustre del oriente
que, de diamantes la piadosa esfera,
raudal funda de luces eminente
al edificio pobre, a quien le fía
el interés logrera astrología.

CLV

A sus dos consodales, que a la llama
del sol ardiente, en un encino rudo
despreciado, en una y otra rama,
umbroso le oponían verde escudo,
y en la del césped regalada cama,
que en flores les mulló el arroyo mudo,
paz a los miembros daban, tregua al sueño,
muy suavemente se agregó risueño.

CLVI

Blandamente mordió su voz süave
al sueño; y porque el alma en él despierte,
al blando impulso cometió la llave
de las chapas de aquella breve muerte:
despierto cada cual, al rostro grave
que pavoroso entre la luz advierte,
portentos atribuye superiores,
que rubrican su aviso en sus fulgores.

CLVII

Menos Moisés afinidades bebe
en las luces de Dios, que amigo trata,
cuando al consorcio de su luz le debe
(anegada la frente en neta plata),
dos cipreses de luz, que un lienzo breve
o borra escuro, o tímido recata
del ciego pueblo, que en Loyola dora
rosas de fuego la divina aurora.

CLVIII

Los ojos a sus dos hijos limita
la luz que vierte Ignacio, así brillante,
que ajado de ella el párpado palpita,
y ajara aun la pupila de diamante
del águila real, que se acredita
en el cenit con Febo rutilante;
y el pasmo que los viste, apela luego
para la lengua del dosel del fuego [29].

CLIX

Aun instado, el favor les escondiera
en los retiros de su encogimiento,
si cada luz, vocal clarín no fuera
que con canoros rayos daba al viento
gritos, que expreso del coloquio era
eco a los ojos, que leen el portento
por las que al rostro le ha dejado huellas
en locuaces el sol divino estrellas.

CLX

Lo que el pecho contiene, en suma poca,
gozoso, sí, mas no desvanecido,
por la difícil puente de su boca
paso dando al estrecho de su oído [30],
sucintamente vergonzoso toca:
historia tal, que absorto de sentido,
y narrada a sus hijos, les prepara
el que hallarán abrigo en la tïara.

CLXI

—"Polluelos tiernos (dijo), que habéis sido
implumes prendas hoy del pelicano
que, a nuestro amparo el corazón rompido,
su livor nos desata soberano:
en la silla de Pedro os mulló nido;
alas os convistió en su amiga mano,
que tiende dulce, que descoge pía
sobre la que fomenta Compañía.

CLXII

"Su generoso aliento os vivifica,
su sangre vuestros pechos alimenta,
el pecho suyo a vuestro pecho aplica
y vuestra vida con su vida alienta;
su esfuerzo a vuestras obras comunica:
y así la *Compañía* que fomenta,
no a mí se me atribuya, ni mi nombre
en ella se oya: *de Jesús* se nombre.

CLXIII

"Breve seréis almácigo sagrado,
que incluído en el ámbito eminente
de la ara, el mundo os vea trasplantado
desde el frío alemán al indio ardiente;
y del divino hierro cultivado
de llave y llave, cual de culto diente,
el fruto rendiréis esclarecido,
en colmos trecentésimos crecido.

CLXIV

"Lagar el orbe todo será angosto
a las que por la fe exprimidas venas,
primitivo en las Indias darán mosto,
de los segados cuellos; las arenas,
los granos vencerán del rubio agosto,
las que quillas la mar, el viento entenas
besarán, que conduzcan nuestra gente
al no domado ocaso, al libre oriente.

CLXV

"El imperio del chino, no violado
de peregrina planta; el siempre rudo
de labio, y de cabello complicado,
etíope; el chileno más membrado;
el mejicano, plumas adornado;
el opulentamente inca desnudo,
al yugo la cerviz darán cristiano,
que de hijos nuestros impondrá la mano.

CLXII, 8. *Matth.*, c. 13, v. 8. — *Lucae,* c. 8, v. 7 et 15.

CLXVI

"La urna obscura del sol, su clara cuna,
la Cruz del Sur, la Osa esclarecida;
el Africa, que turca impera luna,
la Asia, en dogmas torpes dividida,
la Europa, firme de la fe coluna,
la América, de flechas impedida,
por nuestros hijos ver alcanzaremos,
que abracen de la Cruz los cuatro extremos".

CLXVII

Dijo; y la profecía comenzada,
el muro a Ignacio interrumpió romano:
corteza que conviste la granada
en quien es cada techo augusto grano,
cuando su frente ilustra coronada
el templo del Clavero soberano,
y el Tíber le señala, esclarecido,
el pecho en dos mitades dividido.

CLXVIII

Albergado de Ortiz, tan amoroso
cuanto en París se le intimó severo,
con afecto le induce religioso,
a que, el pie venerado del Tercero
Paulo, se sacrifique, generoso,
al de su mano régimen primero,
que agitar le mandó, dándole oído,
de un teológico dogma el fiel sentido.

CLXIX

El Sumo Padre lo atendió indulgente
mantenedor, en tela literaria,
de cuantas lanzas le rompió valiente
a la opinión que le justó contraria;
y de Ortiz reducido a la eminente
del casino collado cumbre varia,
cuarenta soles le entregó a su mano
el de su alma freno soberano.

CLXX

El hilo cortó a Hozes, de la vida,
Átropos, de esperanzas carnicera,
cuando el copo en la rueca convestida,
muchos al húso lustros le pudiera
vestir, si en su torzal, enfurecida [31],
intempestiva trágica tijera,
filos no vinculara tan agudos,
que aun al diamante le rompiera nudos.

CLXXI

Coronaba Loyola la alta cumbre
del Casino collado; y en él siente
embestidos sus ojos de una lumbre
en que el alma de Hozes, refulgente,
asistida de empírea muchedumbre
y ceñida victorias la alma frente,
entre las de querubes alas bellas [32]
hollaba cielos y calzaba estrellas.

CLXXII

De sus ojos la vista desatada,
aquella sigue luz, que reverbera
un sol en cada rayo, en la poblada
de querúbicos astros alta esfera:
síguela; y dulcemente fulminada
en las alas, que ya vistió de cera,
desciende, y en sus lágrimas divinas
muchas desatan perlas sus rüinas.

NOTAS AL LIBRO QUINTO

[1] *del lenón no se recata.* Corregimos el original del *Enón* que es evidente errata como lo anotó el doctor Méndez Pl. *Lenón* es voz antigua que significa alcahuete, rufián.

[2] *por urna augusta, su estragada copa.* El original dice: "por *una* augusta", lo que corregimos, con el doctor Méndez Pl., como lo pide el sentido.

[3] *y un piélago inundando cada grano.* Estas primeras once estrofas son, indudablemente, un resumen de los capítulos 18 y 19, libro II, de la *Vida* escrita por el P. Ribadeneira. Sólo la lectura de éstos da la clave para la inteligencia de muchas expresiones a primera vista oscuras.

[4] *¡Oh! diez mancebos.* Nótese que aunque sólo ha enumerado nueve, dándole a cada uno un epíteto distinto en metáfora de ave de presa (Fabro-azor, Javier-neblí, Laínez-baharí, Salmerón-gerifalte, Rodríguez-halcón, Bobadilla-sacre, Claudio, Coduri y Pascasio-borníes), los diez se completan con el propio san Ignacio, no obstante que el poeta en varias partes distingue a éste de los "diez mancebos florecientes" (estr. 12) o los "diez neblíes generosos" (estr. 13). El P. Ribadeneira dice: "así llegaron a ser diez, todos, aunque de tan diferentes naciones, de un mismo corazón y voluntad" (*Op. cit.*, p. 108).

[5] *literaria Parca.* Tres manifiestas erratas hay en el texto original de esta estrofa, corregidas inicialmente por el doctor Méndez Plancarte en la forma que aquí recogemos: en el verso 3º dice *sino,* unido; en el 6º dice *escandalo,* en vez de *escalando* y en el 7º *"a* heresiarca" en vez de *al* heresiarca.

[6] *Circe, al comercio, su eco generoso.* El original dice: "Circe al comercio Sueco generoso", mas el sentido impone la corrección que ya hizo el doctor Méndez Plancarte. En el verso 5º separamos el original *alas,* en *a las.*

[7] *en su voz, al oído, longe-mira.* El texto escribe *longe mira,* en dos palabras. Las unimos con guión, pues parece tratarse de un compuesto forjado por el autor con el adv. latino *longe* y el sustantivo *mira* (de mirar). Los diccionarios no lo registran. El verso hay que relacionarlo sin duda, con la apostilla marginal que puso a la estrofa 47 del libro I. Vide nota 17 de este mismo. Igualmente *Dedicatoria,* § 53.

[8] *El Telmo fue, que en el revuelto seno.* No hay duda de que se refiere al "Fuego de Santelmo" que es, según el Dicc. Acad. "meteoro ígneo que al hallarse muy cargada de electricidad la atmósfera, suele dejarse ver en los mástiles y vergas de las embarcaciones, especialmente después de la tempestad".

[9] *¡Oh! ya oprimido de rigor violento.* Conservamos este verso y el anterior como están en el original, o sea con *Oh* exclamativa (aunque sin *h*), porque así tienen sentido, si bien es cierto que éste sería más claro si se dan en forma de disyunción como propuso el doctor Méndez Plancarte: "o ya del tiempo. . . o ya oprimido". En el verso 7º de esta octava corregimos el original *monucula* por *monócula.*

[10] *purificaba al agua.* Corregimos el original "purificaba *el* agua". Así lo hizo también el doctor Méndez Plancarte.

[11] *reiteróse a la vida el mal atado / brazo a los hombros.* El original de estos dos versos se lee así: *"Retiróse* a la vida el mal atado / brazo a los *hombres"*. El doctor Méndez Plancarte hizo las correcciones que aquí damos y que son obvias para darle sentido al pasaje que, de lo contrario, sería incomprensible.

[12] *arrebató crüento.* Conservamos el defecto original de la repetición de *cruento* en este y en el 2º verso. El doctor Méndez Plancarte sugería reemplazarlo por *violento.*

[13] *sana a Simón Rodríguez.* Suplimos la preposición *a* que falta en el original de este título, pero está en cambio en el índice general.

[14] *la velera urca.* Corregimos el original *Burca* que está ya corregido a pluma en nuestro ejemplar, de mano antigua.

[15] *a donde a la dureza mendigada.* El original de este verso se lee así: "adonde a la dureza que mendiga". Evidente yerro, pues ni siquiera se mantiene la rima de la octava. Nuestro ejemplar aparece corregido a pluma de mano antigua en la forma en que lo hemos dado que parece ser la más acertada.

[16] *de Basán a Venecia.* Escribimos *Basán,* con *s,* como lo trae el P. Ribadeneira, aunque el texto original escribe *Baçan,* lo mismo aquí que en las estrofas 81 y 102.

[17] *el Meduaco su trompa cristalina.* El P. Ribadeneira, *op. cit.,* libro II, cap. 9, dice de la ermita cuya descripción hace el poeta en las estrofas que aquí siguen, que "está fuera del lugar en un cerro alto y muy ameno, de donde se descubre un valle muy apacible, que es regado con las aguas del río llamado en latín Meduaco y en italiano Brenta".

[18] *biblioteca le erige a las edades. Le* por *les* (*les* erige a las edades). Lo mismo en la estrofa siguiente, verso 3º (*les* destila a las canas) y en la estrofa 92, verso 7º (*les* tributa a sus sudores). Vide nota 43, libro I.

[19] *bullicioso zodíaco de plata.* Parece faltar aquí el verbo *ser,* como advirtió el doctor Méndez Plancarte, quien corrigió "bullicioso *es* zodíaco de plata". No obstante conservamos intacto el original, pues nos parece que pudo ser intencional, a la latina, la elipsis de la cópula.

[20] *le dio su seno cano. Le* por *les* (*les* dio a las aves). Vide nota 43, libro I.

[21] *en copa de olorosa plata.* Corregimos el original *planta,* como lo hizo el doctor Méndez Plancarte, ateniéndose, sin duda, tanto al sentido como a la exigencia de la rima.

[22] *en el livor del tiro más precioso.* El doctor Méndez Plancarte, acaso con razón, propuso la lectura: "en el livor *de Tiro* más precioso". Conservamos, sin embargo, el original sin modificación, porque, aunque menos claramente, también así es inteligible el pasaje. En cuanto a la voz *nasa* del 2º verso, se trata seguramente del sentido que registra el Dicc. de Autoridades, el cual define: "red redonda y cerrada con un arco en la boca desde donde se va estrechando hasta el fin, en forma de manga. Es voz puramente latina". Y cita un ejemplo de Cervantes.

[23] *mas que ella enredos, intrincados nudos.* Hemos modernizado, en atención al lector corriente de hoy, el texto original que usa las interesantes disimilaciones *inredos, entrincados.*

[24] *en nubes inundado.* El doctor Méndez Plancarte proponía para evitar la repetición de *inundado* en este y en el 2º verso, reemplazarlo aquí por *coronado.* Preferimos conservar el defecto original como en otros casos similares.

[25] *su alta frente.* Corregimos la errata "su *elta* frente". Lo mismo en el v. 8º hemos enmendado el original *babrava* transcribiendo *vibraba.*

[26] *de querúbicas pías.* El texto original dice "de Cherubicos *pias*". Corregimos (y modernizamos) *querúbicas,* de acuerdo con la acepción de la voz *pía* que registramos en la nota 25 del libro II, única inteligible aquí.

[27] *se embaza sorda en los despojos.* El *Dicc. Acad.* define: "Embazar. tr. Detener, embarazar. 2. fig. Suspender, pasmar, dejar admirado a uno". Para el verso siguiente, de especial interés, véase libro I, estr. 47, nota 17 del mismo.

[28] *a tan felices le erigió despojos. Le* por *les* (*les* erigió a los despojos). Lo mismo adelante en la estr. 153, verso 2º (*les* desató a los riscos). Vide nota 43, libro I.

[29] *para la lengua del dosel del fuego.* El original dice: "*donzel* del fuego", pero en nuestro ejemplar está tachada a pluma de trazo antiguo la *n* de *donzel;* corrección que aceptamos pues parece más acorde con el sentido del pasaje.

[30] *paso dando al estrecho de su oído.* Corregimos, con el doctor Méndez Plancarte, el original *pasó,* acentuado, que no da sentido.

[31] *si en su torzal, enfurecida.* En el original falta la palabra *su,* que suplió acertadamente el doctor Méndez Plancarte, pues era necesaria para el sentido y para la medida del verso.

[32] *entre las de querubes alas bellas.* Corregimos el original que trae: "entre *la* de querubes".

LIBROS Y CANTOS DE ESTE SACRO POEMA

LIBRO PRIMERO

Su nacimiento, bautismo, infancia y juventud. Capitán en Pamplona, la defiende del francés; y gravemente herido, le visita san Pedro, y sana de su herida.

CANTO PRIMERO

Preludio a la vida de san Ignacio de Loyola; sus padres, su nacimiento en un establo; su bautismo, en que se puso a sí mismo el nombre; aparatos de la pila, y solemnidad del convite.

CANTO SEGUNDO

Puerilidad de san Ignacio hasta su juventud, en que sirvió en su corte al rey; en ella no manchó su castidad; ocupaciones honestas que tuvo, hasta que inducido de su natural inclinación a la guerra, sirvió en ella a su rey.

CANTO TERCERO

Capitán en Pamplona, la defiende del francés; reprime a los suyos, que huían medrosos; redúcelos a defender el muro, adonde pelea varonilmente, hasta que deshecha una pierna con el golpe de una piedra, que desbarató una bala en los muros, gana el francés a Pamplona.

CANTO CUARTO

Admirado el francés de su valentía, lo trata urbanamente; y desesperado de su salud, lo remite a su tierra: donde con amorosos sentimientos lo recibe y acaricia su hermano, y no teniendo esperanza de su vida, le previene el funeral; visítalo san Pedro y sánalo de su herida.

LIBRO SEGUNDO

Su conversión, su penitencia, y singulares favores que le hizo el cielo en este tiempo.

CANTO PRIMERO

Unidos ya los huesos deshechos, soldó uno relevado a los otros feamente; hácelo aserrar san Ignacio, sin que muestre sentir tan grave tormento; pide un libro de caballerías para divertirse en la cama: no se halló sino uno de vidas de santos; leyendo en él, le trueca Dios el alma, y habiendo batallado con las vanidades del siglo, se determina a dejarle.

CANTO SEGUNDO

Vota a la Virgen Santísima el visitar su santa casa de Monserrate; Ella le remunera este deseo con su presencia; infúndele en esta visita el don de castidad.

CANTO TERCERO

Deja su patria, va a Monserrate, hace una confesión general; vela en el templo sus armas; y dando sus ricas galas a un pobre, se viste de un grosero saco.

CANTO CUARTO

Descríbese la cueva de Manresa, donde el santo hizo áspera penitencia y compuso el libro de los *Ejercicios*.

CANTO QUINTO

Las grandes aflicciones y escrúpulos que padeció su espíritu al principio de su conversión; serenado ya éste, le hizo el Señor singulares favores: vio la hermosura del rostro de Cristo, corridos los velos de las especies sacramentales; revelósele el misterio de la Trinidad Sagrada; manifiéstansele otras maravillas en un rapto que le duró ocho días.

LIBRO TERCERO

Sus peregrinaciones a Roma, Génova, Venecia, Jerusalén, y vuelta a España.

CANTO PRIMERO

Despídese de su dulce retiro de Manresa; llega a Barcelona; Isabel Rosella le admira con rayos de luz en el rostro, cuando humilde entre los niños escucha la divina palabra; hospédale en su casa, y negóciale embarcación para pasar a la Italia.

CANTO SEGUNDO

Después de haber sido albergado y regalado nuestro peregrino de un pescador, sigue su viaje, hallando la Italia infestada de peste; y excluído de las ciudades, se ve obligado a dormir por los campos, a la inclemencia del cielo. Al fin llega a Roma, y habiendo visitado aquellos santos lugares, besa el pie a Su Santidad.

CANTO TERCERO

Pasa de Roma a Venecia, donde le hospeda un cónsul en su casa; embárcase para Jerusalén, y reprendiendo las culpas que se cometían en la nao, determinan los marineros, ofendidos de su censura, arrojarle en un islote desierto; pero trocando Dios los vientos, llega con felicidad a la isla de Chipre.

CANTO CUARTO

De Chipre pasa a Jerusalén; y habiendo visitado tan sagrados lugares, da la vuelta a España, adonde llega después de haber padecido muchos ultrajes de los soldados españoles.

LIBRO CUARTO

Sus estudios, y persecuciones en ellos.

CANTO PRIMERO

Da principio a los estudios de latinidad en Barcelona; apaléanle unos mancebos divertidos, porque ampara la virtud; y Dios le honra, resucitando por sus oraciones un difunto.

CANTO SEGUNDO

Estudios, persecuciones, cárceles que ejercitó y padeció en Alcalá.

CANTO TERCERO

Estudios, persecuciones y cadenas en Salamanca; y por seguir el divino impulso que le llamaba, se parte a París.

CANTO CUARTO

Entra a París, donde recibe el grado de maestro; reduce a ajustada vida a un sacerdote divertido, y gana para Dios a otro doctor de esta Universidad, jugando al truco; excusa la muerte, temporal y eterna, a un hombre que ya tenía el dogal a la garganta.

CANTO QUINTO

Pretende un mancebo quitarle la vida, y el cielo le ataja y rinde con una espantosa voz; a otro que le había hurtado el dinero, le asiste y cura en una grave enfermedad; y queriéndole azotar públicamente en el Colegio de Santa Bárbara, Dios le libra de aquesta infamia, acreditando más su santidad.

CANTO SEXTO

Detiene a un mancebo a que no se despeñe torpe, y le reduce a vida casta, arrojándose a un estanque helado; que antes se había mostrado sordo a sus amorosas amonestaciones.

LIBRO QUINTO

Junta discípulos, y da principio a la religión ilustre de la Compañía de Jesús.

CANTO PRIMERO

Elige diez generosos mancebos para oponerlos como valientes capitanes a la herejía de Lutero.

CANTO SEGUNDO

Vuélvese a su patria, y dejada la casa de su hermano, vive en el hospital como pobre; predica y enseña en ella la doctrina cristiana; Dios, por su medio, obra algunas maravillas. Embárcase para Venecia, después de haber visitado otros lugares de España y compuesto algunos negocios de sus compañeros.

CANTO TERCERO

Llega a Venecia, y pasando a Roma con sus compañeros besan el pie al Pontífice; confírmales el voto de ir a Jerusalén; y no pudiendo pasar aquel año a la Tierra Santa, se reparten a predicar por el dominio véneto. Sana a Simón Rodríguez de unas fiebres malignas.

CANTO CUARTO

Vacila en su vocación un discípulo de san Ignacio: quiere quedarse en compañía de un ermitaño; pero un ángel, en figura de un hombre armado, le vuelve a su acuerdo y reduce a la dulce compañía de su santo Padre.

CANTO QUINTO

Camina san Ignacio a Roma, con intención de fundar su religión; y es prevenido del cielo con una soberana revelación.

FIN

II
POESIAS

OTRAS FLORES AUNQUE POCAS

del culto ingenio y floridísimo poeta, el doctor D. Hernando Domínguez Camargo, autor del *Poema heroico de S. Ignacio de Loyola,* fundador de la muy ilustre y sapientísima religión de la Compañía de Jesús *

Cuanta es mayor la variedad de las flores, tanto más vistoso sale el ramillete que de ellas se compone y mejor logran los ojos el desvelo de su atención y el buen gusto de su curiosidad; y tal vez para que salga de mejor aliño, es industria del que curioso lo teje mendigar las flores de distintos jardines para que Flora, que atiende desvelada el aseo de todas, en unos estudia más el aliño de la rosa, en otro[s] el candor de la azucena y en otros tiñe mejor la púrpura del clavel; de esta traza se valió mi ingenio al recoger las flores de ese ramillete que te ofrezco, pues no sólo entretejí algunas del aseado vergel de mi maestro, pero también éstas del culto jardín del doctor Hernando Domínguez Camargo; porque con estas últimas sobresaliesen más vivos los esmaltes de las primeras. El dolor que tengo es que sean tan pocas siendo tan buenas (quizás porque tuviese más de precioso por lo raro), mas las distancias de estas partes del Perú a aquellas del Nuevo Reino de Granada donde floreció, nos franqueó tan poco de estas riquezas, que el interés del ingenio no es tan poco decoroso como el del oro. Y no por peregrinas y extranjeras

* Estas poesías, con el prologuillo que las precede compuesto por el maestro Jacinto de Evia, que a continuación reproducimos, se hallan en las pp. 235-247 de la obra, ya comentada en la introducción, *Ramillete de varias flores poéticas, recogidas y cultivadas en los primeros abriles de sus años, por el Maestro Jacinto de Evia, natural de la ciudad de Guayaquil, en el Perú.* Dedícale al Licenciado D. Pedro de Arboleda Salazar, Provisor, Vicario General y Gobernador deste obispado de Popayán, por ausencia del Ilustrísimo Señor Doctor Don Melchor Liñán de Cisneros, del Consejo de Su Majestad, Obispo dél. Con licencia. En Madrid, en la imprenta de Nicolás de Xamares, mercader de libros, año de 1676. (N. del E.).

serán mal admitidas estas flores, serán mal recibidas estas rosas, como aquellas que enviaba Egipto al César romano, pues el mismo que las traía por nuevas, las despreció por comunes. Oye cómo lisonjea Marcial en este epigrama a su emperador:

Ut nova dona tibi, Caesar, Nilotica tellus
miserat hibernas ambitiosa rosas.
Navita derisit Pharios Memphiticus hortos,
urbis ut intravit limina prima tuae:
tantus veris honos et odorae gratia Florae
tantaque Paestani gloria ruris erat.

(Mar., 1. 6. *Epigr.* 80)

Pues en mí no se pueden hallar los motivos que concurrieron en el poeta, porque ni pretendo adular a mi maestro, ni vivo tan pagado de las flores de mis poemas que menosprecie las de otros; ni son de tan mala gracia ni tan demasiado el nácar de la rosa de este gran poeta que no puedan descollar, no digo ya entre los más cultivados jardines de Flora, pero entre los más amenos y floridos vergeles de Hipocrene. Recibe en esa flor todo el jardín; en ese grano toda su dorada espiga y en esa migaja todo el pan de flores de aquel fecundo ingenio, como rebién, aunque a diverso intento, el otro: *in grano spicam, in mica totum panem.* (Atan., Baso.).

A DON MARTIN DE SAAVEDRA Y GUZMAN, CABALLERO DEL ORDEN DE CALATRAVA Y PRESIDENTE QUE FUE EN LA REAL AUDIENCIA NUEVO REINO DE GRANADA

SONETO

Tu *Espada,* con tu *Ingenio* esclarecido,
tu *Sangre,* con tu *Dicha* han fabricado
cuatro partes a un mundo [1], rebelado
al tiránico imperio del olvido.

Sólo podrás de ti ser excedido,
si, rompiéndole el margen a tu hado,
a lo imposible investigares vado;
y habrás, de humano, dudas admitido.

[1] *cuatro partes a un mundo.* Conservamos la bastardilla y las mayúsculas con que el original destaca las "cuatro partes" indicadas. Sobre el personaje de la dedicatoria puede verse *El Presidente poeta don Martín de Saavedra Guzmán* por Pastor Restrepo, en *Revista de las Indias,* Nº 112, tomo XXXVI (1950), pp. 75-82. (Todas las notas de pie de página puestas a estas poesías pertenecen al editor).

Estrecho es a tu luz nuestro hemisferio,
al mundo del obrar le das columna,
contigo tus oficios acreditas.

El rey te sobra en tu amoroso imperio,
mayor eres en ti que tu fortuna;
cuando eres más que tú, mejor te imitas.

A UN SALTO POR DONDE SE DESEMPEÑA EL ARROYO DE CHILLO

Corre arrogante un arroyo
por entre peñas y riscos,
que, enjaezado de perlas,
es un potro cristalino.

Es el pelo de su cuerpo
de aljófar, tan claro y limpio,
que por cogerle los pelos,
le almohazan verdes mirtos.

Cíñele el pecho un pretal
de cascabeles tan ricos,
que si no son cisnes de oro,
son ruiseñores de vidrio.

Bátenle el ijar sudante
los acicates de espinos,
y es él tan arrebatado,
que da a cada paso brincos.

Dalen sofrenadas peñas [2]
para mitigar sus bríos,
y es hacer que labre espumas
de mil esponjosos grifos.

Estrellas suda de aljófar
en que se suda a sí mismo,
y atropellando sus olas,
da cristalinos relinchos.

[2] *Dalen sofrenadas peñas.* Conservamos la forma original *dalen* (*danle, le dan*), porque la trasposición de la nasal en estos casos es un fenómeno del habla popular extendido ya desde muy antiguo en todos los dominios del español y de gran influjo en la lengua culta.

Bufando cogollos de agua,
desbocado corre el río,
tan colérico, que arroja
a los jinetes alisos.

Hace calle entre el espeso
vulgo de árboles vecino,
que irritan más con sus varas
al caballo a precipicio.

Un corcovo dio soberbio,
y a estrellarse ciego vino
en las crestas de un escollo,
gallo de montes altivo.

Dio con la frente en sus puntas,
y de ancas en un abismo,
vertiendo sesos de perlas
por entre adelfas y pinos.

Escarmiento es de arroyuelos,
que se alteran fugitivos,
porque así amansan las peñas
a los potros cristalinos.

A LA MUERTE DE ADONIS

Hizo el insigne poeta Francisco López de Zárate un romance que comienza: *Hojas deshojadas vierte a un valle que las recoge,* etc. A cuya inmitación hizo el poeta el que se sigue.

ROMANCE

En desmayada beldad
de una rosa, sol de flores,
con crepúsculos de sangre
se trasmonta oriente joven.

Cortóla un dentoso arado
que, a no ser de ayal torpe [3],
por la púrpura que viste,
le juzgara marfil noble.

[3] *que, a no ser de ayal torpe.* Así el original. Creemos que debe conservarse aunque el octosílabo parezca incompleto. No lo está en realidad si se hace la diéresis: *dë ayal.* Carilla, *op. cit.,* trascribió "que a no ser de *hayal* torpe", tal vez

Cerdoso Júpiter vibra
rayos, marfil, sobre Adonis,
y al alma que trae de Venus
hiere más, mientras más rompe.

Espumoso coral vierte
que en verde esmeralda corre,
mar de sangre en quien a Venus
naufragio prepara Jove.

Verdugo monstruo ejecuta
de inflexible Dios rencores,
y siendo amor el vendado,
son cadahalsos los montes.

"¡Ay!, fiera sangrienta, dice,
si asegundarte dispones [4],
advierte que en la de Venus
no en mi vida, has dado el golpe.

Y matar una mujer
con hazaña tan enorme,
más para escupida es,
que para esculpida en bronce".

Con esto se vino a tierra
esta hermosura Faetonte,
y exhala beldad, ceniza
del sol que agoniza ardores.

De la herida a la ventana
el alma, al golpe, asomóse
y aunque halló en la sangre escalas
saltó atrancando escalones.

Cuando de cansar las fieras,
ciudadanos de los bosques,
venía la dïosa Venus
guisando a su amante amores,

para suplir la sílaba faltante con una *h* aspirada que el original no tiene y que pertenece a la ortografía *moderna.*

[4] *si asegundarte dispones.* Juzgamos que no hay razón para modificar el original, si bien sería más normal la elección que trae Carilla, "si a segudar te dispones".

perlas desata en la frente,
y su cuerpo exhala olores,
que en amorosa porfía
mejillas y aire recogen.

Juega la túnica el viento
y entre nube holanda expone
relámpagos de marfil,
migajas de perfecciones.

Arroyo de oro el cabello,
libre por la espalda corre,
de la cual pende un carcaj,
vientre de dardos veloces.

Duplica en la espalda flechas,
rigores ostenta dobles,
bruñido dardo a las fieras,
sutil cabello a los hombres.

Al pequeño pie el coturno
le pone armiñas prisiones [5],
blando muro a dura espina
que a tanta beldad se opone.

Fuentes le abrió de coral,
quizá previniendo entonces,
que tanto fuego tuviese
por la sangre evacuaciones.

Hilos de rubí desata
para que su nieve borden,
con que en la tez de las rosas
lácteos purpureó candores [6].

Ramos de sangre en tal cielo
fueron cometas atroces
que le escribieron desastres
en tan sangrientos renglones.

[5] *le pone armiñas prisiones.* El original, por evidente errata, *arminas.*
[6] *lácteos purpureó candores.* En el original aparecen escritos estos dos versos así: "con que en lates de las rosas / lácteos purpureó candores". La elección dada por Carilla y otros, "con *el latex* de las rosas / lácteos *purpúreos* candores", distorsiona por completo el sentido y la construcción. El *lates,* pues, del texto, es una simple errata por *la tez* y *purpureó* es una forma normal de purpurear, registrado en *Dicc. Acad.,* aunque como intransitivo.

Espoleóle a su desgracia
con la espina y arrojóse
desde el risco del amor
al zarzal de confusiones.

Trajinaria de distancias,
la vista escudriña el orbe,
ve un atleta con la muerte
luchando en rojas unciones.

A Adonis vio, jaspe yerto,
por lo manchado y lo inmoble,
y por dudar lo que ve,
adrede le desconoce.

Asómase toda el alma
a los ojos, conocióle,
y por dudar y engañarse,
con engaños se socorre.

Beber la muerte en sus labios,
cervatilla herida, escoge,
muerte bebe en barro y vida
en boca rubí propone.

A voces le encaña el alma
y a la de Adonis, sus voces,
como se va por la herida,
son a su prisa empellones.

Mira al cielo de su rostro,
que alumbraban zarcos soles,
y halla que a eclipsarlos vino
la luna de su desorden.

De las mejillas, que en rosas
desabrocharon botones,
si bordados, no alelíes,
cárdenas violetas coge.

El panal dulce del labio,
que entre ambrosia daba olores
si es ámbar flor maltratada,
hiel al néctar corresponde.

Mas las víboras de sangre,
que se arrastran por las flores,
nueva Eurídice, la muerden,
miembros de mármol la ponen.

Rabiosamente se arroja,
y es el remedio que escoge,
beberle en la boca el mismo
veneno que la corrompe.

La boca avecina al labio,
a heredarle el alma, adonde
como llegó Venus muerta,
alterna muerte matóles.

¡Ay Píramo!, ¡ay, Tisbe nueva!
riscos ablandáis que os lloren,
pues caváis en una herida
hoyo a dos vidas conforme.

Con las palabras enjagua [7]
y dando nieve en sudores,
con cansados huelgos dice
estas quejas a los dioses:

"¡Ay Dios bronce! ¡ay Dios diamante!
¡ay Júpiter!, cuando adores
a Europa toro, oro a Dafne,
tus amores se malogren.

¡Ay, Apolo vengativo!
cuando con pies voladores
sigas a Dafne, de ingrato
laurel tus sienes corones.

¡Ay, náufraga vida mía!
que un mar bermejo te sorbe
y en la roca de la muerte
te estrellas ya sin tu norte".

Dijo, y por la herida misma
hasta el corazón entróse,
que aun más allá de la vida
un dulce amor se traspone.

[7] *Con las palabras enjagua.* Conservamos el original *enjaguar,* forma primitiva y etimológica (*exaquare*) de *enjuagar.* En Carilla erróneamente: "con las palabras *en agua*".

AL AGASAJO CON QUE CARTAGENA RECIBE A LOS QUE VIENEN DE ESPAÑA

Esta, mal de la tierra descarnada,
si con poca bisagra bien unida;
esta, mal en las ondas embarcada,
si bien de sus impulsos repetida:
península Cartago, que ha que náda
—foca de arena— siglos mil de vida,
a uno y otro Jonás que el mar le induce,
a Nínives de plata los traduce.

Esta, de nuestra América pupila,
de salebrosas lágrimas bañada,
que al mar las bebe, al mar se las distila,
de un párpado de piedra bien cerrada:
digo, de un metro real, que rocopila
en su niñeta breve dilatada,
Babilonia de pueblos tan sin cuento,
que les ignora el sol su nacimiento.

Esta, sedienta imán de inquietos mares,
esta pina de excelsos edificios [8],
consagra a la piedad cultos altares,
para libar en todos sacrificios
a los que Europa trasladó a sus lares,
a los que en techos recibió propicios [9]
que, sorbidos de hidrópicas marinas,
a sus templos consagran sus rüinas.

Esta, blanco pequeño de ambos mundos,
de veleras saetas asentado,
que, vencidos los mares iracundos,
a su puerto su proa han destinado:
do de Europa, de América, fecundos
partos le expone aquél, este costado,
que al sur remite, al norte le desata
la plata en ropas y la ropa en plata.

[8] *esta pina de excelsos edificios. Pina* trae el original, que es voz registrada en el *Dicc.* con el sentido anticuado de *almena,* lo cual parece cuadrar mejor a los "excelsos edificios" que si se aceptara la elección metafórica *piña,* dada por algunos.

[9] *a los que en techos recibió propicios.* El original dice "a los que en *trechos* recibió propicios". Cambiamos *trechos* por *techos,* pues así parece pedirlo el sentido. No obstante, quizá pudiera mantenerse el texto original, interpretándolo así: "a los que recibió propiciamente de tiempo en tiempo". Véase en la estr. 5ª "Esta, en la selva de *sus techos* rica".

Esta, en la selva de sus techos rica,
uno y otro ciprés de piedra erige
en una y otra torre que edifica;
norte que mudo los abetos rige;
Argos esta, a sus cumbres se dedica
y linces ojos a la mar dirige
por albergarlos en sus ojos antes,
aún en poder del mar, aún cuando errantes [10].

Esta, pues, Cartagena, esta varada
nao de piedra en la tierra, cuya popa
templó a la Virgen se erigió sagrada,
timón dedica un cirio a errante tropa,
que de argonauta mudo voz callada [11],
ecos oye de luz, en los que Europa
faroles le responde, con que luego
mudos se hablan con la voz del fuego.

Esta, pues, monte verde, Polifemo
que ilustra los espacios de su frente
de un ojo de un farol, así supremo,
que es mucha llama su pupila ardiente,
su pie le da a besar a cuanta el remo [12]
desde las naos le aborta hesperia gente
en hormigas de pino, en las barquillas
que de españoles pueblan las orillas.

Estos su patrio ya no extrañan suelo [13]
en esta que es común patria del orbe,
en tan pequeño sitio en tanto cielo
que, sin que inmenso número le estorbe,
multitudes alienta su desvelo,
millones su piedad de pueblos sorbe,
pues firmamento ya del suelo medra
el que ciñe zodíaco de piedra.

[10] *aún en poder del mar, aún cuando errantes.* Llamamos la atención sobre la tilde de *aún,* que es aquí indispensable para darle al verso el sentido que debe tener: "cuando aún están en poder del mar, cuando aún andan errantes"; de lo contrario, "aun cuando errantes", cobraría un sentido adversativo inaceptable.

[11] *que de argonauta mudo voz callada.* En el original, por evidente errata se lee: "que de *Argo naueta mudó* voz callada".

[12] *su pie le da a besar a cuanta el remo.* Corregimos el original que dice *cuanto,* por considerar imprescindible la concordancia de *cuanta* con el "hesperia gente" del verso que sigue.

[13] *Estos su patrio ya no extrañan suelo.* El texto original trae aquí un verso a todas luces defectuoso: "estos su patria su extrañan suelo". Carilla corrigió: "estos su patrio no extrañando suelo", pero de esta manera queda trunco el período. Gómez Restrepo propone: "Estos no extrañan de su patria el suelo". La corrección que damos nos parece más apropiada al estilo poético del autor.

A LA PASION DE CRISTO

A imitación de otro del M.R.P.M. Fr. Hortensio Félix Paravicino, Predicador de las Magestades de Felipe Tercero, y Felipe Cuarto, el Grande.

En dos cruzados maderos,
nudosos monstruos del bosque,
que aun para leños son rudos,
si para troncos disformes,

con más heridas que miembros,
vinculado miro a un hombre,
víctima que pénsil muere [14]
porque vivan Absalones.

Sierpes de rubí se arrastran
por la Libia de aquel monte,
benjamines que, si nacen,
es porque matan atroces.

Matricidas que revientan
porque la piel los aborte,
y en la vaina de las venas
son palpitantes estoques.

Racimo en mostos bañado,
blandido el vástago enorme,
hueso a hueso y nervio a nervio
descoyuntado lo expone.

Insensible se estremece
a tanto tormento el roble,
no más que de afinidad
que contrajo en los dolores.

Muchas blasfemias le vibran
del vulgo las irrisiones,
sin que su inocencia muda
por sus agravios abogue.

[14] *víctima que pénsil muere.* Sobre la acentuación llana de *pénsil,* véase nota 46 del libro II, del *Poema heroico* correspondiente a la estrofa 147 del mismo.

Oídos sus muchas llagas
le vocean cuantos oyen,
y él hidrópico de injurias,
ecos las consagra dobles.

Bárbara impiedad estudia
diadema, clavos y mote,
que afrentado lo lastimen,
que atormentado lo mofen.

Rayo inmundo las salivas
en sos hermosas facciones,
vibra más, en la más bella,
desgarrados deshonores.

En el campo de su carne
los azotes, los cambrones,
purpúrea vid, se desatan
que mucha hermosura estorbe.

Las que encadenó zafiro
selladas gotas se encogen,
preñados racimos son
que vendimiaron sayones.

En las bien surcadas pieles,
porque hondas orillas logren,
por entre rocas de huesos
torrentes purpúreos corren.

Feo hermosamente el rostro,
a pesar de los rigores
derrotada beldad náda
en náufragas perfecciones.

¿Qué sol vivió aquellos miembros
que aun entre cenizas torpes,
con ser tan grande el ocaso
le están latiendo candores? [15]

Mal se doctrinan los clavos
porque opriman y no corten,
manos que trastornan cielos,
pies que huellan esplendores.

[15] *le están latiendo candores?* Carilla y otros trascribieron erróneamente *naciendo* por *latiendo.*

Ejes de este cielo ceden
y es forzoso que se agobien;
que manos que cargan mundos,
doblan atlantes de bronce.

Cuatro rosas desanudan
de los clavos los botones,
para que en manos y pies
caliente carmín deshojen.

El peso le da a las manos [16]
roturas que desabrochen,
para que en los pies el clavo
rugosos labios le doble.

Espinoso laberinto
la cruda diadema impone
duro yugo a la melena,
zodíaco de escorpiones.

Nilo es dorado el cabello,
porque en rojos marañones,
las avenidas de sangre
crecientes de oro arrebolen.

Greñas en la espalda ondean,
de oro y carmín chamelotes,
crenchas en el rostro baten
de sangre y luz tornasoles.

Su descabellado enredo
en dubias inundaciones,
si hace al oro que se anegue,
hace al carmín que se ahogue.

Anegados en su sangre
de los ojos los faroles,
entre el golfo del cabello
ya aparecen, ya se esconden.

Crece el piélago sus iras,
y en sus últimos angores,
en rocas de mermellón [17]
hace que su luz zozobre.

[16] *El peso le da a las manos. Le* por *les*. Vide *Poema heroico,* nota 43 del libro I.
[17] *en rocas de mermellón*. Para la asimilación de *mermellón, bermellón,* vide *Poema heroico,* nota 24 del libro III.

Lirio destroncado el labio
que clavel ardió en rubores,
nácar fue de blancos dientes,
ayer perlas, hoy carbones.

Cuna arrulló de rubí
todo el sur en netos orbes,
ya sepulcro de ceniza,
hace que en sombras reposen.

La barba partida enredan
torzales de nácar, donde
carámbanos de coral
los cuajados nudos formen.

Al cadáver de la lengua
entre cárdenos terrones,
poca hiel y mucha sangre
el tumulto le componen.

Elevado el paladar
es escollo donde topen
en la canal del aliento
en hilos que se derroten.

Rosada mejilla estraga
de acerada mano el golpe;
menos crudo sea el arado
cuando los claveles tronche.

Como el piélago en la orilla
blancos lame caracoles,
como al lilio en los vergeles
le están peinando los nortes.

Lágrimas y sangre inundan
crüentamente salobres,
en la nariz la eminencia
de una descollada torre.

Una mujer a su lado,
a tanto mar roca inmoble,
al piélago de tormentos
yunque inflexible se expone.

Madre la dice afligida
de aquel Hijo que socorre,
con beberle, esponja viva,
de sus ansias las mayores.

En su vista arden las almas,
en su dolor tan conformes
que se engazan en sus penas
yedras, los dos corazones.

Ecos se alternan y rocas,
en quien quiebra, en quien responde,
una alma sola en dos pechos,
mucho amor en pocas voces.

En la vista bebe aquél
de aquesta las aflicciones
y en los párpados se brindan
de mucha hiel amargores.

Inorme el rigor jubile
en su carcaj los arpones,
pues linces dardos se tiran
amorosamente atroces.

El siniestro lado ocupa,
ave real, aquel joven
que peinó con sus pestañas
átomos a sus fulgores.

Heliotropio es de aquel sol [18],
que aunque el carmín lo arreboce
legitima simpatías
de sentimientos acordes.

Este mira-sol de pluma
o esta águila de flores
que con hojas siguió luces,
que con ojos miró soles.

Ave, en la herida del pecho
rayos de sangre conoce;
flor, del abierto costado,
rocíos de agua recoge.

[18] *Heliotropio es de aquel sol.* Respetamos la forma antigua y etimológica *heliotropio.*

Un delito a dos mancebos
fija a dos troncos biformes,
de quien, en coros alternos,
glorias atiende y baldones.

Bebe tósigos el uno,
si el otro antídotos coge,
que tan nuevo centro hizo
antípodas dos ladrones.

Bastarda araña es aquél,
si es aveja aqueste noble,
que del jugo de una rosa
miel y venenos componen.

Porosa imán, una esponja
quiere que su labio agote,
tanta hiel, cuanta ella atrajo
de acibarosos licores.

Liba hiel quien ya la tuvo
para vibrar el azote;
no la bebe, que rehúye
letargos a sus dolores.

Esto se ha acabado (dijo),
en corpulentos clamores,
y al período vital
punto la muerte le pone.

De los cielos las esferas
rueda son de ebrios relojes,
que en sus ruedas desvance
corifeo, el primer moble.

Por despeñarse a su fin
el freno furioso coge,
pues la virtud que lo impele,
dándole está remesones.

A su volumen cerúleo
un pavoroso desorden
violentamente arrancó
de sus dos ejes conformes.

De su encaje se desatan
y con excéntricos topes
se descaminan sus vueltas
al precipicio discordes.

Desanudados sus globos
de sus diamantinos gonces,
hacen que en giros opuestos
unos en otros se rocen.

Al rubio fanal del cielo
que, mariposa, a Faetonte
ardió, golosa de luces,
dióle un soplo y apagóle.

Globo lleno el de la luna,
descarnado de arreboles,
esqueleto es de los astros,
en que se arguyen feroces.

Gotas de ese mar de luz
les enjugó resplandores
a las estrellas, que son
de lo que fueron borrones.

Ciego al cielo Polifemo
le niega sustituciones,
Argos que acedó sus ojos
con nocturnos alcoholes.

Pavón de zafiro, el cielo
cerúleas ruedas depone,
que hace agitada la tierra
que astros su polvo le borre.

Caducos riscos se mueven,
tan ágiles, tan veloces,
como si arterias tuvieran
con espíritu de azogue.

Golfo la tierra parece
que, en confusos horizontes,
los olajes de collados
se están alternando choques.

El velo que le oyó a Judas
las mal pagadas traiciones,
rotas, como él, las entrañas,
el aire puebla de horrores.

Tejido Jordán, se rasga
y en las orillas que rompe,
maretas de lino agita,
que arca a Cristo reconoce.

Absalón de lino, pende
roto el pecho, porque el bote
de la lanza que hirió a Cristo
le está desgarrando broches.

En su caos los elementos
confusos se desconocen
y en una pella se enredan [19]
leve y grave, luz y noche.

Lenguada llama, ancho hierro,
en la muerta antorcha, entonces,
pavesas de rubí apura,
cenizas de agua descoge.

Ambiguos raudales bebe
aquella luz de dos cortes
y embriagada de agua y sangre,
derrama lo que no sorbe.

Intimándole a los clavos
que los huesos le perdonen,
como a Cordero, la ley
da regalías que goce.

De sus carnes se revisten
almas de muchos varones
que a sus sustancias las urnas [20]
químicos fueron crisoles.

Pío afecto dio al cadáver,
porque tres soles lo alojen,
túmulo virgen, que anime,
plebeyo mármol, que informe.

[19] *y en una pella se enredan. Pella,* según el *Dicc.* es "masa que se une y aprieta regularmente en forma redonda".

[20] *que a sus sustancias las urnas* En Carilla se trascribió erróneamente *venas* en lugar de *vrnas,* que se lee en el original.

[A GUATAVITA] [21]

Una iglesia con talle de mezquita,
lagarto fabricado de terrones,
un linaje fecundo de Garzones
que al mundo, al diablo y a la carne ahíta.

Un mentir a lo pulpo, sin pepita,
un médico que cura sabañones,
un capitán jurista y sin calzones,
una trapaza convertida en dita.

El Argel de ganados forasteros [22],
fustes lampiños, botas en verano;
de un ¿cómo estáis? menudos aguaceros.

Nuevas corriendo, embustes de Zambrano,
gente zurda de espuelas y de guantes,
aquesto es Guatavita, caminantes.

[21] Tomado de la obra *Libro segundo de las Genealogías del Nuevo Reino de Granada*. Dedicado al ilustrísimo señor doctor don Melchor de Liñán y Cisneros, Obispo de Popayán, electo Arzobispo de Charcas, del Consejo de Su Majestad, Gobernador y Capitán General del Nuevo Reino de Granada y Presidente de su Real Cancillería y su Visitador. Recopilólo don Juan Flórez de Ocariz. Con privilegio. En Madrid: por Ioseph Fernández de Buendía, impresor de la Real Capilla de Su Majestad, año de 1676. — En la p. 350, Arbol XXII, se lee: "54. Nicolás Cortés y Ana Garzón, su mujer, padres de María Garzón, que nació año de 1632. Otros muchos hay desta familia y linaje y en especial en el valle de Guatabita, donde ha sido abundante la propagación; y en una descripción o pintura de aquello que hizo el doctor Hernando Domínguez, clérigo, lo dice en este soneto".

[22] *El Argel de ganados forasteros*. Carilla y Gómez Restrepo trascribieron "el *ángel* de ganados forasteros", dando con esto ocasión a numerosas reproducciones erróneas.

III
PROSA

INVECTIVA APOLOGETICA

Por el doctor Hernando Domínguez Camargo, natural de Santa Fe de Bogotá, del Nuevo Reino de Granada, en las Indias Occidentales, en apoyo de un romance suyo a la muerte de Cristo y contra el émulo que quiso censurarlo apasionado. Obra póstuma. Pónese el mismo romance del autor y otro del M.R.P.M. Fr. Hortensio Félix Paravicino al mismo intento. Publícala Don Atanasio Amescua y Navarrete, muy estudioso de uno y otro ingenio *

* Tomada del *Ramillete etc.*, antes citado, pp. 307-406. En la Biblioteca Nacional de Bogotá, sección de libros raros y curiosos, existe un ejemplar del *Ramillete* que en la parte de la *Invectiva* tiene la firma y notas marginales autógrafas del P. Maestro Fr. Francisco de San José, con la fecha 1701. Damos en fotocopia una muestra de las violentas censuras hechas a la obra de Domínguez Camargo por el ilustre agustino novogranatense, de cuyas obras latinas tenemos bastantes noticias por José Manuel Rivas Sacconi, *El latín en Colombia*, Publicaciones del Instituto Caro y Cuervo III, Bogotá, 1949, pp. 193-198 (N. del E.).

AL LICENCIADO ANTONIO RUIZ NAVARRETE, CURA Y VICARIO DE LA IGLESIA PARROQUIAL DE YONGOVITO EN LAS INDIAS OCCIDENTALES

Ofrezco, a v. m. esa *Invectiva Apologética,* gracioso parto, aunque póstumo, de un florido ingenio que, si vivo se granjeó algunos aplausos, difunto los solicita mayores a su abrigo y amparo; pues saliendo del encogimiento y retiro a donde le recató su modestia, anhela ambicioso en sus alas el dilatado teatro de este mundo y del otro, pues a cualquiera bien entendido le lisonjeará el humor y picará el gusto.

Y ya que a los hijos naturales no se les concede la dicha de elegir padres que acrediten su nobleza, los del entendimiento nacieron con mejor estrella y mayor fortuna. Crecida ha sido la de este huérfano, pues se ve prohijado, a instancias de su propia elección, de la generosidad y nobleza de v. m. Bien sabida es esta en todo el mundo donde la han dado a conocer los Navarretes de Baeza, de adonde v. m. trae su ilustre prosapia. Y para que la información fuese más legal, juntó los dos apellidos de Ruiz y Navarrete. Pues de "Pero Ruiz (palabras son de Gonzalo Ruiz Argote de Molina, en su *Nobleza de Andalucía*), se precian por escrituras auténticas descender los Navarretes. Están en el arco viejo sus armas que son la Cruz de veros azules y de plata en campo rojo, con orla de ocho chapas de oro en el mismo color" [1]. Siendo uno de los treinta y tres caballeros a quien el Rey D. Alonso el Sabio en la era de 1307 dejó en el presidio del Alcázar de Baeza para guarda y defensa de aquella ciudad, a los cuales dio el heredamiento de las tierras de Jarafe y la torre de Gil de Olit [2].

No sólo ennoblecieron su patria casando sus descendientes con lo más ilustre de aquella ciudad y aun del reino, pero por repetidos siglos en gobiernos, en armas, letras y virtudes ilustraron no sólo a España y a

[1] Gonzalo Argote de Molina, *Nobleza de Andalucía,* cap. II, libro 2.

[2] En el cap. 9 de este libro 2 del mismo Argote hallarás el privilegio de este honor y merced.

Europa, mas a todo el mundo [3]. A esta nobilísima posteridad se ajustan muy bien las palabras del rey Teodorico hablando de la sangre de los Decios: *Qui tot annis continuis simul splendet claritate virtutis. Et quamvis rara sit gloria, non agnoscitur in tam longo stemmate variata. Saeculis suis producit nobilis vena primarios; nescit inde aliquid nasci mediocre: tot probati quot geniti; et quod difficile provenit electa frecuentia* [4]. Ninguno descaece de la grandeza de sus pasados; antes con sus poezas y memorables hechos acreditan mejor sus blasones y engrandecen más el timbre de su sangre, esforzándose cada uno a merecer por sí propio nuevos lustres a su casa, por dejarles más patrimonio de hazañas a sus descendientes que ellos heredaron de sus abuelos: *Qui quamvis fulgeant communione meritorum, invenies tamen quem possis laudare de popriis,* adelantó el mismo Teodorico [5]. ¿Quién le quitó esta gloria en las armas al Maese de Campo Alonso Navarrete, Caballero del hábito de Santiago y Alcaide del castillo de Porcuna, cuando militó en las banderas del Emperador Carlos Quinto y sirvió después al rey Felipe Segundo en la memorable jornada de San Quintín, donde con solos ochocientos hombres desbarató doce banderas de infantería del francés y un crecido número de caballería? En lo supremo del gobierno, ¿quién le negará este honor al capitán Baltazar Navarrete, Gobernador en el Reino de Nápoles del estado de la reina de Polonia? Por las letras, ¿quién a Don García Navarrete, Colegio y Catedrático de Prima de Leyes del Colegio de Sevilla y al Licenciado Gaspar Navarrete, Oidor de la Cancillería Real de Granada?

Y aunque v. m. no tuviera tanto heroico ascendiente que le ennobleciera ilustre, sus oficios y puestos le sacaran gloriosamente de este empeño. Pues en la ciudad de Almaguer, cuando se le reía más la fortuna y sus venas de oro se desangraban generosas y enriquecían a todo el mundo, fue Regidor y Alguacil Mayor propietario suyo y después Alcalde Mayor de sus opulentas minas, que si el oro acreditó su suelo de rico, v. m. por hijo y parto suyo, añadió los últimos quilates de nobleza a su patria. Y habiendo sujetado la cerviz y dado las manos a los dulces lazos de himeneo en la ciudad de Buga, fue Alcalde Ordinario suyo, con aprobación y aplauso de todos; pero avecindado en la ciudad de Pasto, no sólo fue fiel ejecutor y Regidor de ella, pero Teniente de Gobernador, Justicia Mayor y Corregidor de los naturales. Bien ceñido le viene a v. m. lo que de un nobilísimo patricio dijo Casiodoro: *eligitur quippe in te nascendi laus, vivendi gloria, et cum multa trahas ab antiquis, meruisti placere de propriis* [6].

Y cuando v. m. en el siglo iba subiendo a pasos tan apresurados en la primavera de su edad, viendo cortada en flor la vida de su querida

[3] Mira esto ditado en el mismo Autor, cap. 202 del libro 2.
[4] Casiod., *lib.* 3, varia. *Epis.* 6.
[5] Casiod., d. loc.
[6] Casiod., 3, variar. *Epist.* 5.

esposa por las manos violentas de la muerte, dio de mano a sus oficios y pompas y se ordenó de sacerdote; mas en breve se vio pastor de más puro rebaño, pues en concurso de otros muchos, fue elegido por Cura y Vicario de Yongovito, en la jurisdicción de Pasto, porque se conociese que su aventajado talento de v. m. no sólo había sido para lo político y humano, pero para lo espiritual y supremo de las almas; y por el mismo caso que se consagró a Dios y renunció gobierno de la Tierra, le remuneró en su Iglesia, con potestad tan suprema de franquear los cielos y cerrar los abismos, alcanzando su jurisdicción a tan distantes extremos, dando v. m. a su nobleza esmalte tan excelente, que su padre San Pedro le acredita con el preeminente honor y renombre de la mayor Majestad de la Tierra: *Vos autem genus electum, regale sacerdotium, gens sancta, populus acquisitionis* [7]. Para que comunique la luz de su doctrina y enseñanza a estos bárbaros y primerizos cristianos de este nuevo mundo: *Ecce dedi te in lucem gentium, ut sis salus mea usque ad extremum terrae* [8]. Como lo tenía prometido Dios por Isaías y se cumplió y cumple a la letra en v. m. y otros ministros evangélicos, como explicó San Pablo a los judíos que embarazaban la predicación del Evangelio a los gentiles [9].

Y aunque esta *Invectiva Apologética* no hubiera tenido tan buen gusto de irse por su propia elección al abrigo de v. m., yo mismo se lo solicitara; no sólo por lo que a v. m. estimo, pero principalmente por tocarme tanto en el parentesco y sangre con harto honor mío, y obra que había llegado a mis manos y era de ingenio, no se había de valer de otras, como ni de otra sombra que la de v. m., pues no faltara a mí mismo si faltara a este reconocimiento y a lo que debo a los muchos beneficios que tengo recibidos de su amor y generosidad.

Divierta v. m. con este florido e ingenioso juguete esas soledades a que le ató su obligación, mientras yo, con asunto más serio, desempeño segunda vez mi afecto que, como hijo que me toca, le acariciara más amoroso, pues la fuerza de la sangre no dudo solicite más tiernamente la voluntad y arrastre más gustosamente el cariño. Tarea es esta de un eclesiástico y pastor como v. m. que en el redil y abundosas vegas de la Iglesia recogen y apacientan estas nuevas ovejas que de los incultos campos de la gentilidad redujo el celo católico; con que es fuerza mire con buenos ojos este póstumo suyo, pues son ambos de una misma profesión. Y si esto pide su orfandad de las piadosas entrañas de v.m., estoy cierto que a ambos nos sacará gloriosamente del empeño lo ilustre de su generosidad y noble de su persona que prospere el cielo con las dichas y ascensos que merecen sus relevantes prendas, etc.

B. L. M. de v. m. S. M. S. y M. A. P.

D. Atanasio Amescua y Navarrete

[7] I Petr., cap. 2, 9.
[8] *Isai.*, cap. 49, 6.
[9] *Act.*, 13, v. 47.

AL CURIOSO QUE LEYERE

Aunque es verdadera la común y ordinaria sentencia de Horacio: *Omne tullit punctum, qui miscuit utile dulci* [10], pues no solamente el escritor ha de solicitar dulce el entendimiento a lo bueno, mas aficionar útil el efecto, y aun rendir la voluntad: *Lectorem delectando pariterque monendo.* Pero ya que no se pueda siempre todo, no le falta su punto de virtuoso a quien sin dañar las costumbres, trata de desahogar el corazón y divertir solo el ingenio; y más cuando no se tira a ventana señalada, ni naufraga por conocido la fama de alguno en particular entre las chanzas y burlas. Pues ni la rosa, el clavel, ni la azucena perdieron de su cultura y estima, porque su pompa se cifrase toda en hojas y colores, sin que llegase al colmo sazonado del fruto; ni porque sola enamorase a los ojos, solicitase al olfato, sin que picase ambiciosa a lo delicado del gusto.

De este género de escritos, es el que ofrezco al discreto lector en esta *Invectiva apologética*; pues sin tocar en las costumbres, ni depravar la voluntad, divierte entendido e ingenioso su autor; que no se puede negar, sino que estaba de buen humor, cuando hizo este juguete. Tampoco llega a ser contra el crédito de otro; pues aunque murmura discreto, y zahiere con mil sales al que hizo *Romance de Cristo en la cruz,* que comenta, y sobre que discurre al parecer, sentido; pero no señala quién sea su autor, y serían muy pocos a cuya noticia llegase su conocimiento; y de su modestia me persuado; que a raros lo comunicaría su buen gusto. Ni después de muerto pasó por muchos ojos; pues puedo asegurar que de la mano a quien hizo heredero de sus papeles, llegó a la mía; y por no defraudar a los curiosos de tan ingenioso divertimiento, le doy a estampa y al teatro de los entendidos.

Demás, que el *Romance* publica lo culto del numen y lo galante del ingenio del poeta que lo hizo; y por esta parte más llega a ser gloria

[10] Horat., *De arte poética,* prope finem.

que ignominia suya; pues ningún entendido que le lea negará esta verdad; pero también confesará conmigo, cuán en los ápices repara una grande capacidad, cuando alguno pagado de su vena, con el calor de la edad le provoca arrestado: y a mi entender, si advirtiera después el poeta más reportado y menos fogoso tan valiente impulso, no quisiera haberse puesto en la liza a competirle las lanzas. Y no es el primero que con picantes y donaires procura desagraviarse de quien (aunque entendido y sabio) pretendió tocarle en lo sagrado del numen, profanándole sus versos. Valiente ejemplar tiene en D. Luis de Góngora (a quien bebió su levantado espíritu e imitó en lo descabellado de sus números), que con sus sales y picantes salpicó a no pocos que ofendieron a las divinas aras de su ingenio y al retiro sagrado de su culto. Y adonde mejor explica su sentimiento, es en dos sonetos, el uno que comienza:

Es el Orfeo del señor don Juan

El otro:

Anacreonte español, no hay quien os tope [11]

Adonde pica y se hiere * donairoso a dos grandes ingenios de España, porque le calumniaron su estilo y motejaron de oscuros sus versos. Léelos, y verás cuán bien le imita nuestro poeta en defenderse, y en no dejarse ajar del émulo que mal satisfecho o malicioso le calumnia.

Y porque puede ser que a la primera vista algún ingenio escrupuloso, o por mejor decir, pajarero o antojadizo, repare en las chanzas y donaires con que nuestro comentador apoda los tormentos y pasos del Calvario, y, severo censor, le condene a que deben ser notados muchos, y aun borrados no pocos de los apodos con que se burla de la pintura del poeta; quisiera que no se precipitase celoso y condenase arrestado, sino que advirtiese que el autor, como muy pío y católico, venera reverente al original de Cristo paciente y doloroso, como a cada paso lo nota en el discurso de esta *Invectiva:* sólo apoda y censura la mala copia del romance que, a su entender, con mil borrones e imperfecciones, desfigura más que retrata aquella bella, aunque dolorosa imagen del crucificado. Como tampoco debía ser censurado un valiente pintor, si pusiera faltas en un trasunto de un aprendiz, que trocando las sombras en luces, y descompasando las líneas, pintase un monstruo en lugar de un Cristo crucificado: y si hiciera mofa de esta copia, si apodara * donairoso este trasunto, no dijéramos que hacía burla de Cristo y sus tormentos (que es el verdadero original), sino del mal pincel que le retrató irrisivo. No necesita de aplicación la imagen, cuando corre tan paralelas líneas.

[11] Don Luis de Góngora [Ed. de P. H. Ureña, pp. 86, 88].
* *Se hiere.* Así el original, mas acaso sea errata por *zahiere* (N. del E.).
* El original "apodera" (N. del E.).

Si tienes, lector amigo, ingenio y buen gusto, juzgo que no reprobarás el que he tenido en ofrecerte este comento, tan lleno de donaires a tu divertimiento. Confiésote que siempre he venerado y aplaudido el genio del autor: y por adquirirle más aficionados le ofrezco a los ojos de muchos, que si no le miran con el achaque de desganados, recabará aplausos su lindo humor y agradecimientos mi cuidado **.

** Sigue aquí, en la edición del *Ramillete,* el *Romance a la pasión de Cristo* de Domínguez Camargo, que queda incluido entre sus poesías en esta edición, pp. 387-396. A continuación el *Ramillete* trae el *Romance al mesmo intento del M. R. P. M. Fr. Hortensio Félix Paravicino.* Lo damos también aquí pues fue el que sirvió de modelo al del bogotano (N. del E.).

ROMANCE A LA PASION DE CRISTO

POR FR. HORTENSIO FELIX PARAVICINO

De aquella montaña al ceño
fatigados tornasoles,
bermejea un bulto verde,
misterios encierra el bosque.

Un hombre descubro a un tronco,
que en aquella encina y roble,
cuanto él de las ramas pende
tanto de la sangre corre.

Quiero llegarme más cerca,
que de inhumanos cambrones
bárbara diadema tejen,
que le hiera y le deshonre.

Cuatro penetrantes llaves,
(que todo cuanto abren rompen),
del humano mármol sueltan
fuentes de coral veloces.

En pies y manos el peso
roturas fabrica enormes,
dando a las fuentes y a mares,
estrechos anchos que logren.

De los juncos a los clavos
no hay parte que no coloren,
rubís que heridas desatan,
zafir que restañan golpes.

Entre cinco mil agravios,
dura tempestad de azotes,
si bermejas lluvias vierte,
sangrientas ramblas dispone.

Marfil los huesos ostentan,
que al elefante más noble,
en purpúrea hermosa vida,
violaron limpios ardores.

Rizo entre la escama alada
le atiende dragón disforme,
¿qué será ver la rüina
triunfante sepulcro entonces?

Como un cordero padece,
él es Varón de dolores,
sin que el saber tantos males
para el buscarlos le estorbe.

Sobre la diestra mejilla
mano ajena le conoce,
¿brazo infame, en un rendido
fuiste a sellar sinrazones?

¡Qué mal el sudor le enjuga
de las blasfemias atroces
si no defienden, acuerdan
su belleza las facciones!

A una mujer se parece,
que junto al árbol biforme
constantemente afligida
llama tiernas atenciones.

Hijo debe de ser suyo,
valiente mujer responde,
si por la boca cuidados
se mandan tan superiores.

El alma en los ojos late
intercadentes pasiones,
sin parecer, que en el pecho
más que suspiros informe.

¡Oh cómo para el dolor
todos sobran los sayones!
Que entre sí los dos amantes
se los inventan mayores.

El desde la Cruz la mira,
Ella al pie le corresponde
a tan ardientes reflejos,
¡qué nieves obstinó monte!

Ya soles, ya espejos arden,
y dulcemente feroces
vuelven al rostro los ecos
a rasgar los corazones.

Unos en otros deslizan
los rayos a hacer el golpe,
y en todos ellos crüel
más que ciego, amor se esconde.

¡Qué de animadas centellas
obliga al fuego a que arroje,
si bien ninguna se pierde
cuando las más de ellas sobren!

Pedazos de alma sangrientos
son, que mueven ambos soles,
y Madre de rojas perlas
el labio nácar las coge.

Roca así de bermellón,
si no derrumba colores,
liquida el golpe del agua
resplandeciente tersones *.

Despedirse el Hijo muestra,
dirigiendo en las razones
a la Madre, no palabras,
aceros sí de dos cortes.

* Así en el original. La ed. de Bogotá, 1956, interpretó *festones*. A falta de la ed. antigua de Paravicino, que no hemos podido consultar, sugerimos *tersores* (N. del E.).

Mal escuchó la encomienda
a un bello y modesto joven,
que al otro lado del leño
vivo imán se bebe el norte.

Es ave real, que obediente,
vista y pluma al sol opone,
y si no le agota luces,
rayos le cuenta menores.

Nido le halagó su cerco
en mullida luz, durmióse,
con que perspicaces sueños
el sol adentro descoge.

Otros dos mancebos hace
el suplicio vil conformes,
si bien el uno blasfemias,
ruegos el otro interpone.

Que se acuerde de él le dice,
cuando en su reino se goce,
y él envuelve la promesa
más que esperanzas, favores.

Mejor habladas que Abel
levanta su sangre voces,
pues insta a un Padre, que nombra,
hermanos tantos perdone.

Bien, que a su Dios le pregunta,
entre quejosos clamores,
¿por qué le ha desamparado?
¡Ay voz, cuánta enigma escondes!

Gran sed confiesa el paciente,
cuando en acerbos licores,
ebria esponja al seco labio
ministro vil le socorre.

Gravemente pïadoso
le ofrece el brebaje torpe;
y él piadosamente grave,
si no le bebió, gustóle.

Todo está acabado, dijo
en tan alentadas voces,
que a su desmayo la muerte
las admiró desconformes.

Ya al Padre encomienda el alma,
ya en los ojos se conoce
dura quietud, que en su hielo
resigna los resplandores.

Ya lánguido mortalmente
a tales contradicciones
cede, y a la cabeza inclina,
la luz del mundo acabóse.

Expira mirando al suelo,
en quebrados resplandores;
señal, que aun no le enojaron
tan dolorosos baldones.

Ya muere, ya, aunque se impidan
al matarlo los baldones;
¿ya expiró? sí; ¿sí estarán
contentos los ofensores?

No estarán, que indignamente
se aparta el vulgo en facciones,
y no hay uno que se duela,
cuando hay tantos que le mofen.

La gloria de Redentor
le dicen, que no se arrogue;
y pues dio vidas a otros,
que alguna para sí tome.

Que descienda si es su Rey,
a que su fe le corone,
y tan ilustre paciencia
obscuramente revoque.

¡Ah canalla! Su inocencia
protestan vuestros fervores,
que no merecen las culpas
tan locas indignaciones.

¿Qué pretende este tumulto?
¿Qué intentan estos rumores?
¿Injurias, aun no escampáis?
Lloved, como halléis adónde.

Quebrando están dos verdugos
las piernas a los ladrones,
segur villana, en un muerto
el odio inútil no encones.

¿A dónde va aquel soldado,
que al ristre la lanza pone?
Mas ¡ay! que al blanco sangriento
fue desapiadado el bote.

¡Qué puerta le abrió en el pecho
a que la vida se asome,
y a dos brazos de agua y sangre
de muerto mar les dé nombre!

En lucha amiga, y tan fiel,
se precipitan conformes,
que si las ondas se mezclan,
¿se respetan los colores?

Mas, ¿qué novedad es ésta?
¿Qué importunas impresiones?
Los fuegos del cielo apagan
en uno y otro horizonte.

Las sombras extiende el aire,
y en ellas lutos descoge,
y al túmulo pavoroso
alta obscuridad compone.

Húrtase a la vista el día,
sucediéndole temores,
con que la noche asegura
litigiosas posesiones.

La cabellera flamante
tras la corona depone
el sol, y en pardas cenizas
dispensa los arreboles.

Tierna entre el susto la luna
eclipse violento escoge,
y en colusión de la tierra,
renuncia sustituciones.

Sintiéronse las estrellas
de sus brillantes candores
desnudar, y al duro imperio,
la más crespa asistió dócil.

Retirado el sol ateza
el mundo nuevo etíope,
que en este segundo caos,
el primero reconoce.

¡Válgame Dios, y qué estruendo!
parece que el primer moble
se viene al suelo arrastrando
la turba de esotros orbes.

Si enfalseados los ejes,
en cuyos eternos bronces
se mueven tantas firmezas,
se afirman tanto temblores.

Algo se ha desencajado,
que el crujido sordo se oye,
como que de las esferas
los movimientos se topen.

Azudas de cristal grandes
son, que cuando no se rocen,
rechinan desapacibles
entre el músico desorden.

Duramente agradecida
rimbomba en acentos dobles
la tierra, que hasta su centro
estremecida se encoge.

Respira en los monumentos,
y rompiendo obligaciones
de mármol, compele muchos,
a que el depósito arrojen.

Al aire usurpan espacios
las exhaladas visiones,
de ya vivientes fantasmas,
de ya animados horrores.

Las piedras se hallan libres,
averiguando traiciones,
se quebrantan o se encuentran,
inquiriendo los autores.

¡Qué despechados se afligen,
cuando obstinados no lloren,
verdaderamente Hijo
era de Dios este Hombre!

DEDICATORIA

AL ALFEREZ ALONSO DE PALMA NIETO

Este pretérito con contera del verbo *do das,* que se trae en *gratis dato* todas las *Dedi*catorias, quiere decir *dedi,* dí; porque a V. Md. le dí en el *busilis,* y al poeta en el chíspite, y a entrambos no sé les dí entre ceja y ceja. El *busilis* de V. Md. era asombrarme con el romance, como si yo fuera tordo nacido en los desiertos y no en los campanarios. Y el chíspite del poeta era rempujar más allá lo dicho en otros dos romances al mismo intento, como si no fueran para mí las dos columnas poéticas de Alcides; y para el poeta el Escilla y Caribdis donde naufragó su chalupa. Y haberles dado en este punto a entrambos, es haberles dado entre ceja y ceja a la emulación cejijunta en los ajenos aciertos; y este es el *dedi* de mi Dedicatoria, con perdón de la contera, que se queda no a que la coman, sino a que la meen perros: y tómese de este orín muy enhorabuena, que no faltarán dedicatorias mohosas en los libros impresos a quienes le venga de molde. Dedico, en fin, a V. Md. el *Romance* que me envió, que es volverle en pelotazo la pelota; porque me la sacó tan preñada de viento, que la juzgué vejiga con consonantes en el aire; y yo que conocí en los aires que estos eran ruidos y no nueces, traté de contarle las chazas y anotarle las faltas, por si en ellas les hallase las quince de corto, y hallé por mi cuenta que ni tiene chaza, que no sea digna de nota, ni nota que no sea de alguna falta, ni falta que no sea para rechazada, ni quinces que no se pasen a miles. Quererlas contar todas fuera meterme a guarismo y agotarme de números, siendo ellas tan sin número, que son cuento de cuentos. Busqué en el *Romance* a Cristo, y halléme con el Anticristo de las puertas adentro de mis ojos (que no todos los ojos tienen antepuerta, como los míos); quejéme de V. Md. que me convidó con la carne de doncella monja, y me escondió en ella el anzuelo de fraile; si no lo he tratado bien, nadie me lo tendrá a mal; que no es el Anticristo persona con quien come migas en un romance una pluma católica. Persuádome (aunque V. Md. no me dice el malhechor) que se engendró este romance entre velo y capilla, porque él me ha parecido monja con barbas y fraile con afeites. Hipocentauro compuesto de delitos poéticos y hermafrodito de hipérboles que son delitos hipérboles. El me pareció tan malo, que no pude decir bien de él sin hacerme más malo que él. No conozco a su autor; pero por no errar, como en Atenas se erigieron aras al *ignoto Deo,* se las levanto yo al *ignoto Diabolo,* y no le levanto testimonio, si fueren cadalsos. Siempre V. Md. amparó mis versos, no quisiera que ahora se enfadara de que gasto tanta prosa; V. Md. y yo somos siempre amigos en versos y en prosa, defiéndame por su vida no de los maldicientes, sino del mismo romance; porque solo él es el que dice mal por todos, y para todos los que quisieren decir mal de él, que yo digo bien en decir mal de lo malo. No lo albergue V. Md. en su aprobación, sin llevar contra yerba, que no alberga la palma basiliscos en versos, ni versos basiliscos; y pues es Palma de los Poetas, a quienes se la lleva, si no se la dan como yo, haga sombra benigna a esta mi defensa apologética, en que trae Apolo un palmo de jeta, porque viene haciendo hocico a la fealdad monstruosa del Anticristo y quiere desagraviar a Cristo muerto a manos de malos romances, como a manos de malos pecados; pues todo el romance es un pecado en asonantes, cristicida sacrílego, que es lo mismo que Anticristo poético. Léame V. Md. en la chorrera, salmodio cristalinamente sonoro, adonde V. Md., como David español, canta estrofas sagradas a Dios en su santo Juan de Dios; y comunique mis verdades claras con claridad de sus aguas y verá que es tan fácil como beberse un jarro de agua el conocerlas.

Si no las hallare limpias, amo tendrá el agua en su chorrera, y amo el jabón en su censura; dele como a ropa de Marica a ella un jabón y a mí me dé otro jabón que con eso, si ellas se van carilimpias de mis manos, de las de V. Md. saldrán carilavadas. No las permita a otros ojos, que yo no quiero ojos de jabón que me den otros; y ojos por ojos, hartos me tengo yo, sin que me den más. Bástanme cuatro limpios como el cristal. V. Md. en su defensa pongan un ojo a la margen, y remítalos a que me prueben la calumnia que si es en papel y por escrito, será otro tanto oro, porque me hallarán para defenderme lleno de letras hasta los ojos. Dele Dios a V. Md. vida, y a mí salud, para que me envíe muchos romances en que yo divierta la soledad de estos desiertos.

Turmequé, 2 de Mayo de 1652.

LUCIFER EN ROMANCE DE ROMANCE EN TINIEBLAS PAJE DE HACHA DE UNA NOCHE CULTA, Y SE HACE PROLOGO LUCIENTE, O PROEMIO RUTILANTE, O BABADERO CORUSCO, O DELANTAL LUMINOSO, ESTE PRIMER RAZONAMIENTO AL LECTOR

Lector anónimo, que es lector sin nombre (no te escandalice el vocablo) ni te parezca el epíteto pulla, que más te quiero solo que mal acompañado de epítetos ruines. Y aun queriéndote a solas, y solo, no sé si te ha de dejar leerme el Fénix, que piensa no solamente que es el solo del mundo, sino que él es solo en el mundo; y le parece que le quito a él lo que te digo a ti; y como si quitara de las piedras por poner en él, te enterrará vivo en las *Soledades* de Góngora, que es como en la Sima de Cabra. Si te llamo lector amigo, me arañarán las busconas, que piensan que para ellas solas se han hecho todos los amigos del mundo. Si te digo lector mío, te parecerá que te echo el gato a las barbas. Si te invoco pío, me responderán los pollos. Si lector cándido, se me enojará la nieve. Si benigno, me desterrará del mundo la benignidad de los príncipes. Si halagüeño, me comerán los perros. Si lector con ojos, porque sin ellos no serás lector legítimo, me sacará los ojos el pavón. Si lector con manos, porque me tengas en las tuyas y no me pongas en atril, como libro de canto, me comerán los valientes, que son todos manos. Si lector sabio, se enojarán las barbas de los letrados, que tienen pelos doctos y escubillas graduadas. Si lector discreto, es meterte en baraja con los frailes de la Orden, que tienen discretos por elección y no por naturaleza. Si lector cristiano, es mentira, porque te hará desbautizar este Anticristo, y será lector anticristiano. Si lector bautizado, es tratarte como a vino de taberna. Si lector urbano, es darte qué hacer con las Pontificales, que te hundirán a gritos. Si lector con lengua, porque me puedas pronunciar, es meterte a pleitear con los que andan con la lengua de un palmo, como perros con sed, por decir mal de esta obra. Si lector a secas, es tratarte como a pan mascado en día de ayuno. Si lector no más, es dejarte como a Pedro por demás: conténtate con tu anónimo (no se me suelte lector culto) y no te hagas aire de epítetos, que no te mosqueas de tábanos, que aunque el anónimo, o si quieres llamarle Aimonio, *mutatis mutandis* y la A en D, dice al Maldito, es mejor compañía de Demonio crepúsculo y en duda, que de culto legítimo de la noche. Y para mi traer, mejor es traer diablo ambiguo que crítico hermafrodita de latín y romance. Ya no dirás que no te he dado maldito aquel epíteto pues te doy el epíteto de Maldito: a Dios y ventura, llámote lector entendido (porque es ventura hallar un lector entendido), ya dí contigo, y no se te dé nada de los cultos, que ellos no son entendidos, ni por activa ni por pasiva, ni en tiempo ni por tiempo ninguno; sino que son como el infierno, eternidad de tinieblas (que es nudo ciego de los tiempos); ni pienses que no es todo uno anónimo y entendido, que son lo mismo sin duda, porque si anónimo es sin nombre, ahora no tienen nombre los entendidos. Sabrás, pues, lector anónimo, que mi amigo el de la Dedicatoria, me envió un romance, cerrado y sellado, con más misterios en su carta y más sellos en su pliego que el libro de Apocalipsis; y yo me lo dije, cuando lo vi cerrado y sellado, que no podía ser sino Apocalipsis poético, que es, en buen romance, romance culto.

Enviómelo tan garrido de episodios y tan galán de panegíricos que lo ponían sobre las estrellas, que yo pensé hallarme en las manos por lo menos con el cielo cristalino, claro y transparente, y hallarme en ellas con los espacios imaginarios, que aunque están sobre las estrellas, son vagos, oscuros y lóbregos, porque le da la luz por culas (no es la frasi oscura, aunque lo parece); y con ser a medio día y estar la luna llena, me pareció que se me caía el cielo y lo que está sobre el cielo encima, y sin saber cómo me hallé pronunciando aquellas palabras del Areopagita: *Aut Deus naturae patitur, aut mundi machina dissolvitur.* Y es así, que padecía Cristo a manos de un romance, y él con su oscuridad me borró el día del tal manera, que me hallé tullidos los ojos y con tinieblas palpables en las manos, pues tenía en ellas esta tinta razonada *. Creí que era melindre de mis ojos morciélagos, porque los míos tienen por niñas dos lechuzas (ya ves, que aunque sea en mí, digo mal de lo malo); quitéme mis antojos de cristal para limpiarlos que estaban pasados de este hollín articulado que me los había penetrado y hecho los dobletes y azabache, o pez transparente; y fue lo mismo que limpiarlos con los cendales del tintero en que el poeta arrebujó la luna. Dióles a ellos, y a mis ojos tiricia atezada; porque todo lo que veía me parecía negro. Hallé mis ojos con cataratas de brea y nubes de humo. Topéme a ciegas con otras lunas de cristal, que con inciertos relámpagos andadaban como lucernas desmigajadas, relumbrando en el romance, y quedéme también a la luna, por que las tenía deslumbradas y quebradas un verso que dice: *Ya de golpes ya de sangre se quiebran o se deslumbran.* Encendí una linterna para andar por los malos pasos de las coplas, y apagómela *un torbellino de hebras,* que lo sopló un huracán con balcarrotas (que no se entiende con los vientos la nueva premática), salíme a las estrellas y vílas a medio día *apagadas una a una,* como candelas de

* *Rozonada* trae el original (*rozar, rozón*), pero podría ser errata por *razonada.* (N. del E.).

miércoles de tinieblas: y fue ventura que no me diera alguna gaznatada la mano de Judas. Volvíme al sol como a piélago de la luz, y hallélo naufragando en *falúas de abalorio,* que es madera de que se labran buenos timones. Volvíme a mí mismo, y hallé mi socorro en mi naufragio; llaméme a morciélago, y busqué mis lechuzas en mis ojos diciendo el "ayude Dios a los nuestros", y entonces pude ver al romance y me trató como de casa. "Pues de corona sois y no habláis (me dijo), en esta noche con asonantes todos los gatos somos pardos, y para todos hay lobas como bocas de lobo. Yo tengo tinieblas de contagio y soy landre de obscuridades, anatema poética, matadora de candelas; yo soy noche consanguínea de la obscuridad, y tú tienes tinieblas de afinidad; yo soy la descomunión de las coplas y tú el participantes". Entonces me mostró su cara, como la noche misma, y yo me hallé mascando con los párpados un dragón; sonábanme en las pestañas chasquidos como de huesos que se quiebran y eran carbones que rechinaban. Mirélo de pies a cabeza, y aunque él estaba sin pies ni cabeza, me pareció que pisaba con dos áncoras de navío y que tenía manos de arpón, uñas con agallones y garras con orejas. Mirélo a la boca y vila con impresión de tarasca entumida, entallada de bostezo perdurable que nunca se cierra, extenuada de hocico y despernancada de quijadas; los dientes, que eran colmillos, eran chuzos de marfil con corcova; y los que eran dientes parecían almocafres de hueso o escarpias de cuerno. Miréle al espinazo y parecióme todo de iguanas en espetera y tasajera de peje espadas boca arriba. Miréle a la cola y parecióme embrión de caimán por madurar, con macetas de cáscaras de huevo de avestruz por escamas. Mirélo a las alas y parecíéronme sus plumas de escorpiones aserrados, de ranas en prensa, de alacranes batidos y de sapos acepillados, metidos de batán en una pieza. Mirélo a la cara y parecióme herejía crestada de hipérboles, hipogrifo capotudo de frasis, furia desgreñada en consonantes, harpía desatada en versos y quelidro ponzoñoso de metros. Mirélo a los ojos y no lo vi despidiendo espadañas de fuego, sino metáforas de brea y proginasmas de hollín, que son las llamas de los cultos. Mirélo a la boca y parecióme que pronunciaba en lugar de lengua con un morciélago de resina, lóbrego de vocablos y pegajoso de habla, como que mascara trementina. "Dígote Lucifer (le dije), príncipe de las tinieblas, atezado de culturas"; y él me agradeció la cortesía, porque peor es ser (me dijo) Anticristo poético que cuño de Lucifer e imprenta de diablos. Híceme cruces de ver tan descomunal sabandija; y él me dijo que diera en otra parte con los conjuros, y que él era ladrón de casa y tordo viejo de la iglesia que se anidaba en los campanarios, y que a él le guardaban el sueño los badajos; y que convidara a otro perro con ese hueso, que él trataba aún de roerle los huesos a la Cruz y de andarse sin miedo entre la Cruz y el agua bendita; y que se cobijaba con las estolas; y que lo echase de ver, pues él se venía enmascarado en la pasión, paseándose por el Calvario, haciendo moneda falsa de los dolores y adulterándole el cuño a los tormentos de Cristo. Yo que vi que no era demonio al uso y vuelo al revés del diablo, pues él de príncipe de las tinieblas se transforma en ángel de luz, y éste transformaba las luces en tinieblas, traté de conjurarlo con Elías y Enoc; invoquélos y el uno se estaba muy quieto embalsamado en siglos, tratando de no corromperse; y el otro se está hecha conserva momia de los años, guardándose para Anticristo de carne y hueso, y no para Anticristo de papel y tinta, como de agua y lana.

Enviaron con todo una hacha y en ella escrita con tinta de luz esta letra: *Coligo terrae scinditur percussa solis spiculo.* Yo que me vi con la hacha en las manos, y que era arma de dos luces y antorcha de dos cortes y que en la ocasión era cuanto yo podía desear, me entré destrozando noches en la montaña lóbrega del romance porque sus tinieblas no son como las de Egipto, palpables y muelles como algodones de tintero, sino negras y duras como troncos de ébano. Metíme a leñatero de esta selva confusa y en ella me hago rajas por hacerla astillas; y he hecho mucha leña rajando trozos de azabache; daré golpes de luces y luces de golpes y haré lumbre como leña y leña como lumbre; procuraré no sólo que la ilumine sino que la queme, y que se le vayan en humo los humos al poeta y que las cenizas que quedaren, unas lo metan en colada y otras se le peguen al casco; y le acuerden que es hombre, aunque parece poeta. Acuérdate, ingenio de azogue, que pareces plata y que te irás en humo. Y que aunque te presumas plata con vida que te vienes a los ojos muy bulliciosa de conceptos y cosquillosa de consonantes y te juzgas hervidero de perlas al cabo a la cabeza, adonde te subes, no la dejarás rica, sino perlática, sediciosa de sienes y tartajosa de nuca; y amotinándole los sesos, se los haces herver en el casco; porque aunque como el azogue parezcas espíritu vital de la plata, si lo dejas calificar de la balanza en igual cantidad con otro, hallarás que es la quinta esencia de lo pesado y antonomasia inquieta de lo grave, cientopiés luminoso que, aunque lo dividan en átomos, cada uno tiene su pie como verso; y ellos se rascan todos y caminan hacia atrás y hacia delante y alrededor por buscarse unos a otros y buscar cambalaches lucientes. Esto es cada copla tuya, víbora resplandeciente, que hecha jigote, ella se palpita toda en miembros de argentería; esto es cada verso tuyo, mala compañía y contagiosa vecindad del plomo que, hurtándole su color, lo saca de juicio, y quitándole los pies pesados de plomo con que anda en los versos atentados, lo mete a metal de andadura haciéndolo tropezar en antiparístasis de sí mismo; esto es cada metáfora tuya, andariega de semejanzas encontradas. En fin, lector sin nombre, esta mi antorcha de dos luces te descifrará a Cristo de la enigma sacrílega en que lo tiene anudado y escondido este romance Anticristo. Mi Elías en prosa no atiende a más que a defender a Cristo de estos malos versos y a darle con sus faltas en la cara a este Anticristo poético o hipogrifo escondido en metros numerosos no más que para el oído. Mis palabras refiérelas a sus monstruosidades, que a ellas sólo tiran; no las rempujes a las hermosuras fatigadas de

Cristo en la Cruz, ni a lo que de El en ella nos enseña la fe, que esas están retocadas por el pincel armónicamente delgado del Paravicino, Apeles numeroso de nuestro siglo, y no sé si bien imitado por el tosco mío en otro romance, en que no presumí emulaciones suyas, ni pretendí más que besar reverente en sus huellas los pies de tan divino Apolo. No sé si perdí las tintas, sé al menos que, si di con ellas y con los pinceles a los pies del imposible, habrá sido gloriosa modestia de mi ruina; como niño discípulo, puse mi papel sobre las letras de tan gran maestro y llevé la mano con la pluma sobreescribiendo sus divinos caracteres por la pauta de los mismos asonantes; pero aunque en el aire de la letra se parezcan (que lo dudo), bien se conoce en ellas lo que tembló la mano y lo medroso que corrió la pluma; y así no son más que borrones de discípulo con el buen garbo de la letra del maestro.

El señor Anticristo, con presunción grande, pareciéndole que era tan fácil escribir versos como revolver caldos, trató de pintar como el Paravicino, y quiso pintar Cristos y pintó monas; en lo sutil de sus versos se verá si son líneas de Apeles o pinceladas de espátula, que es cuchara catecúmena, cristiana por madurar y poesía no en versos sino en versa: no es lo mismo borrar, que hacer borrones; los versos bien borrados salen sin borrón, y los versos sin borrador son todos borrones: el *multa littura coercuit,* no se hizo para las cucharas sino para las plumas; en unos papeles dibuja la pluma y en otros los cendales del tintero. Llévese esta ceniza en la frente y conocerá que sus versos son vanidad articulada y polvareda métrica. Los Homeros antiguos dormitaban tal vez; pero los modernos roncan y es cada copla suya una modorra en cuatro pies, y duermen a verso suelto, como a sueño suelto; no causan admiración las letras de aquéllos a quien gradúa, no el estudio, sino el tratar con los que no saben. Es grande universidad la ignorancia. Yo no quito a Cristo lo que es suyo, que fuera quitarlo del altar; quítole las sombras poéticas, que en lugar de relevar lo hermoso, lo ofuscan monstruo. El título se lo dice, antipatía en romance de Anticristo romance. Elías en prosa de Anticristo en verso. Metamos mano a las plumas como a plumas y no como a espadas, que no es la poesía dogma de Mahoma que tiene los silogismos en las puñadas. La apología es bien criada con las personas, con lo escrito es su pleito. No es respuesta de una conclusión en el arte una sonetada a la persona: yo no conozco al autor, ni me mato por conocerle; porque no me mate, si lo conozco. Ocios son de una pluma mal halagada de la soledad: no escupe dulce el que es amargo y tiene la hiel en la boca: quéjese de mí lo escrito, que no es malo decir mal de lo malo. Lo dicho con atención llama las atenciones; y lo dicho sin ella, a las carcajadas.

Si hallares sal en mis notas, échasela en la mollera al poeta, y no habrás hecho poco. Si las hallares insípidas, échales un grano de sal de la tuya y hazlas tasajo de papel y guárdalas colgadas al aire de tu censura. Vale, lector anónimo.

ERRATAS DEL LIBRO

La primera errata es toda la obra, que erró el tiro, pues tiró a pintar un Cristo y pintó una mona. La segunda errata es trascendental, que es el autor mismo; porque dio una en el clavo y ciento en la herradura. La tercera es la de algunos versos buenos, pero acertados por yerro. Y así todos los malos tienen el yerro de la cría y los buenos el yerro por acierto, que es el contrayerro del ganado orejisano; y así no hay ninguno bueno ni malo que no tenga su yerro, porque no se lo quiten por ganado mostrenco. La cuarta es yerro contra su autor, pues se clavó en cuanto dijo. Las otras no son erratas, tomadas de orín y mohosas como éstas, sino yerros de par en par bruñidos y claros. El primero, copla segunda: *Rasgos de yerro son los clavos*. No es yerro de disparate, porque el clavo tiene pies y cabeza; pero es hierro con garabato, porque rasgos escritos son garabatos o rabos postizos de las letras o cometas inciertos de los caracteres, que no hacen y deshacen en el papel; y éstos hacen en la copla papel de rasgos, siendo hierro macizo de Vizcaya; y si hacen algo, son vizcainadas. El segundo, copla sexta, es hierro contra hierro, pues el hierro contra el epíteto de las lanzas, pues siendo ellas las que ganan su opinión a punta de lanza, se lo achaca a las espinas para que ellas ganen, *a precio de puntas*. El tercero, copla novena, *de tanta acerada punta,* en que hace un hierro valiente, pues tiene buenos aceros, aunque éste es hierro encubierto; pues los clavos eran de hierro, como Dios lo crió, descalzo de pie y de pierna, y aquí los calzó de zapatos de acero el poeta, porque no se les lastimasen los juanetes en el camino blando de las manos de Cristo y abierto en los barrenos de la Cruz. El cuarto, copla diecisiete, es hacer clavo a la envidia: *las manos rompe la envidia,* porque, aunque ella es tan fea que tiene cara de herrero, nunca tuvo cara de hierro, ni fisonomía de clavo, que no es tan aguileña; y rompiendo la envidia lo mismo que rompe el clavo, *cuando catea jacintos,* es no sacar un clavo otro, sino clavar uno en otro. El quinto, copla veintitrés, es del acero que le busca la cabeza a Cristo y da en el costado, porque acertó por hierro *al acero que la busca,* y haciendo a esa misma lanza aguja, *por norte de aquella aguja,* es hacerla hierro con ojo y es pulla contra Longinos, que era ciego de a tres; y darle a la lanza ojos cuando él no los tiene, es decirle que vea por interpuesta persona y que traiga gomecillo de acero, que es darle con su falta en los ojos. El sexto es, copla veinte y cuatro, que es un hierro ánima en pena en una vaina de lengua, lengua con alma de hierro. El séptimo es, en la misma copla veinte y cuatro, y es yerro de lengua, *yerros de lengua se aúnan;* pues a las blasfemias descomulgadas que dijeron de Cristo las trata tan cortésmente, que dice son *lapsus linguae,* yerros de lenguas, y que no acertaron a deshonrar a Cristo; pues habiendo de ser alabanzas, no más que por yerro de lengua fueron blasfemias y que dieron en él por dar en otro. El octavo es, copla veinte y siete, el *faretrado argonauta,* pues para un marinero es mala munición las aljabas, porque éstas son estuches de arpones de hierro; y querer que navegue con ellos el argonauta, es querer echallo a pique. El nono, copla veinte, es hacer arpón de hierro a los rayos visuales, *que visivo arpón la turba,* que es hacer los rayos con lengüetas y equivocarlos con la lengua, con alma de hierro de arriba; y darles a las líneas sutiles de los ojos agallones, es hacerlas enfermas de la garganta.

El décimo yerro es, copla veinte y seis, *los estribos de la nada,* que la nada debe ser buen vergajón de hierro de que se baten buenos estribos o buen metal de que se vacían; éstos son yerros claros y que los conocerá Longinos con su aguja de marear en las manos. Otros yerros hay que andan disfrazados con pellejos de orín; y para éstos es menester un lector avestruz que los digiera en la herrería de este romance; conocerálos cuando a cada copla le demos su calda, porque es gente menuda y hierros de poca cuenta; hierro viejo y roblones de herraduras de ciento en copla como de ciento en carga.

APROBACION

Si escribiera en verso, yo me diera a prueba (hermano lector), que deseas verme aprobado de bonetes sabios, capillas doctas y barbas graduadas: yo he caído en la cuenta y me he querido rapar a navaja de estos enfados y de andar pidiendo a otros lo que yo puedo darme, porque es gran palabra el ave de tuyo. Y si puedo ser cuña de mi mismo palo, ¿por qué quieres que otros metan en mi palo su cuña? Yo me apruebo hasta tente bonete; yo me calo la capilla y yo me castro de barbas y quiero ser más doctor capón que doctor probado; y con eso me ahorro de rogar a nadie y salvo al mundo con mi cara eunuca, que es más que lavada y tan limpia que no has de hallar un pelo de qué asirme; porque yo veo en los bonetes grasa y no letras; en las capillas mugre y no réplicas; y en las barbas pelos y no argumentos. Mi prosa (hermano lector), es una viuda honrada, larga y tendida, con sus tocas arrastrando por esos papeles como por esos suelos; no trata de prenderse con consonantes como alfileres; ándase con su monjil de tinta, sin reparar en si le cuelgan rabos, haciendo lodos, por esos renglones adelante, sin cuidar si la una punta hace zarpas y la otra la arremanga; porque no tiene pasos que le cuenten ni pies que le vean, ni largos ni cortos, como las coplas; sino patas apostólicas que calzan sus catorce puntos de una margen a otra; y las musas andan de puntillas saltando y brincando de consonante en consonante y haciendo renglones ciclanes; ellas lloran perlas y estotra duelos; ésta trae manto de anascote y ellas conciben a escote: y así ellas son buenas para probadas y ésta es buena para privada, que eso es ser viuda. En fin, yo me ahorro de pruebas ajenas porque mi prosa se ha llamado ahorro Mahoma; porque las pruebas son una sabandija de las escuelas con quien yo no estoy bien; son monacillos de las conclusiones, muletas en que andan los silogismos columpiándose por un argumento adelante, son mojones de la bodega de la lógica que todo se les va en pruebas; por eso, y por librarme de esta plaga de Egipto, yo me apruebo a mí mismo y sé que tengo cara de probar vinagre: y que si me apuran y Dios no me tiene de su mano y me tapa la boca, probaré hiel y vinagre a este Anticristo poético, y que se lleve ese tormento que desechó Cristo, porque no se esté mano sobre mano en el Calvario; pues se anda disfrazado en hábito de culebra, emboscándose en la pasión y diciendo mal de los tormentos. Y pregunto yo: ¿qué mejor cara tiene un "yo me entiendo" que un "yo me apruebo"? Pues si éste es cerrado de mollera, este otro es tupido de labios. Yo me entiendo cuando me apruebo; yo me apruebo porque me entiendo; y yo me cierro a dos arneses, porque me apruebe quien me entendiere; porque yo sé que si llegan a probarme han de persuadirse que este romance me reventó la hiel en el cuerpo, y me ha dejado amargo de hechos, cuando yo me era amargo en el nombre. Por aquí me conocerás, aunque no me recibas a prueba.

INTRODUCCION A LA OBRA

Vamos ya a las inmediatas, pues estamos en lo estrecho del monte Calvario (romance mío, ya entenderás por el mío, pues eres gato con asonantes); sabrás que en él estamos tres romances crucificados. El primero es verdadera imagen de Cristo, pues está dándonos a los dos perdones de lo que le hemos hurtado y de lo que le hemos hecho padecer sin culpa; que tú me atormentes a mí con el tuyo, y yo a ti con el *mío*; y que desde nuestras cruces nos echemos pullas con uñas, que es echarnos el gato a las barbas. Nuestro merecido nos tenemos: *Nos quidem digna factis recipimus; hic autem quid?* Dejémosle morir en paz con su habla en la boca, que es Paravicino el Apeles de esta imagen. Mi romance, como buen ladrón, confiesa sus hurtos y dice que es mío, con perdón y con su cruz en la mano y su vela de bien morir en la habla, en las últimas boqueadas; dije que sus versos fueron hurto de aire, pues no le hurtó más que el buen aire al romance, y en una palabra hace bien por su alma; como buen cristiano confiesa culpas; pide perdones y solicita responsos, todo en la moneda de Job: *Memento mei Deus, quia ventus est vita mea.* Esta vida de viento, que es vanidad de poeta, lo hizo camaleón cicatero que le ganzuó en las locuciones el buen aire a las voces y el garbo numeroso a los asonantes. A tu romance en la fisono*mía* se le conoce que es mal ladrón, no está su cruz en pie, sino a gatas, porque se le conozca el oficio en el aire del cuerpo, hurtando aun el aire con el cuerpo y hecho ganzúa de carne y hueso, nos quiere dar gatazo con sus coplas, vendiéndonos en cada una un gato desollado por una liebre hermosa.

No tienes verso que no sea gatillo en tus metáforas, con que les has arrancado las muelas a las voces dejándoles vacías las quijadas, bañadas en sangre y escupiendo las venas; mueres, en fin, como gato con rabia, despedazándote a ti mismo, amarrado a tu parecer más que a tu cruz, soplando gestos, maullando visajes, perneando ademanes con todo el cuerpo, dando tarascadas en vago y manotadas en seco; y agonizando siempre, no acabas de morirte, porque tienes vida de siete temples y crucificado dos veces. Una, porque te ponen en una cruz tres hurtos; y otra, porque tú te pones en cruz; muriendo le hurtas a la verdad su confesión, por ser ladrón por el cabo y hasta el cabo, que es serlo hasta las cachas. Y pues tienes la vida también pegada, porque tienes hechos carne y sangre tus hurtos, óyeme tu vida y milagros.

Niegas que eres ladrón y confiesas que eres metafórico; de ahí me la quiero, porque en ti son sinónimos y no dos cosas. Demos traslado a las metáforas que te acusaron del crimen y te cogieron con las ganzúas en las manos, y te convencerá en su nombre san Agustín, capítulo décimo, en el tomo cuarto: *Ita ut haec ipsa quae appellatur methaphora, hoc est de re propria ad rem non propriam usurpata translatio* [12]; porque una metáfora comedida es ladrón de capa negra que hurta con licencia de la prosodia; pero tus metáforas son aves de rapiña tan descaradas, que son rapiñas de par en par de las voces, piraterías públicas de las locuciones, asaltos bandoleros de las frasis, despojo violento de los tropos, barrabasadas insignes del lenguaje que meten a saco la consonancia florida de la retórica; porque en una metáfora comedida no se quitan sino se truecan la capa las voces; pero en tus metáforas desgarradas, se quitan unas a otras, no las capas, sino los cueros vivos, y con la priesa que les das, se los visten al revés, calzándose los brazos en las piernas, los cogotes en los zancajos y la cabeza en los pies; con que todas están no sólo punta con cabeza, sino sin pies ni cabeza, y ellas te convencen de ladrón desuella-coplas. Yo ni por el pensamiento me enojo con el Cristo verdadero, ni con el bien pintado con colores elocuentemente expresivos de sus tormentos; con esta quimera poética es mi rabia, es mi antídoto en prosa; contra este Anticristo romance es mi antipatía en romance; porque hecho mona de Cristo crucificado, le falsea el cuño a sus tormentos; pues porque a El lo mataron a los treinta y tres años, él le acabó la vida a las treinta y tres coplas; y de aquí colegirás claramente que no hablo en nada de esta apología con el Cristo verdadero; pues a Cristo no le quebraron hueso ninguno, y a él no le dejo yo hueso que no le quiebre; y si no lo queréis creer, miradme en estos cascos los del poeta quebrados y los míos vacíos.

1. A sombra de un seco tronco
un hombre se dificulta,
bulto a quien viste el rigor,
blanco a quien tira la injuria.

Tityre, tu patulae recubans sub tegmine fagi.

[12] *Aug.*, cap. 10, tomo 4.

No podrá calumniar mi pluma al poeta que no ha leído ni aun el primer verso de Virgilio, pues te desayuda su romance con una valiente imitación suya; ni que su musa deja de ser culta por falta de obscuridades; pues la aurora primera de sus versos viene coronada de Martes, aciaga de frasis y capotuda de coplas, andándose, ya que no a sombra de secos troncos, como novios sin dote. Antípoda del *Patulae* de Virgilio, porque no le achaquen que es pura traducción y no imitación airosa, y que se cobija con sombra ajena, aunque sea de tan buen árbol; porque a pesar de Virgilio, él sabe muy bien que hace mejor sombra un tronco seco que un árbol coposo.

A sombra de un seco tronco, un hombre se dificulta. Si como es hombre el que se dificulta fuera mujer, ya le habíamos dado en el punto de la dificultad de este verso, pues en el *culta,* que viene por contera disimulada de lo *difícil,* se estaba dicho que era *difícil culta,* y sería por las señas su musa culta, difícil y obscura en este romance. Pero hombre dificultoso (si no es culto, que es lo más probable) será adivinanza de carne y hueso o enigma en cuerpo y alma o alma y cuerpo penando en algún nudo gordiano, o materia y forma andando a gatas en algún problema de Aristóteles; porque este hombre entitativo y corpóreo, para caber debajo de la sombra de un tronco seco, había de apostatar de hombre y meterse a grano de mostaza; o esta sombra había de abjurar de tinieblas y meterse a cuero para poder dar de sí y cubrirlo, y aún entonces serían menester calzadores que le metiesen la sombra en el cuerpo y el cuerpo en la sombra. Pero según el intento de la copla, este hombre asombrado es Cristo en la Cruz, y ahora tiene más dificultad; porque yo no entiendo cómo la sombra de la Cruz pueda cubrir el cuerpo de Cristo, si no es poniéndole el sol a las espaldas; pero como lo contradice la hora nona del texto y la estrechura palmar de la Cruz, será forzoso, para que el tronco seco, derecho y angosto, a quien estaba vinculado estrechamente Cristo le haga sombra, poner a Cristo boca abajo y que el sol hiera en el reverso de la Cruz; y aún en esta forma prensado, como con husillo, no tiene lugar en qué meterse esta sombra, porque no hay sombra donde hay contigüidad de cuerpos sin lugar vacío para que el cuerpo intermedio pueda hacer en el opaco al aire; de modo que aunque metamos en prensa esta copla no le hemos de sacar jugo a la locución y es mucho que en una copla culta aun le falten lugar a las obscuridades *.

Bulto a quien viste el rigor. El rigor viste este bulto; pero no diciendo de qué lo viste el poeta y no habiendo en el Calvario sino quien se los quite a Cristo y los juegue, es forzoso que este vestido sea de así te andarás y de su cuero mismo. Y si lo viste de cardenales y sangre (además de que eso es vestido de sí mismo, pues del cuero salen las correas), eso lo decimos nosotros y no la copla; y compuso el poeta romance y no salmo,

* *aun le falten lugar a las obscuridades.* Así el original, que conservamos; pero quizá deba leerse: "aun *les falte* lugar a las obscuridades" (N. del E.).

que se ha de decir a dos coros, el coro aparte de las coplas y el coro aparte de los que las leen y adivinan lo que se comió la pluma, que eso es meter poca letra y mucho solfa, y querer que le entendamos no sólo lo que escribe sino lo que se había de escribir. Y si hemos de pensar en el vestido que no le quiso dar el poeta y se lo remitió al rigor, yo digo que el rigor no puede ser sino sastre de jubones de azotes, y que de éstos estará vestido no Cristo, sino su Anticristo, y que como cosa sabida no quiso cansarse el poeta en decirlo por expresas palabras; *si no viste el rigor,* ya se entiende que es de jubones de azotes.

Blanco a quien tira la injuria. Bien concertó el poeta las medidas de los versos; pero no en el sentido, porque por estar tan sombrío y vestido en la ropería del rigor del vestido, ya se entiende, es a propósito para blanco, blanco de la injuria; porque esta tal injuria debe de ser ave nocturna, que no sólo ve de noche, sino la noche con ser privación, que es cuanto se puede ver. Y para ella es blanco lo que para nosotros es sombrío, opaco y cárdeno; y por eso juntó al bulto lo blanco con galante viveza para hacerlo fantasma; que bulto blanco, yo no sé que pueda ser otra cosa, y más metido a la sombra; y no es mucho que le parezca eso en su puntería a la injuria estando muerto; pues vivo y resucitado les pareció lo mismo a los discípulos; y acordándose de esto el poeta, como escriturario a bulto, no quiso bulto blanco sin fantasma, ni fantasma a secas y sin texto por no decir cosa que no sea de espanto en este su romance.

2. Descuadernado volumen,
sólo por dañarlo juntan
rasgos de hierro, que anima,
hojas de clavel que suda.

¡Oh, cómo le sudaron las sienes al poeta en esta segunda copla, convirtiendo aquel hombre dificultoso, bulto vestido y blanco sombrío, no en volumen, sino en babalumen, cargado de rasgos de hierro y de hojas sudadas! Doyte que el cuerpo descoyuntado de su Anticristo sea libro descuadernado, y que quien lo descuadernó fueron los yerros y los golpes que le sacaron del cuerpo las dichas hojas de sangre. Si éstas lo descuadernaron, ¿cómo lo juntan por dañarlo? Que el juntar es poner el cuaderno de cada miembro en su lugar y unirlo; y si matarlo fue descuadernarlo, juntarlo, forzosamente ha de ser componerlo; y en ésta ¿cómo cabe el dañarlo? Y quiero que el juntarlo sea coserlo con los clavos en la Cruz, eso pueden hacerlo los clavos, pero no las hojas; sino que quiere que sean de espada y no de clavel.

De la gramática española en esta copla no se hizo caso, porque ella parece hecha acaso. Porque aquel *descuadernado* volumen no tiene partícula que muestre ser persona que hace, ni que padece; de *el* ni *al,* que son las notas con que nuestro español señala nominativo o acusativo, acción o pasión; y porque no lo parezca mía, deslindemos la copla y lo veremos claro en su prosa. *Descuadernado volumen sólo por dañarlo, juntan rasgos de hierro, que anima, hojas de clavel, que suda.* Y no poniéndole un *al,* al descuadernado volumen, está el desdichado, tras estar descuadernado, y cargado de yerros y sudando hojas, en un pie, como grulla y para caerse de su estado; porque le falta el estribo del *al,* que ha de sustentar el peso del sentido cabal de la oración.

Rasgos de yerro dice que son los clavos; esta palabra rasgos, es propiamente los rasgos o rasgones que hacemos en una ropa cuando la rompemos; y en este sentido no son ellos los rasgos, sino los rasgadores, y la carne de Cristo la que tiene los rasgos. Translativamente, se dicen rasgos los caracteres inciertos o delirios airosos que formamos con la pluma en un papel; y a éstos no son a los que anima el volumen, sino ellos son los que animan al volumen, pues las letras son las que dan alma a las hojas pues las hacen razonar y no las hojas ni el volumen a las letras.

Hojas de clavel que suda; le costó sudor de sangre al poeta, habiendo dicho volumen, por seguir no su metáfora, sino su tema, como desatinado. Porque el volumen no se compone de hojas que produce y brota, *sua natura,* el volumen, sino de agregación de ellas que se le pone *ab extrinseco* para formarle; y hacer sudar hojas a un libro es como hacer sudar a un santo o hacer a un cuerpo sudar resmas de papel, que sudará mejor sangre, que al fin la sangre tiene gotas con propiedad y no manos de papel *ad Ephesios.*

Este volumen debía de estar enfermo de rasgos gálicos y lo metió en unciones y le hizo sudar hojas en lugar de sesos, que quizá fuera más fácil; y el clavel debía de tener achacoso el capullo, y no teniendo gomas que sudar, porque el sudor no se malogre, suda lo que tiene más a mano que son hojas; debióse de acordar el poeta escriturario del *guttae sanguinis decurrentis in terra* [13]; y quiso aludirle con las hojas de clavel sudadas; porque hojas y gotas se parecen como un huevo a otro; y no estuvo la desgracia en el texto sino en lo esquinado del encaje.

3. Monarca le jura un leño,
blasfemo un ladrón le burla;
hombre que tronco se miente,
árbol que vidas consulta.

Los dos primeros versos fueran cabeza de oro, si en los dos segundos no le nacieran patas de barro, y hubiera seguido el poeta la metáfora con la consonancia que pide el arte; porque si lo blasfema un ladrón, es distantísimo de la blasfemia que para proferirla se mienta tronco mudo e insensible, que es muy a propósito un leño para decir pasares.

[13] *Luc.,* 22, v. 44.

Porque *blasfemo un ladrón le burla,* se casa con *hombre que tronco se miente.* Y miente en decir que para injuriar se miente tronco; pues no hay tronco que sepa decir blasfemias; ni tal tronco deslenguado se hallará en *Sylva de varia lección*; y si ya este verso, que está dado al diablo de *per se* y *ex natura sua,* lo diera al diablo el poeta cuando lo hizo, acertara por yerro, porque es más a propósito para blasfemar un diablo que un tronco; de donde se conoce cuán endiablada copla es ésta, pues en ella sólo viniera a própósito lo que estuviera dado a todos los diablos.

Pues tratar el árbol de consultar vidas, cuando jura monarcas, es honra y provecho, que no hay calzador que los meta en un saco. Que el leño haga el papel del rey, que le jura rey por el pergamino que tiene clavado el INRI, yo se lo creo, aunque es mal rey de armas un madero y mal relator un leño para jurar reyes, y se levanta con el oficio del letrero, que es el que propiamente le jura; y no me negará esto el letrero, que lo dice en otra copla más abajo: *El timbre de cuatro letras, regios poderes promulga.* Pero que por jurarle rey este árbol se haga consultor del Santo Oficio de las vidas y llame a consejo a todos los que tienen alma, no lo puedo apear porque no le hallo a lo uno encaje que venga con el otro.

Arboles consultores de reinos y electores del imperio, sí he leído en la Escritura [14] cuando los frutíferos dieron el mando y el palo a la zarza. Pero poner a consultor de vidas al árbol de vida de la Cruz que nos la dio, es poner en consulta y en la balanza del *sí* y del *no,* lo que él se tiene por naturaleza; y así, no sé para qué hace este árbol estas consultas de vidas, a vueltas de jurar reyes, trocando el manto real por la garnacha de jurisconsulto de vidas, dando su corona por una gorra; debe de haber árboles *in utroque* como doctores. Sólo conozco un consultor de vidas en el Génesis [15] y éste es el diablo que consultó con Eva la vida, que le persuadió que tenía la fruta del árbol vedado, levantándoles testimonio a sus manzanas; y de la vida que le consultaba en el árbol, se pasó a jurar los reyes dioses: *eritis sicut Dii.* Pero no es posible, que el poeta quiera en la Cruz consultas pasadas por la boca de la serpiente.

4. El hilo de aquella vida
cuando sus quiebras anuncia,
por laberintos de nieve
encamina sus angustias.

No se podrá decir que no lo hila delgado nuestro poeta en esta cuarta copla; pues no cansado de la consulta de vidas de la copla pasada, le da al hilo de la vida de su Anticristo, si no garnachas de consultas, capuces de angustias y propiedades vitales muy a lo criador, porque sepa-

[14] *Iudic.,* 9, 15.
[15] *Genes.,* 3, v. 1, 2.

mos que hace coplas de nada. El hilo es inanimado; anunciar es profetizar, que sobre ser acto vital, dice penetración de futuros, que es cosa muy a propósito para las profecías que dice un hilo; y siguiendo esta opinión lo mismo será hilo anunciador que profeta; y en culto se llamará el profeta Jeremías, el hilo Jeremías, porque como aquél tiene lamentaciones, éste tiene angustias y ambos serán profetas de una clase, condiscípulos de los Martes y concolegas de los agüeros. Nuncio de quiebra, yo lo diré estallido; pero quiebras que tienen achaque de nuncios, dígolas potras. Más dijo el poeta que dijeron los evangelistas, que sin tanto ruido de quiebras ni estallidos, dijeron con sinceridad llana: *Spiravit,* espiró [16], sin meterse en más laberintos de nieve ni en más descaminos de angustias.

Que el hilo descamine angustias es poner en camino y de camino al hilo de la vida, y con botas y espuelas y sin guía para el viaje de la otra vida. Si las Parcas le hubieran descubierto pies, le hubieran dado cuestas que subir, aunque se les hiciera cuesta arriba, y no huesos en que andar al retortero; conociéronle hebras, y así ellas tienen tijeras y no desjarretaderas, y así nos llevarán a cercen la vida y no nos la cortarán, y nosotros buscaremos hilos de vida de andadura y no de trote para pasar nuestro camino sin molernos los huesos; y para entrar en la sierra nevada de nuestros laberintos de nieve, que deben de ser los parasismos en las últimas agonías, llevaremos gabán y almilla de bayeta y bota colgada del pescuezo; y no cruz, vela bendita y bula; y nos fuéramos al cielo en el paso asentado del hilo de nuestras vidas, como en una litera. Este hilo nos llevará por sus pasos contados al laberinto de nieve del cuerpo de su Anticristo sangriento y cárdeno, cuando la nieve es blanca y resplandeciente. Yo no alcanzo qué enredos y ambajes tenga este cuerpo en su Cruz para que sea laberinto, ni tal le pase por el pensamiento, porque él se está largo y tendido y patente a todo el mundo, sin meterse en enredos, ni tener vueltas como espada, ni revueltas como cuento, ni rincones como recámara, ni enredos como chisme.

El *encamina sus angustias,* es frasi aciaga y de paso de Viernes Santo, que lleva a la Virgen hecho el corazón un erizo de espadas y a san Juan con dolores descabellados en la melena, destornillado de miembros y haciendo maretas lastimosas por la calle de la amargura. Ni sé como se conozca a un hilo en la cara las angustias; ni tal fisonomía descubrió Baptista de la Porta en su libro *De physonomiis.*

Ni hay cosa tan desencaminada como *descamina sus angustias.* Porque angustia dice acción vital, que es expresión de dolor en el semblante; y esta retórica para los ojos le conviene muy bien a la cara torcida y angustiada de un hilo.

Angustia se dice de *angosto*; y de aquí *angusta viarum,* los caminos estrechos. Y decir que una culebra se encamina por las angustias de

[16] *Marc.,* 15, 35.

una peña, es tropo que metafóricamente dice la dificultad con que camina por sus estrechos. Pero descaminar las angustias, es decir que ellas se descaminan, habiendo de ser el hilo de la vida quien se descamina por ellas. Y así el laberinto de nieve no es este cuerpo, sino esta copla, pues enreda lo activo con lo pasivo, lo traslaticio con lo originario, para que se enrede en ella el entendimiento que le busca piadoso sentido a la afligida y angustiada fisonomía del hilo.

5. El timbre de cuatro letras,
regios poderes promulga,
si de una imagen borrada
los letreros se consultan.

El timbre de cuatro letras, regios poderes promulga, ya lo sabemos, que nos lo dijo la copla de arriba: *Monarca le jura un leño*; y no somos sordos ni ciegos para que después de habernos quebrado con ello las cabezas un leño, nos lo quiera meter por los ojos un timbre. Ya sabemos que monarca le jura un leño, aleluya, aleluya. Y regios poderes promulga, aleluya, aleluya; que no son antífonas de Pascua que se han de andar jugando a la pelota los gaznates, sacando y volviendo aleluyas en el aire las nueces. No le dirán a nuestro poeta que no ajustó las medidas a sus coplas, pues es tan ajustada que, aunque lo parecen, son las mismas *; porque es grande viveza de ingenio vestir un huevo para diferenciarlo con las cáscaras de otro y grande fecundidad de retórica parir versos tan mellizos de conceptos que ha menester la señal del timbre para que los conozca la madre que los parió. Musas hay que son gastadores en el ejército de los poetas que meten fajina y no letra.

Si de una imagen borrada; aquí se le vino toda la borra del tintero a la pluma a nuestro poeta; la imagen para serlo ha de ser semejanza expresa de lo que significa y espejo fiel de lo que representa; imagen borrada quiere decir imagen tapada con borrones para que no se vea de lo que es imagen o lo que representa. Cristo en la Cruz no era figura tapada sino era presentativa de sus agonías fatigadas; y para esto, cada gota de su sangre era un Timantes, y cada miembro borrado con ella era un Apeles divino que le expresaban vivamente muerto; porque esa imagen y ese borrón de la muerte era lo que representaba Cristo en la Cruz; y para esa representación cada borrón era una pincelada primorosa y cada llaga una boca que la publicaban afligido, despedazado, y muerto; y esas sus deformidades eran sus mayores hermosuras.

Pues mírenme ahora si eso es ser imagen borrada, que no representa lo que es ni para lo que es; el borrón fuera pintar con tinta al sol y

* Así el original. Acaso haya de leerse: "aunque *no* lo parecen, son las mismas". (N. del E.).

con oro la noche, porque era hacerle degenerar al uno de sus resplandores y a la otra de sus tinieblas. Y si Cristo fue hermoso en el Tabor, con rayos, porque representaba glorias, ¿fuera imagen fea en la Cruz sin clavos, porque representaba penas?; y así Cristo en la Cruz, si ha de ser imagen de lo que representa, fuera borrada si no estuviera borrada. Esta consulta del letrero es del consejo del árbol que consulta vidas, repitiendo un asonante mismo en una y en otra copla, que es sobra de consultar borrones y falta de no consultar al borrador ni al arte, aunque sea la *Poética* de Rengifo, siquiera por no malograrle los calendarios de consonantes puestos en iguales hileras, acabándose la vida por que estén iguales los penitentes, o porque se parezcan entre sí, como un huevo a otro o como esta copla a la otra.

6. Cuando espinas, cuando abrojos
rubios quilates le apuran,
del oro de su cabello
tienen aprecio de puntas.

Cuando y cuando espinas y abrojos; cuando es lo mismo que cuando, y casi lo mismo espinas que abrojos, y majar en hierro frío es lo mismo que lo uno y lo otro. Gran trabajo le costaría a nuestro poeta examinar punto por punto y punta por punta en una cambronera bien barbada y bien espesa de espinos; porque son los abrojos machos, y las espinas hembras, para que sin repetir el mismo significado, tenga gracia la cadencia sonora del versecillo, con los dos nudos, interpolados a trechos y a compás de los dos *cuandos,* maridando los dos sexos de espinas y abrojos para que Dios les dé hijos de bendición del género epiceno.

Rubios quilates le apuran. Buenos ensayadores deben de ser los dichos abrojos y espinas pues hallan quilates que apurar en la sangre de Jesucristo; y no teniendo ellos desde el vientre de su madre más oficio que picar y romper, se quieren embarazar con crisoles y solimanes; porque quien apura quilates, al paso que sube los metales de punto, los purga de escoria que no la tiene la sangre de Cristo, ni en cuanto Dios ni en cuanto hombre. Porque como unida al Verbo divino, son sus quilates infusos *simul* y no adquiridos a fuerza de purgarla de metales bajos; y no está una sangre más subida de quilates que otra; ni hay gota de a veinte y gota de a veinte y tres y medio, porque igualmente está unida al Verbo; ni tampoco se puede aquilatar la sangre de Cristo mirándolo como hombre puro, pues la sangre es, como el agua, homogénea, que no tiene graduación en el quilate, por ser uno de los elementos casi simples de que se compone el cuerpo, mirada como elemento; y en los hombres y en Cristo toda la sangre es colorada; y aunque fuera quilatable la sangre de Cristo, eso no lo podían hacer los abrojos, que sólo la derraman más o menos conforme hieren; y eso es derramar más de la substancia y no subirla de quilate; con que se ve claro que esta es ignorancia de veinte y cuatro quilates.

Del oro de su cabello, tienen aprecio de puntas. Que prendan el cabello las puntas del masculino abrojo y de la espina femenina, yo lo creo; pero aquel aprecio de puntas, aunque más se precie de haber despuntado el poeta, es disparate que no tiene precio; porque precio de puntas o puntas de precio, yo no hallo qué sean, sino las que se venden en las tiendas por su justo precio. Ganar a punta de lanza, es frasi española; pero a lanza de puntas y tener aprecio de puntas, es volver patas arriba nuestro español y poner punta con cabeza nuestras locuciones; también tiene puntas el oro y éstas son puntas de precio; pero no son a precio de puntas y aquí las puntas son de las espinas y el oro del cabello; y el oro no se viste las puntas de las espinas ni éstas el oro del cabello, que son cuerpos diferentes y que no se penetran; y si tienen la espinas el quilate del oro del cabello, es quilate de afinidad y postizo, teniéndolo de consanguinidad en la sangre de Cristo, de que están bañadas, que es quilate infuso y no apurado como quiere la copla. En fin, la locución está bizca y con ojos de basilisco; y si más la miro, temo que me ha de reventar la hiel en el cuerpo; allá se lo haya con sus puntas, como con su pan se lo coma. Y si se le atravesare la espina, san Blas se acuerde de ella.

7. Ondas de oro, olas de nácar,
gota a gota se conjuran,
y al torbellino de hebras
lo anegan, si no lo ocultan.

Estas ondas de oro son el cabello, que no puede ser otra cosa; y el torbellino de hebras también será el cabello, ello se lo dice. Pues ¿cómo el cabello hace contra el cabello y él mismo se anega a sí mismo, peleando en traje de ondas contra sí mismo, en hábito de torbellino? ¿No es esto traer por los cabellos hasta los mismos cabellos, que el que anega y el anegado no han de ser lo mismo?

Pues aquella candencia sonora de gota a gota, como en destilador, es muy mucha flema para la cólera de una tempestad que se *conjura,* como dice la copla; y derretirse el cabello gota a gota (además de que es metáfora con mal de orina), es querer hacer gotoso al cabello y que tenga gotas la melena, aunque no quiera ni pueda, porque él no es fluído; enfermedad es esta que, aunque se va de ordinario a los pies, ahora contra su natural se le ha subido a Cristo y a la copla a la cabeza. Para que se vea que ni tiene pies ni cabeza cuanto en ella se dice.

Torbellino es conjuración de agua y viento en la región del aire, que es elemento elevado y superior al agua; y para anegar y esconder a este torbellino, había de subir Juanelo con su artificio de peroles, quebrándolos como huevos unos en otros, el agua más arriba del viento y desde allá soltarla de golpe (habiéndola primero conjurado, no con motines, sino con ensalmos) sobre el pobre torbellino nazareno de hebras; y así lo podría anegar, y de otra manera no es posible.

Lo anegan, si no lo ocultan, es valiente ascenso de proginasma revoladora que va de más a menos. Anegar, dice ocultar fatalmente; y esconder, dice ocultar simplemente (cuando lo que se anega se oculta y no todo lo que se oculta se anega) contra toda ley de buena graduación, que ha de subir de menos a más y no bajar de más a menos; y lo contrario es ni más ni menos que meter a retóricos a los potros de Gaeta, que son fronterizos de rabo y pasilargos de ancas.

8. Dividiéndole en dos ríos,
(que quien los divide enturbia)
es sumiller el rigor
de tanta cortina rubia.

Cuál arriba y cuál abajo y en ondas arriba y torbellino abajo, como Dios fue servido, este torbellino de hebras y estas ondas de oro se dividen en dos ríos por manos de tal rigor sumiller, como por manos de malos pecados; que de sacristán de cortinas desde que nació del vientre de su madre lo hace nuestro poeta amojonador de orillas; y es obra nueva que se ande el pobre sumiller, hecho a hacer chirrear argollas y sofaldar tafetanes, atascado en el cieno hasta las cachas, rempujando con puñados de arena las olas a la madre y dándole en qué entender a las espumas, hecho legislador de corrientes. Al fin este rigor que poco ha era sastre de jubones de azotes y ahora *per saltum* es sumiller de corps (porque nadie desconfíe de su fortuna aunque sea desastrada), divide pelo a pelo en dos ríos de madejas al torbellino espeluzado de hebras, y a las hebras mal acondicionadas de maretas.

En cuatro fuentes dividió Dios las aguas del paraíso y no eran tantas como las de la mar; y nuestro poeta las estrechó en dos ríos; y siendo así que a las del paraíso les dio Dios por término, para que no se diesen de empellones, la dilatada redondez de la Tierra tamaña como Dios la hizo, nuestro poeta señaló el rostro proporcionado de Cristo para campo de batalla de dos ríos caudalosos, que para que no lo anegaran y se les pudiese ver siquiera la nariz, era fuerza que estuvieran sus aguas tan apretadas como herramienta en estuche. Y más aguas alborotadas de torbellinos que habían de estar quebrando sus ímpetus, como en escollos, en las facciones de Cristo. Pero mandóles que no lo hiciesen la copla y es fuerza que obedezcan.

Aquel verso *(que quien los divide enturbia)* que está entre los cuernos del paréntesis con más susto que si se viera en los cuernos de un toro, anda vago y sobre su palabra en esta copla, como ablativo absoluto que ni rige ni es regido, y llamándose a libertad de gramática, que es dueño muy riguroso de las voces y tiene grillos de tiempos y cárceles de concordancias: *que quien, que quien,* adivínenme de quién es este *que quien,* que quiere ser relativo y conocer amo y no sabe por dónde, ni halla agujero adónde meterse, porque teme ahogarse en los ríos y no quiere meterse con el sumiller debajo de cortina rubia, ni andar a pleitos con el *enturbia.* Al fin él es alma de Garibay que ni la quiere Dios ni el diablo; porque los ríos no son los que enturbian, sino los enturbiados; el rigor no hace más que correr la cortina y dividir y no se quiere meter en enturbiar ni en revolver caldos; y quien lo enturbia sólo es el poeta; porque si el pobre sumiller rigor es el que se divide y también enturbia por sus pecados, y del dividir se había de argüir el enturbiar, dividiendo el cabello en dos ríos y poniendo orilla con orilla sus crenchas, no sé yo cómo las había de enturbiar, porque eso ya se lo tiene hecho de antemano. El olaje de sangre y dividir cabello precisamente como lo hacen los peines, no es enturbiarlo; si no es que son de plomo, alcahuetes de canas, doy traslado a los peines; y venga otra, que es tarde y hay muchos a quienes despachar.

9. Marfil no ya relevado
le ha consentido la lluvia;
jaspe sí de los cinceles
de tanta acerada punta.

En esta copla es alcahueta y consentidora esta lluvia que, como si fuera nacida no en las nubes sino en las malvas, no se le conoce padre ni madre, pues no se sabe de qué es esta lluvia. Pero yo digo que lluvia sin cédula no es buena sino para hija de la pila, y que así será de agua; pero no es a propósito, porque no nos dice el texto que lloviese aguacero ninguno sobre el cuerpo de Cristo Señor Nuestro; y si es de sangre, dígalo la copla y no nosotros; en fin, ella se sabe que es alcahueta de jaspe y también que es lluvia *ad Ephesios.*

También está esta copla opilada de jaspe, y así le hace el poeta desopilador tomar los aceros *en tanta acerada punta*; y si los dichos cinceles son los clavos que labran el jaspe del cuerpo de Cristo, los debió descalzar el poeta, que ellos eran de hierro, como Dios lo hizo. También es tentadora esta copla, pues no contenta con andar tanteando el *tanta cortina rubia,* se pone a tantear *tanta acerada punta;* y jura a tantos y cuantos que ha de ser justicia conmutativa entre la cortina y la punta, dándoles a cada una tanto por tanto y quedarse ella en el romance hecha un tanto con asonantes.

Marfil no ya relevado es el cuerpo de Cristo; pues, ¿quién lo acepilló y lo dejó hecho una tabla, sin el decoro sobresaliente de sus miembros? Que aquel *no ya está* muy pacífico de relieves y muy desentendido de marfiles, no más que alargando la mensura a la copla sin más ni más, como pedazo de corcho en una longaniza, que no sirviéndole de nada a las muelas, hace muy bien el papel (no de lonja, sino de Longinos, estirándole la fisonomía y no la sustancia), y que no consienta la lluvia que los miembros de Cristo no sean relevados y sobresalientes; está allí a secas y sin llover, porque qué se le da a la lluvia ni qué le va ni le viene que los miembros de Cristo sean marfil relevado o no lo sean, que ella se hace lluvia de lo que se quisiere (pues el verso no nos dice de qué es), se contenta con mojar y no con raspar y comer relieves, que eso dice lo fluido de su natural. Que no es lluvia de garlopas y limatones para que se limen y acepillen los relieves, ni aguacero de pella de barro para que se los entierren.

Jaspe sí de los cinceles. No sé si es de buen gusto esta lluvia que no quiere consentir al marfil blanco que se ha enamorado galán de lo relevado, y consiente al acero largo y mohoso que lo haga jaspe que es piedra hovera y pecosa. Aquí de Dios, el cincel cava al jaspe y le hace hoyos y relieves más no lo hace jaspe vario de colores, porque el color es accidente que se entiende con los ojos; y la acción del cincel obra en la sustancia que pertenece inmediatamente al tacto y mediante él a los ojos. Y séase no marfil relevado, porque no lo consiente la lluvia, o séase jaspe labrado de cinceles, los relieves del cuerpo de Cristo, a pesar de la lluvia que no lo consiente y a despecho del cincel que los muerde, sin dependencia de ninguno de ellos, se dio Dios, y El se los sacó del vientre de su madre; pues, ¿quién le mete a la lluvia en quitar ni poner en lo que Dios hace?

Válgate Dios por sangre, y qué mal contenta está con el color natural que Dios le dio, que anda hecha un camaleón glotoneando transformaciones por este romance. La primera fue hojas sudadas en el descuadernado volumen. La segunda, borrón de imagen. La tercera, quilates rubios. La cuarta, ondas de nácar. La quinta, turbión que divide. La sexta, cortinas rubias. La séptima, lluvia que no consiente; que son los siete pecados mortales de esta pluma y el guillen cerven * adonde entran todos los ingredientes de epítetos que abultan los botes articulados de estas coplas, para que estén de bote en bote de desaciertos; y en ellas no haya de todo como en botica, sino más que en la botica; pues en ella no hay volumen en bote, ni ondas en bote, ni cortinas en bote, y en ellas sí, porque sólo este romance es el pastel en bote, antonomasia preñada de los hojaldres retóricos.

* *guillen cerven.* Así el original que no hemos logrado interpretar pues ningún diccionario, antiguo ni moderno, registra estas voces. Acaso haya de relacionarse con la voz catalana *guillem,* "el vas de nit", que se da en el *Tresor de la llengua,* etc., por A. Griera, tomo VIII, s. v., Barcelona, 1945. (N. del E.).

10. Del bello cristal del rostro
eclipsadas las dos lunas;
ya de golpes ya de sangre,
se quiebran o se deslumbran.

Dios me ayude con estas lunas de cristal que son los ojos; ojos lunas son ojos de gato, que crecen y menguan con ella; y son hermosísimos ojos los de gato para un Cristo crucificado. Y sería de ver en un hombre hermoso, ojos lunas; en la menguante ojos de pulga y en la creciente ojos de sapo; y en la conjunción, ciego como un topo. Y verlos menguar y crecer por cuartos, sería para descalzarse de risa.

Las dos lunas eclipsadas del bello cristal del rostro, es la santa prosa del verso adonde el bello cristal comprende todo el rostro, y luego lo que se eclipsa de este rostro de cristal son las dos lunas solas en grima de tinieblas, haciendo del todo parte y de la parte todo, que es retórica la maraña y locución babilónica. Del bello cristal de los ojos eclipsadas las dos lunas, sí se deja peinar del entendimiento; porque si el cristal es el que se eclipsa y todo el rostro es de cristal, todo el rostro se eclipsará; y a esta cuenta tendría Cristo todo el rostro atezado como de negro jolofo. Bueno es el silogismo, y no tiene más respuesta que decir que con un sacabocados cortarían del cristal del rostro las dos lunas; y sobre ellas solas dio como rayo el eclipse porque eran duras; y el cristal de los ojos era de roca; y el del rostro, cristal mullido y de lana, dejándole las carnes del cristal buenas y sanas de tinieblas. ¿No se ve claro que esta locución retrógrada anda para atrás, confundiendo lo incluyente en lo incluso, que es como poner no el navío en el mar, sino la mar en el navío, que para echarlo a pique como lo está esta copla, es cuanto se puede desear? Además que hacer la carne del rostro de cristal, es frasi diáfana, porque le da propriedad de calavera con vidrieras y se le vieran las quijadas, cuencas y cascos por entre la carne del cristal transparente, que es cosa hermosísima.

Pues el epíteto cantonero del bello cristal es de retórica ramera, común de todos los vocablos; bello río, bello hombre, bello árbol, bello león, bello cielo, bello cristal; y en la casa pública de los epítetos no hay nombre a quien no le haga el amor.

Ya de golpes, ya de sangre, se quiebran o se deslumbran. Que a estas susodichas lunas las deslumbre la sangre, no es deslumbramiento. Pero que las quiebren los golpes, sí; porque constante cosa es que el atrevimiento sacrílego de los sayones los respetó más que la pluma del poeta; porque a Cristo no le tocaron en los ojos reverentes al majestuoso resplandor que de ellos le dimanaba; por eso se los vendaron. Y este poeta cuervo, ya que no se los saca, se los quiebra. Quebrándose la cabeza por quebrarle a Cristo los ojos; y dando de ojos en cosa tan clara, anda a tientacoplas como a tientaparedes, por el romance adelante; y como ciego de a dos se queda, no a una luna, sino a dos, porque cada ojo tenga su luna a que quedarse. Que es tener todo el caudal de culto tenebroso, no en moneda sencilla, sino doble y redonda como ojos de buey.

11. Cejas de un monte de nieve
arquean zonas purpúreas,
y en tempestad de delitos
serenidades anuncian.

Yo no lo dije, que estaba de bote en bote llena de colores esta sangre camaleona de apariencias; cátate la Iris profeta hartándose de arreboles y Sibila adivinando serenidades, y con su cara de Pascua dando un buen día a la luz, sin lo aciago de nublados ni el mal pronóstico de lluvias, llenando a dos carrillos de buenas nuevas al aire y cantándoles con su bocaza de risa el aleluya a las nubes. No pudo nuestro poeta *, siendo legítimo del despeño, dejarse de quebrar los ojos sin hacerse las cejas en este monte de nieves cejijunto y mal acondicionado, pues viene con sobrecejo de un Nerón, estirando las zonas y haciendo los arcos para que sean cejas y no círculos, quitándole al globo redondo del cielo la mitad de su pretina y embebiéndole la medida de su cintura para que, pasada la pasión, cuando se la vuelva a poner su globo, le venga a media barriga; y en lo que le queda flojo sea tripa horra la del cielo, y por falta de ceñidor se haga vagamundo de ijadas; y las estrellas que apretaba de talle se anden follonas, engordando de luces y sobre su palabra ociosas de panza, mostrenqueando por el cielo, no más que criando buen bajo como mulas de arria.

El hacer que se arqueen las zonas, *arquean zonas purpúreas,* es venírsele a la boca la matemática y dar arqueadas con ellas; pues si ellas se son zonas circulares, perfectamente redondas, ¿qué necesidad tienen de arquearse? Los duelos los hicieron arcos, que ellas arcos se eran.

Monte de nieve el cuerpo de Cristo, además de que es mucha nieve para tantas llagas y cardenales, es agigantarlo de estatura y amontonarlo de miembros, siendo el más bien proporcionado de los hombres; y peca tanto el que excede por carta de más, como el que meñica por carta de menos, haciendo coplas a poco más o menos; y haya arcos y purpúreos, tempestad y serenidades, y caiga donde cayere, como asperges de párroco en día de domingo; que si no diere la serenidad en la cabeza, la dejará calamocana; y si diere la tempestad en las narices, será catarro arrojadizo y allá se lo haya la copla con sus serenidades como Marta con sus pollos. Vámonos al caso y demos el golpe entre ceja y ceja de este monte; porque si todo él arquea zonas purpúreas, que son cejas, bien se deja entender

* Corregimos e interpretamos el original que dice: "No puedo. N. Poeta". Dos líneas adelante cambiamos el texto *cejijuntos* por *cejijunto* (N. del E.).

cuán cejijunto, capotudo y hosco estaría este cuerpo cuando padecía los tormentos de zonas y la enfermedad de arcos y la perlesía de tempestades, hasta que quedase sano como una manzana y con salud de entera serenidad; y entonces los arcos serán arcos, y las zonas, zonas y las cejas, cejas y el monte cuerpo que no tenga fuera de sus ejes los humores, ni ovalados los círculos, ni carilargas las zonas.

12. La nariz entre el ahogo
de netas perlas se inunda
y en piélagos carmesíes
isla de plata se ofusca.

Esta copla cogió a la nariz de Cristo en la pasión a mate ahogado. Hasta ahora no había yo leído este peregrino tormento de Cristo, que le taparon los verdugos de las perlas las narices para ahogarlas, que esto es andar las narices entre el ahogo. Yo estaba persuadido que los sayones eran narigones, ya sé que son como unas perlas; y es verdad que a nosotros nos estuvieron de perlas los tormentos de Cristo, confirmando por cosa cierta que no era la nariz de Cristo pequeña, pues no es de las que se ahogan en poca agua, sino en piélagos carmesíes y en inundaciones de perlas; por eso debieron de llamar a los cintillos de perlas, ahogaderas. En fin, como es poco lo que va a decir de una perla a un sayón, ellos anduvieron tan crueles, que no contentos con haber sido quebrantahuesos de los ojos, se hacen ahora garruchas de los resuellos y remolinos de los huelgos. Esta tal nariz que se ahoga, bien se ve que es de hombre paciente y manso, que si fuera de hombre a quien se le hincharan, ellas nadaran como vejigas sobre el agua y no se anduvieran inundadas, coplas arriba y perlas abajo.

Pues bautizar con nombre de perlas a las lágrimas de Cristo cuando muere, es cuanto se puede desear de triste para lo funesto y amargo de las lágrimas de Cristo en la Cruz. No ha de haber lágrimas, aunque sean de muerte y más amargas que la hiel, que no sean perlas, como si en ellas solas se encerrara toda la genealogía de los epítetos; y aunque sea a lo funesto de la muerte de Cristo, cuando habían de venir de viudas arrastrando anascotes y dándose dos mil bofetadas, se vienen afeitadas y netas con sus tocas de resplandor y su manto de gloria, y hemos de cubrir por fuerza su túmulo con joyas y no con bayetas; y si no, traslado a los otros dos versos: *Y en piélagos carmesíes, isla de plata se ofusca.* El *piélagos carmesíes*, vaya; pero que para una nariz afilada y sobre flava, cárdena y sangrienta de un moribundo, fuese trasegando mares este nuevo Colón de desatinos, a hallar un islote de plata que encajar en la nariz de Cristo, es para destornillarse de risa. No puedo entender sino que como era isla para hacer narices, la anduvo a buscar, y escogió ésta a moco de candil, y la halló tan a propósito como antojos para un cojo que busca muletas. ¡Válgate Dios por plata y por perlas! Que aun se han de buscar para ceniza de los túmulos, rempujando el Potosí hasta el Calvario y trayendo a empellones la Margarita hasta dar con ella en la calle de la amargura; pues es decir que escampa de joyas. En la copla siguiente remito a su platería al lector.

En fin, los judíos como les daba humo a narices la hermosura majestuosa de las de Cristo, no quisieron dejar de hacérselas ellos, por deshacérselas a El. Y como en ellos son la mano de reloj por donde los conocemos, no quisieron que hubiera narices en Cristo en que ellos no pusieran sus manos; ni el poeta quiso dejar miembro tan principal sin apodo; y cuando pensó que les decía algo que les viniera de perlas y con una frasi que no fuera mocosa, se las dejó aisladas en una copla, como si fuera miembro al través, siendo ellas la facción que más a derechas hermosea el rostro.

13. Cárdeno esmalte el rubí
a la amatista le hurta,
que del contagio de un lirio
los claveles se demudan.

¡Válgate por rubí! Que ahí te estabas escondido y en acechanza, ganando perdones en hurtarle al ladrón sus ganzúas para robarle a la amatista su cárdeno esmalte, que lo guardaba ella para venderlo muy bien vendido a los mojicones. De hoy más quedan conmigo mal acreditados los rubíes; y si por mi voto fuera, mejor estuvieran en la horca que en las sortijas; pues siendo ladrones de ladrones, se precian de tener sangre en el ojo y se andan salpicando los dedos de los príncipes de sabañones resplandecientes, y dándoles garrote con otro a sus coyunturas. En fin, la pobre amatista como mujer flaca, se dejó robar del rubí y se queda hecha guijarro para toda su vida. Dolióse de su trabajo el lirio, que es amatista silvestre y hermano bastardo suyo, y trata de atosigar al clavel, porque es rubí con hojas, flechándole un contagio envenenado de cárdeno (que debe ser el basilisco de las colores), con que no hizo más que desnudarse el clavel en lugar de caerse muerto de repente.

Ahora bien, dejémonos de historias y vámonos a parlar con la copla; el hurto del rubí fue causa del lirio, que aquella conjunción, *que,* es allí unión de causalidad relativa, que arrebata la razón de arriba a que haga un sentido de ilación con la de abajo y se arguya de lo uno lo otro; pues míreme ahora el pío lector qué bien apesta un hurto y cuán contagiosa es una ganzúa; pues la causa de demudarse el clavel es que el rubí hurte a la amatista; y cuán a propósito y *ad rem* viene que estándose los claveles quietos de raíces y pacíficos de hojas en la tierra donde Dios los crió, porque el rubí ande ganzuando esmaltes cárdenos a la amatista en el Calvario, ellos y los lirios se den de cachetes y riñas las pendencias ajenas en los jardines y traten de darse tósigos. Y ya que dijo el poeta *contagio,* no lo había de hacer tan boquimuelle de veneno, que no hiciese más que demudar el clavel; debía de estar pasada de punto la ponzoña del lirio, que los contagios en el verso deben de perder su actividad, pues en él sólo tiene propiedad de susto, que hace perder el color y no más. Grande triaca debe de ser la de las coplas; bien se podrá pedir en las boticas una onza de triaca para curar empoñozados de contagios mortales. ¿No es esto meter cizaña entre las flores y amotinar con una copla facinerosa la paz de la naturaleza? ¿No es esto decir lo mismo por lo mismo? Pues todo el aparato de rubíes, amatistas, esmaltes cárdenos, lirios, claveles, paran en que por los golpes se hace la sangre roja, morada en los carenales; y esto dicen los dos primeros versos, y esto mismo repiten los dos segundos; porque es fullería de retórica pobre asolar un concepto con dos versos, como zapatos viejos; porque con eso sirven como nuevos en una copla; cual más cual menos, toda la lana es pelos; y morado por morado, moradas se son las amatistas y lirios; y rojo por rojo, rojos se son los claveles y rubíes; peor el poeta por afectar claridad, quiere decir el pan por pan y el vino por vino; porque no se quejen que no habla bien claro.

14. Si a prevención del murice
los dientes gozaron cuna,
ya entre aparatos de polvo
yacen en sombras obscuras.

Dientes en cuna son dientes de teta que se mecen en colchones de múrice; que debe de ser muy blando el múrice, mudando de acento y no de color, como el clavel; no llegó a él el contagio del lirio de la copla pasada, que él estuviera mudado de color y cárdeno y quizá fuera mejor; porque una encía golpeada mejor se significa con lo morado del lirio que con lo rojo resplandeciente del múrice. Y es a saber, que la carne desollada y momia de la encía es la que anda emboscada en la prevención del múrice hecha como colorado para hacer asombrosos estos versos espeluzados de sombras y aparatosos de polvo, y espantar a los niños de teta que están colgados de los pezones de la retórica y con la leche en los labios de la poesía. Al tordo del campanario no lo azoran badajadas, rey mío; prevención de múrice es grande adivinanza para que se conozca por ella este qué cosa y cosa de la encía; y si la madre que le parió la conociera por esa pinta, estoy cierto que conocerá a un huevo por la fisonomía de un pantufo.

Ya entre aparatos de polvo, yacen en sombras obscuras. Aquí yace el aparato a malas polvaredas como a malas puñaladas. Aparato se dice del verbo latino *parare,* que es poner en orden y en su lugar cada cosa; y este aparato de polvo está con mucho orden dispuesto en los dientes lastimados, pulverulentos y ensangrentados de Cristo; como si las puñadas de los sayones fueran mano de Apeles y sus golpes pinceladas sutiles que con mucho orden y concierto hubiesen puesto el polvo y sangre entre dientes y dientes de la boca lastimada de Cristo. Aparato de polvo no hallo yo qué pueda ser, sino polvareda enmarañada del aire, que es una pirámide de lindo garbo para un sepulcro tan callado como el de los dientes de Cristo en su boca después de muerto; allá el cabello fue torbellino, y aquí sepulcro es polvareda en la pluma tempestuosa de nuestro poeta; y polvareda y pirámide se parecen mucho en lo ligero y en estar entrambas a plomada y nivel; y es muy linda piedra mármol para entallar en ésta una inscripción, cuando están en la copla con su aquí yacen los dientes atascados en su múrice, con su prevención hasta la rodilla y sus sombras obscuras hasta la boca.

15. En la barba nazarena,
por partida o por adusta,
dando paso a los raudales
bermejean las espumas.

Si el potro de dar tormento de este asonante no le hubiera obligado a decir, contra toda su voluntad, al poeta el tesimonio de adusta a la barba de Cristo, se le pudiera estimar a esta barba nazarena la cortesía y comedimiento que tiene con los raudales y las espumas, dándoles paso franco por la jurisdicción de sus pelos, aunque ellos sean antípodas de las descortesías que ordinariamente se tienen con barbas honradas, pues se le bajan y no se le suben a las barbas a Cristo; y tiene nuestro poeta sus altibajos galantes; pero *a la adusta,* ya no dé al diablo la copla, quita del diablo, para poner en la barba, pues le quita a él su epíteto legítimo de adusto y requemado (que adusto se dice del latino *ustum,* requemado), y muy sin melindre le da con él en las barbas a la imagen que finge de Cristo; el diablo se está pelando las barbas por no haber hecho él esta copla; pero esté cierto que sólo yo, que he tomado a mi cargo examinarlo con todo cuidado, sé que no la hizo él y que le guardaré secreto aunque no lo merece.

Quien no conociere por nazarena y partida la barba de Cristo, conocerla ha por adusta, que lo significa igualmente. Y también como el *partida,* la letra O en este verso es el fiel de una balanza que igualmente contrapesa, en orden al conocimiento el epíteto de adusto y el de partido, e igualmente la distingue de otras; pues mírenme si por la barba adusta distinguiera a Cristo de los salvajes. *Un torrente es su barba impetuoso, que adusto hijo de este Pirineo* *, sí dijo Don Luis de la barba del gigan-

* *Fábula de Polifemo y Galatea* vv. 61-62. Corregimos en la cita del original la errata "adusto *hizo*" (N. del E.).

tón zafio Polifemo; pero de la de Cristo no lo dijera sino el mismo Polifemo intonso y con más barbas que un zamarro. Hablen cartas poeta mío, y callen barbas, y más las que son tan para calladas como las adustas, que son barbas del diablo, y no pongamos barba a barba y a tú por tú a Cristo con Belial.

16. La lengua para el ahogo
yace en sentimientos mustia,
que en hipérboles de agravios
es la retórica muda.

Amigo es nuestro poeta de epitafios; el *aquí yacen aparatos de polvo* es, de los dientes adentro, cuanto se pudo tragar; y este *aquí yace en sentimientos mustia,* es cuanto de la lengua afuera se puede regoldar en el infierno. La nariz se quedó allá entre el ahogo, varada en un islote de plata maciza, y aquí la lengua para el ahogo nada con malas calabazas para no irse a pique. Todo lo ahoga nuestro poeta y no me espanto, que le dan los desatinos como el agua hasta la boca. Lengua mustia, no lo dijera Saturno a ciego de epítetos, aunque estuviera regoldando acelgas y se hubiera enjuagado la boca con alumbre. Mustio es epíteto del semblante melancólico y triste, objeto de la vista; pero yo no sé cómo los ojos pueden verle en el semblante a la lengua si está mustia o alegre, que ella se está siempre fresca y colorada, y este semblante no lo demuda como el rostro; sólo estará mustia cuando no hable y entonces es verdad que no dirá chus ni mus; y como en el *mus* se halló andado lo más del camino para el mustia, nuestro poeta, por darle una enfermedad aciaga a la lengua, lo recomendó con el *tia,* que es peor haber pasado por ella *tia,* que pasar ora. Mustia lengua podrá ser cuando ella haya probado caparrosa y cuando vean los oídos y oigan los ojos. Y si dijéramos de Zacarías que al razonamiento del ángel quedó mustio, ¿qué entendería un español toledano, sino quedó triste y no mudo? ¿Hay más donoso trabuco de sentidos en la ginebra de una pluma? ¿Quién oye gestos? ¿Quién mira voces? ¿Quién habla tactos? ¿Quién gusta vistas? ¿Quién huele luces, sino quien sabe oler el poste y quien le conoce en el semblante a la lengua que está mustia? La lengua no yace mustia para el ahogo, sino en el ahogo para los sentimientos, que lo demás es hacer bisojas las cláusulas que miran a una parte y ven en otra. Además que Cristo no dejó de sentir, sino de quejarse como agraviado, que eso fue ser sufrido, y esotro sería ser insensible. *Y en hipérboles de agravios, es la retórica muda.* También pudiera decir: es la retórica mustia, y tuviera la señora retórica una cara de lengua aciaga de semblante y una fisonomía de ciprés; pero quiere que sea muda, muy en hora menguada. No es ser muda ser bien hablada, y responder a agravios hipérboles con perdones hipérboles; y la lengua de Cristo fue tan muda, que pidió perdón para sus enemigos y éste fue hipérbole pronunciado; recomendó a su Madre a Juan y su Espíritu al Padre, y si fue muda debió de hacer todo esto por señas. Aquí de Dios, y de las siete palabras de Cristo en la Cruz, que ni lo dejarán ser retórica muda, ni a mí me dejarán mentir.

17. Las manos rompe la envidia,
y sediento de la suma,
catea el hierro jacintos
por milagrosas roturas.

Yo pensé que la envidia solamente rompía pellejos de culebras y mascaba víboras, dándose hartazgos de venenos. Ya rompe manos, engolosinada de roer zancajos, subiéndose descortésmente de los zancajos que roe a las manos que rompe, y no repara la envidia que se mete en el oficio ajeno del hierro que ahí mismo está cateando jacintos; y no es lo mismo hierro que envidia, para que sin apartarse de un lugar hagan lo mismo, porque lo mismo es romper manos que catear jacintos, remudado de frasi: Dios los ponga en paz y les amojone sus crueldades. Hierro sediento de envidia suma es hierro de mal gusto; pues ya que padece sed, más potable era la sangre de Cristo en que está bañándose, que un quelidro de Satanás, crinito de víboras, que para apagar la sed es cuanto se puede desear un vaso de envidia, que baile víboras como agua delante. Este hierro hidrópico de envidia suma en lugar de apagar con la envidia su sed, se pone muy despacio y con grande cachaza a catear jacintos por milagrosas roturas, como si de lo que padece sed no fuera de la envidia, y cateando jacintos la hubiese de apagar con ellos; que es lo mismo que si muriéndome yo de sed, en lugar de apagarla con el agua, me pusiese a sacar piedras de una cantera, porque es muy lindo vaso de agua fría un guijarro.

El *suma envidia* es fuerza que haya de tener ínfima y media; pues dígame el poeta: ¿cuál es la envidia positiva y cuál la comparativa de esta envidia superlativa? Porque si la suma es matarle (y los fines han de decir proporción a los medios), no es el medio superlativo herirle las manos, no con otro clavo, sino meramente con otra frasi; y deseando pasar de ínfimo a sumo, no ha de hacer lo mismo (que no es más que otro quien no hace más que otro) y aquí el clavo, aunque desea la suma envidia, no sólo no hace tanto como ella, sino mucho menos, que ella le rompe las manos, aunque no se sabe con qué; debió de ser con los colmillos y el clavo, pues se las halló rotas, debió de herírselas a punta de frasi, como a punta de lanza con esta locución viuda de jacintos; y le hirió de palabra y no de obra; y así no llegó la hidropesía de este hierro sediento a poner medio sumo para beberse la suma envidia, quedándose como camaleón de hierro; es Tántalo mohoso, la boca abierta al aire, enjuagándose con el buen aire de esta frasecita de aire, diciendo con elegancia lo que la envidia había hecho con crueldad, como cronista suyo.

Además que, por esta cuenta, Cristo tuvo dos agujeros en cada mano: uno que le hizo la envidia cuando le rompió las manos, y otro que le hace el hierro cuando le catea jacintos; porque donde hay dos agentes de orden diverso es fuerza que haya dos efectos totales; con que Cristo es más manirroto en esta copla que lo fue en la Cruz, porque tiene más agujeros por donde se le veían las liberalidades; y si todavía porfía nuestro poeta que es uno, porque no puede menos, la primera vale dos y el segundo no hizo nada; y así el hierro se debió de entrar sin herir a Cristo, como por viña vendimiada, el agujero adelante, agradeciéndole con las buenas palabras de la copla que le hubiese quitado de ese trabajo y excusado que el martillo le quebrase la cabeza a golpes.

El *milagrosas roturas,* por disformes y grandes, es frasi con manto de gloria; para haberlas hecho la crueldad de un clavo, deben de ser milagrosas, por haberlas hecho la envidia por conjuro no más; porque ella, *secundum se,* no tiene instrumento con qué herir físicamente la carne entitativa de Cristo; y quede por verdad cierta que no añade nada el catear jacintos al romper manos; y que esto no es más que tener Musa limpia que se remuda camisas, unas peores que otras.

18. Polos sirven otros dos
al orbe de su estatura,
fijeces dando a la pena,
que hasta las plantas le ocupa.

Ya nuestro poeta se remonta a los cielos, cargado de efemérides y astrolabios, si es que sus labios pueden decir algo de astros, y su pluma no es desastrada con ellos, como con la barba adusta, y sin que sepamos cómo ni por dónde de sólo un salto tendió tanto sus pasos que puso la una planta en el sur y la otra en el norte, y el orbe celeste colgado entre las piernas, más tieso que Perico en la horca; pues no dará un vaivén, si le dan por él un ojo de la cara; tieso más que un ajo, tragando fijeces como asadores y dando más penas a los pies de Cristo que si le calzaran zapatos atravesados, pues son peores ladrones crucificados. En fin, mostró buen gusto en repartir los dos polos a los dos ladrones, pues al buen Dimas le da a besar el Crucero del Sur y al mal ladrón el ojo de la Ursa Mayor, adonde tiene por niñeta la estrella del norte que miran todas las agujas de marear, como si fueran nacidas en Italia y no en Vizcaya; sobre los polos se trastorna velocísimamente el orbe celeste; y si la estatura de Cristo es el orbe, no sé cómo se mueva sobre los ladrones estando clavado de pies y manos y a macha-martillo en su Cruz.

Yo quiero que sean polos los ladrones; este *otros* es relativo de *unos,* y este unos no se halla en coplas ningunas antecedentes a ésta, ni sé yo qué otros ladrones anden salteando coplas en la Sierra Morena de este romance, si no es que se acordó del rubí hurtando cardenales a la amatista; pero aun éste será otro y no otros. Yo no entiendo en qué vocabulario halló que otros quiere decir ladrones; porque si por otros a secas hemos de entender ladrones, todos los del mundo son otros, porque son individuos indivisos en sí y divisos de todos, y así, decirle a uno en esta lengua relativa: vos sois otro, será decirle: vos sois un ladrón; y el otro será ya de las palabras mayores del libro del duelo; y el otro sí será pulla en las peticiones criminales de sentido. Y sólo tendrá verdad en los poetas aquel refrán: todos somos locos, los unos y los otros; que es decir que todos somos ladrones; porque otros y ladrones, locos y poetas, es perífrasis de un sentido y no otra cosa; y para llamar a uno gran ladrón, o gran poeta, o tal por cual, no ahorraremos de palabras con decirle otro que tal e irá en una dobla toda esta carga de moneda de vellón.

Al orbe de su estatura es cosa contrahecha, porque orbe es globo perfectamente redondo, corcovado a dos carrillos, y no hay estatura que pueda llevar en paciencia tener dos corcovas como castañeta, y antes le quebraran la significación que la doblen; porque orbe es globo cabezudo de círculos; y este poeta, no contento con haber en el discurso de su romance hecho a Cristo bulto blanco, como si fuera fantasma; volumen descuadernado, como si fuera libro de canto viejo; laberinto de nieve, como si fuera madeja de hilera despernancada al aire; imagen borrada, como si fuera dibujo de pinta monas; erizo de espinas, machos y hembras, como si fuera cambronera; torbellino de hebras, como si fuera melena de Absalón trotando en su mulo; marfil sin relieve, como si fuera colmillo liso de elefante; jaspe manchado, como si fuera caballo overo; lunas menguantes, como si fuera pendón de moros; cejas de nieve, como si fuera frente de Matusalén; nariz ahogada, como si fuera cara de buzo; lirio contagioso, como si fuera landre; mustio de lengua, como si fuera ciprés; cata de jacintos, como si fuera sima de cabra, ahora le hace, para adobarlo todo, estatura de orbe, que es cortiancho, con corcova de a dos, componiendo un monstruo de todas estas fealdades, tal, que ganará dinero quien a este romance lo llevase en una jaula a mostrar por el mundo para que se admirasen de ver un Calepino de fealdades, una Poliantea de delirios y un abecedario de disparates para deletrear por él todos los desatinos imaginables, y para memoria local de todos los delirios. Estatura se dice de *sto, stas,* que es estar en pie, y de ahí en nuestro idioma un estado, que es mensura tomada de alto abajo; y meter en un arco y querer hacer redondo un estado es juntar las dos puntas o extremidades a una línea matemática y quererla hacer círculo, que es poner patas arriba todas las dimensiones matemáticas. Y para ser el Cristo que finge de estatura orbicular, había de estar no tendido en la Cruz, sino hecho un silogismo crucificado, juntando extremos desatinados en una conclusión monstruosa; enigma del año, serpiente revuelta en sí misma, con la cola en la boca magullándose el rabo; quebrado por el espinazo y juntos los pies con la cabeza; de donde se saca que no tiene pies ni cabeza el disparate métrico de esta copla, cargada a cuestas con su estatura de orbe.

Pues aquello de que los polos den fijeces, es pedirle al olmo peras; ellos sí son fijos, pero juntamente son quicios originales de todos los movimientos; porque sobre ellos se trastorna toda la máquina de los orbes celestiales con movimiento perpetuo; y torneara muy bien una bola un tornero, si los dos puntos fijos del torno * dieran fijeces a la bola, que era entumirle los movimientos; y estaría él con su pie levantado y su escoplo en ristre, hecho un babera, aguardando a que le sacasen del cuerpo a puros sudores el pasmo a la bola. Y fuera muy bueno que el quicio diese fijeces a la puerta, con que siempre se estaría cerrada como si fuera boca escrupulosa de moscas, cerrados los dientes y plegados los labios. ¿No es esto sacar de sus quicios la naturaleza de las cosas?

Pues no se le va en zaga la pena que ocupa hasta las plantas, hecho vaso penado este verso revesado de labios, pues no se los halla en el entendimiento para beberle el sentido. Pena es afecto del corazón racional, y ponerla en los pies, es decir a las penas del Cristo que finge que sus penas lo han de los zancajos.

Sí dijo el profeta: *A planta pedis usque ad verticem non est in eo sanitas.* Porque sanidad, enfermedad o no sanidad, es pasión del cuerpo como sensible y no como racional; pero pena o congoja es pasión del ánimo, y como no entendemos con los pies, ni somos memoriosos con los carcañales, ni queremos con los zancajos, no tenemos la pena en los pies sino en el corazón que es el asiento especial del alma. Y si pena allí quiere decir dolor corporal, porque si no lo es no puede estar en los pies, harto dolor tenía Cristo en tenerlos atravesados con un clavo, y no cargarle en ellos el peso de los dichos otros polos (conviene a saber ladrones), como si los tuviera Cristo colgados de sus dedos, estándose ellos muy bien amarrados a sus cruces, sin dar fijeces a las penas de los pies de Cristo; porque si no es de esta manera, yo no sé cómo ellos podrían dar dolor sensible a los pies de Cristo.

19. Turbado el mar de la espalda
de la borrasca de culpas,
corales desagua en fuentes
por cuanta plata le surcan.

Desde los nortes liberales de fijeces se precipitó nuestro poeta Faetón, hechos mil pedazos las alas de astrolabios y efemérides, a un mar espaldudo de olas, adonde entre borrascas pecadoras, muy desmelenado de huracanes, desvalija de corales y plata como si no fuera nada, el barco luengo de su ingenio estatura. Yo me he puesto a pensar muy despacio

* Corregimos el original *trono* (N. del E.).

en qué se parecerá el mar a la espalda, para que así tan de rondón y sin decir ni agua va, ni mar va, como en cosa sabida y sin disputa, se entre apodándolo nuestro poeta con el epíteto de turbado, quitándoselo de la boca al corazón y al ánimo cuyo es, debiendo entrar aprobándolo o careándolo o buscándole alguna semejanza, o natural o metafórica; porque las metáforas han de ser hurtos vergonzosos y no rapiñas descaradas de las voces; y la retórica en sus locuciones y tropos ha de afectar una simpatía consanguínea en las translaciones, y no ha de ser ave de rapiña desaforada que, en lugar de emparentar las semejanzas, las arrebate y las haga pedazos y se las coma vivas. La turbación tiene su asiento en el corazón y darle asiento a la turbación en las espaldas, es hacer, cuando no de tripas corazón, de corazón espaldas, y echar el corazón sus cuidados a las espaldas, siendo él el que debe estar entre el pecho y la espalda muy cuidadoso de pulsos y muy aciago de turbaciones. Y por la cuenta de este poeta, se había de tomar el pulso en el espinazo y no en los brazos; porque allí y no en el pecho ha de pulsar el corazón que está en las espaldas; con todo, por no perdonar sin oír las partes, busquémosles las semejanzas, que con algún fundamento lo entra suponiendo como cosa sabida el poeta. Yo hallo en la espalda pellejo y éste yo no sé en qué se parezca al choque de las olas, si no es en los golpes de los azotados por las calles; y ésta por metáfora cogida con las llaves falsas en la mano, le habían de dar doscientos azotes. Yo hallo en las espaldas costillas, y no sé adónde las tenga la mar, sino en las costas; y ésta es translación cosaria de semejanzas, y así se los habían de asentar en las costillas. Yo hallo en la espalda espinazo y no sé adónde gasta la mar este movimiento nudoso, sino en el lomo escolloso de los bajíos, ladronera de las navegaciones adonde es cada peñasco una ganzúa de piedra que descerraja navíos; y a esta alegoría, por salteadora de caminos, la habían de hacer cuartos y colgarla por los romances para escarmiento de coplas. Y así, yo no hallo mar que se quiera vestir de una espalda, que no sea quitando la capa a tropos y haciéndose todo él un puerto de arrebata capas. En fin, la virtud debe de ser secreta, y las espaldas y la mar se entienden a coplas y por ensalmo y se parecen por simpatía oculta, como la imán y los rábanos. Espalda del mar, sí dijeron otros poetas que lo debieron de ver boca abajo, gateando por la arena; pero mar de espalda, no sé qué Colón lo descubriese; debe de haber mar espaldudo y, por las señas, será manchego.

Pues la borrasca de culpas que lo turba y estos pecados huracanes que lo inquietan, no pueden ser otros que pecados de viento, y éstos no están en el calendario de los siete pecados mortales. Por sí o por no, *ad cautelam,* se pueden acusar las viejas de aquí adelante: acúsome que pequé en comer, en beber, en reír, en ventosear, que es el pecado borrasca, y váyanse a la nariz entre el ahogo que las absuelva. Peso de culpas se lleva Dios en sus espaldas, que se las cargan pero no se las inquietan; pero borrascas de vientos delincuentes, sólo Ulises las carga en su odre.

Pues el desaguar corales en fuentes por plata surcada, no es borra para que se nos quede en el tintero; porque rapa a navaja los preñados al mar, dejando la barriga pegada al espinazo, como mono de Tolú, y hecho un galgo cristalino tan recoleto de estómago que lo puedan pasar con el dedo y ahorrar de navíos para pasarlo; miren si es arbitrio de buen tamaño el del poeta; porque, aquí de Dios, si tiene fuentes por donde desagua, ¿para qué se quiebra la cabeza con los escollos, como si ellos fueran parteros de sus barrigas espumosas? El *mare non redundat,* se puede andar a buscar, no madre que lo envuelva, sino que lo suelte, porque madres han de tener estas corrientes. El *hic confringes tumentes fluctus tuos,* en las arenas, no será ya necesidad frenética de las olas, sino gollería de su mala condición *; y así los podrán enviar noramala las arenas, pues como verracos de cristal ruidosos, de balde se están gruñendo sin son ni sin ton, tascando espumas y mascándose los colmillos salados. El *mirabiles elationes maris,* se puede ir al otro mundo a espantar a Aristóteles, pues no es ya espanto de los hombres sino espantajo de espumas para los muchachos, tarasca marítima para juego de los escollos, y no prodigio cristalino para asombro de los ingenios; no todo lo descubrió Colón, pues se le escaparon estos desagües de la mar a él y a Aristóteles; ni alcanzó Nieremberg esta nueva filosofía, que la hubiera puesto hombro con hombro con la nueva suya de la piedra imán y vida de las estrellas; cada día se adelgazan más los ingenios marítimos, y más el de este poeta argonauta faretrado, como veremos de aquí a poco, pues le hizo no sólo el puente, sino el camino de plata a la mar como a enemigo común; y plata tan a propósito de una espalda ensangrentada y cárdena como a la sazón lo era la de Cristo, debe de padecer flujo de sangre la plata, que se pega a las espaldas, que es enfermedad de mar espalda, achaque marítimo y poco conocido en el mundo; porque de otra manera no puede convenirle el color neto y resplandeciente de la plata a una espalda cárdena y ensangrentada, como había de ser la de Cristo.

20. Tierno mira a una mujer,
que visivo arpón la turba,
y encontrándose los ojos
en pie se quedan las dudas.

Heme puesto a contemplar estas dudas tan recias de choquizuelas que no dejarán de estar en pie si las desjarretan; y por más que las miro, a mí me parece que no están en pie, sino echadas y roncando a sueño suelto; y si no duermen, es cierto que no están en pie sino en postura

* En las dos anteriores citas latinas el original trae: "*Et mare*...", "*Et hic*...". Hemos cambiado la palabra latina *Et* por *El* (artículo), porque así parece pedirlo el sentido y además lo corrobora la siguiente transcripción latina, en la que sí se lee: "El *mirabiles*..." (N. del E.).

más descansada, porque yo me imagino que dieron de nalgas; y si se levantan, ha de ser para andar a gatas averiguando quién las quiere hacer estantes y habitantes, siendo ellas los siete durmientes; porque si Cristo atormenta con aquel arpón visivo a su Madre y ella con otros rayos visivos lo atormenta, que ello dice el encontrarse los ojos, y se puede dudar quién atormenta más o quién es más atormentado. Esta duda, ni echada ni sentada, ni larga y tendida, no la dice la copla, sino que se dieron un choque de miraduras; y luego las dudas que puede considerar el pío lector, se pusieron para él en pie y para mí en el aire y pataleando y haciendo gestos de ahorcadas.

El arpón visivo o anzuelo derecho o lengua de sierpe o lanceta con cuernos o uña de áncora o lezna con balcarrotas, que todo esto le cabe en la barriga a un rayo visivo preñado de arpón, ¿cómo la turba solamente? Que para una palabra *arpón,* es poca minestra el *turba;* porque su eficacia fatal se termina en herir o matar o lastimar por lo menos; pero turbar sólo, es tratarla como a mala nueva, de que no poco se afrentara la actividad de un rayo arponal. Además que Cristo en la Cruz con su vista, aunque lastimó a la Virgen, no la turbó, antes la confortó y animó sumamente; y si ella se turbó a la salutación angélica, fue por venir el ángel disfrazado en hombre y no en rayo, arponando la vista de Cristo, que antes la confortaba para que con ánimo sereno llevase su dolor.

Aquel visivo arpón quiere decir rayo visual; y éste, si lo miramos bien, no es otra cosa que una artería arrojadiza de la luz, es el latido vital de las niñetas y el pensamiento visivo de los ojos, sutil más que el átomo delgado, más que el cabello derecho, más que una vira. Y darle una porra orejona de arpón, es tratarla como a cabeza de sardina volando por los aires con sus agallones abiertos, tratando de dar zabullidas y levantar olajes de tinta con qué turbar el corazón constantemente lloroso y tristemente sereno de la Virgen. Y si a cada rayo visual le calzamos una cabeza de arpón, no habrá ninguno que, mirando a otro, al recogerse este rayo con lengüeta a los párpados, no arrancase los ojos de aquel a quien mirase y se los trajese asidos como pez cogido con anzuelo; y a la cuenta pocos hombres había de haber que no tuviesen reventados los ojos a malos rayos arponales; y sólo los de los bizcos fueran ojos seguros, porque miran con garabato y de tornillo y no tienen por dónde les entren derechos los rayos arponales; de todo lo cual se ve claro cuán mal le está a un rayo visivo tener forma de arpón y propiedades de anzuelo.

Aquel *que visivo arpón la turba,* es relativo de Cristo y quiere decir: El cual con visivo arpón la turba, y deja manco el sentido y pone un *que,* que es el *quid pro quo* de las musas boticarias y el tal por cual de las coplas pendencieras; y comerse el *con,* es comerse de polilla los versos y tratarlos como si fueran de lana.

21. Joven hermoso le asiste,
también inmóvil columna,
águila que bebió rayos
en lecho de mejor pluma.

De columna a águila hay tan poca distancia como de piedra a pluma, y esto en un sujeto mismo y en una copla misma es un hipocentauro medio piedra y medio pluma, de tan descomunal monstruosidad, que no les cabe en la boca a todos los Metamorfosis de Ovidio; debióse de persuadir que san Juan era la piedra del águila con su corazón de guijarro, y el hermoso joven está en el romance tan carialegre, que parece afeitado con aleluyas y que por él ni pasa día ni trabajo; y si pasa día, no será el del viernes santo, sino el de la mañana de resurrección; y si a él le pasó por el pensamiento estar tan cabezudo de hermosura, a mí me quemen. Porque asiste a los dolores de Cristo, ya que no como buen hermoso, como joven hermoso, muy desentendido de pesadumbres. Y aunque vea que se junta el cielo con la tierra, él se está con una cara de un ángel inflexible de facciones como ideas; y si lo matan, no dará a torcer su cara, como si no viera morir en un madero a su Criador y a su primo. Cuando aun la hermosura cariharta del sol tuvo vergüenza de hacerse lindo, y se cubrió el hocico con el paño de requiem de las sombras.

Mírenme si siendo tan entendido y tan interesado san Juan en los dolores de Cristo, se había de estar en sus trece de hermosura porfiada; y si viendo pendenciar a las piedras y hacerse rajas los escollos, él solo precito de linduras, se había de llamar a hermosura como a Iglesia. Aunque la dicha tal hermosura perdurable fuera, como la apoda la copla, de inmóvil columna y amasada de piedra dura; cuando aun éstas, doloridas de la muerte de Cristo, por sólo afearse, se anduvieron dando de cachetes quebrándose unas con otras las jetas, abollándose las narices y desportillándose los juanetes a puros puntapiés. Y entre esta Roma que se ardía viva en moquetes, se estaba esta hermosura Nerona sin dolerse de Cristo ni dársele un comino por que se abrasase el mundo; cierto, esta hermosura debía de ser dura de boca, que no le hizo sangre el freno sacudido por la mano pesada del rigor en tan doloroso espectáculo.

Y no es lo peor que tiene esta águila columna, el estarse reacia de hermosuras; sino que, águila o columna, bebe rayos en el lecho; que para beber regalado, son lindos búcaros de Portugal o vidrios de Venecia los colchones de un lecho, y saben beber bien las columnas y las águilas rampantes; sino ya que bebe rayos en taza con cortina, columnas y rodapiés, los bebe en lecho de mejor pluma; en que a mi parecer se le cayó de madura una herejía, escribiendo este verso no con tinta, sino con pólvora, peligroso para registrarlo a la luz de la antorcha sagrada de la Inquisición. Porque aquí alude al haberse dormido san Juan en el lecho del pecho de Cristo y allí conocido los rayos de su generación divina, que nos enseñó en el *in principio erat Verbum,* bien; o él mejor carga sobre el seno del Padre, que es su entendimiento fecundo; y éste quiere que sea el lecho adonde bebió san Juan los rayos de las generaciones divinas cuando las conoció, y la palabra comparativa pasa a hacer relación de él, prefiriéndolo al pecho del Verbo encarnado, lecho o seno adonde durmió san Juan; y aquí ya se ve que, aunque es mayor el Padre que el Hijo *secundum humanitatem,* no es mejor, pues no es mejor el engendrador que el engendrado. O la palabra *mejor,* apeló sobre Cristo con relación comparativa a sí mismo en el cenáculo adonde se durmió san Juan, y en la Cruz adonde ahora lo mira; y Cristo no es mejor en el cenáculo sentado a la mesa que en el Calvario clavado en la Cruz. Antes (si pudo mejorarlo el padecer), a nuestro modo de entender, la Cruz lo mejoró. Y la encarnación aunque lo hizo menor que el Padre, *minor Patre secundum humanitatem,* no porque lo hizo hombre lo hizo malo ni peor que el Padre, que mejor tiene por correlativo a peor; y no podremos decir *peior Patre secundum humanitatem;* que eso será no ser peor que el mejor, sino peor que peor. Y así por cualquier parte tiene mala cara este verso, y no me espanto, que tiene cara de hereje.

Y la palabra *también,* de el *inmóvil columna,* se está allí haciéndose rajas y carcomiéndose de relaciones y haciendo señas a secas y guiñando de balde, porque es relativa de otra inmóvil columna; y no sé que haya ninguna en el romance que le haga del ojo ni se dé por entendida de columna, *también;* si no es que los dichos *polos otros* se metan de gorra a columnas porque son inmóviles y dan fijeces; en fin, ella es columna donde el poeta puso el *non plus ultra* de sus desatinos.

22. Luces apaga a la vida,
porque amante se presuma;
que faltas de nuevos daños
son las últimas angustias.

Bien se ve que estaban descomulgados los judíos, pues en opinión de esta copla, muere Cristo no perdonándolos, sino matando candelas como en anatema; no le faltó sino colgarse de la boca en lugar del *ignosce illis,* las plagas de Egipto, Sodoma y Gomorra, Datán y Avirón; y se conoce bien que andaba por ahí invisible el alma descomulgada de Judas, penando en su mano de palo y matándole candelas a la vida de Cristo por haberlo vendido a escondidas y a mata-candelas, como traidor, para que lo matasen. *Luces apaga a la vida:* en esta oración la persona que hace es Cristo, que apaga luces a su vida. Apagar luces es acción; y decir que Cristo apagó luces a su vida, es decir que él se mató y que no le mataron. Y en prueba de esto, se puede alegar a Pedro Grullo, necedad ciento y catorce, enojado con los judíos y diciéndoles muy colérico: "*perros judíos, vosotros lo matásteis, que él no se murió de viejo*". El morir en todo viviente no es acción, sino pasión; y matarse Cristo con acción propia por mostrarse amante fino, es rempujar hasta la Cruz el chuzo desesperado de Tisbe y Píramo, en que los pobres andan por el mundo, como dos pichones en un asador, lardeados de esta fineza desesperada.

Porque amante se presuma. Aquel *se presuma,* es impersonal, para que otros lo piensen o lo conjeturen, que eso es presumir propiamente. Y cierto, dar la vida uno por otro, que es la fineza más esforzada de un amigo y el reventón más descabellado que puede apechugar la naturaleza: *quam ut animan suam ponat quis pro amicis suis* [17], debe de ser una acción tan neutral, tan alicaída, tan tibia y anfibológica, que cualquier amigo discreto se pondrá a presumir y a conjeturar si es amorosa demostración o no, morir por él, cuando ve boqueando a su amigo por su causa y en defensa de su vida. Matarse uno por presumir de amante, es el punto de más lindos humos que tiene un amor desinteresado; pero matarse porque le presuman otros, es fineza de tablilla y poner la presunción en quien lo ve, como toros desde la talanquera, y no en quien arriesga su vida; y que es tener yo vanidad de que ande bien mi mula, costándole a ella sus pasos, el que yo presuma de ellos. Si dijera: *Para presumir de amante, luces apaga a la vida,* fuera de hacer a Cristo amante con presunción inmanente y no transeúnte, que es presunción de participantes y afinidad haragana y gorrona, que otro presuma de lo que a mí me cuesta mi trabajo, como quien hurta la copla y la vende por suya.

Aquel *faltas de nuevos daños,* es frasi con anfibología de dos suelas; porque diferente cosa es faltar más daños que padecer, que es lo que quiso decir el poeta, o tener faltas los daños dentro de la esfera de daños, que no es ser daños cabales, sino daños con faltas. Como es diferente faltar el veneno porque se acabó, o tener faltas el veneno, que es no tener el punto, grado, o quilate que ha menester para serlo. De modo que, según esta cuenta, a los tormentos de Cristo les podremos poner las faltas que quisiéremos, de tuertos, cojos, mancos o contrahechos, o no bien agestados ni de buena persona, sino de personilla, siendo la persona del Verbo la que personaba aquella humanidad que era atormentada, porque ellos en fin no fueron tormentos de bien.

Y la palabra *daños* para la atrocidad grande de los tormentos de Cristo, es tan baja de empeine con la palabra *faltas,* cargada de suelas, porque pueda decir esta copla que no halló en mi pluma horma de su zapato. Porque si Cristo padeció tan exquisitas atrocidades, y de éstas no muere en opinión de esta copla, y muere de que no hay más daños que padecer, muere por falta de lo que es menos, y no muere por sobra de lo que es más, que son los tormentos; porque va de tormentos a daños mucho más de lo que va de Pedro a Pedro; porque tormentos dice atrocidad de cruel-

[17] *Ioan.,* 15, v. 13.

dades, y daños, incomodidades simples; con que están aquí como Pedro por demás estos daños de que muere Cristo.

23. Inclinando la cabeza
al acero que la busca,
medio cielo le señala
por norte de aquella aguja.

¿Hay acero más tartamudo de aciertos en el mundo, que él busca la cabeza de Cristo y Cristo se la inclina, y que no acierte este tembleque resplandeciente con la cabeza? Estando las partes conformes, según el texto de la copla, sin duda que este yerro no sabe lo que se yerra; y es la verdad, que es yerro sin acierto; debía de tener su lengua tartajosa mal de imán, que es perlesía que le da al hierro. Miren qué más hiciera si apuntara a los clavos, que diera uno en ellos y ciento en la herradura.

Y si Cristo inclina la cabeza para que se la busque el acero (como si la diera a espulgar), en la cabeza había de dar el golpe y no en el costado, con que nos es forzoso decir que acertó por hierro y confesar que a Longinos le sucede lo que al sastre con las tijeras, que da aquí el golpe y chillan en el cabo de la mesa, y que el acero buscó en una parte y dio en otra el golpe; y que tan a ciegas hizo esta copla nuestro poeta como Longinos la herida, pues él acertó por hierro y el poeta erró por acertar. *Al acero que la busca*; yo entendí que el *caput tuum aureum optimum,* se entendía de la cabeza de Cristo, y que él tenía cabeza de oro; pero ahora que veo a este acero tan bullicioso de movimientos, hecho perro de rastro de esta cabeza, me pongo a pensar si este su Cristo es cabezudo poco menos que la lanza, pues porfiando ambos por encontrarse, ella es testa de ferro y Cristo cabeza de piedra, y que la busca para darse la cabezadas con ella. Y no sólo será testa de piedra como quiera, sino de piedra imán espeluzada de herrumbre y salvaje de limaduras del acero que busca en la lanza, que está con la lengua de un palmo buscando esta cabeza.

Pues el medio cielo que le señala por norte no puede ser otra cosa que la herida del costado, que ha dado en que ha de ser medio cielo, como dan las cúpulas en ser medias naranjas. Y si es medio cielo con un compás curvo, y que Longinos lo hiriese con una gurbia o con un sacabocados o con una desjarretadera que, aunque son instrumentos bastardos de la pasión, ellos solos hacen heridas de redondo. Y si la cabeza inclinada de Cristo señaló el medio cielo, era forzoso que en la boca (porque las manos las tenía clavadas) llevase un compás abierto con qué señalarle puntualmente a Longinos adónde había de herir con su lanza gurbia.

Mas todo un medio cielo no puede ser norte, que norte es el punto matemático del círculo celeste, anudado con una estrella, a lo cual llamamos norte, y hacer a todo el medio círculo norte es apretar con un nudo ciego, y rebujar con un punto una línea circular y, confundiendo las dimensiones matemáticas, querer meter a dos en un zapato. *Por norte de aquella aguja.* Bien dije yo que esta lanza tenía mal de imán; pues anda nordesteando de la cabeza al costado de Cristo y no sabe lo que se nordestea, porque apunta a la cabeza y hiere en el costado; con que será forzoso buscar la *Aguja de navegar cultos* de Quevedo, para entender el rumbo de esta copla; y (si lo miramos mejor) el norte es estrella fija, y a nuestra vista crinita de rayos y derramada de resplandores circularmente difusos. Y si ésta ha de ser medio cielo, norte ha de ser estrella medio circular; y si era norte con corcova, que es echaque sólo del planeta Saturno que, como viejo, es achacoso de gibas y potroso de resplandores.

24. Lengua con alma de hierro
al costado se aventura;
que contra un pecho sencillo
lenguas de hierro se aúnan.

Esta lanza aventurera andante, en lugar de armarse por de fuera de armas de hierro resplandeciente, a fuer de legítima caballera andantesca, se pone por de dentro una almilla o alma de hierro y por de fuera se viste de una cota de carne momia de lengua, que es hacer de corazón tripas y no de tripas corazón, que eso es lengua con alma de hierro en una lanza y no hierro en forma de lengua; confundiendo, como filósofo andante, la materia en la forma y la forma en la materia. Primero es hierro que es la materia y luego lengua que es la forma; porque de otra manera, habiéndole de pedir a un herrero que haga de un pedazo de hierro una lanza, le habríamos de pedir que hiciese de una lanza un pedazo de hierro que era mandarle no que hiciese sino que deshiciese la obra; "lengua con alma de hierro", sí dijera bien el poeta si hablara de la lengua del Bautista atravesada con una aguja por las manos de la moza de Herodes.

Anduvo, pues, la dicha *lapsus linguae,* hierro de lengua, buscando aventuras en el brazo tartamudo del buen Longinos; y al cabo, habiéndola enristrado a la cabeza, topó con las costillas, porque no pudo hacer otra cosa un ciego a quien, señalarle en el costado medios cielos y medios círculos y nortes cargados, como caracol de sus gibas, fue tratarle de colores de quien el pobre Longinos no podía juzgar. Y así a Dios y a ventura se entró por las costillas adelante, porque juzgó bien que solas las costillas son medios círculos de hueso; y echando por medio, se quitó de pleitos con nortes y medios cielos. No le falta a esta copla quijotada de todos cuatro abolengos, sino un razonamiento laudatorio de Sancho Panza para ser aventura, en el costado de Cristo, caballeresca de todos cuatro costados.

Hierros de lenguas se aúnan. Basta que no se contentó Longinos con meter hasta el regatón la lanza en el costado de Cristo, sino que esa misma lanza se la quiso meter por la boca a los judíos para herirles por sí y por interpuesta persona. Porque si la lengua de hierro de la lanza (porque hablemos con propiedad) es la que hirió el pecho de Cristo, y ésta conduce herir este mismo pecho a los hierros de lenguas, es forzoso que se la embocase Longinos por los agallones adelante a los judíos, y que arrastrase tras sí este Lucifer de hierro los ángeles malos de las otras malas lenguas; porque aquel *que, que contra un pecho sencillo* es un *porque* descogotado de letras y un *ergo* sin cabeza, y en abreviatura y unión conjuntiva de la oración primera con la segunda, para que eslabonadas en ella como un grillo, bailen a un son y hagan un sentido; pero aquí en la primera oración es lanza lengua con alma de hierro; y en la segunda, siendo injuria de judíos desalmados y blafemia de sayones deslenguados, ni es nada entre dos lenguas como entre dos platos, sino un simple *lapsus linguae,* que éstos son los hierros de lenguas.

25. Abrió puerto a mares dos,
para que viese la turba
paso en el bermejo, cuando
por muerto lo dificulta.

Estos dos mares, hermanos de teta del costado de Cristo, que se cuelgan de un pezón de un puerto, debieron de nacer de alguna laguna Tamar con dos barrigas; pues tan sin qué ni para qué, muy mellizos de olas, se andan retozando * en el regazo de un paso, como si hubiera un paso del mar bermejo al mar muerto y ello fueran hijos de un vientre. Lo primero junta el poeta un mar con otro, que es como juntar el cielo con la tierra; y mar muerto y mar bermejo no son sino nomos de orillas (si es que hay mar que especialmente se llame muerto), que lo que ordinariamente se dice mar muerto son las vayas, a diferencia de los mares vivos, que son más mal acondicionados de olas y más regañones de maretas y andan siempre a los moquetes con los escollos; y el mar rojo, yo quiero que sea la sangre que corre del costado de Cristo; yo no sé en qué halló muerta el poeta al agua, que se vino hombro con hombro y paso a paso pasando la carrera con la sangre por el costado de Cristo abajo para que, corriendo ambas, la una esté viva y la otra muerta; porque yo no he visto muertos que corran, si no es los que arrastran a la cola de cuatro caballos, y aun esos muertos corren en pies ajenos. Lerda debía de ser esta agua y dura de espuela, pues dar en ella Longinos fue como dar en un toro muerto gran lanzada.

* Corregimos el original *retocando,* donde faltó quizá solamente la cedilla de la *c* (N. del E.).

Mas puerto de dos mares es impropiedad de dos suelas; porque adonde se juntan dos mares no es puerto, sino estrecho, y abrir puerto a dos mares que sea paso, es hacer camino la venta y la venta camino; porque puerto es en el que se para y no por donde se camina, término y no vía de la navegación. Y aludiendo, como parece, a la división del mar bermejo, la cingla o calzada por donde pasó el pueblo israélico fue homogénea de aguas y de orillas y de colores, y no fue una bermeja y otra muerta, una colorada y otra difunta y amarilla, que al juntarse otra vez, ni fuera mar bermejo, ni mar muerto, sino un mar mestizo, muerto vivo, un centauro de aguas y un hermafrodito de olas, que no lo conociera el mismo Ovidio aunque lo hubieran parido sus bestiales transformaciones. Y yo no sé para qué pára sobre el mar muerto como sobre las manos esta turba, pues no dificulta el paso de este mar, en cuanto bermejo, sino en cuanto muerto, porque esta turba que vio abrir en el costado de Cristo la herida cuando estaba ya muerto (que a eso alude la palabra muerto, común a Cristo y al mar), porque, o era turba de fieles, y éstos no por estar Cristo muerto habían de dificultar la entrada por su costado a la eternidad, que antes era haberles asegurado con su muerte su redención, o era turba de los que no lo creían, y para ésta no era de importancia ninguna que estuviera muerto o vivo, porque ni muerto ni vivo creyeron en él; con que a esta copla ni muerto ni vivo se le puede hallar el concepto, y él está tan anegado, que son menester redes para sacarlo a la orilla y conocer si es de poeta o de monstruo el cuerpo sin alma de esta copla.

26. Lástimas respira el orbe,
pues perdiendo en fijeza mucha
los estribos de la nada,
se despeña o se derrumba.

Este orbe está tan enfermo de flatos que es lástima; y debe de padecer el pobre achaque de fuelles e hipocondría de órganos; porque está respirando lástimas en lugar de resuellos, y estándose san Juan, que es de carne y sangre y hermoso a pie juntillas de semblante, el orbe que es de argamasa de tierra y piedras, tiene flatos, llora duelos y cerbatanas * gemidoras y órganos plañideros, que llorando los kiries, quiebran el corazón a la piedras, y en lugar de darse una buena panzada de corcovos, sacudiéndose a dos carrillos de terrones y rascándose a dos manos de guijarros y mosqueándose por ambos lados de escollos, se pone a dar aullidos como perro perdido y a resollar quejidos como si le sacaran una muela.

* El original *servetanas* (N. del E.).

Esta fijez mucha es aquella en que estriba el orbe en sí mismo o, por mejor decir, en el punto fijo de su centro. Esto no me lo negará el poeta, aunque haya revuelto estas fijeces con las del orbe celestial y sus polos; y de ésta, con el amago que hizo de acabarse el mundo, se había de despeñar a la nada, que es al no ser, perdiendo los estribos del ser en que se sostiene; pues decir que desde la nada se despeña al ser, perdiendo los estribos de la nada, es no sólo no decir nada, sino volver patas arriba el fin hacia el principio y hacer recular el término *ad quem* hacia el término *a quo,* y se desanden el fin y el principio por sus pasos contados al revés, poniéndoles punta con cabeza los orígenes y que de la nada se despeñe al ser y no del ser a la nada, que es lo natural para acabarse el mundo. Grande plaza es en un ingenio saber correrlos boca abajo con los estribos en la mano y el freno en zancajos, que eso es regir con los estribos y picar con el freno y traer guantes de metal y espuelas de látigo; además que la nada debe de ser buen vergajón de hierro para batir estribos, pues de ella los hace nuestro poeta, cuando dice: *perdiendo los estribos de la nada.*

Pues, *se despeña o se derrumba,* es el otro qué tal de la nada, porque es retórica puntiaguda y frasi de pirámide en temblor tan sacudido, con que se estremeció el mundo, añadir al despeño el derrumbo, que es menos; pues todo lo que es despeño, es, ha sido y será derrumbo, y no le añade estatura quien al despeño lo quiere abultar con derrumbos, porque el derrumbo es el canto llano que se llevan solfeando las cabezadas y corcovos de los despeños; y es gala de versos punzones empezar por lo más y acabar por lo menos.

27. El faretrado argonauta
de esa máquina cerúlea,
en falúas de abalorio,
golfos de sombras fluctúa.

Esta no es copla, sino coplada de vocablos guapos y fanfarrones, llenos de pistolas cargadas de ruido y no de nueces, triquitraque poético, poca pólvora y mucho estallido de papel reventado. Válgate por batahola armónica; Dios te favorezca, polvareda campanil; téngate Dios de su mano, ginebra acorde. ¿Hay behetrería más bien prendida de cadencias? Argonauta faretrado, abalorios, máquinas, golfos, falúas; qué bien llena esta paja los dos carrillos de esta copla hinchada como sapo articulado; de qué lindo aspecto se miraron los astros en esta tropelía canora, en esta barahúnda razonada de vocablos bisextiles y climatéricos para que cualquier poeta no sólo se levante, pero se haga figura. Faretra es el aljaba, argonauta es marinero, máquina cerúlea son cielos azules, falúas son chalupas, golfos son mares, abalorios son ciscos del vidrio y limaduras de hollín horadadas; y todo ello es un gigante de cartón, por de fuera de oropel y por de dentro de papel y pan mascado, y el *coramvobis* es del Coloso de Rodas, séptimo milagro del mundo. ¿Hay grifo poético más bien escamado de retóricas, más bien boquiabierto de lenguaje? ¡Qué lindas garras faretradas! ¡Qué bien tentendidas alas de argonauta! ¡Qué pico tan aguileño de falúas! ¡Qué bruñidas conchas de abalorio! ¡Qué cerúleo de pellejo! ¡Qué bien crestado de máquinas! ¡Qué bien ondeado de golfos! ¡Qué bien enroscado de fluctúas! Y toda esta escarapela de frasis, toda esta chacota de cadencias, toda esta carantoña de vocablos, toda esta estampida de palabras, es una tragantona de fruslerías; y todo este grifo crespo de barahúndas y crestado de musarañas, se define y viene a parar en ser iguana macho, toda cotos, colgajos y pellejos, arrugas y escamas y cachaza.

Faretra es aljaba y faretrado es cargado de aljaba. Y argonauta es marinero o piloto de la primera nave llamada Argos; pues pondérese ahora qué linda obra hace en un marinero, un haz de saetas y qué linda aguja de marear es una aljaba, y cuán bien aviado fuera un piloto para surcar mares con unas botas rodilleras y unos guantes de ámbar que, aunque son cosas preciosas, son tan a propósito como las aljabas. Enamorólo el vocablo melenudo y cariharto de faretra; yo confieso que el sol fue cazador y también que es argonauta de ese piélago azul del cielo; pero en cuanto argonauta no tiene aljabas, como en cuanto cazador no tiene chalupas, que éstas son malos lebreles para andar por las selvas y aquéllas peores jarcias para la mar. Y le parecería que decía la primera cosa del mundo entrando en esta copla como cometa espantoso, muy crinito de faretras y muy melenudo de arpones.

De esa máquina cerúlea: si había de seguir la metáfora de navegación, es vocablo muy esquinado para su consecuencia el de máquina; mejor fuera de ese piélago cerúleo, porque el máquina ni le asienta ni tiene parentesco con la aljaba ni con la navegación; pero como piélago es masculino y el asonante aciago de U y de A había de ser por fuerza femenino, más quiso máquina sin propósito que piélago hermafrodita.

Falúa es el dedo meñique de las embarcaciones y el dedal marítimo de los navíos, y yo no acabo de entender cómo este gigantón resplandeciente del sol argonauta y faretrado y con más colgajos que el pulpo, se pudo hacer quinta esencia de rayos y abreviatura de resplandores y prensarse en el cascarón de una falúa aunque trocase a oro la moneda de vellón de sus bochornos; y apretarse tan cariharto de luces, tan espaldudo de rayos, tan guardiancho de arreboles, en la cáscara de avellana de un chalupa, aunque para gastarse de resplandores se desayunase con vinagre en tinta, o con tinta de vinagre todas las mañanas; y se metiera a anacoreta de tinieblas, y hacer penitencia de crepúsculos en la cima de cabra o en la cueva lóbrega de cuantos lobos se anochecen de boca en el mundo; o por decirlo de una vez, se afeitara con los cendales del tintero de este poeta atezado de frasis, para que se le pegaran todos los contagios de sus obscuridades. Viendo, pues, todas estas dificultades, puso el falúas en plural, *falúas de abalorio.* Tan mala concordancia es ésta en plural como en singular; porque *falúas* son embarcaciones desunidas y disgregadas cada una de por sí, como las escudillas de los guijos de Mari-Rabadilla, y no son como tablas miembros parciales, que juntos componen el cuerpo total de un navío; y [a] esta cuenta puso el sol en cada una su cuarto, que fue ponerlo a la cola de cuatro caballos, para que, tirando cada una por su vereda, lo despedazasen las dichas falúas que no son hermanas de un vientre unas de otras, sino como cochinas de diezmo cada uno de sus arcabuco; y así tirando cada lechón de madera por su senda, no es mucho que hiciesen fluctuar a este pobre argonauta faretrado; y él se tuvo la culpa, pues inconsideradamente se echó a navegar en falúas de abalorio, materia tan a propósito para labrar navíos como la mostaza para edificar torres, que ambas son sacadas en la turquesa de la cuenca del ojo de una pulga, y embarcación hecha de aserrín de azabache y de salvados de pez y de sarna de vidrio. No me espanto que se pierda el sol, pues el primer torniscón de las olas daría con ellas en los escollos y con el sol en las bardas, a que se espulgase los rayos de liendres de resina y se peinase la melena de arena de pólvora y se arrepintiese de faretras para todos los días de su vida, pues fueron tan malas vejigas para ayudarle a nadar en sus naufragios. Míreme ahora el pío lector la concordancia de estos órganos y témpleme estas gaitas con el *coramvobis* de estos versos y la fachada dórica de la coplilla.

El *golfos de sombras fluctúa,* ni me cuadra ni me redonda, porque es hispanismo apolillado de sentido. Porque no diré yo para decir padecí naufragio: "yo fluctué golfos de ondas", sino: "yo fluctué en golfos de ondas", que es verbo neutro y no activo, y quitarle aquel *en* a esta oración es sacarle un diente al verso para que pronuncie ambigüedades momias y razones sin hueso, ceceosas de sílabas y glotonas de letras, que las ha de tragar el entendimiento enteras como píldoras sin mascar, porque no amarguen, y engullir lo que o no tiene sentido o, si lo tiene, se lo ha de buscar como el corazón a la cebolla que es menester descascararla para vérselo, y venido al fallo todos sus preñados son de cáscaras de huevo, y en todas ellas se esconde la yema de un puerro güero a medio andar de cogollo, y en un embrión asqueroso de araña por madurar con sus brazos fijados y envuelto en los pañales, como niño en la cuna.

28. Galeón empavesado
ese globo de la luna,
todo el trapo de sus luces
en cendales arrebuja.

Esta copla es barrendera de tienda de sastre y, después de haberlo trabajado bien, da en el muladar con todo el trapo. La copla antecedente era ceceosa de sílabas y ésta tiene lengua de trapos, que es gracia de buen aire en una musa tan presumida de galante que trata de echar todo el trapo de su elocuencia. Yo no entiendo esta matemática del poeta, que trae visos los astrolabios y turbios los efemérides. Al sol que es planeta casi infinitamente mayor que la luna, a puros calzadores lo metió en un zapato; y a la luna, que es el menor de los planetas, lo zambulle en un galeón de alto bordo; y para que no ande nadando con pie pequeño en zapato traído y dando hocicadas en un bordo y otro a los balances del navío y se lastime la tez del globo melindrosamente cristalino, arrebuja cendales y la estofa con ellos, como ventosa en vasera emparedada en estopas; y fuera mejor cogerle alforzas a las quillas para que no se colgara el follado de tablas; yo no he visto flautas que sean pitos ni pitos que sean flautas sino en este romance.

La luna ha de ser globo por fuerza, pero hase de arrepentir de cuernos y apostatar de menguantes; porque si no, no será globo castizo, sino círculo bastardo y trapo de luces; será resplandecer mendicante de planeta pordiosero, bueno para carretero de ingenio de papel, que levantando los trapos del polvo de la tierra, los sube a mandar el mando en las provisiones. Hacer de trapos papel, cualquiera mal trapillo ginovés lo hace; pero hacer luces de trapos, no sé que hasta ahora lo haya atinado la cartilla vieja de Raymundo Llullo (pues ella y su nombre de él toda es eles); pero como es fácil hacer luz de trapos encendiendo las mechas en los candiles, le debió de parecer a nuestro poeta, que se podía hacer trapo de luces escogiendo frases químicas a moco de luna como a moco de candil, que tan buen juicio tienen para esto las lunas, como los candiles. Hace[r] de un cendal nuevo un trapo a fuerza de hacerlo servir, bien puede ser; pero arrebujar trapos y hacerlos cendales, es tan fácil como resucitar a un muerto, que es hacer de lo viejo nuevo. Esta musa, pues, nacida en Trapisonda y no en el Parnaso, para decir que la luna se eclipsó, dice que arrebujó los trapos de su luz en cendales; cendal propiamente es un lienzo delgado, transparente y sutil, y si se explica bien con esta frasi diáfana un eclipse obscuro y tenebroso, díganlo los eclipses; y si ellos no, los ciegos. Pero allí el poeta no quiso tomar en este sentido el cendales, ni lo dijo por eso, ni tal le pasó por el pensamiento ni por la pluma; más cerca tenía los algodones del tintero y ellos fueron los malhechores de estos arrebujos que le mojaron la pluma para echar este borrón; pero quedósele en el tintero el poner a la margen: cendales, id est, algodones de tintero, que son cendales invernizos, hollines en infusión o pasas de negro puestas en remojo para que con eso saliese la luna como una dueña jolofa, reina de Monicongo, arrebujada de arrugas, crespa de mechas y atezada de globo, que para hacer penitencia de hermosa y meterse a ermitaña de humo, no pudo hallar chimenea más lóbrega que el tintero de nuestro poeta culto de cendales, de adonde sale chorreando brea y muy mala de eclipses y con cámaras de tinta, como si se hubiera purgado con cañafístola. Ni pudo hallar potro de atormentar su hermosura más mal acondicionado de costillas, que una cara arrebujada en arrugas de una vieja, adonde ellas como cordeles del tiempo se entran partiendo la carne hasta los huesos; y en este rocín cinciano, más que potro padece la mal aventurada luna tormento de cendales como de toca, que se los dan a beber arrebujados con tragos de tinta, y ella da arcadas de hollín y vomita eclipses arrebujados de cendales.

29. La turquesa de su manto
pálido el cielo demuda,
y juntando sus estrellas
las apaga una a una.

Este cielo a la turquesa es cielo de máscara, vestido de moro con su luna como turbante listado de cendales. Mas quitada la máscara azul, que eso es demudarse pálido, tiene cara de marqueta de cera de Nicaragua, atiriciada porque tiene apostemado el sol, opilada la luna y hartas de comer cera de antorchas a las estrellas; pero en lo que más pone su esfuerzo esta copla es en poner cera y pabilo en las estrellas, haciéndolas velas de tinieblas y apagándolas una a una, como si el cielo fuera mano de Judas. El texto sagrado dice que el color del cielo fue negro: *tenebrae factae sunt,* y sobre lo negro no hay tintura, si no es en el tintero de nuestro poeta; como si su tinta fuera de oro pimente o de yema de huevo, le da sobre el negro color flavo, que eso es pálido, del latino *palea,* color de paja, amarillo; y si esto no es contra el texto, júzguenlo los ciegos que, aunque no juzgan de colores, como las tinieblas no son color sino privación de luz, pueden juzgar por sus ojos la no color que entonces tendría el cielo.

El *juntando sus estrellas,* es cuanto se puede juntar en el cielo y en la tierra, aunque se junte el cielo con la tierra, que esto es mucho menos el juntar las estrellas, porque hay entre unas y otras, y más entre las opuestas diametralmente, infinitos millones de leguas; y para apagarlas yo no sé de qué servicio era juntarlas todas y meter no solamente las cabrillas en el corral, sino a todas ellas como cabras en un corral; porque la cuasi acción de obscurecerse es privativa y, por el consiguiente, instantánea y simultánea, porque en todas las partes adonde ellas están hay cielo, y allí sin hacerse el cielo pedazos ni andarlas ojeando ni haciendo rodeos de ganado, cuando no han alcanzado tan talto, las pudo apagar, sin hacer a la parte del cielo, adonde las había de juntar, un coliseo de fieras o un arca de Noé adonde sería de ver junta tanta diversidad de animales: toro, carnero, león, pescados, escorpiones, cangrejos, sagitarios, libras, géminis, acuarios y los demás monstruos que finge la astrología en tanta multitud de figuras celestiales como imagina. Quién viera llevar a empellones al planeta Júpiter con su hisopo de rayos en la mano asperjeando exhalaciones por el cielo; a Marte de pendencia cargado de coletos en espada y broquel, dando mil cintazos de luz sangrienta; a Venus desnuda en carnes, desmelenada y acabada de levantar de la cama, con las gervillas en la mano, tropezando en los astros; Mercurio aun todavía se valdría de las alas de sus pies para ir con más descanso; pero quien causaría más lástima sería el pobre Saturno, viejo, gotoso y corcovado, con los bragueros al hombro y la potra en ambas manos, con una cara de abrenuncio aciaga de luces, verdinegro de exhalaciones, hecho un rejalgar, la cuesta arriba de los cielos, tosiendo relámpagos verdes y cometas azules, a que le diesen como a niño catecúmeno un soplo en la cara, y a él y a los demás los dejasen apagados y a buenas noches. Miren toda la máquina de que viene preñada esta copla, cariharta de caderas y gordiancha de panza, y luego nos espantaremos que el caballo de Troya tenga tripas.

No vinieran estas estrellas dos a dos, como frailes conventuales del cielo, a besar la mano a la noche y a tomar el benedícite de tinieblas, sino una tras otra como pescados o como ovejas en contadero. Si una a una se hubieran de apagar, tenía el cielo obra contada para muchos días después del juicio, porque sólo Dios las cuenta: *numerat multitudinem stellarum*; y es acción de menos embarazo, y si para contarlas sólo es necesario el guarismo de Dios y sólo en sus ojos se halla esta aritmética, para apagarlas una a una sería necesario un juicio de Dios (y siendo Dios cupiera flema), sólo una flema de Dios. ¿No es esto decir, una a una, y dos a dos, y ciento a ciento, y cuento a cuento, más desatinos que estrellas hay en el cielo?

30. Entre fatales encuentros
las piedras se desayuntan,
solicitando infelices
unas en otras las urnas.

Válgate el diablo por *desayuntan;* ¿de qué cementerio resucita este vocablo caduco, vestido de pedorreras y con gorra milanesa, hermano de teta del rey que rabió, sarna que se están rascando los romances viejos del Cid Ruy Díaz, escritos en pergamino de letra pastraña, comidos de broma y tomados de orín, *saecula saeculorum* del vocabulario de España, Matusalén articulado de habla con cataratas? ¡Que anduviesen a buscar las piedras, desenterrando huesos entre los sepulcros esta antigüalla de siglos, este calendario de edades, y que lo sacase sin melindre nuestro poeta a ver la luz meridiana de nuestra lengua, limpiándose en cada ojo Adanes por legañas, tosiendo Sarras * y escupiendo Matusalenes, con un rostro de *ab initio* barbado de siglos! ¿*Desayuntan, desayuntan,* dice una

* *Sarras.* Así el original. Pudiera ser errata por *sarna*? (N. del E.).

pluma moderna que supo decir la copla del faretrado argonauta? Quién viviera seguro en el retiro de un lucilo siete estados debajo de tierra, si hay plumas que escarban cementerios, y no tienen asco de escribir versos con canillas de muertos y con tinta de gusanos, sacando a la vergüenza palabras tataradueñas, que andan por las coplas buscando muletas que las tengan, porque se caen de su edad, como de su estado, y de pasadas más que de maduras; y sirven de dueñas de honor a las palabras doncellescas, rubias y zarcas y cosquillosas de trapos, de que tan a lo nuevo usa nuestro poeta al uso.

31. Rasgóse el velo del templo
y, el sentimiento que pulsa,
todo el corazón de lino
en alas bate confusas.

Velum templi scisum est; bien y fielmente sacada la letra del texto, como si fuera escritura de su registro, y lo que fue en él prosa de buen latín, se la dejó prosa, prosa de mal romance, por no quitar a nadie lo que es suyo. Estos pulsos desconcertados del velo y la calentura intercadente del lino, no sé yo que haya otros galenos que los entiendan, sino los lisos y peines que saben de arterias de hilos; ellos lo dirán. Lo que he oído de esta facultad es que estos pulsos del lienzo son malos de conocer, y que se toman con las manos y con los pies, y que hacen andar a gatas y dar mil patadas a los tejedores; y así nuestro poeta tocó estos pulsos con los pies de sus versos y sabe bien que los sentimientos se van a los pulsos y no a la lengua que los diga; y no le diremos cosa que él no sepa, si decimos que esta copla parece hecha con los pies. En fin, al pobre velo se le amurró la pajarilla (que no es fuerza que todas las pajarillas se hayan de alegrar y ser bien acondicionadas), y con ademanes de quien padece gota coral, anduvo haciendo en el aire visajes de boca que prueba vinagre, muy tartajosa de alas y muy tartamuda de tembladuras. No me espanto que pasó copla como hora por ella, y al cabo todo este corazón de lino (porque aunque estaba ahorcado y temblando debía de ser valiente pues era todo corazón), se hizo todo alas confusa[s], sin que le quede pizca de corazón que no se fuese todo en alas como en humo; y debió de ser así, pues todo el tiempo que le duró la mala hora de la copla, estuvo temblando como un azogado. ¡Aquí de Dios!, el velo del templo se rasga y al sentimiento que pulsa este mismo velo arterioso, todo el corazón de lino, que es el mismo velo, "en alas bate confusas", se convierte en alas como si no hubiera diferencia de corazón y del motor a lo que es movido.

Más alas tiene este velo que los animales de Ezequiel: *Sex alae uni et sex alae alteri;* pero aquéllos tenían alas con oficios honrados, unas cubrían y otras volaban, y no trabajaban de balde. Pero estas alas de este corazón de lino son mostrencas y vagamundas, que no hacen sino meter en ruidos al templo, alear erre a erre y a pie quedo, sin moverse de un lugar, haciendo en el aire gurulladas de abanicos, dando estampidas de chamelote en el viento y haciendo maretas de trapos en el velo. Al fin, al pobre velo, aunque le dio las alas que pudo la copla, le nacieron alas como a la hormiga, pues hecho un Icaro de trapos, se le quebraron todas y, alicaído de tiras, y hecho cuartos pulsantes, se está colgado en el aire, poblándolo de andrajos para que así todos vean justiciado a este Absalón de lino, colgado de la melena sortijoso de sus argollas, perneando en el aire, no sábanas con piernas sino piernas de sábana.

32. Vida, al fin perdió la vida,
dando por fianza segura
de la Deidad que lo asiste,
gigante voz que pronuncia.

Vida por pomo y vida por contera tiene el estoque del primer verso, envainado en un fin perdido y de balde. Miren cuándo se pierde la vida, sino al fin, porque yo no he visto vidas que se pierdan al principio; porque la muerte es fin de la vida; y si no hubiera al fin, fin, no hubiera quien acabara la vida, ni quien acabara romances, ni quien nos acabara la vida con ellos, que un al fin a buen tiempo vale otro tanto oro, para un *requiescat in pace* de la prosa que se le acabó al poeta, y para la postrera boqueada de la pluma a quien se le acaba la tinta; pero aquí no le sucede al poeta esta muerte repentina porque no se le acabó la prosa en el primer verso, que muy buena prosa gasta en el segundo; porque, *dando por fianza segura,* es tan prosa como la madre que me parió (aunque yo haga más versos que Homero), pues ni tiene espíritu, ni colocación, ni aire de verso, sino que es prosa muchacha y castellana vieja, y nacida en las montañas y de casa solariega de prosas; pero el verso quiere morir porfiando que lo es con sus ocho vocales y su sinalefa, como con su candela en la mano, aunque sabe que muere impenitente y que se lo lleva el diablo.

Gigante voz que pronuncia; siendo allí *voz* femenina, el adjetivo lo ha de ser; y así está errada la imprenta y ha de ser giganta voz; y así será esta voz la giganta pronunciada. Válgame Dios, que no ha de haber cosa en los modernos que no ha de hervir de gigantes y de gigantas, habiendo otros adjetivos de raza y no este adjetivo, substantivo espurio, hermafrodito de las locuciones y común de dos como mujer de italiano, siendo tan bestial generación la de los gigantes, que los extirpó Dios de la Tierra por sodomíticos: *Gigantes erant super terram,* que hasta a la tierra la querían tomar, *omnis quippe caro corruperat viam suam*; y que a fuerza del diablo quiera nuestro poeta que cabalguen sus voces y que corrompan sus frases. En fin, mírenme sin pasión, para pronunciar una voz giganta qué boca sería menester para traerla en la boca y qué hermosa será una voz recién nacida filistea y un grito Goliat arrullándose en unos labios. Y si para poder echar esta palabra de la boca, sí sería menester tener un huracán en el pecho que la rempujase de adentro, y una yunta de bueyes que lo tirase por de fuera, y cuál quedaría la tal boca que hubiera mal parido esta giganta, hecha tarasca, descoyuntada de encías y boca de sierpe, destornillada de quijadas, anquiboyuna de hocico y descaderada de labios.

Pues la *Deidad que lo asiste,* si no es gigante herejía, lo parece; y si no tiene boca de sierpe, tiene cara de hereje, porque la deidad en Cristo lo deifica más intrínsecamente que el alma al cuerpo, y ésta es teología de ejecutoria tan antigua y asentada, que no hay quien lo dude: *Nam sicut anima rationalis et cara unus est homo; ita Deus et homo unus est Christus.* Y así como fuera error desatinado en filosofía decir que el alma asistía al cuerpo, así me parece que lo será en la fe, decir que la deidad asiste a Cristo; porque asistir precisamente no dice más que presencia extrínseca; y son unión, como la del Angel Custodio que nos asiste y no se une con nosotros, ni nos angeliza; y en Cristo la humanidad estaba unida con el nudo de la unión hipostática a la divinidad terminada a la persona del Verbo. Estas, a mi ver, no son alas de hormiga, sino de mariposa que, golosa de más luz de la que cabe en los ojos, da círculos porfiados a la antorcha luciente de la santa Inquisición, para que se las ahúme, ya que no se las chamusque; y esto es decirle mis chanzas en las burlas y mis veras en las herejías, porque entre burlas y veras, mire mejor lo que escribe y estudie un poco en Góngora y un mucho en Santo Tomás.

33. Dios lo aclama un español,
porque siente en lo que escucha;
si en voces se explica el verbo,
que Verbo esa voz oculta.

Bien ha menester decir que es español el que acaba este romance, al cabo de las treinta y tres coplas; porque el buen romance está tan desfigurado de habla, que no lo conocerá la lengua que lo parió. El no es romance linajudo de voces ni hidalgo de frasis, ni sabe lo que se pesca, ni lo que se romancea; y es mucho que haya acabado con su habla española y no de avenida repentina de vizcaínadas, ni de muerte súpita de malas concordancias. Pero por no perder sus mañas, acaba echando verbos por la boca, por no toser solecismos. ¡Dios lo tenga de su habla como de su mano!; y si se despeñare, será por su cuenta y no por la mía, que con harto amor y buen término le he rogado que no se vaya de boca.

La mano de reloj que explica al verbo, son las voces. Esta es verdad que da de manos a boca con el verbo, quedando en la voz; *que oculta,* da de manos a hocico con el sentido del concepto y se hace la jeta esta copla. Porque el concepto de esta copla, es que la voz grande (el gigante sea sordo) que Cristo dio en la Cruz, lo arguyó Dios, porque no era posible a la naturaleza que un hombre tan acabado hablase tan alto, y así esta voz en cuello lo manifestó Dios; esto es lo que quiso decir el poeta.

Vamos poco a poco, y se verá cómo dice lo contrario la copla, siendo antagonistas sus palabras de su sentido, que pelean a brazo partido lo que ellas dicen con lo que quisieron decir. La voz grande explica que es Dios el que la pronuncia; y así san Juan, como voz de este Verbo, dice que lo clama: *vox clamantis,* esto es, que lo manifiesta. Pues, ¿cómo dice la copla que lo oculta, *que Verbo esta voz oculta?* Que *oculta* y *clama* son antípodas de oficio; clamar es manifestar; ocultar es encubrir; y voz clami-oculta, u oculti-clama, es cantimplora razonada y antiparístasis con sílabas.

Y si nos queremos encarnar un poco en la teología, cuando más y mucho esa voz exterior y grande de Cristo lo explicará Dios poderoso, pero no Verbo engendrado, porque no son convertibles: todo lo que es Verbo es Dios, que es verdad católica; pero no todo lo que es Dios es Verbo; porque hay Padre que engendra y Paracleto que procede; y no es verdad que éstos son Verbos; y de las perfecciones comunes no es buen argumento inferir las propriedades nocionales. Y la voz que lo explica Verbo, esto es, que lo engendra Hijo, es la locución interna de la generación activa en el Padre, y ésta lo explica Verbo engendrado; y no la voz de la Cruz, que ésta sólo lo arguye Dios poderoso, pero no Verbo que procede; con que de verbo *ad verbum,* está este romance cogido en malos latines; y si él oculta al Verbo, apelará sobre el poeta, que no sabe palabra del Verbo, dijera más a propósito. No es saber, presumir, antes la primera ignorancia es la presunción.

Bien es dejar dormir a los viejos en el descanso de sus canas y no querérselas desacreditar con ostentar melenas rubias de cabellos, peinados más con escobilla de espinas que con estudios severos, que las unas punzan y los otros enseñan. Suplícole al poeta que de aquí adelante no haga romances anticristos, mal hablados, de la pasión de Cristo, sino que reverenciando sus llagas, se las vista de epítetos comedidos y decentes, y no de locuciones hypogrifas y de metáforas descomunales, que es hacer de su cuerpo cueva de basiliscos razonados, que revientan la hiel en el cuerpo a nuestros hispanismos; sino que lo trate bien de palabra y lo explique tan hermoso, que parezca como lo es, paraíso de los ojos; y que a su pluma le pida que imite comedida, y no que tizne desvanecida, que con esto Dios le dará gracia y gloria de poesía.

CRONOLOGIA

1606	El 7 de noviembre nace en la ciudad de Santa Fe de Bogotá del Nuevo Reino de Granada, Hernando, hijo de Hernando Domínguez y de doña Catalina Camargo Gamboa. Su padre es natural de la Villa de Medina de las Torres, en Extremadura y su madre nacida en la Villa de Mompox de ascendencia tunjana.
1616	Muere su padre en octubre.
1621	Hernando, que había estudiado en el Colegio Seminario de San Bartolomé, pasa en el mes de mayo de este año a ser novicio de la Compañía de Jesús. Muere su madre el 23 de noviembre y sus hijos quedan todos bajo la tutoría de su abuelo materno el Capitán Francisco de Camargo, alguacil mayor de la Villa de Mompox. Hernando pasará a vivir dentro de la Compañía de Jesús en la casa de población existente en la ciudad de Tunja. Sus hermanos Francisco, Lorenzo, Juan y María siguen este derrotero en sus vidas: María Gabriela de la Cruz, es religiosa en el monasterio de Nuestra Señora de la Concepción, en Santa Fe de Bogotá. Juan es ordenado fraile franciscano. Luego será predicador en Cartagena y en Santa Fe, y fue cuidador del convento de Ocaña. Francisco de Camargo Gamboa es doctor, residente en Mompox, quien más tarde entrará en la carrera eclesiástica que ejercerá en la Gobernación de Cartagena de Indias.
1623	El día 7 de mayo, Hernando realizará sus votos sacerdotales. Se supone que estuvo en Quito y conoció la hacienda jesuítica de Chillo, lugar que evocará en su romance "A un salto por donde se despeña el arroyo de Chillo".
1631	A fines de este año arriba a Cartagena de Indias.
1636	Renuncia a la Compañía en noviembre de este año regresando a Santa Fe de Bogotá. Allí el arzobispo Fray Cristóbal de Torres le otorga nombramiento en el curato del pueblo de San Miguel de Gachetá, lugar montañoso de población aborigen y tierra templada. Tomará posesión a comienzos del mes de julio.

1642	Es trasladado como cura y vicario al pueblo de Tocancipá al norte de Santa Fe, donde reside una limitada población blanca de españoles y su grey la componen indígenas reconocidos como ceramistas. Posteriormente asume el curato de Paipa cercana de Tunja.
1650	Alcanza en este año dentro de su carrera eclesiástica el curato con asiento en Turmequé, el día 14 de mayo. En este lugar se reencuentra con su hermano Fray Juan de Camargo, de la Orden de San Francisco de Asís.
1652	Da a conocer la *Invectiva apologética,* "en apoyo de un romance suyo a la muerte de Cristo y contra el émulo que quiso censurarlo apasionado".
1657	Se instala en la ciudad de Tunja, con el título de Beneficiado.
1659	Hace testamento.
1659/66	No se tiene fecha cierta de su muerte. Consta en su cesión testamentaria que "todos los libros que tengo predicables y de estudios y mis papeles mando se den al Colegio de la Compañía de Jesús de esta ciudad" (Tunja).
1666	Se publica en Madrid el extenso poema titulado *San Ignacio de Loyola, fundador de la Compañía de Jesús. Poema heroico,* con prólogo anónimo titulado "Curioso lector" y que fuera escrito por el Padre Antonio de Bastidas, según lo ha establecido Guillermo Hernández de Alba.
1667	El maestro Jacinto de Evia, natural de la ciudad de Guayaquil, publica en Madrid el *Ramillete de varias flores poéticas.* En el mismo se coleccionan poesías sueltas de Domínguez Camargo con el título de *Otras flores aunque pocas,* con un breve prologuillo del compilador y donde se recogen: A don Martín de Saavedra y Guzmán (soneto). A la muerte de Adonis (romance). Al agasajo con que Cartagena recibe a los que vienen de España (octavas).

A la pasión de Cristo (romance).

A un salto por donde se despeña al arroyo de Chilló (romance).

En el mismo *Ramillete*... se incorpora la *Invectiva Apologética.*

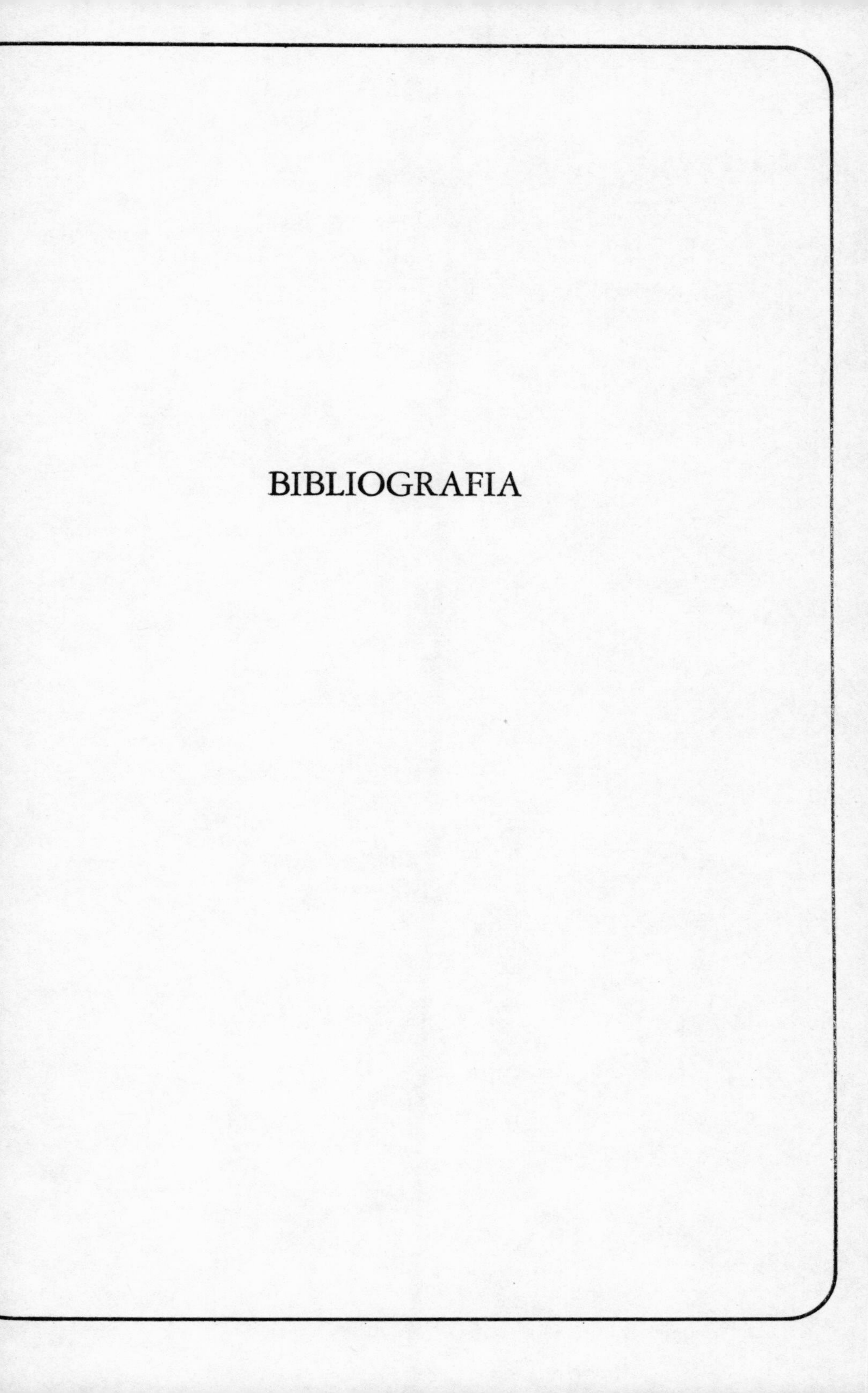

BIBLIOGRAFIA

I. OBRAS DE HERNANDO DOMINGUEZ CAMARGO

San Ignacio de Loyola, fundador de la Compañía de Jesús. Poema Heroico. Escribíalo el Doctor D. Hernando Domínguez Camargo, natural de Santa Fe de Bogotá del Nuevo Reino de Granada en las Islas Occidentales. Obra póstuma. Dala a la estampa y al culto teatro de los doctos el Maestro D. Antonio Navarro Navarrete... Madrid, por Joseph Fernández de Buendía, año de 1666. 27, 440 p.

Otras flores, aunque pocas... (En: Jacinto de Evia, *Ramillete de varias flores poéticas recogidas y cultivadas en los primeros abriles de sus años por el Maestro Jacinto de Evia, natural de Guayaquil*..., pp. 235-248. Madrid: Imprenta de Nicolás de Xamares, 1976).

San Ignacio de Loyola, fundador de la Compañía de Jesús. Poema Heroico. Síguenle las poesías del "Ramillete de varias flores poéticas" y la "Invectiva apologética". Bogotá: Editorial A.B.C., 1956. 446 p. (Biblioteca de la Presidencia de Colombia; núm. 25).

Obras / Edición a cargo de Rafael Torres Quintero; con estudios de Alfonso Méndez Plancarte, Joaquín Antonio Peñalosa, Guillermo Hernández de Alba. Bogotá: [Librería Voluntad], 1960. CXCIII, 504 p. (Publicaciones del Instituto Caro y Cuervo; XV).

Antología poética / Prólogo, selección y notas de Eduardo Mendoza Varela. Medellín, Colombia: Editorial Bedout, 1969. 223 p. (Bolsilibros Bedout; núm. 56).

II. CRITICA: LIBROS Y FOLLETOS

ALVAREDA, GINÉS Y FRANCISCO GARFIAS: El barroco. (En su: *Antología de la poesía hispanoamericana: Colombia,* pp. 15-16 y 119-125. Madrid: Biblioteca Nueva, 1957).

ANDERSON IMBERT, ENRIQUE: Hernando Domínguez Camargo. (En su: *Historia de la literatura hispanoamericana* [I. *La colonia. Cien años de república*], 3ª ed. pp. 109-110. México: Fondo de Cultura Económica, 1961).

ANDERSON IMBERT, ENRIQUE Y EUGENIO FLORIT: *Literatura hispanoamericana (Antología e introducción histórica).* New York: Holt, Rinehart and Winston, Inc., 1960. pp. 110-111.

ARANGO FERRER, JAVIER: [Hernando Domínguez Camargo]. (En su: *La literatura de Colombia,* pp. 106-108. Buenos Aires: Universidad de Buenos Aires, Facultad de Filosofía y Letras, Instituto de Cultura Latinoamericana, 1940).

————: [Hernando Domínguez Camargo]. (En: *Panorama das Literaturas nas Americas,* p. 335. Angola: Ediçao do Municipio de Nova Lisboa, 1958).

ARBELÁEZ, FERNANDO: La obra poética de Hernando Domínguez Cacargo. (En: *San Ignacio de Loyola, fundador de la Compañía de Jesús. Poema heroico,* pp. 9-47. Bogotá: Editorial A.B.C., 1956. Madrid: Editorial SAETA, 1945).

AYALA DUARTE, C.: [Hernando Domínguez Camargo]. (En su: *Resumen histórico de la literatura hispanoamericana,* pp. 223 y 282).

BARRETA, ISAAC J.: Domínguez Camargo. (En su: *Historia de la literatura ecuatoriana,* tomo I, pp. 201-217. Quito: Editorial Casa de la Cultura Ecuatoriana, 1953).

BAYONA POSADA, NICOLÁS: [Hernando Domínguez Camargo]. (En su: *Panorama de la literatura colombiana,* pp. 28-29. Bogotá: Librería Colombiana Camacho Roldán, 1959).

BULATKIN, ELEANOR WEBSTER: *La introducción al "Poema heroico" de Hernando Domínguez Camargo.* (Bogotá: Instituto Caro y Cuervo, 1962. 52 p.).

BUXÓ, JOSÉ PASCUAL: *Góngora en la poesía novohispana.* México: Universidad Nacional Autónoma de México, 1969. 114 p. (Publicaciones del Centro de Estudios Literarios; núm. 7).

CAILLET-BOIS, JULIO: Hernando Domínguez Camargo. (En su: *Antología de la poesía hispanoamericana,* pp. 54-55. Madrid: Ediciones Aguilar, 1965).

CAMPA, ANTONIO R. DE LA; Y RAQUEL CHANG-RODRÍGUEZ: Hernando Domínguez Camargo. (En su: *Poesía hispanoamericana colonial. Antología,* pp. 211-214. Madrid: Editorial Alhambra, 1985).

CAMPOS, JORGE: Domínguez Camargo. (En: *Diccionario de la literatura española,* p. 188. Madrid: Revista de Occidente, 1949).

———: Hernando Domínguez Camargo. (En su: *Antología hispanoamericana,* p. 115 y 628. Madrid: Ediciones Pegaso, 1950).

CAPARROSO, CARLOS ARTURO: Hernando Domínguez Camargo. (En su: *Antología lírica: cien poemas colombianos,* p. 13 y 274. Bogotá: Editorial A. B. C., 1951).

CARILLA, EMILIO: Hernando Domínguez Camargo. (En su: *El gongorismo en América,* pp. 110-122. Buenos Aires: Universidad de Buenos Aires, Facultad de Filosofía y Letras, Instituto de Cultura Latinoamericana, 1946).

———: *Hernando Domínguez Camargo.* Estudio y selección de Amilio Carilla. Buenos Aires: R. Medina, 1948. 83 p.

———: *Las "Obras" de Domínguez Camargo.* Bogotá: Instituto Caro y Cuervo, 1966. 11 p.

———: Lo embellecido. (En su: *El barroco literario hispánico,* pp. 87-100. Buenos Aires: Editorial Nova, 1969).

———: Hernando Domínguez Camargo. (En su: *La literatura barroca en Hispanoamérica, pp.* 150-168. New York: Las Americas Publishing, 1972).

———: *Estudios de literatura hispanoamericana.* Bogotá: Instituto Caro y Cuervo, 1977. 377 pp. (Publicaciones del Instituto Caro y Cuervo; núm. 42).

———: La lírica hispanoamericana colonial. (En: Luis Iñigo Madrigal y otros, *Historia de la literatura hispanoamericana, tomo I, Epoca colonial,* pp. 237-274. Madrid: Ediciones Cátedra, 1982).

———: *Manierismo y barroco en las literaturas hispánicas.* Madrid: Editorial Gredos, 1983. 158 p. (Biblioteca Romántica Hispánica; Estudios y Ensayos; núm. 332).

CARO, MIGUEL ANTONIO: Joan de Castellanos. (En sus: *Obras Completas,* tomo III, p. 64. Bogotá: Imprenta Nacional, 1921).

CORREA, RAMÓN C.: *Historia de la literatura boyacense.* 2ª ed. Tunja: Imprenta Departamental, 1951. 165 p.

COSSIO, JOSÉ MARÍA: Hernando Domínguez Camargo. (En su: *Poesía española: notas de asedio,* p. 36-40. Buenos Aires: Espasa-Calpe Argentina, 1952).

CHABAS, JUAN: [Hernando Domínguez Camargo]. (En su: *Breve historia de la literatura española,* p. 127. Barcelona: 1936).

Diego, Gerardo: *Antología poética en honor de Góngora, desde Lope de Vega a Rubén Darío.* Madrid: Revista de Occidente, 1927. 220 p.

———: *La poesía de Hernando Domínguez Camargo en Nuevas Vísperas.* Bogotá: Instituto Caro y Cuervo, 1961. 32 p.

———: Hernando Domínguez Camargo. (En su: *Antología poética en honor de Góngora,* p. 40-42 y 159-162. Madrid: Alianza Tres, 1979).

Gómez Restrepo, Antonio: [Hernando Domínguez Camargo]. (En su: *La literatura colombiana,* p. 14-15. Bogotá: Editorial A. B. C., 1952).

———: Hernando Domínguez Camargo. (En su: *Historia de la literatura colombiana,* tomo I, pp. 100-130. Bogotá: Ministerio de Educación, 1953).

Gutiérrez, Fernando: *Poesía hispanoamericana.* Barcelona: Editorial Sayna, 1964. 2 vols.

Henríquez Ureña, Pedro: [Hernando Domínguez Camargo]. (En su: *Las corrientes literarias en la América Hispánica,* p. 87. México: Fondo de Cultura Económica, 1949).

Hernández de Alba, Guillermo: Hernando Domínguez Camargo, su vida y su obra (1606-1659). (En: Hernando Domínguez Camargo, *Obras,* ed. de Rafael Torres Quintero, xxv-cxxii. Bogotá: Publicaciones del Instituto Caro y Cuervo, 1960).

Herrera, Pablo: [Hernando Domínguez Camargo]. (En su: *Ensayo sobre la historia de la literatura ecuatoriana,* pp. 54-56. Quito: Imprenta del Gobierno, 1860).

Lazo, Raimundo: *Historia de la literatura hispanoamericana. El período colonial (1492-1780).* México: Editorial Porrúa, 1965, 370 p.

Leguizamón, Julio A.: [Hernando Domínguez Camargo]. (En su: *Historia de la literatura hispanoamericana,* tomo I, pp. 166-167. Buenos Aires: Librería Huemul, 1976).

Lezama Lima, José: Imagen de América Latina. (En: César Fernández Moreno, coord. *América Latina en su literatura,* pp. 462-468. México: Siglo XXI Editores, 1974).

Loveluck, Juan: Lectura de un texto barroco: un romance de Domínguez Camargo. (En: *XVII Congreso del Instituto Internacional de Literatura Iberoamericana,* tomo I, pp. 289-295. Madrid: Ediciones Cultura Hispánica, 1978).

MATOS-HURTADO, BELISARIO: Hernando Domínguez Camargo. (En su: *Compendio de la historia de la literatura colombiana,* pp. 54-58. Bogotá: Imprenta Marconi, 1925).

MAYA, RAFAEL: Hernando Domínguez Camargo. (En su: *Estampas de ayer y retratos de hoy,* pp. 49-56. Bogotá: Editorial Kelly, 1954).

MÉNDEZ PLANCARTE, ALFONSO: Apéndices: I. Correcciones; II. Prosificación de las primeras 22 octavas del "Poema heroico". (En: Hernando Domínguez Camargo, *Obras,* ed. de Rafael Torres Quintero, pp. 491-500. Bogotá: Publicaciones del Instituto Caro y Cuervo, 1960).

MENÉNDEZ Y PELAYO, MARCELINO: [Hernando Domínguez Camargo]. (En su: *Historia de la poesía hispanoamericana,* tomo I, pp. 424-425. Santander: Consejo Superior de Investigaciones Científicas, 1958).

MEO ZILIO, GIOVANNI: *Estudio sobre Hernando Domínguez Camargo y su "Ignacio de Loyola", poema heroico.* Messina-Firenze: G. D'Anna, 1967, 357 p.

NÚÑEZ SEGURA, A.: Hernando Domínguez Camargo. (En su: *Literatura colombiana,* pp. 70-81. Medellín: Editorial Bedout, 1959).

ORTEGA TORRES, JOSÉ J.: [Hernando Domínguez Camargo]. (En su: *Historia de la literatura colombiana,* pp. 24-25. Bogotá: Editorial Cromos, 1935).

OSPINA, JOAQUÍN: Hernando Domínguez Camargo. (En: *Diccionario biográfico y bibliográfico de Colombia,* tomo I, p. 676. Bogotá: Editorial Cromos, 1927).

OSUNA, RAFAEL: *La fuente de dos pasajes del "San Ignacio de Loyola" de Domínguez Camargo.* Bogotá: Instituto Caro y Cuervo, 1969, 11 p.

OTERO MUÑOZ, GUSTAVO: [Hernando Domínguez Camargo]. (En su: *Resumen de historia de la literatura colombiana,* pp. 33-35. Bogotá: Librería Voluntad, 1943).

PACHECO, JUAN MANUEL: Hernando Domínguez Camargo. (En: *Dos jesuitas en Colombia,* tomo I (1567-1654), pp. 572-578. Bogotá: Editorial San Juan Eudes, 1959).

PALAU DE NEMES, GRACIELA: Cuatro obras churriguerescas de la literatura colonial. (En: *XVII Congreso del Instituto Internacional de Literatura iberoamericana,* tomo I, pp. 62-70. Madrid: Ediciones Cultura Hispánica, 1978).

PEÑALOSA, JOAQUÍN ANTONIO: Estudio preliminar. (En: Hernando Domínguez Camargo, *Obras,* ed. de Rafael Torres Quintero, pp. CXXIII-CXCII. Bogotá: Publicaciones del Instituto Caro y Cuervo, 1960).

PORRAS TROCONIS, GABRIEL: [Hernando Domínguez Camargo]. (En: *Historia de la cultura en el Nuevo Reino de Granada,* p. 60. Sevilla: Publicaciones de la Escuela de Estudios Hispanoamericanos, 1952).

POSADA MEJÍA, FERNANDO: [Hernando Domínguez Camargo]. (En su: *Nuestra América, notas de historia cultural,* pp. 62-71. Bogotá: Publicaciones del Instituto Caro y Cuervo, 1959).

RIVAS GROOT, JOSÉ MARÍA: Estudio preliminar. (En: *Parnaso colombiano,* tomo I, pp. XIII-XIX. Bogotá: Librería Colombiana, 1886).

RIVAS SACCONI, JOSÉ MANUEL: [Hernando Domínguez Camargo]. (En su: *El Latín en Colombia. Bosquejo histórico del humanismo colombiano,* pp. 224-225. Bogotá: Publicaciones del Instituto Caro y Cuervo, 1949).

RUANO, JOSÉ MARÍA: [Hernando Domínguez Camargo]. (En su: *Resumen histórico-crítico de la literatura colombiana,* pp. 33-34. Bogotá: Editorial Santafé, 1925).

SAINZ DE ROBLES, FEDERICO CARLOS: Hernando Domínguez Camargo. (En su: *Ensayo de un diccionario de la literatura,* p. 315. Madrid: Ediciones Aguilar, 1953).

SÁNCHEZ, LUIS ALBERTO: [Hernando Domínguez Camargo]. (En su: *Nueva historia de la literatura americana,* p. 80. Buenos Aires: Editorial Americale, 1944).

————: Expresiones del barroco en América Española (II). (En su: *Historia comparada de las literaturas americanas,* tomo I, pp. 322-325. Buenos Aires: Editorial Losada, 1973).

SAPIÑA, J.: Hernando Domínguez Camargo. (En: González Porto-Bompiani, *Diccionario de autores de todos los tiempos y de todos los países,* tomo I, p. 753. Barcelona: Montaner y Simon, 1973).

TELLO, JAIME: Hernando Domínguez Camargo. (En su: *Colombia; el hombre y el paisaje,* p. 287. Bogotá: Editorial Iqueima, 1955).

TORRES QUINTERO, RAFAEL: Advertencia editorial. (En: Hernando Domínguez Camargo, *Obras,* pp. VII-XII. Bogotá: Publicaciones del Instituto Caro y Cuervo, 1960).

VALBUENA PRAT, ANGEL: Hernando Domínguez Camargo. (En su: *Historia de la literatura española,* tomo II, pp. 239-245. Barcelona: Editorial Gustavo Gili, 1950).

Vergara y Vergara, José María: Domínguez Camargo, poeta épico. (En su: *Historia de la literatura en Nueva Granada,* pp. 102-108. Bogotá: Imprenta de Echeverría Hnos., 1867).

III. HEMEROGRAFIA

Aguilera, Miguel: Hernando Domínguez Camargo. (En: *Boletín Cultural y Bibliográfico,* Bogotá, año IV, núm. 10, pp. 959-963, octubre de 1961).

Arbeláez, Fernando: Sobre don Hernando Domínguez Camargo. (En: *Boletín Cultural y Bibliográfico,* Bogotá, año V, núm. 2, pp. 176-179, febrero de 1962).

Barrera, Isaac J.: *Obras* por Hernando Domínguez Camargo. (En: *Boletín Academia Nacional de la Historia,* Ecuador, año 42, núm. 96, pp. 282-283, julio-diciembre de 1960).

Batllori, Miguel: Hernando Domínguez Camargo. *San Ignacio de Loyola, fundador*.... (En: *Archivum Historicum Societatis Jesu,* Roma, XXVI, fasc. 52, pp. 327-329, julio-diciembre de 1957).

————: Miscellany of Spanish American Culture and History. (En: *Archivum Historicum Societatis Jesu,* Roma, XXXIV, pp. 172-178, 1965).

Carilla, Emilio: Domínguez Camargo y su "Romance al Arroyo de Chillo". (En: Revista *Filología,* Buenos Aires, núm. IX, pp. 37-51, 1953).

————: Hernando Domínguez Camargo. *San Ignacio de Loyola, fundador*... (En: *Humanitas,* Universidad Nacional de Tucumán, Argentina, año VII, núm. 11, pp. 190-191, 1959).

Díaz Díaz, Oswaldo: Nuevos datos sobre Domínguez Camargo. (En: *Boletín de Historia y Antigüedades,* Bogotá, XLVI, núms. 531-533, pp. 87-90, enero-marzo de 1959).

Elizalde, Ignacio: San Ignacio de Loyola en la poesía española del siglo XVII. (En: *Archivum Historicum Societatis Jesu,* Roma, XXV, fasc. 49, pp. 229-233, enero-junio de 1956).

Espinosa Pólit, Aurelio: El primer poeta ecuatoriano de la colonia P. Antonio Bastidas. (En: *Boletín de la Academia Nacional de Historia,* Quito, XXXVI, núm. 87, pp. 1-19, enero-junio de 1956).

————: Una cuestión de historia literaria colombiana. (En: *Revista Javeriana,* Bogotá, LI, núm. 253, pp. 120-143, abril de 1959).

Latcham, Ricardo: Hernando Domínguez Camargo y el tema ignaciano. (En: *Mito,* Bogotá, I, núm. 6, pp. 457-467, febrero-marzo de 1956).

———: San Ignacio de Loyola en los poemas mayores de inspiración jesuítica. (En: *Finis Terrae,* Santiago de Chile, III, núm. 10, pp. 3-13, abril-junio de 1956).

Maya, Rafael: Hernando Domínguez Camargo. (En: *Bolívar,* Bogotá, II, núm. 8, pp. 639-642, 1952).

Mendoza Varela, Eduardo: El poeta Domínguez Camargo. (En: *Boletín de la Academia Colombiana,* Bogotá, XIII, pp. 332-335, 1963).

Mora Valcárcel, Carmen de: Naturaleza y barroco en Hernando Domínguez Camargo. (En: *Thesaurus,* Bogotá, tomo XXXVIII, núm. 1, enero-abril de 1983).

Ospina Gómez, Miguel: El gongorismo en Hernando Domínguez Camargo. (En: *La República* [Suplemento Literario], Bogotá, 23 de febrero y 23 de marzo de 1958).

Osuna, Rafael: Nuevas Indias de gala reconquistadas para Lope. (En: *La Torre,* Río Piedras, Puerto Rico, XVII, núm. 64, pp. 82-92, 1969).

Pacheco, Juan Manuel: Hernando Domínguez Camargo. *San Ignacio de Loyola, fundador....* (En: *Revista Javeriana,* Bogotá, XLVI, núm. 230, pp. 287-288, noviembre de 1956).

———: Las *Obras* de Domínguez Camargo. (En: *Boletín del Instituto Caro y Cuervo,* Bogotá, XXL, pp. 343-351, 1966).

———: Una desconocida poesía de Domínguez Camargo. (En: *Boletín Cultural y Bibliográfico,* Bogotá, X, pp. 1324-1327, 1967).

Peñalosa, Joaquín Antonio: Hernando Domínguez Camargo. *San Ignacio de Loyola, fundador...* (En: *Abside,* México, XXI, núm. 4, pp. 481-482, octubre-diciembre de 1957).

———: Hernando Domínguez Camargo primogénito de Góngora. (En: *Estilo,* San Luis Potosí, México, núm. 49, pp. 5-17, enero-marzo de 1959).

———: Hernando Domínguez Camargo primogénito de Góngora. (En: *Humanitas,* Nuevo León, México, II, núm. 2, pp. 325-342, 1961).

Posada Mejía, Germán: Hernando Domínguez Camargo, poeta de América. (En: *Revista Interamericana de Bibliografía,* Washington, D.C., XI, pp. 234-236, 1961).

RIVAS SACCONI, JOSÉ MANUEL: *Hernando Domínguez Camargo.* Estudio y selección de Emilio Carilla. (En: *Revista de las Indias,* Bogotá, XXVI, núm. 114, pp. 401-402, julio-agosto de 1950).

————: Tres autores redivivos. (En: *Boletín de la Academia Colombiana,* Bogotá, 3ª época, V, núm. I, pp. 77-78, abril de 1951).

TORRES QUINTERO, RAFAEL: Homenaje al poeta Hernando Domínguez Camargo. (En: *Boletín Academia Colombiana,* Bogotá, XII, pp. 321-331, 1963).

VALBUENA BRIONES, ANGEL: A propósito de las *Obras* de Hernando Domínguez Camargo, publicadas por el Instituto Caro y Cuervo. (En: *Thesaurus,* Bogotá, XVI, núm. 2, pp. 494-498, mayo-agosto de 1961).

IV. OBRAS DE REFERENCIA

BECCO, HORACIO JORGE: Hernando Domínguez Camargo. (En su: *Diccionario de literatura hispanoamericana (Autores),* p. 101. Buenos Aires: Editorial Abril, Textos Huemul, 1984).

FLORES, ANGEL: Hernando Domínguez Camargo. (En su: *Bibliografía de escritores hispanoamericanos (1609-1974),* pp. 15-16. New York: Gordian Press, 1975).

MEDINA, JOSÉ TORIBIO: Hernando Domínguez Camargo. (En su: *Biblioteca Hispanoamericana (1493-1810),* tomo III, pp. 134-135. Santiago de Chile: Impreso en Casa del Autor, 1899).

MEO ZILIO, GIOVANNI: Bibliografía. (En su: *Estudio sobre Hernando Domínguez Camargo y su "Ignacio de Loyola", poema heroico,* pp. 333-342. Messina-Firenze: G. D'Anna, 1967).

ORJUELA, HÉCTOR H.: *Las antologías poéticas de Colombia. Estudio y bibliografía.* Bogotá: Publicaciones del Instituto Caro y Cuervo, 1966, 514 p. (Serie Bibliográfica; VI).

————: *Fuentes generales para el estudio de la literatura colombiana. Guía bibliográfica.* Bogotá: Publicaciones del Instituto Caro y Cuervo, 1968, 863 p. (Serie Bibliográfica; VII).

————: *Bibliografía de la poesía colombiana.* Bogotá: Publicaciones del Instituto Caro y Cuervo, 1971, 486 p. (Serie Bibliográfica; IX).

TORRES QUINTERO, RAFAEL: Bibliografía sobre Hernando Domínguez Camargo. (En: Hernando Domínguez Camargo, *Obras,* pp. XIII-XXIV. Bogotá: Instituto Caro y Cuervo, 1960).

INDICE

I. SAN IGNACIO DE LOYOLA: POEMA HEROICO

LIBRO TERCERO

LIBRO CUARTO

II. POESIAS

III. PROSA

TITULOS PUBLICADOS

1
SIMON BOLIVAR
Doctrina del Libertador
Prólogo: Augusto Mijares
Selección, notas y cronología:
Manuel Pérez Vila

2
PABLO NERUDA
Canto General
Prólogo, notas y cronología:
Fernando Alegría

3
JOSE ENRIQUE RODO
Ariel - Motivos de Proteo
Prólogo: Carlos Real de Azúa
Edición y cronología: Angel Rama

4
JOSE EUSTASIO RIVERA
La Vorágine
Prólogo y cronología: Juan Loveluck
Variantes:
Luis Carlos Herrera Molina, S. J.

5-6
INCA GARCILASO DE LA VEGA
Comentarios Reales
Prólogo, edición y cronología:
Aurelio Miró Quesada

7
RICARDO PALMA
Cien Tradiciones Peruanas
Selección, prólogo y cronología:
José Miguel Oviedo

8
EDUARDO GUTIERREZ Y OTROS
Teatro Rioplatense
Prólogo: David Viñas
Compilación y cronología:
Jorge Lafforgue

9
RUBEN DARIO
Poesía
Prólogo: Angel Rama
Edición: Ernesto Mejía Sánchez
Cronología: Julio Valle-Castillo

10
JOSE RIZAL
Noli Me Tangere
Prólogo: Leopoldo Zea
Edición y cronología: Márgara Rusotto

11
GILBERTO FREYRE
Casa-Grande y Senzala
Prólogo y cronología: Darcy Ribeiro
Traducción: Benjamín de Garay y
Lucrecia Manduca

12
DOMINGO FAUSTINO SARMIENTO
Facundo
Prólogo: Noé Jitrik
Notas y cronología:
Susana Zanetti y Nora Dottori

13
JUAN RULFO
Obra Completa
Prólogo y cronología: Jorge Ruffinelli

14
MANUEL GONZALEZ PRADA
Páginas Libres - Horas de Lucha
Prólogo y notas: Luis Alberto Sánchez

15
JOSE MARTI
Nuestra América
Prólogo: Juan Marinello
Selección y notas: Hugo Achúgar
Cronología: Cintio Vitier

16
SALARRUE
El Angel del Espejo
Prólogo, selección, notas y cronología:
Sergio Ramírez

17
ALBERTO BLEST GANA
Martín Rivas
Prólogo, notas y cronología:
Jaime Concha

18
ROMULO GALLEGOS
Doña Bárbara
Prólogo: Juan Liscano
Notas, variantes y cronología:
Efraín Subero

19
MIGUEL ANGEL ASTURIAS
Tres Obras (Leyendas de Guatemala, El Alhajadito y *El Señor Presidente)*
Prólogo: Arturo Uslar Pietri
Notas y cronología: Giuseppe Bellini

20
JOSE ASUNCION SILVA
Obra Completa
Prólogo: Eduardo Camacho Guizado
Edición, notas y cronología: Eduardo Camacho Guizado y Gustavo Mejía

21
JUSTO SIERRA
Evolución Política del Pueblo Mexicano
Prólogo y cronología: Abelardo Villegas

22
JUAN MONTALVO
Las Catilinarias y Otros Textos
Selección y prólogo: Benjamín Carrión
Cronología y notas:
Gustavo Alfredo Jácome

23-24
Pensamiento Político de la Emancipación
Prólogo: José Luis Romero
Compilación, notas y cronología:
José Luis Romero y Luis Alberto Romero

25
MANUEL ANTONIO DE ALMEIDA
Memorias de un Sargento de Milicias
Prólogo y notas: Antonio Cándido
Cronología: Laura de Campos Vergueiro
Traducción: Elvio Romero

26
Utopismo Socialista (1830-1893)
Prólogo, compilación, notas y cronología:
Carlos M. Rama

27
ROBERTO ARLT
Los Siete Locos / Los Lanzallamas
Prólogo, vocabulario, notas y cronología:
Adolfo Prieto

28
Literatura del México Antiguo
Edición, estudios introductorios, versión de textos y cronología:
Miguel León-Portilla

29
Poesía Gauchesca
Prólogo: Angel Rama
Selección, notas, vocabulario y cronología: Jorge B. Rivera

30
RAFAEL BARRETT
El Dolor Paraguayo
Prólogo: Augusto Roa Bastos
Selección y notas: Miguel A. Fernández
Cronología: Alberto Sato

31
Pensamiento Conservador (1815-1898)
Prólogo: José Luis Romero
Compilación, notas y cronología:
José Luis Romero y Luis Alberto Romero

32
LUIS PALES MATOS
Poesía Completa y Prosa Selecta
Edición, prólogo y cronología:
Margot Arce de Vázquez

33
JOAQUIM M. MACHADO DE ASSIS
Cuentos
Prólogo: Alfredo Bosí
Cronología: E. Mildred Merino de Zela
Traducción: Santiago Kovadloff

34
JORGE ISAACS
María
Prólogo, notas y cronología:
Gustavo Mejía

35
JUAN DE MIRAMONTES Y ZUAZOLA
Armas Antárticas
Prólogo y cronología: Rodrigo Miró

36
RUFINO BLANCO FOMBONA
Ensayos Históricos
Prólogo: Jesús Sanoja Hernández
Selección y cronología:
Rafael Ramón Castellanos

37
PEDRO HENRIQUEZ UREÑA
Utopía de América
Prólogo: Rafael Gutiérrez Girardot
Compilación y cronología:
Angel Rama y Rafael Gutiérrez Girardot

38
JOSE M. ARGUEDAS
Los Ríos Profundos y Cuentos Selectos
Prólogo: Mario Vargas Llosa
Cronología: E. Mildred Merino de Zela

39
La Reforma Universitaria
Selección, prólogo y cronología:
Dardo Cúneo

40
JOSE MARTI
Obra Literaria
Prólogo, notas y cronología: Cintio Vitier

41
CIRO ALEGRIA
El Mundo es Ancho y Ajeno
Prólogo y cronología:
Antonio Cornejo Polar

42
FERNANDO ORTIZ
Contrapunteo Cubano del Tabaco y el Azúcar
Prólogo y cronología: Julio Le Riverend

43
FRAY SERVANDO TERESA DE MIER
Ideario Político
Selección, prólogo, notas y cronología:
Edmundo O'Gorman

44
FRANCISCO GARCIA CALDERON
Las Democracias Latinas / La Creación de un Continente
Prólogo: Luis Alberto Sánchez
Cronología: Angel Rama

45
MANUEL UGARTE
La Nación Latinoamericana
Compilación, prólogo, notas y cronología:
Norberto Galasso

46
JULIO HERRERA Y REISSIG
Poesía Completa y Prosa Selecta
Prólogo: Idea Vilariño
Edición, notas y cronología:
Alicia Migdal

47
Arte y Arquitectura del Modernismo Brasileño (1917-1930)
Compilación y prólogo: Aracy Amaral
Cronología: José Carlos Serroni
Traducción: Marta Traba

48
BALDOMERO SANIN CANO
El Oficio de Lector
Compilación, prólogo y cronología:
Gustavo Cobo Borda

49
LIMA BARRETO
Dos Novelas (Recuerdos del escribiente Isaías Caminha y *El triste fin de Policarpo Quaresma)*
Prólogo y cronología:
Francisco de Assis Barbosa
Traducción y notas:
Haydée Jofre Barroso

50
ANDRES BELLO
Obra Literaria
Selección y prólogo: Pedro Grases
Cronología: Oscar Sambrano Urdaneta

51
Pensamiento de la Ilustración
(Economía y sociedad iberoamericana en el siglo XVIII)
Compilación, prólogo, notas y cronología:
José Carlos Chiaramonte

52
JOAQUIM M. MACHADO DE ASSIS
Quincas Borba
Prólogo: Roberto Schwarz
Cronología: Neusa Pinsard Caccese
Traducción: Jorge García Gayo

53
ALEJO CARPENTIER
El Siglo de las Luces
Prólogo: Carlos Fuentes
Cronología: Araceli García Carranza

54
LEOPOLDO LUGONES
El Payador y Antología de Poesía y Prosa
Prólogo: Jorge Luis Borges (con la colaboración de Bettina Edelberg)
Edición, notas y cronología:
Guillermo Ara

55
MANUEL ZENO GANDIA
La Charca
Prólogo y cronología: Enrique Laguerre

56
MARIO DE ANDRADE
Obra Escogida
Selección, prólogo y notas:
Gilda de Mello e Souza
Cronología: Gilda de Mello e Souza y Laura de Campos Vergueiro

57
Literatura Maya
Compilación, prólogo y notas:
Mercedes de la Garza
Cronología: Miguel León-Portilla
Traducciones: Adrián Recinos, Alfredo Barrea y Mediz Bolio

58
CESAR VALLEJO
Obra Poética Completa
Prólogo y cronología: Enrique Ballón

59
Poesía de la Independencia
Compilación, prólogo, notas y cronología:
Emilio Carilla
Traducciones: Ida Vitale

60
ARTURO USLAR PIETRI
Las Lanzas Coloradas y Cuentos Selectos
Prólogo y cronología: Domingo Miliani

61
CARLOS VAZ FERREIRA
Lógica Viva / Moral para Intelectuales
Prólogo: Manuel Claps
Cronología: Sara Vaz Ferreira

62
FRANZ TAMAYO
Obra Escogida
Selección, prólogo y cronología:
Mariano Baptista Gumucio

63
GUILLERMO ENRIQUE HUDSON
La Tierra Purpúrea / Allá Lejos y Hace Tiempo
Prólogo y cronología: Jean Franco
Traducciones: Idea Vilariño

64
FRANCISCO LOPEZ DE GOMARA
Historia General de las Indias
Vida de Hernán Cortés
Prólogo y cronología:
Jorge Gurría Lacroix

65
FRANCISCO LOPEZ DE GOMARA
Historia de la Conquista de México
Prólogo y cronología:
Jorge Gurría Lacroix

66
JUAN RODRIGUEZ FREYLE
El Carnero
Prólogo, notas y cronología:
Darío Achury Valenzuela

67
Tradiciones Hispanoamericanas
Compilación, prólogo y cronología:
Estuardo Núñez

68
Proyecto y Construcción de una Nación (Argentina 1846-1880)
Compilación, prólogo y cronología:
Tulio Halperín Donghi

69
JOSE CARLOS MARIATEGUI
7 Ensayos de Interpretación de la Realidad Peruana
Prólogo: Aníbal Quijano
Notas y cronología: Elizabeth Garrels

70
Literatura Guaraní del Paraguay
Compilación, estudios introductorios, notas y cronología:
Rubén Bareiro Saguier

71-72
Pensamiento Positivista Latinoamericano
Compilación, prólogo y cronología:
Leopoldo Zea

73
JOSE ANTONIO RAMOS SUCRE
Obra Completa
Prólogo: José Ramón Medina
Cronología: Sonia García

74
ALEJANDRO DE HUMBOLDT
Cartas Americanas
Compilación, prólogo, notas y cronología:
Charles Minguet

75-76
FELIPE GUAMAN POMA DE AYALA
Nueva Corónica y Buen Gobierno
Transcripción, prólogo y cronología:
Franklin Pease

77
JULIO CORTAZAR
Rayuela
Prólogo y cronología: Jaime Alazraki

78
Literatura Quechua
Compilación, prólogo, notas y cronología:
Edmundo Bendezú Aibar

79
EUCLIDES DA CUNHA
Los Sertones
Prólogo, notas y cronología:
Walnice Nogueira Galvao
Traducción: Estela Dos Santos

80
FRAY BERNARDINO DE SAHAGUN
El México Antiguo
Edición, prólogo y cronología:
José Luis Martínez

81
GUILLERMO MENESES
Espejos y Disfraces
Selección y prólogo: José Balza
Cronología: Salvador Tenreiro

82
JUAN DE VELASCO
Historia del Reino de Quito
Edición, prólogo, notas y cronología:
Alfredo Pareja Diezcanseco

83
JOSE LEZAMA LIMA
El Reino de la Imagen
Selección, prólogo y cronología:
Julio Ortega

84
OSWALD DE ANDRADE
Obra Escogida
Selección y prólogo: Haroldo de Campos
Cronología: David Jackson
Traducciones: Héctor Olea,
Santiago Kovadloff, Márgara Rusotto

85
Narradores Ecuatorianos del 30
Prólogo: Jorge Enrique Adoum
Selección y cronología: Pedro Jorge Vera

86
MANUEL DIAZ RODRIGUEZ
Narrativa y Ensayo
Selección y prólogo: Orlando Araujo
Cronología: María Beatriz Medina

87
CIRILO VILLAVERDE
Cecilia Valdés
Prólogo y cronología: Iván Schulman

88
HORACIO QUIROGA
Cuentos
Selección y prólogo:
Emir Rodríguez Monegal
Cronología: Alberto Oreggioni

89
FRANCISCO DE SANTA CRUZ Y ESPEJO
Obra Educativa
Edición, prólogo, notas y cronología:
Philip Astuto

90
ANTONIO JOSE DE SUCRE
De Mi Propia Mano
Selección y prólogo:
J. L. Salcedo-Bastardo
Cronología: Inés Quintero Montiel y
Andrés Eloy Romero

91
MACEDONIO FERNANDEZ
Museo de la Novela de la Eterna
Selección, prólogo y cronología:
César Fernández Moreno

92
JUSTO AROSEMENA
Fundación de la Nacionalidad Panameña
Selección, prólogo y cronología:
Ricaurte Soler

93
SILVIO ROMERO
Ensayos Literarios
Selección, prólogo y cronología:
Antonio Cándido
Traducción: Jorge Aguilar Mora

94
JUAN RUIZ DE ALARCON
Comedias
Edición, prólogo, notas y cronología:
Margit Frenk

95
TERESA DE LA PARRA
Obra
(Narrativa, ensayos, cartas)
Selección, estudio introductorio y cronología: Velia Bosch
Teresa de la Parra: las voces de la palabra: Julieta Fombona

96
JOSE CECILIO DEL VALLE
Obra Escogida
Selección, prólogo y cronología:
Mario García Laguardia

97
EUGENIO MARIA DE HOSTOS
Moral Social / Sociología
Prólogo y cronología:
Manuel Maldonado Denis

98
JUAN DE ESPINOSA MEDRANO
Apologético
Selección, prólogo y cronología:
Augusto Tamayo Vargas

99
AMADEO FREZIER
Relación del Viaje por el Mar del Sur
Prólogo: Gregorio Weinberg
Traducción y cronología:
Miguel A. Guerin

100
FRANCISCO DE MIRANDA
América Espera
Selección y prólogo:
J. L. Salcedo-Bastardo
Cronología: Manuel Pérez Vila y Josefina Rodríguez de Alonso

101
MARIANO PICON SALAS
Viejos y Nuevos Mundos
Selección, prólogo y cronología:
Guillermo Sucre

102
TOMAS CARRASQUILLA
La Marquesa de Yolombó
Prólogo: Jaime Mejía Duque
Cronología: Kurt L. Levy

103
NICOLAS GUILLEN
Las grandes elegías y otros poemas
Selección, prólogo y cronología:
Angel Augier

104
RICARDO GÜIRALDES
Don Segundo Sombra.
Selección, estudios y cronología:
Luis Harss y Alberto Blasi

105
LUCIO V. MANSILLA
Una excursión a los indios ranqueles
Prólogo y cronología: Saúl Sosnowski

106
CARLOS DE SIGÜENZA Y GONGORA
Seis Obras
Prólogo: Irving A. Leonard
Edición, notas y cronología:
William C. Bryant

107
JUAN DEL VALLE Y CAVIEDES
Obra Completa
Edición, prólogo, notas y cronología:
Daniel R. Reedy

108-109-110
BARTOLOME DE LAS CASAS
Historia de Las Indias
Edición, prólogo, notas y cronología:
André Saint-Lu

111
MIGUEL OTERO SILVA
Casas Muertas / Lope de Aguirre, príncipe de la libertad
Prólogo: José Ramón Medina
Cronología y bibliografía: Efraín Subero

112
Letras de la Audiencia de Quito
Selección, prólogo y cronología:
Hernán Rodríguez Castelo

113
ROBERTO J. PAYRO
Obras
Selección, prólogo, notas y cronología:
Beatriz Sarlo

114
ALONSO CARRIO DE LA VANDERA
El lazarillo de ciegos caminantes
Introducción, cronología y bibliografía:
Antonio Lorente Medina

115
Costumbristas Cubanos del siglo XIX
Selección, prólogo, cronología y bibliografía: Salvador Bueno

116
FELISBERTO HERNANDEZ
Novelas y Cuentos
Carta en mano propia: Julio Cortázar
Selección, notas, cronología y bibliografía: José Pedro Díaz

117
ERNESTO SABATO
Sobre héroes y tumbas
Prólogo: A. M. Vázquez Bigi
Cronología y bibliografía:
Horacio Jorge Becco

118
JORGE LUIS BORGES
Ficciones-El Aleph
El Informe de Brodie
Prólogo: Iraset Páez Urdaneta
Cronología y bibliografía:
Horacio Jorge Becco

119
ANGEL RAMA
La crítica de la Cultura en América Latina
Prólogos: Tomás Eloy Martínez y Saúl Sosnowski
Cronología y bibliografía:
Fundación Angel Rama

120
FERNANDO PAZ CASTILLO
Poesía
Selección, prólogo y cronología:
Oscar Sambrano Urdaneta
Bibliografía: Horacio Jorge Becco

Este volumen,
el CXXI de la BIBLIOTECA AYACUCHO,
se terminó de imprimir
el día 22 de agosto de 1986
en los talleres de Editorial Arte,
Calle Milán, Los Ruices Sur,
Dtto. Sucre, Edo. Miranda.
En su composición se utilizaron
tipos Fairfield de 12, 10 y 8 puntos.